Beiträge zur Wissenschaft
vom Alten und Neuen Testament
Siebente Folge

Herausgegeben von
Siegfried Herrmann und Horst Balz
Heft 17 · (Der ganzen Sammlung Heft 137)

Verlag W. Kohlhammer
Stuttgart Berlin Köln

Michael Tilly

Johannes der Täufer und die Biographie der Propheten

Die synoptische Täuferüberlieferung
und das jüdische Prophetenbild
zur Zeit des Täufers

Verlag W. Kohlhammer
Stuttgart Berlin Köln

Die Deutsche Bibliothek – CIP-Einheitsaufnahme

Tilly, Michael:
Johannes der Täufer und die Biographie der Propheten :
die synoptische Täuferüberlieferung und das jüdische
Prophetenbild zur Zeit des Täufers / Michael Tilly.
– Stuttgart ; Berlin ; Köln : Kohlhammer, 1994
(Beiträge zur Wissenschaft vom Alten und Neuen Testament ; H. 137 =
Folge 7, H. 17)
Zugl.: Mainz, Univ., Diss., 1993
ISBN 3-17-013180-X
NE: GT

Vorwort

Die vorliegende Arbeit ist die überarbeitete Fassung meiner im Sommersemester 1993 vom Fachbereich Evangelische Theologie der Johannes Gutenberg-Universität Mainz angenommenen Inauguraldissertation. Den Anstoß zur intensiveren Beschäftigung mit der Gestalt Johannes´ des Täufers gab mir Herr Professor Dr. Dr. Otto Böcher. Als mein Doktorvater und Lehrer hat er interessiert und hilfsbereit die Bearbeitung des Themas von Anfang an begleitet und gefördert. Herrn Professor Dr. Egon Brandenburger verdanke ich die gewissenhafte Erstellung des Zweitgutachtens, dessen kritische Anfragen und Anregungen zu mancher wichtigen Verbesserung der Arbeit führten. Mein besonderer Dank gilt Herrn Professor Dr. Günter Mayer, als dessen Assistent und Schüler ich, nicht nur in fachlicher Hinsicht, stets wertvollen Rat erhielt.

In besonderem Maße danke ich dem Land Rheinland-Pfalz für die Gewährung eines Graduiertenstipendiums, das mir die zügige Fertigstellung der Arbeit ermöglicht hat, sowie der Evangelischen Kirche der Pfalz für ihre großzügige finanzielle Unterstützung bei der Drucklegung.

Zu danken ist den Herausgebern der »Beiträge zur Wissenschaft vom Alten und Neuen Testament«, Herrn Professor Dr. Horst Balz und Herrn Professor Dr. Dr. Siegfried Herrmann, für ihre wichtigen Anregungen und für die Bereitschaft, der Aufnahme meiner Arbeit in diese Reihe zuzustimmen. Herrn Jürgen Schneider vom Verlag W. Kohlhammer danke ich für seine Hinweise bei der Erstellung der Druckvorlage.

Ein herzlicher Dank gilt einer Reihe von Personen, die an der Fertigstellung der vorliegenden Arbeit beteiligt waren: meinen Mainzer Kollegen, stellvertretend Dr. Karen Engelken, Herrn Dr. des. Marco Frenschkowski und Herrn Dr. Albrecht Scriba, für Bestätigung und Kritik in vielen fruchtbaren Gesprächen; dem interdisziplinären Doktorandenkreis, namentlich Herrn Stefan Beyerle, Herrn Christoph Flegel, Herrn Jürgen Kerner und Herrn Dr. des. Holger Saal, für ihre bewährte, herzliche und tatkräftige Freundschaft; Frau cand. theol. Annette Kempf für die Kontrolle der Zitate und Belege sowie Frau cand. theol. Elvira Bodenstedt für die Erstellung der Stellenregister.

Meiner Verlobten, Frau Dr. Antje Velten, danke ich für ihre dauerhafte Ermutigung. Gewidmet ist diese Arbeit meinen Eltern, die meinen Weg stets fürsorglich begleitet und gefördert haben.

Mainz, im März 1994   Michael Tilly

Inhaltsverzeichnis

A. Einleitung

I. Fragestellung und Motiv der Untersuchung

Nach den Berichten des Neuen Testaments ist Johannes der Täufer als ein verbindendes Element, als eine Nahtstelle zwischen dem Christentum und seiner jüdischen Umwelt zu betrachten. Eine solche Interpretation liegt jedoch nicht im Bereich dessen, was die Verfasser der Evangelien ihren Adressaten vermitteln wollten. Die Evangelisten sind sich vielmehr einig darüber, daß er allein der untergeordnete Vorläufer Jesu Christi ist.

In sämtlichen Schichten der synoptischen Überlieferung stößt man auf die Bezeichnung Johannes' des Täufers als Propheten. Weiterhin fallen die in zahlreichen Punkten bestehenden Analogien zwischen der Darstellung des Täufers in den synoptischen Evangelien und denjenigen Prophetengestalten auf, von denen die hebräische Bibel berichtet.

Die vorliegende Untersuchung möchte einen Beitrag zur Erhellung sowohl des Prozesses der Ablösung der christlichen Botschaft vom antiken Judentum als auch der Kontinuität wesentlicher Inhalte und Strukturen leisten, indem der Frage nach der Möglichkeit und Bedeutung eines prophetischen Auftretens Johannes' des Täufers nachgegangen wird. Hierbei sollen Belege zur Klärung der Frage gesucht und zusammengestellt werden, ob und wie sich die - der Darstellung der synoptischen Evangelien zugrundeliegenden - Traditionen über seine Gestalt und seine Wirksamkeit in das jüdische Prophetenbild zur Zeit seines Auftretens einordnen lassen.

II. Problemstellung und Stand der Forschung

In seinem ThWNT-Artikel "προφήτης κτλ. D. Propheten und Prophezeien im Neuen Testament, Abschnitt IV. Johannes der Täufer"[1] stellte G. Friedrich neutestamentliche und antike jüdische Belege für eine Bewertung Johannes' des Täufers als Propheten zusammen und schloß daraus, daß er für "den erwarteten eschatologischen Propheten gehalten wurde"[2]. Hinsichtlich einer Antwort auf die Frage nach der Tatsächlichkeit einer zeitgenössischen prophetischen Interpretation oder gar eines prophetischen Selbstverständnisses Johannes' des Täufers hat sich seither wenig bewegt. Die Rede von den äußeren Kennzeichen eines Prophetentums des Johannes wurde entweder im Rahmen einer übergreifenden Fragestellung abgehandelt, ohne über den von G. Friedrich abgesteckten Horizont hinauszukommen,[3] oder aber es wurden einzelne Bestandteile dieses prophetischen Auftre-

---

1) ThWNT VI (Stuttgart 1959), 838-842.   2) Ebd. 838.

3) J. Becker (Johannes der Täufer und Jesus von Nazareth [BSt 63], Neukirchen-Vluyn 1972, insb. 41-62) vergleicht allein die Verkündigung des Täufers mit den Nachrichten über verschiedene Prophetentypen im Rahmen der zeitgenössischen jüdischen Eschatologie, um so zu dem Ergeb-

tens[4] bzw. seine Rezeption nur in einem Teil der Überlieferung[5] untersucht. Gerade in jüngster Zeit wurde die Annahme, daß Johannes der Täufer als Prophet aufgetreten sei und daß seine Verkündigung daher als Prophetie interpretiert werden müsse, mehr oder weniger vorausgesetzt, ohne selbst problematisiert zu werden.[6] Auffällig ist die Tendenz in der Täuferforschung der vergangenen Jahre, die Fragestellung auf eine rein textimmanente Betrachtung zu reduzieren, wobei die grundlegende Frage nach dem *historischen* Ausgangspunkt der Texte bzw. Traditionen ausgeblendet blieb. Nicht (mehr) gestellt wurden somit die Fragen nach der Authentie der Überlieferungen über das öffentliche Auftreten Johannes' des Täufers, nach dessen Bedeutung im Rahmen der religiösen Traditionen des antiken Judentums und vor dem Hintergrund seiner prinzipiellen Anerkennung: Was könnte dazu beigetragen haben, daß der Täufer von seiner Umwelt als Prophet verstanden und akzeptiert wurde? Wodurch konnte er seinen Hörern ein prophetisches Selbstverständnis glaubhaft vermitteln? Besteht schließlich die Möglichkeit, daß er sich in den Formen seines öffentlichen Auftretens an bestimmte vorbildhafte Prophetengestalten anlehnte, um seine Botschaft unter das Volk zu bringen? Keine dieser Fragen war seit G. Friedrich Objekt einer eingehenden exegetischen Untersuchung.

Auch R.L. Webb, der bislang letzte, der der Person des Täufers eine umfangreiche Monographie widmete, unternimmt eine Analyse der ursprünglichen Inhalte der Prophetie Johannes' des Täufers, ohne zuvor nach deren Kennzeichen zu fra-

---

nis zu gelangen, daß der Tenor seiner Verkündigung zentrale Motive biblischer Prophetie, nämlich eine defizitäre Interpretation der Gegenwart, die Gerichtsbotschaft für Gesamtisrael, den Ruf zur Umkehr und eine Mittlerrolle des Propheten beinhaltet (ebd. 61). J. Ernst rezipiert J. Becker in seiner umfangreichen Monographie (Johannes der Täufer [BZNW 53], Berlin, New York 1989, insb. 290-300), um zu dem Schluß zu gelangen, daß der Täufer mit einem "allgemein-prophetischen Anspruch" (ebd. 299) auftrat, wobei er jedoch konkretisierend bemerkt, "am ehesten [passe] der klassische Typ des alttestamentlichen Propheten" (ebd. 300).

4) Einige Beispiele seien hier angeführt: H. Kremers (Der leidende Prophet, Diss. Göttingen 1952, 133) vergleicht die Überlieferung vom gewaltsamen Geschick des Täufers mit einer "prophetische[n] Leidenstheologie des palästinischen Judentums." O. Böcher (Aß Johannes der Täufer kein Brot?: NTS 18 [1971], 90-92) weist auf die Bedeutung der qualitativen Nahrungsaskese des Täufers als Bestandteil seines prophetischen Auftretens hin. P.W. Barnett (The Jewish Sign Prophets - A.D. 40-70: Their Intentions and Origin: NTS 27 [1980/81], 679-697) betont den Zusammenhang zwischen der Wüstentypologie und dem Ort seines Auftretens.

5) E.A. La Verdiere (John the Prophet: BiTod 77 [1975], 323-330) untersucht die Täuferstoffe des Lukasevangeliums und verweist auf das redaktionelle Interesse des Evangelisten, Johannes den Täufer als Propheten darzustellen, um so seine Rolle als Vorläufer des Messias zwischen den Zeiten zu betonen.

6) Neben der Untersuchung von R.L. Webb (John the Baptizer and Prophet [JSNTS 62], Sheffield 1991) seien hier genannt Stephanie v. Dobbeler (Das Gericht und das Erbarmen Gottes [BBB 70], Frankfurt a.M. 1988), die den Grundtext der Umkehrpredigt des Täufers auf der Basis von Mt 3,7-12 und Lk 3,7-9. 16f. rekonstruiert, in der dessen Interpretation als eschatologischer Prophet "bereits intentional vorhanden war" (ebd. 239) sowie M. Reiser (Die Gerichtspredigt Jesu [NTA N.F. 23], Münster 1990, insb. 154-182), der die Gerichtsverkündigung des Täufers zusammen mit der Gerichtsverkündigung in den biblischen Prophetenüberlieferungen und antiken jüdischen Schriften als Hintergrund der Gerichtspredigt Jesu untersucht.

gen. Im Sinne seiner Fragestellung ("I wish to explore how John´s proclamation of an expected figure would probably have been understood by his first-century Jewish audience")[7] ist Webb weniger an dem prophetischen Auftreten des Täufers interessiert als an den Inhalten seiner prophetischen Verkündigung. Er fragt nicht danach, was Johannes als Propheten ausgewiesen hat, die äußeren Kennzeichen seines Auftretens werden von ihm nicht untersucht. So trennt Webb zwischen "John´s prophetic ministry" und "all aspects of his life and ministry,"[8] um sich so auf seine öffentlichen Rollen als Täufer und Prophet zu konzentrieren. Daß eine solche Unterscheidung zwischen der Existenz und dem Prophetentum Johannes´ des Täufers ungerechtfertigt ist, soll diese Untersuchung erweisen. Webb blendet auch diejenigen Perikopen aus, bei denen das Verhältnis zwischen Jesus aus Nazaret und Johannes dem Täufer thematisiert wird.[9] Vielmehr soll durch eine "analysis, ... based upon the social roles of the various prophets"[10] auf der Textgrundlage der Nachrichten über zeitgenössische Prophetengestalten bei Josephus und auch in den Schriften von Qumran die prophetische Rolle Johannes´ des Täufers, die er bei seiner öffentlichen Verkündigung verkörperte, erhellt werden.[11] Wenngleich sowohl Webbs ">thesis statement<"[12] als auch der Schluß, den er anhand der Resultate seiner Untersuchung zieht,[13] m.E. zutreffend sind, zeigt sich jedoch an dieser Arbeit besonders deutlich, daß eine umfassende Untersuchung der äußeren Kennzeichen des Auftretens Johannes´ des Täufers als Prophet eine Lücke in der Täuferforschung zu schließen vermag.

III. Methodik und Anordnung der Untersuchung

Der einleitende Teil dieser historisch-kritischen Untersuchung besteht in einer Beantwortung der Fragen nach der Existenz und der Gestalt eines greifbaren Prophetenbildes im palästinischen Judentum zur Zeit Johannes´ des Täufers sowie nach denjenigen Quellen, die für dieses Prophetenbild als konstitutiv angesehen werden können. Hierbei sind zunächst sowohl die fundamentale Bedeutung der heiligen Schriften des Judentums und ihrer verschiedenen Übersetzungen als auch die Funktion der antiken jüdischen Prophetenlegenden als Parallelen der in der synoptischen Überlieferung erhaltenen Traditionen zu begründen und zu erläutern. Weiterhin wird der Motivkomplex des Prophetenlebens als Rahmen der Interpretation des Erscheinungsbildes eines Propheten im antiken Judentum vor-

---

7) R.L. Webb, John the Baptizer 261.   8) Ebd., 349.

9) R.L. Webb, John the Baptizer 26.   10) Ebd. 346.   11) Ebd. 307.

12) "John´s public roles of baptizer and prophet are best understood within the socio-historical context of late Second Temple Judaism" (John the Baptizer 26).

13) "John the Baptist appears to have been perceived by many of his contemporaries as either functioning, or claiming to function, in a prophetic role, depending upon whether or not they agreed with his ministry" (John the Baptizer 346).

gestellt und seine Funktion als Ausgangspunkt des Aufbaus des zweiten Hauptteils der Untersuchung begründet.

Im ersten Hauptteil der Untersuchung wird nach solchen Traditionen in den synoptischen Evangelien gefragt, die Johannes den Täufer direkt oder indirekt als Propheten bezeichnen. Hierbei gilt es, die Textbasis für eine religionsgeschichtliche Einordnung des Täufers herauszuarbeiten. Unabhängig voneinander werden das Markusevangelium, die aus Matthäus und Lukas rekonstruierbare Logienquelle Q und die Täuferstücke des lukanischen Sonderguts ausgewertet. Nach der "Zwei-Quellen-Hypothese", durch die der literarische Zusammenhang der synoptischen Evangelien gut erklärt wird und die daher auch dieser Untersuchung zugrundeliegt, repräsentieren diese drei voneinander unabhängigen literarischen Einheiten nicht nur verschiedene Redaktoren, sondern auch unterschiedliche Traditionskreise. Alle drei Einheiten stellen ferner Ausgangspunkte einer weiteren Überlieferung im Rahmen der "Zwei-Quellen-Hypothese" dar. Aus diesem Grund erfährt die Frage nach den Grundlagen der synoptischen Täuferüberlieferung hier anhand einer getrennten Untersuchung dieser Einheiten eine Beantwortung, während die Evangelien des Matthäus und des Lukas als selbständige Größen nicht als eigenständige Quellen behandelt werden.[14] Die vorliegende Untersuchung erfährt eine Ergänzung durch die unlängst von M. Stowasser unternommene eingehende Analyse des eigenständigen Täuferzeugnisses des Johannesevangeliums[15].

Am Anfang dieses Teils der Untersuchung steht die Frage, ob diejenigen Notizen in den Täuferbildern der synoptischen Evangelien, die ihn ausdrücklich als Propheten bezeichnen, aber auch diejenigen, die Analogien zu der Darstellung der biblischen Propheten aufweisen, traditionellen oder redaktionellen Ursprungs sind. Die Untersuchung des Markusevangeliums, der Logienquelle Q und des lukanischen Sonderguts gliedert sich jeweils auf in die Analysen der zusammenhängenden Täuferstoffe in der Reihenfolge des Erzählzusammenhangs. Am Ende des ersten Teils der Untersuchung steht eine Zusammenfassung derjenigen Bestandteile der synoptischen Täufertraditionen, die ihn als Propheten beschreiben. Be-

---

14) Vgl. R.L. Webb (John the Baptizer 91): "the three synoptic Gospels and Q can provide data for a historical investigation of John."

15) M. Stowasser, Johannes der Täufer im Vierten Evangelium (ÖBS 12), Klosterneuburg 1992. Die Frage nach dem Quellenwert des Johannesevangeliums beantwortet Stowasser in seiner gründlichen Untersuchung der Stellen, an denen der Täufer explizit erwähnt wird (Joh 1,6-8. 15. 19-34. 35-51; 3,22-4,3; 5,33-36; 10,40-42), dahingehend, daß "das JoEv uns zwar einzelne wertvolle Blicke in die Zeit der historischen Gestalten Jesu sowie des Täufers erlaubt, doch geschieht dies nur punktuell und ist eher als Zufall anzusehen" (Johannes der Täufer 243). Stowasser gelangt zu dem Ergebnis, daß die johanneische Darstellung des Täufers darauf angelegt war, ihn, der von seinen Anhängern noch am Ende des ersten Jahrhunderts als "*die* eschatologische Heilsgestalt" (Johannes der Täufer 243) verstanden wurde, "auf umfassende Weise in die eigene [christliche] Glaubenswelt zu integrieren und unterschiedlichsten Zielen dienstbar zu machen" (Johannes der Täufer 244).

rücksichtigt werden hierbei solche Traditionen, die sowohl als vorchristlich gelten können als auch deutlich zum Verstehenshorizont der christlichen Tradenten und Adressaten der synoptischen Überlieferung zu rechnen sind. Diese Grundlage führt im zweiten Hauptteil der Untersuchung zu einem Vergleich der Ergebnisse des ersten Hauptteils mit abgrenzbaren und komplexen Elementen eines »idealen« Prophetenlebens, die sich ihrerseits anhand einer Untersuchung der Prophetenüberlieferungen der hebräischen heiligen Schriften des antiken Judentums und ihrer Rezeption in der LXX und den aramäischen Targumim sowie den antiken jüdischen Prophetenlegenden - besonders in den Vitae prophetarum in ihren verschiedenen Rezensionstypen - rekonstruieren lassen. Wenn die einzelnen Motive der vermutlich ursprünglichen Bestandteile der Täuferüberlieferung in den synoptischen Evangelien mit dem übereinstimmen, was die religionsgeschichtlichen Vergleichstexte über Auftreten, Leben, Werk, Verkündigung und Schicksal eines solchen »idealen« Propheten aussagen, ließe sich das dahingehend interpretieren, daß Johannes der Täufer von denen, die seiner Gerichtspredigt zuhörten, und besonders von denen, die sich von ihm taufen ließen, anhand der Formen seines öffentlichen Auftretens und seiner Verkündigung als wahrer Prophet verstanden wurde.[16]

B. Das Prophetenbild im palästinischen Judentum zur Zeit Johannes' des Täufers

I. Auswahl der Quellentexte

1. Die Bedeutung der religiösen Literatur für die Frage nach dem jüdischen Prophetenbild zur Zeit Johannes' des Täufers

J. Ernst[17] schreibt in seiner Monographie über Johannes den Täufer: "Die Kennzeichnung eines Menschen als Prophet ist eine Worthülse, die mit Inhalt gefüllt werden muß." Was verstanden also die jüdischen Zeitgenossen des Täufers, was verstand er selbst unter einem Propheten? Die Vorstellung, was ein Prophet ist, woran man ihn erkennt und worin seine Aufgaben bestehen, war sicher nicht homogen, doch sowohl die Betrachtung eines anderen Menschen als Propheten, d.h. als von Gott legitimierten und beauftragten Trägers und Verkünders seiner Offenbarung, als auch eine solche Deutung der eigenen Existenz bedürfen einer grundlegenden religiösen Identität, einer Gottesvorstellung und einer Interpretation des Gotteswillens. Die allgemein zugängliche bzw. verbindliche kultisch-ge-

---

16) Wenn R.L. Webb in der zweiten Hälfte von Teil III seiner Untersuchung nach der "public role John fulfilled as he made this type of proclamation - the role of a prophet" (John the Baptizer 307ff.) fragt, intendiert er jedoch weniger die Suche nach "äußeren" Kennzeichen eines prophetischen Auftretens Johannes' des Täufers als vielmehr eine "analysis ... based upon the social roles of the various prophets" (ebd. 346), an deren Ende eine Einordnung allein der Inhalte seiner prophetischen Verkündigung in den "socio-historical context of late Second-Temple-Judaism" (ebd. 26) steht.   17) Johannes der Täufer 290.

setzliche und geschichtliche Überlieferung einer Religionsgemeinschaft stellt den Interpretationsrahmen eines solchen Phänomens dar. In der religiösen Überlieferung des antiken Judentums (d.h. in seinen heiligen Schriften) ist das Verständnis von Gott, Mensch und dem Verhältnis zwischen beiden grundlegend festgehalten, in der nachbiblischen jüdischen Literatur spiegelt es sich. Zwei Grundvoraussetzungen begrenzen jedoch den Quellenwert dieser religiösen Überlieferungen: Zum einen gab es im Judentum vor dem zweiten bis dritten nachchristlichen Jahrhundert keine umfassende, einheitliche oder gar als verbindlich geltende Lehre, also auch kein klar definiertes Prophetenbild. Zum anderen ist jede Darstellung der - zumal unvollständigen - Überlieferung und der darauf aufbauenden Lehren parteilich und intentional gefärbt, also nur ein Ausschnitt aus dem Spektrum der Interpretationen und religiösen Überzeugungen. Vor diesem Hintergrund lassen sich keine Aussagen über ''das'' Prophetenbild in Palästina zur Zeit des Auftretens Johannes' des Täufers treffen, die einen (andere Interpretationsmöglichkeiten ausschließenden) Anspruch auf Allgemeingültigkeit erheben. Vielmehr soll hier nach bestimmten grundlegenden Formen und Inhalten bei der Rezeption biblischer Prophetenüberlieferungen gefragt werden, um auf diese Weise die Grundlagen für den Versuch zu schaffen, die synoptische Täuferüberlieferung im Rahmen der zeitgenössischen palästinisch-jüdischen Religion und Frömmigkeit zu deuten.

Die Interpretation einer gegenwärtigen prophetischen Existenz im palästinischen Judentum zur Zeit Johannes' des Täufers konnte sich nun in erster Linie daran orientieren, was die verfügbare und allgemein bekannte religiöse Überlieferung hierüber aussagte. Grundvoraussetzung dafür, daß solche Überlieferung als Basis des zweiten Hauptteils dieser Untersuchung herangezogen werden kann, ist ihre Rezeption und Tradierung in einer breiteren Öffentlichkeit. Was nur für eine kleine theologisch gebildete und nicht repräsentative Gruppe bestimmt war - oder allein hier überliefert wurde -, kann kaum als Beispiel eines möglichen populären Prophetenbildes im antiken Judentum herangezogen werden. Nicht eingeschlossen ist weiterhin die hellenistische heidnisch-religiöse Überlieferung. Zwar lebte die jüdische Bevölkerung Palästinas seit der Zeit Alexanders des Großen in ständiger Berührung mit hellenistischer Kultur und Religion, zwar resultierte hieraus eine vielfältige Wechselbeziehung,[18] doch war der unmittelbare Einfluß des Hellenismus auf die jüdische Interpretation der Tora, der nationalen Geschichte sowie der biblischen Propheten vergleichsweise gering.[19]

---

18) Zu diesem Schluß gelangt M. Hengel (''Hellenization'' 53-56). Vgl. aber auch L.H. Feldman (Hellenism 111), der seinerseits eine räumliche und soziale Begrenzung des Kreises ''hellenisierter'' Juden in Palästina betont.

19) Der in der späteren hellenistischen Literatur beispielsweise durch Apollonius von Tyana (vgl. Philostratos, Das Leben des Apollonius von Tyana, hrsg. u. übers. von V. Mumprecht, München, Zürich 1983; vgl. E.L. Bowie, Apollonius of Tyana - Tradition and Reality: ANRW II 16.2, Berlin, New York 1978, 1653-1699) verkörperte θεῖος ἀνήρ als ''über menschliches Normalmaß und

Wenn Johannes der Täufer von seinen Zeitgenossen als Prophet angesehen wurde (und diese Prophetie mehr war als beispielsweise die charismatische Auslegung heiliger Schriften),[20] so besteht ein offenkundiger Zusammenhang zwischen seiner Deutung und dem geschichtlichen Prophetenbild, das durch diese genuin palästinisch-jüdische religiöse Überlieferung (als dessen Vorgabe und Interpretationsrahmen)[21] konstituiert und definiert wurde. Ob hieraus geschlossen werden kann, daß Johannes der Täufer von seiner Umwelt auf der Grundlage dieses Prophetenbildes interpretiert wurde (vgl. z.B. Mk 11,30ff. parr.) oder daß er sogar selbst die eigene Existenz nach diesem Prophetenbild ausgerichtet und es hierdurch - bis zur letzten Konsequenz - realisiert hat, soll hier überprüft werden.

2. Die heiligen Schriften des Judentums

Woher erhielt ein palästinischer Jude zur Zeit des Täufers seine religiösen Überzeugungen und Verhaltensnormen, worauf gründeten seine religiös begründeten Ängste und Hoffnungen, seine Interpretationen der Gegenwart, seiner selbst und der ihn umgebenden Realität, aber auch sein Geschichtsbild? Zunächst

---

Vermögen weit hinausreichender göttlicher Mensch" (W. Schottroff, Art. Gottmensch I. Alter Orient und Judentum: RAC XII, 228) kann schwerlich als Grundlage einer Beeinflussung des jüdischen Prophetenbildes durch eine vergleichbare hellenistische Gestalt interpretiert werden, denn der θεῖος ἀνήρ ist nicht in erster Linie legitimierter Botschafter und Verkünder des Gotteswillens, sondern er tritt vielmehr in individualistischer Weise "als >Philosoph< auf, der sich für seine philosophische Erkenntnis u. ethische Weisheit auf sein übernatürliches Erkenntnisvermögen beruft" (H.D. Betz, Art. Gottmensch II. Griechisch-römische Antike und Urchristentum: RAC XII, 248). Der θεῖος ἀνήρ ist der LXX fremd (vgl. O. Betz, Concept 277), und auch Bedeutung und Gebrauch des Begriffs bei Flavius Josephus läßt nur schwerlich Schlüsse bezüglich einer möglichen Rezeption im populären jüdischen Prophetenbild zu. C.R. Holladay (Theios Aner 237) weist hier auf die Unmöglichkeit einer klaren Eingrenzung der Bedeutung und Funktion des Begriffs hin ("theios aner is automatically capable of at least four meanings, including >divine man<, >inspired man<, >a man, in some sense, related to god<, and >extraordinary man<") und kommt zu dem Ergebnis, daß zwar eine Interpretation der jüdischen "Volkshelden" in hellenistischen Kategorien erfolgen konnte, daß jedoch die (der Gestalt des θεῖος ἀνήρ immanente) Vergöttlichung eines Menschen gerade im direkten und alltäglichen Kontakt mit hellenistischer Kultur und Religion von einem frommen Juden nicht akzeptiert oder gar übernommen werden konnte (ders., ebd. 238ff.; vgl. W. Schottroff, Art. Gottmensch I. Alter Orient und Judentum: RAC XII, 210). Aus dieser grundlegende Differenz zwischen dem θεῖος ἀνήρ und dem biblisch-jüdischen Propheten (vgl. M.P. Nilsson, Geschichte II, 527) ergibt sich, daß die hellenistische Gestalt des Gottmenschen wahrscheinlich keinen nachweisbaren Einfluß auf die Interpretation der biblischen Prophetengestalten im palästinischen Judentum zur Zeit Johannes' des Täufers hatte und daher im Rahmen dieser Untersuchung vernachlässigt werden kann.

20) Vgl. M. Hengel, Zeloten 242f.

21) Hierzu sind nicht nur die Schriftpropheten zu zählen, sondern auch die Propheten der Samuel- und Königebücher Gad (I Sam 22,5), Natan (II Sam 7,1), Ahija aus Silo (I Reg 11,29), Jehu ben Hanani (I Reg 16,7), Elija (I Reg 18ff.) und Elisa (II Reg 2ff.), Micha ben Jimla (I Reg 22,8f.) und Jona ben Ammitai (II Reg 14,25) sowie die Propheten der Chronikbücher Asarja ben Oded (II Chr 15,1), Secharja ben Jojada (II Chr 24,20ff.) und Oded (II Chr 28,9). Schließlich tragen auch Abraham (Gen 20,7), Aaron (Ex 7,1; vgl. Jos. Ant 3,192), Mose (Dtn 34,10; vgl. 18,15) und Samuel (I Sam 3,20; vgl. jSot IX,13) in der späteren Überlieferung diesen Titel.

natürlich auf den mündlichen Unterweisungen und Erzählungen innerhalb der sozialen Gemeinschaft, in der er beheimatet war. Der jüdische Familienverband war nach dem Mosegesetz verpflichtet, sowohl dessen religiös-sittliche Bestimmungen mitsamt ihrer heilsgeschichtlichen Begründung (Dtn 6,7. 20ff; 11,19) als auch das kultische Brauchtum (Ex 12,26f.) an den Nachwuchs weiterzugeben. Die eigentliche Grundlage waren also die heiligen Schriften des Judentums. Daneben waren Familienverband bzw. vergleichbare soziale Gemeinschaften in neutestamentlicher Zeit der "Sitz im Leben" der volkstümlichen prosaischen Erzählformen auf der Grundlage der jüdischen heiligen Schriften und sonstigen Überlieferungen: der alten und jungen Lieder, Sagen, Legenden und Geschichtserzählungen (vgl. IV Makk 18,10-19). Doch können auch letztere in einer Wechselbeziehung mit Tora und Propheten stehen, denn seit ihrer schriftlichen Fixierung im Rahmen der jüdischen heiligen Schriften läßt sich auch ihre mündliche Überlieferung außerhalb der (nachmalig rabbinischen) Schultradition nicht mehr als von ihrer schriftlichen Gestalt unabhängige Größe betrachten. Vielmehr wird man sich den Überlieferungsprozeß so vorzustellen haben, daß die schriftliche Gestalt einer volkstümlichen Erzählform immer wieder Ausgangspunkt einer inhaltlich auf ihr aufbauenden, räumlich und zeitlich eingeschränkten mündlichen Überlieferungskette war.

In welcher Form wurden Tora und Propheten im antiken Judentum überhaupt rezipiert? Die heiligen Schriften wurden nur in sehr begrenztem Umfang produziert, obgleich alle diejenigen, die am Unterricht in den jüdischen Elementarschulen teilgenommen hatten,[22] lesen konnten.[23] Lesen zu können war im antiken Judentum von hoher Bedeutung. Josephus berichtet, daß die Juden in Judäa sich der Bildung ihrer Kinder rühmten (Ap 1,60) und daß es ihnen eine Pflicht war, sie lesen zu lehren, damit sie sowohl das Gesetz als auch von den Taten der Väter lernen, um diesen später nachzueifern (Ap 2,204; vgl. Röm 15,4; II Tim 3,16). Weniger verbreitet als die Lesefähigkeit war der Lesestoff. Der private Besitz der Tora oder einzelnen heiliger Schriften ist zwar belegt,[24] doch ihre Herstellung, ihre Sammlung und ihr Gebrauch waren hauptsächlich im Bereich der Synagoge angesiedelt.[25]

In neutestamentlicher Zeit war die öffentliche Lesung der Tora und bestimmter Teile einzelner Prophetenbücher in der Synagoge[26] an jedem Sabbatmorgen geboten,[27] so daß von hier aus eine ständige Unterweisung der jüdischen Bevölkerung

---

22) Vgl. M. Hengel, Judentum 143-152.
23) M. Bar-Ilan (Scribes 33f.) geht hingegen davon aus, daß - besonders außerhalb der Städte - kaum jemand mehr Hebräisch verstand.   24) Vgl. I Makk 1,60; Jos. Ant 12,256.
25) "The Temple as the official cultural-religious center was also the center of the knowledge of reading and writing, and because of that the priests in charge of the Temple were evidently responsible for the preservation of the Tora, its copying in general and the scribal profession in particular" (M. Bar-Ilan, Scribes 22).
26) Lk 4,17; Act 13,15; vgl. J. Mann, Bible I, xiiiff., S. Safrai, Synagogue 927-933 und Bill. IV, 153-188.   27) Act 15,21; Jos. Ap 2,175.

Palästinas in den heiligen Schriften erfolgen konnte. Es darf angenommen werden, daß der überwiegenden Mehrheit der jüdischen Bevölkerung Palästinas in der Zeit vor der Zerstörung des zweiten Tempels in der näheren Umgebung ihres Wohnorts eine Synagoge und somit auch eine Elementarschule zur Verfügung standen.[28] Die regelmäßige Verlesung der Tora und auch die Lesung aus den Prophetenbüchern[29] in den Synagogen stellte die "Schnittstelle" zwischen der schriftlichen religiösen Überlieferung und der alltäglichen Frömmigkeit der palästinischen Juden zur Zeit Johannes' des Täufers dar. In den Elementarschulen wurde das Lesen und Schreiben anhand biblischer Stoffe gelernt und dadurch bereits den Schulkindern eine gründliche und umfangreiche Kenntnis von Tora und Propheten vermittelt,[30] was später dazu führte, daß die babylonischen Amoräer auf das Wissen von Schulkindern verwiesen, um die Selbstverständlichkeit der Kenntnis einer biblischen Aussage zu bezeichnen.[31] Aber auch der Fundus an (durch Vorsprechen in den Synagogen auswendiggelernten und aus dem Gedächtnis reproduzierbaren) zusammenhängenden Textabschnitten aus der Tora und aus den Prophetenbüchern bei denjenigen Bevölkerungsgruppen, die keine Möglichkeit hatten, in den Elementarschulen lesen zu lernen, war wohl recht umfangreich.[32] In jedem Fall scheint gerade für den aus priesterlichem Geschlecht stammenden (vgl. Lk 1,5) Johannes eine umfassende Kenntnis der heiligen Schriften selbstverständlich.[33]

Für die Konstitution des religiösen Bewußtseins und speziell für das Prophetenbild im palästinischen Judentum zur Zeit Johannes' des Täufers sind demnach dessen heilige Schriften, namentlich Tora und Prophetenbücher, von grundlegender Bedeutung. Hier ist nach Orientierungspunkten zu suchen für die Interpretation des biblischen Prophetentums als Vorbild und Grundlage der Gestalt des Phänomens "Prophetie" zur Zeit seines Auftretens.

a. Die Sprache der heiligen Schriften

Im ersten nachchristlichen Jahrhundert waren in Palästina neben dem Aramäischen in seinen Dialekten[34] nebeneinander Hebräisch, Griechisch und (in sehr begrenztem Umfang) auch die lateinische Sprache in Gebrauch.[35] Eigentlicher Träger der religiösen Tradition war der hebräische Text. Hebräisch war in Jerusalem

---

28) Mk 1,39parr. Mt 9,35; Act 15,21; vgl. Jos. Vit 277; Ant 19, 300; Bell 2, 285 sowie jMeg III, 1.

29) "The prophetic text complements that of the Tora to clarify its meaning" (Ch. Perrot, Reading 157).   30) N. Morris, School 86; vgl. A. Lemaire, Écoles 75f.

31) Vgl. bMen 29a sowie bBer 62b.   32) Vgl. T. Klauser, Art. Auswendiglernen: RAC I, 1033f.

33) Als Kriterien des Erfolgs bei der Ausbildung des (einer vornehmen Priesterfamilie entstammenden) Josephus werden ausdrücklich μνήμη, σύνεσις und φιλογραμματία angeführt (Vit 8f.; vgl. Gal 1,14).

34) Vgl. J.A. Fitzmyer, Languages 518-528 sowie K. Beyer, Texte 53-55.

35) B. Spolsky (Triglossia 106; vgl. 99) spricht von einer "multilingual period". Vgl. J.A. Fitzmyer, Languages 501ff., R.H. Gundry, Language 404ff. sowie Ch. Rabin, Hebrew 1007ff.

und Judäa bis 70 n. Chr. Lingua franca, wurde hier also von Menschen verschiedener Muttersprachen zur allgemeinen Kommunikation gebraucht.[36] Hebräisch wurde in zunehmendem Maße zur Literatursprache, Hebräisch war auch Lingua sacra des (später von den Rabbinen fortgeführten) religiösen Lehrgesprächs[37] und der öffentlichen Verlesung der heiligen Schriften in den Synagogen.[38] Allerdings waren bei den gottesdienstlichen Lesungen zunehmend simultane Übersetzungen in eine andere Volkssprache - die aramäischen Targumim - üblich.[39] Die Verlesung des hebräischen Textes war jedoch stets unverzichtbare Grundlage seiner Übersetzung und Auslegung. Basis einer Untersuchung der Quellen für das Prophetenbild des palästinischen Judentums zur Zeit Johannes´ des Täufers ist daher zunächst der Text der hebräischen Bibel.

Während Latein als Militärsprache der römischen Besatzungsmacht hier vernachlässigt werden kann, da sich ihr Gebrauch fast ausschließlich auf mit der römischen Besatzung in engem Zusammenhang stehende militärische Angelegenheiten erstreckte,[40] ist es für diese Untersuchung von großer Bedeutung, daß seit Beginn der hellenistischen Zeit von nicht geringen Teilen der jüdischen Bevölkerung Palästinas Griechisch gesprochen wurde.[41] G. Mussies[42] weist darauf hin, daß neben zahlreichen Papyri und Ostraka in Palästina und selbst in Jerusalem viele jüdische Inschriften in griechischer Sprache gefunden wurden. In Palästina hatten sich Gemeinden zugewanderter Juden aus der Diaspora (besonders aus Ägypten)[43] gebildet, in denen sich Angehörige gleicher Landsmannschaft sammelten und in deren Synagogen die Lesung der heiligen Schriften in griechischer Sprache erfolgte.[44] Das Erlernen und Beherrschen des Griechischen als der antiken "Weltsprache" war auch notwendig für diejenigen, die in (oder im näheren Umkreis von) Jerusalem oder den Städten der Küstenebene, in Caesarea, Askalon, Akko, Jaffa, Gadara, Philadelphia oder Bet-Schean wohnten und deren soziale und wirtschaftliche Stellung in irgendeinem direkten Zusammenhang mit den fremden

---

36) Vgl. Ch. Rabin, Hebrew 1007. 1024f.

37) "Those who, like Jesus, took part in the discussions in the synagogues (Mk 1,21) and in the Temple of Jerusalem (Mk 11,27) and disputed on Halakah (Mt 19,3) no doubt did so in mishnaic Hebrew" (Ch. Rabin, Hebrew 1036; vgl. B. Spolsky, Triglossia 98f.).

38) "In Israel, outside the Synagogues of the Greek-speaking Jews, probably, the reading was in any case in Hebrew" (Ch. Perrot, Reading 155).

39) Vgl. G. Stemberger, Geschichte 80-83 sowie B. Spolsky, Triglossia 101.

40) "The evidence of Latin in first-century Palestine indicates that it was only used mainly by the Romans who occupied the land and for more or less official purposes" (J.A. Fitzmyer, Languages 504). Vgl. Jos. Bell 5, 193f.; Ant 14, 191 sowie Joh 19,20. Daß nicht Latein, sondern Griechisch in dem von Rom beherrschten Palästina vorherrschend war, scheint sich noch in bGit 80a zu spiegeln, wo die Römer als ruchlos bezeichnet werden, da sie weder Schrift noch Sprache hätten.

41) Vgl. M. Hengel, Judentum 108-120. 191-195 sowie "Hellenization" 7-18.

42) Greek 1042.   43) B. Spolsky, Triglossia 99.

44) Vgl. Act 6,9; 9,29 sowie mMeg II,1, wo davon die Rede ist, daß die Ester-Rolle Fremdsprachigen auch in der Fremdsprache vorgelesen werden darf.

Bevölkerungsteilen des Landes stand. Die griechische Sprache war darüber hinaus Hochsprache im Rahmen einer Diglossia,[45] eines Gebrauchs zweier unterschiedlicher Sprachen in derselben sozialen Gemeinschaft, wobei der Gebrauch der jeweiligen Sprache von der Kommunikationssituation bestimmt wird. Hierbei wird meist eine der beiden Sprachen im alltäglichen Leben von jedermann gesprochen, die andere aber nur bei besonderen Anlässen von einem definierten Kreis von Sprechern. Stellen wie Act 21,40 und 22,2, an denen Lukas berichtet und betont, daß Paulus zu dem Volk Ἑβραΐδι διαλέκτῳ spricht, zeigen an, daß die Mehrheit der Bevölkerung Hebräisch bzw. - in zunehmendem Maße - Aramäisch zur alltäglichen Kommunikation benutzte.[46] Während sich nun diese Sprachen als Alltagssprachen bezeichnen lassen, galt Griechisch in Palästina zur Zeit Johannes' des Täufers als vornehm, als Ausdruck von Bildung und wirtschaftlich-sozialem Rang. Sicher war der Grad der Beherrschung der griechischen Sprache abhängig vom sozialen Status des Sprechers, doch läßt sich dieses Verhältnis eben auch umkehren: "The better the knowledge of language a Palestine Jew acquired, the more easily he could rise in the social scale."[47]

Der Gebrauch heiliger Schriften in griechischer Sprache in Palästina zur Zeit Johannes' des Täufers wird belegt sowohl durch das Vorhandensein von griechischen Torafragmenten[48] und Teilen weiterer (nicht dem späteren rabbinischen Kanon angegliederter) Schriften in Qumran[49] als auch durch die Entdeckung einer ins erste nachchristliche Jahrhundert datierten Lederrolle mit der griechischen Übersetzung des Dodekapropheton (neben einer Reihe von Privaturkunden in griechischer Sprache) im ca. 4,5 km südlich von En-Gedi gelegenen Wadi el-Habra.[50] Der griechische Text der jüdischen heiligen Schriften kann zwar im Gegensatz zum hebräischen Text nicht ohne weiteres als repräsentativ bzw. konstitutiv für die populären religiösen Anschauungen und Überzeugungen im palästinischen Judentum angesehen werden, da er sicher nicht von der Mehrheit in den Synagogen gelesen und gehört wurde.[51] Dennoch ist sowohl

---

45) Vgl. Ch. Rabin, Hebrew 1008. B. Spolsky (Triglossia 99) spricht unter Hinweis auf eine unterschiedliche "social role" des Hebräischen und des Aramäischen (Aramäisch als Sprache von Handel und Recht; Hebräisch als Sprache von Schule und Synagoge) sogar von einer "Triglossia".

46) Vgl. Jos. Bell 5, 361; Ant 20, 263ff. Fremdsprachliche Einflüsse auf eine Hauptsprache sind in der Regel semantischer Natur. Im Aramäischen gibt es zahlreiche griechische Lehnwörter (vgl. Dalman, WB sowie S. Krauss, Lehnwörter I, 198-220; M. McNamara, Targum Neofiti 1: Genesis 16-23). Auch daraus kann man schließen, daß Aramäisch zur alltäglichen Kommunikation benutzt wurde.   47) M. Hengel, "Hellenization" 17.

48) pap7QLXXEx (Ex 28,4-7); 4QLXXLev^a (Lev 26,2-16); pap4QLXXLev^b (Lev 2,3-5. 7; 3,4. 9-13; 4,6-8. 10f. 18-20. 26-29; 5,8-10. 18-24); 4QLXXNu (Num 3,40-42; 4,6-9). Die griechischen heiligen Schriften in Qumran waren möglicherweise für "Novizen aus der griechischsprechenden Diaspora" (M. Hengel, Judentum 415 Anm. 697) bestimmt.

49) 2Q Sir (vgl. Sir 1,1-10); 4Q Tob; 4Q Tob ar.^a.b; 4Q Tob ar^c; pap7Q EpJr.

50) Hrsg. v. E. Tov u.a., The Greek Minor Prophets Scroll from Naḥal Ḥever (8ḤevXIIgr) (DJD VIII), Oxford 1990; vgl. auch die Ausgabe von D. Barthélemy, Les devanciers d'Aquila (VT.S 10), Leiden 1963 sowie E. Würthwein, Text 178f. Die Privaturkunden in griechischer Sprache bietet N. Lewis, Documents 33ff. (vgl. auch K. Beyer, Texte 319-323).

51) Doch vgl. auch M. Hengel, Judentum 189.

aufgrund des Fehlens von "Sprachgrenzen" in der Mehrheit der Bevölkerung als auch aufgrund des ständigen Kontaktes zwischen vorwiegend griechisch- und aramäisch- bzw. hebräischsprechenden Bevölkerungsteilen und des damit verbundenen Austauschs religiöser Interpretationen, Meinungen und Überzeugungen davon auszugehen, daß auch die jüdischen heiligen Schriften in griechischer Sprache zur Konstitution dieser Anschauungen und Überzeugungen beitrugen.

b. Hebräischer Text und Septuaginta

In Palästina zur Zeit Johannes´ des Täufers waren bei Teilen der Bevölkerung im Rahmen der synagogalen Lesung Sammlungen von verschiedenen griechischen Übersetzungen hebräischer heiliger Schriften mitsamt Umstellungen und Erweiterungen in Gebrauch und somit von nicht zu unterschätzender Bedeutung auch für deren Interpretation der biblischen Prophetie. Was kann nun die Analyse der heiligen Schriften des griechischsprechenden Judentums zur Beantwortung der Frage nach dem zeitgenössischen Prophetenbild beitragen?

In mehrerer Hinsicht unterscheidet sich der griechische vom hebräischen Text: Generell ist davon auszugehen, daß die hebräischen Vorlagen der in der LXX erhaltenen Übersetzungen nicht mit dem masoretischen Text übereinstimmen müssen.[52] Die Übersetzungen der einzelnen Bücher stammen von verschiedenen Händen aus verschiedenen Zeiten und sind daher sehr uneinheitlich. Insgesamt bedeutet die Übersetzung in eine andere (zumal einer anderen Sprachfamilie zugehörigen) Sprache immer auch eine inhaltliche Veränderung.[53]

Die heiligen Schriften der hebräischen Bibel[54] sind in der LXX in einer anderen Reihenfolge angeordnet, die nicht auf Zufall oder Willkür beruht, sondern nach theologischen Leitlinien bewußt gestaltet scheint.[55] Während die Sammlung der heiligen Schriften in der hebräischen Bibel historisch gewachsen ist und in ihrer dreigeteilten Endgestalt ein Bemühen um chronologische Abfolge der einzelnen Schriften erkennbar ist, wurden in der LXX vorliegende Stoffe nach inhaltlichen Kriterien geordnet in der Abfolge historischer, poetischer und prophetischer Bücher.[56] Jedoch ist diese Anord-

---

52) Der gegenüber dem masoretischen Text kürzere hebräische Text von 4QJer weist z. B. mehr Verwandtschaft mit dem entsprechenden Text der LXX auf als ersterer.

53) "Eine Übersetzung ist nie bloße Wiedergabe eines Werkes in einer anderen Sprache, sondern prägt ihm mit der neuen Sprache stets auch die Eigenart der mit ihr verbundenen Denkweise auf" (G. Stemberger, Geschichte 51).

54) Anordnung des rabbinischen Kanons gemäß bBB 14b.15a: Gen; Ex; Lev; Num; Dtn; Jos; Jdc; I/II Sam; I/II Reg; Jer; Ez; Jes; Hos; Joel; Am; Ob; Jon; Mi; Nah; Hab; Zeph; Hag; Sach; Mal; Ruth; Ps; Hi; Prov; Koh; Cant; Thr; Dan; Est; Esr; Neh; I/II Chr.

55) Während die hebräische Bibel die Reihenfolge Tora - Propheten - Hagiographen bietet, stellt die LXX von der Vergangenheit handelnde Geschichtsbücher den poetischen und didaktischen Schriften als Erbauungs- und Lehrbücher für die Gegenwart voran, um mit den der Zukunft zugewandten prophetischen Schriften zu schließen. Hingegen ist bezüglich der unterschiedlichen Anordnung innerhalb des Jeremiabuchs und des Psalters davon auszugehen, daß diese wohl bereits in der der LXX zugrunde liegenden jüdischen Überlieferung bestand (d.h., daß bereits verschiedene hebräische Versionen existierten).   56) Vgl. O. Eissfeldt, Einleitung 770-773.

nung der LXX durch vorchristliche Quellen nicht belegt.[57] Wichtiger ist, daß zusammen mit den griechischen heiligen Schriften sowohl eine ganze Reihe von jüngeren jüdischen Schriften aus dem zweiten und ersten vorchristlichen Jahrhundert,[58] die sich in hebräischen Bibeln nicht finden,[59] überliefert als auch andere Schriften durch Zusätze ergänzt wurden.[60] Die griechische Bibel unterscheidet sich also von der hebräischen durch Varianten im Text, durch eine unterschiedliche Anordnung der einzelnen Schriften und durch zusammen mit ihr tradierte zusätzliche Schriften. Aufgrund von Abweichungen im Wortlaut lassen sich schwerlich Aussagen über das Schriftverständnis derer treffen, bei denen griechische heilige Schriften in Gebrauch waren, denn wir wissen fast nichts über deren hebräische Vorlagen. Die Unterschiede könnten ebensogut bereits zwischen verschiedenen hebräischen Textvarianten bestanden haben, von denen die eine dann Basis der Übersetzung ins Griechische war und die andere dem masoretischen Text zugrunde lag. Auch die unterschiedliche Anordnung der einzelnen Bücher in der LXX läßt sich wegen der Unmöglichkeit, sie zur Zeit des Täufers als gegeben vorauszusetzen, nicht als Maßstab möglicher Interpretationen der hebräischen Vorlagen heranziehen. Die "Apokryphen", die in griechischsprachigen jüdischen und später christlichen Sammlungen überlieferte religiöse Literatur, bieten jedoch Anhaltspunkte für Aussagen über Besonderheiten im Schriftverständnis und speziell im Prophetenbild der jüdischen Bevölkerung Palästinas zur Zeit Johannes´ des Täufers.

Der Grund für die Berücksichtigung der LXX im Rahmen dieser Untersuchung liegt in erster Linie darin, daß in ihr zeitgenössische Übersetzungen (und somit auch Interpretationen) hebräischer heiliger Schriften des Judentums erhalten sind, die aufgrund des "dreisprachigen Milieus" in Palästina im ersten nachchristlichen Jahrhundert in das Prophetenbild der dortigen Bevölkerung Eingang fanden und somit auch für Johannes den Täufer (der als Priestersohn wohl auch des Hebräischen und des Griechischen mächtig war) für dessen Verständnis der biblischen Prophetie und für sein mögliches Selbstverständnis im Rahmen dieses Prophetenbildes von Bedeutung sein konnten. Die Anordnung der einzelnen Schriften in der LXX erlaubt hingegen keinen Rückschluß auf deren jeweilige Interpretation und Gewichtung. Ebenso ist es - wie bereits erwähnt - nicht möglich, durch einen Vergleich im Wortlaut eine direkte Entwicklungslinie zwischen hebräischem und griechischem Text nachzuzeichnen, da man zum einen nicht ausschließen kann, daß solche Differenzen im Text bereits auf unterschiedliche hebräische Textformen zurückgehen, und zum anderen jede Übersetzung einen eigenständigen Quellenwert hat, da sie überall dort, wo sie in Gebrauch war, in die (religiöse) Gedankenwelt eingegangen ist.

---

57) Weder in Jos. Ap 1,38-42 noch in mYad III oder in bBB 14b.15a ist diese Anordnung der jüdischen heiligen Schriften belegt.

58) Vgl. O. Eissfeldt, Einleitung 773-816; G. Stemberger, Geschichte 52-54.

59) I VEsr; Jdt; Tob; I/IIMakk; Weish; Sir; Bar; EpJer.   60) Est; Dan.

c. Targumim

Die Targumim, paraphrasierende und assoziativ aktualisierende Übertragungen des hebräischen Bibeltextes in das Aramäische für den liturgischen Gebrauch in der Synagoge, dürften in ihren frühesten Formen in die Zeit vor den Beginn der christlichen Zeitrechnung zurückgehen (vgl. Neh 8,8).[61] Als simultane und versweise dem hebräischen Text folgende, frei vorgetragene Übersetzungen waren die Targumim demnach für die Konstitution der persönlichen Frömmigkeit im antiken Judentum von großer Bedeutung, denn durch sie wurde der Inhalt der heiligen Schriften aus der Lingua sacra der Synagoge in eine Alltagssprache und damit auch in die Öffentlichkeit getragen.

Die Targumim waren ihren hebräischen Vorlagen zwar auch dort, wo sie inhaltlich von ihnen abweichen, absolut untergeordnet,[62] doch sind in ihnen alte palästinische, ursprünglich mündlich überlieferte Traditionen (bzw. Interpretationen des hebräischen Bibeltextes) aus der Zeit vor der Zerstörung des zweiten Tempels überliefert.[63] Herangezogen werden im folgenden zweiten Hauptteil dieser Untersuchung durchgehend Targum Onkelos ("TO") und Targum Jonathan ("TJon") nach der Ausgabe von A. Sperber[64] als für das spätere rabbinische Judentum autoritative Targumim. Zwar wurden beide in Babylon redigiert, doch zeigt allein die westaramäische Sprache, daß sie "auf älterem Material [beruhen], das letztendlich wohl palästinischen Ursprungs ist".[65] Im Pentateuch werden zudem auch die Targumhandschrift Codex Neophyti I ("TCN")[66] und die Fragmententargumim ("TFr^P.V.J.Br", [MS Paris Bibliothèque nationale Hébr. 110; MS Vatican Ebr. 440; MS Jewish Theological Seminary 605 [ENA 2587]; MS British Museum Or. 10794)[67] herangezogen.

Die in den Targumim erhaltenen Traditionen stammen zwar aus verschiedenen Zeiten, doch zeigen sie spezifisch jüdische Auslegungstraditionen, die zum Teil als repräsentativ für die palästinisch-jüdische Exegese in der Zeit vor der Zerstörung des zweiten Tempels gelten können. Sicher läßt sich allein anhand der aramäischen Targumim nicht die Rezeption der biblischen Prophetenüberlieferungen zur Zeit des Täufers aufweisen, doch können gerade sie einen Einblick in das Prophetenverständnis in der jüdischen Umwelt Johannes' des Täufers dadurch ermöglichen, daß sie zum einen der gesamten Gemeinde, also der jüdischen Öffentlichkeit zugänglich waren, und zum anderen (im Gegensatz zur LXX) durch das Fehlen einer Überlieferungsgeschichte im Rahmen des Christentums spezifisch jüdische

---

61) Ein vorchristlicher palästinischer Ursprung der in den Targumim erhaltenen Traditionen wird vertreten von J.F. Stenning (Targum IXf.), J. Jeremias (Art. παῖς θεοῦ: ThWNT V, 690f.), K. Koch (Messias 120f.; Rezeptionsgeschichte 147), G. Stemberger (Geschichte 81), E. Levine (Aramaic Bible 23), P.S. Alexander (Translations 247), E. Würthwein (Text 81), A. Díez Macho (Targum 214 [u.a. bezügl. TFr und TCN]) sowie (bezügl. TO und TJon) L. Smolar, M. Aberbach (Studies xiiif.).

62) "Scripture had absolute priority; targum was only a bridge to the understanding of Scripture" (P.S. Alexander, Translations 239).   63) Vgl. J. Bowker, Targums 13-16.

64) The Bible in Aramaic, 4 Bde. in 5, Leiden 1959-1973.   65) E. Würthwein, Text 84.

66) A. Díez Macho, Neophyti I, 6 Bde., Madrid, Barcelona 1968-1979.

67) M.L. Klein, The Fragment-Targums of the Pentateuch (AnBib 76), 2 Bde., Rom 1980.

Schriftinterpretationen ohne sekundäre christliche Interpolationen oder Interpretationen bieten. Da im zweiten Teil der Untersuchung versucht werden soll, hinter das Täuferbild der christlichen Redaktoren der synoptischen Überlieferung zurückzufragen, sind somit auch die Targumim mit den ihnen zugrunde liegenden Prophetenüberlieferungen in den hebräischen heiligen Schriften des Judentums zu vergleichen, um so nach Tendenzen der Interpretation dieser Überlieferung im palästinischen Judentum zur Zeit Johannes' des Täufers zu fragen. Wenn die hier erkennbaren (sicher jüdischen) Interpretationen mit dem übereinstimmen, was die LXX, aber besonders auch die (sicher zeitgenössischen) antiken jüdischen Prophetenlegenden über die biblischen Propheten aussagen, gewinnt das Bild, das auf diese Weise erhalten wird, an Klarheit.

3. Prophetenlegenden in der antiken jüdischen Literatur

Neben den heiligen Schriften für die öffentliche Lesung in den Synagogen sind außerhalb des späteren rabbinischen Schrifttums[68] eine Reihe von abgeschlossenen literarischen Zeugnissen des antiken Judentums überliefert, in denen das Schicksal der biblischen Propheten aufgegriffen und ausgemalt wird. Diese Schriften bauen auf der biblischen Tradition auf, interpretieren diese und füllen sie dort aus, wo Fragen offen bleiben, die für zeitgenössische religiöse Bedürfnisse drängend sind.[69] Als solche jüdischen Prophetenlegenden werden hier herangezogen:

1.) Martyrium Isaiae[70]

---

68) Vgl. hierzu L. Ginzberg, The Legends of the Jews, 7 Bde., Philadelphia 1988.

69) "But while specific aims and literary forms vary, all post-biblical writings draw upon the biblical tradition and interpret it in various ways" (D. Dimant, Use 379). G. Satran (Stories 57) spricht hinsichtlich der Prophetenlegenden in den Vitae prophetarum von "amplifications of the biblical text".

70) Kritische Ausgaben bei R.H. Charles, The Ascension of Isaiah, London 1900 (äthiop., griech., lat.). Dt. Übers. bei E. Hammershaimb, Martyrium 23-32. Das Martyrium Jesajas als jüdischer (M.E. Stone, Art. Isaiah, Martyrdom of: EJ 9, 72), ursprünglich vermutlich in hebräischer Sprache verfaßter (O. Eissfeldt, Einleitung 825; E. Hammershaimb, Martyrium 19), in äthiop., griech. und. lat. Übersetzungen vorliegender Grundbestand der Ascensio Isaiae umfaßt Asc Jes 1,1-2a. 6b-13a; 2,1 - 3,12; 5,1b-14 (E. Kautzsch, Apokryphen II, 121; O. Eissfeldt, Einleitung 825; G.W.E. Nickelsburg, Stories 52). Während die christliche Redaktion der Ascensio Isaiae "frühestens in der zweiten Hälfte des 2. Jh." (C.D.G. Müller, Himmelfahrt: Schneemelcher II, 548) abgeschlossen wurde; scheint die in ihr enthaltene, sekundär christlich interpolierte jüdische "Hagiographie" (M.E. Stone, Art. Isaiah, Martyrdom of: EJ 9, 72) hingegen bereits dem Verfasser des Hebräerbriefs bekannt gewesen zu sein (vgl. Hebr 11,37) und ist in ihrer Herkunft auf das ausgehende erste nachchristliche Jahrhundert anzusetzen (vgl. M.A. Knibb, Martyrdom 149; E. Hammershaimb, Martyrium 19). Die von D. Flusser (Book 30ff.) aufgewiesenen Parallelen zwischen der Lehre der Qumrangemeinschaft und Mart Jes (Dualismus, Bezeichnung des Widersachers Gottes als Beliar, Kritik am Tempelkult, Wüstentypologie) deuten darauf hin, daß ein Teil der hier erhaltenen Traditionen in Qumran bekannt war und somit auch ihre Überlieferung im palästinischen Judentum zur Zeit Johannes' des Täufers wahrscheinlich ist (vgl. C.D.G. Müller, Himmelfahrt 549; anders E. Hammershaimb, Martyrium 19).

2.) Paralipomena Jeremiae[71]

3.) Vitae prophetarum.[72]

Zusätzlich zu den Informationen, die die heiligen Schriften des Judentums für die Konstitution des Verständnisses einer gegenwärtigen prophetischen Existenz boten, läßt sich auch anhand der Ausgestaltungen und Ergänzungen, der vorherrschenden Motive und erkennbaren Intentionen dieser Schriften über die Deutung der Gestalt und des Wirkens der biblischen Propheten Aufschluß gewinnen. Zwar wurden die Prophetenlegenden in ihrer Endgestalt von der zeitgenössischen Bevölkerung Palästinas nicht allgemein rezipiert (die Schriften zirkulierten wohl nur in begrenzten Gruppen), doch sind in ihnen wertvolle Traditionen hinsichtlich des jüdischen Prophetenverständnisses erhalten, die besonders dort, wo sie übereinstimmen, Formen und Inhalte dieses Verständnisses erkennen lassen. Die Auswahl gerade dieses Teils der antiken jüdischen Literatur als Vergleichstexte für eine religionsgeschichtliche Einordnung der Täufertraditionen in den synoptischen Evan-

71) Griechischer Text u. engl. Übers. bei R.A. Kraft u. A.-E. Purintun, Paraleipomena Jeremiou (SBLTT 1, Pseudepigrapha Series 1), Missoula, Mont. 1972. Ob der nachträglich christlich interpolierte und erweiterte (ParJer 8,12-9,32) jüdische Grundbestand der in griechischen, äthiopischen, armenischen und altkirchenslavischen Rezensionen erhaltenen ParJer ursprünglich in griechischer oder hebräischer bzw. aramäischer Sprache verfaßt wurde, ist ungeklärt (vgl. E. Schürer, History III,1 292; S.E. Robinson, 4 Baruch 414). Fest steht, daß die Schrift in ihrem Grundbestand jüdischen Ursprungs ist: "The Jewish nature of the original is apparent from many distinctive features. Thus the approval of sacrifice, the rejection of foreign women, and the attitude to circumcision, to mention the most prominent, clearly disprove the theory of a Christian original" (M.E. Stone, Art. Baruch, Rest of the words of: EJ 4, 276; vgl. Ch. Wolff, Jerusalem 147 sowie P. Riessler, Schrifttum 1323; E. Schürer, History III,1 292; S.E. Robinson, IV Baruch 415). Terminus a quo für die Entstehung der Par Jer ist die Zerstörung des zweiten Tempels im Jahre 70 n. Chr. (J. Riaud, Paraleipomena 216; vgl. M.E. Stone, Art. Baruch, Rest of the words of: EJ 4, 276f.); gemeinhin wird für die Zeit der Abfassung die Mitte des zweiten Jahrhunderts n. Chr. angenommen (G. Delling, Lehre 3; S.E. Robinson, 4 Baruch 414; E. Schürer, History III,1 293; G.W.E. Nickelsburg, Stories 72.75; Ch. Wolff, Jerusalem 147). Die genaue Kenntnis des Autors bezüglich der Topographie Jerusalems scheint darauf hinzudeuten, daß er selbst aus dieser Stadt kommt (J. Riaud, Paraleipomena 215; vgl. G. Delling, Lehre 72f.; S.E. Robinson, 4 Baruch 415). Das führt zu dem Schluß, daß die seinem Werk zugrunde liegende interpretierende Ausmalung des Jeremiabuchs in ihren Grundzügen aus dem palästinischen Judentum des ersten Jahrhunderts n. Chr. stammen kann.

72) Kritische Ausgaben der griech. Übers. bei E. Nestle, Marginalien und Materialien, Tübingen 1893, 16-35, Th. Schermann, Propheten- und Apostellegenden, Leipzig 1907, 46-115 und Ch.C. Torrey, The Lives of the Prophets (JBL.MS 1), Philadelphia 1946, 20-32. In der 2. Aufl. seiner Syrischen Grammatik (Berlin u.a. 1888, [86-107]) bietet E. Nestle einen anhand dreier Handschriften des Epiphaniustextes (British Museum Add. 12178, 14536, 17193) zusammengestellten syrischen Text der VitPr (Varianten aufgeführt in E. Nestle, Marginalien 36-43). Eine engl. Übers. des griech. Textes auf der Grundlage des Codex Marchalianus (s.u.) bietet D.R.A. Hare, Lives 385-399 (Nach der hier gebotenen Kapitel- und Verszählung werden die Vitae prophetarum im weiteren Verlauf dieser Untersuchung zitiert). Die nur in christlichen Überarbeitungen (griech., syr., äthiop., lat., armen.) erhaltenen Vitae prophetarum (VitPr) beruhen auf einer ursprünglich wohl in einer semitischen Sprache verfaßten (D.R.A. Hare, Lives 380) Grundschrift. Diese Grundschrift einer jüdischen "Hagiographie" (M.E. Stone, Art. Prophets, Lives of the: EJ 13, 1149) umfaßt 23 Prophetenleben (Jesaja; Jeremia; Ezechiel; Daniel; Dodekapropheton; Natan;

gelien liegt darin begründet, daß die in ihnen erhaltenen ursprünglichen Traditionen sowie ihre Auswahl und Verarbeitung in zweifacher Hinsicht Rückschlüsse auf das Prophetenverständnis in der populären religiösen Überlieferung zur Zeit Johannes' des Täufers erlauben: Zum einen trugen diese Traditionen zur Konstitution des Prophetenbildes bei, und zum anderen läßt sich anhand ihrer Auswahl und Verarbeitung in der religiösen Literatur des antiken Judentums das spezifische Interesse ihrer Tradenten und Adressaten ermitteln.

Ahija aus Silo; Joad; Asarja; Elija; Elisa; Secharja ben Jojada). Die Vitae prophetarum bieten Details der palästinischen Geographie, die sich in der biblischen Überlieferung nicht finden. Hieraus wird geschlossen, daß der Autor palästinischer Jude, (vgl. Ch.C. Torrey, Literature 135; E. Schürer, History III,2 784; D.R.A. Hare, Lives 381f.), möglicherweise sogar Einwohner Jerusalems gewesen sei: "In any case, the author seems to be particularly well informed regarding Jerusalem. The details he gives concerning the site of Isaiah's grave in relation to other local landmarks suggests great familiarity with, if not actual residence in, the Holy City" (D.R.A. Hare, Lives 381). Zwar sind einerseits Teile der in den Vitae gesammelten populären Traditionen mit Sicherheit älter und andererseits einige Prophetenleben (besonders bei Jeremia) stark christlich überarbeitet, doch wird die schriftliche Zusammenstellung der jüdischen Prophetenlegenden in ihrem Kern von G. Vermes, F. Millar und M. Goodman (E. Schürer, History III, 2 784) und D.R.A. Hare (Lives 381) in das erste nachchristliche Jahrhundert datiert. Aufgrund der zentralen Bedeutung der Vitae prophetarum als umfassendes Zeugnis einer Rezeption biblischer Prophetenüberlieferungen im antiken Judentum werden die wichtigen Abweichungen im Text der verschiedenen Rezensionstypen angeführt, wobei ihre eingehende textkritische Bewertung den Rahmen dieser Untersuchung sprengen würde. Die anonyme Rezension des Codex Marchalianus Vatic. gr. 2125 aus dem 6. Jh. ("Q": E. Nestle, Marginalien 10) liegt deshalb als der "weitaus älteste griechische Zeuge" (E. Nestle, Marginalien 46) im zweiten Hauptteil der Untersuchung zugrunde; von den anderen Textversionen werden weiterhin die längere Version der Epiphaniusrezension cod. reg. Paris. 2951 fol. [Gk. 1115] ("R": E. Nestle, Marginalien 10), die trotz zahlreicher sekundärer Erweiterungen auch einige alte Traditionen zu bieten scheint, sowie in Einzelfällen auch die Q verwandte, von E. Nestle in seiner Syrischen Grammatik gebotene Text der syrischen Rezension ("S") herangezogen.

II. Die biblischen Prophetenleben und die Interpretation einer zeitgenössischen prophetischen Existenz im antiken Judentum

Diese Untersuchung hat das Prophetentum einer durch Ort und Zeit definierten Gruppe in der Geschichte des Judentums - in diesem Fall des palästinischen Judentums zur Zeit Johannes´ des Täufers - zum Gegenstand, das sich in wesentlichen Teilen nach dem Prophetenbild der innerhalb jener Gruppe allgemein bekannten und akzeptierten religiösen Überlieferung zu richten scheint. Dieses Prophetenbild stellt damit den Hintergrund für das Auftreten eines Propheten dar und beeinflußt sowohl das Selbstverständnis dessen, der als Prophet auftritt, als auch seine Interpretation durch seine Umwelt.[73] Nun konnte die Frage nach den Grundlagen eines solchen Prophetenbildes dahingehend beantwortet werden, daß den heiligen Schriften des Judentums hierbei eine zentrale Funktion als Ausgangspunkt der Tradition zukommt und daß anhand einer Untersuchung sowohl der Übersetzungen bzw. Interpretationen dieser heiligen Schriften in der LXX und in den Targumim als auch der Prophetenlegenden innerhalb des religiösen Schrifttums des antiken Judentums Entwicklungen und Tendenzen der Interpretation der biblischen Prophetengestalten deutlich werden.

Es stellt sich somit die Frage nach dem Charakter eines solchen Prophetenbildes, nach den formalen und inhaltlichen Grundzügen der Interpretation der biblischen Überlieferung, besonders hinsichtlich der Möglichkeit einer gegenwärtigen prophetischen Existenz. Die "nähere Anschauung vom Auftreten prophetischer Gestalten im Volke [war] uneinheitlich, unbestimmt, schwankend"[74]. In diesem Rahmen läßt sich eine gewisse Ambivalenz beobachten: Dem (möglicherweise bereits das Verständnis der Zeit vor 70 wiedergebenden) späteren rabbinischen Diktum vom "Erloschensein der Prophetie" seit der Zeit der Zerstörung des ersten Tempels[75] scheint das Bedürfnis nach heilvoller Offenbarung, d.h. die Erwartung

---

73) M. Sato (Q 104: "Kein israelitischer Prophet hat diese Traditionskontinuität ignorieren können und wollen, sonst wäre er eben nicht als solcher verstanden worden") und R.L. Webb (John the Baptizer 307: "...when public speaking is a major feature of one's life, then that person is often perceived as fulfilling a particular role or type of public speaker") scheinen sogar davon auszugehen, daß ein Prophet sich in seinem Auftreten bewußt und absichtsvoll nach einem allgemein bekannten und akzeptierten Prophetenbild richtete.   74) R. Schnackenburg, Erwartung 629.
75) "Seit dem Tage, an dem der Tempel zerstört worden ist, ist die Prophetie den Propheten genommen und Narren und Kindern gegeben worden" (bBB 13b). In dieser späteren rabbinischen Überlieferung "begegnet eine gut durchgebildete theologische Reflexion mit dem Ziele, das Auftreten legitimer Prophetie auf eine ideale und klassische Vorzeit zu beschränken" (R. Meyer, Art. προφήτης κτλ., C. Judentum: ThWNT VI, 817). Sie kann als Rückprojektion rabbinischer Intentionen für das Prophetenbild des antiken Judentums s. E. nicht als repräsentativ angesehen werden. Für die entsprechenden biblischen Belege Sach 13,2-6, Thr 2,9 und Ps 74,9 weist R. Meyer (ebd. 814f.) weiterhin nach, daß sich hieraus nicht der Beweis für das Fehlen prophetischen Geistes in nachexilischer Zeit ableiten läßt. Daher "...ist es für eine moderne religionsgeschichtliche Betrachtung unmöglich geworden, die rabbinische Tradition unbesehen zum Beleg dafür zu nehmen, daß das Judentum zur Zeit Jesu und der Apostel nichts oder nur am Rande etwas vom Wirken des prophetischen Charismas in seinen verschiedenen Ausprägungen gewußt

eines Heilspropheten[76], gegenüberzustehen, die sich durch die gespannte eschatologische Naherwartung angesichts der Situation des palästinischen Judentums zu Beginn des ersten nachchristlichen Jahrhunderts erklären läßt: Palästina stand seit der Eroberung Jerusalems durch Pompeius (63 v. Chr.) unter römischer Vorherrschaft, seit der Zeit Herodes´ des Großen wurden in Palästina Tempel für heidnische Götter und zu Ehren römischer Herrscher errichtet, pflegte im neugestalteten Jerusalemer Tempel zugunsten römischer Kaiser geopfert zu werden. Der seit Jahrhunderten andauernde Einfluß hellenistischer Kultur und heidnischer Religiosität, der sich für die Mehrheit der jüdischen Bevölkerung sicher nicht in einer gravierenden Verbesserung der persönlichen wirtschaftlich-sozialen Lebensumstände niederschlug, wird ein Übriges dazu beigetragen haben, daß die Botschaft von einer radikalen Veränderung der diesseitigen Mißstände durch das heilvolle Eingreifen Gottes Gehör fand.

In den ältesten Schichten der synoptischen Überlieferung begegnet Johannes der Täufer noch nicht als ein messianischer Heilsprophet, dessen Kommen bei Teilen der Bevölkerung erhofft wurde.[77] Vielmehr läßt sich unter der christlichen Bearbeitung der Traditionen seine Funktion als prophetischer Bußprediger, als

---

habe" (ebd. 820; vgl. D.E. Aune, Prophecy 103ff.; R. Then, Propheten 20f.). Ob die Bemerkung des Josephus über das Fehlen einer genauen Aufeinanderfolge der Propheten seit Artaxerxes (Ap 1,41) als Beleg für das "Erlöschen" der Prophetie anzusehen ist, halte ich für unsicher, denn es geht dem Autor hierbei im Rahmen seiner Apologie des Judentums doch wohl allein um die Bedeutung der Propheten für die geschichtliche Überlieferung Israels. Während R. Then (Propheten 25) aus Ap 1,41 schließt: "Die Prophetie nach Artaxerxes ist für Josephus nach wie vor ein lebendiges Phänomen", spricht sich O.H. Steck bei seiner Untersuchung des Entstehungsprozesses des späteren Kanonteils "Propheten" (Abschluß 168) dafür aus, die Intention der Initiatoren der autoritativen Sammlung Nebiim darin zu sehen, nachzuweisen, "daß es Prophetie für Israel in der Jetztzeit nur als schriftlich überlieferte gibt und die lange Reihe solcher überlieferten Propheten abgeschlossen ist". Hierzu ist anzumerken, daß eine solche Intention m.E. nicht in pauschalisierender Weise als Beleg für eine allgemein akzeptierte Vorstellung vom generellen Verstummen der Prophetie in Israel verstanden werden darf. Schwerer wiegt die Tatsache, daß im Gegensatz zu der klassischen Schriftprophetie, bei welcher der Anspruch auf göttlich legitimierte Offenbarung keiner Anknüpfung an irgendeine Überlieferung bedurfte, in der zeitgenössischen apokalyptischen Literatur eine prophetische Offenbarung ihre Vollmacht und Autorität durch Bindung an typische Offenbarer des Gotteswillens aus der biblischen Geschichte nachweisen mußte. Vor dem Hintergrund des in tSot XIII,3f. erwähnten Aufhörens des heiligen Geistes und des Bleibens der בת קול als Ausdruck des "Abnehmens der Offenbarungshäufigkeit" (P. Kuhn, Offenbarungsstimmen 310) ließe sich diese Beobachtung jedoch möglicherweise dahingehend deuten, daß die Bedeutung der Prophetie als aktueller Offenbarung auch im ersten nachchristlichen Jahrhundert als schwindend verstanden wurde, ohne dadurch zugleich das Phänomen "Prophetie" als solches für inexistent erklären zu müssen.

76) Auf der Grundlage biblischer Prophezeiungen wurde ein prophetischer Heilsbringer wie Mose (Dtn 18,15ff.) oder Elija (II Reg 2,1ff.; Mal 3,1.23f.; vgl. I Makk 4,46; 14,41 sowie Apk 11,3ff.) erwartet, der in typologischer Entsprechung zu den fundamentalen göttlichen Heilstaten insb. der Wüstenzeit Israels durch seine Machttaten und Wunder (Jos. Ant 18, 85ff.; 20, 97f. [vgl. Act 5,36]; 20,169ff. 188; Bell 2, 261ff.; 7, 437ff. [vgl. Lk 7,16; 24,19.21]) die nationale Befreiung und Restitution des idealen davidischen Königtums verkündigen bzw. herbeiführen sollte (vgl. Sir 48,10).   77) So J. Becker, Jesus 54; vgl. J. Ernst, Johannes der Täufer 294f.

Künder kommenden Unheils und des Gotteszorns erkennen. Eine mögliche zeitgenössische Interpretation des Täufers als Prophet hätte sich demnach also weder auf einen direkten Offenbarungsempfang berufen können, noch stimmt die Richtung seiner Verkündigung mit dem überein, was man von einem eschatologischen Heilspropheten erwartete. In einer Zeit, in der die Vollmacht und Autorität einer Prophezeiung durch Pseudepigraphie zum Ausdruck gebracht werden konnte und in der eine gegenwärtige prophetische Offenbarung einem "klassischen" Offenbarer in den Mund gelegt wurde, ist auch die Einbindung einer als Prophet interpretierten zeitgenössischen Gestalt in die Tradition und Sukzession der biblischen Propheten vorstellbar.[78] Das führt zu der Annahme, daß in Analogie zur Pseudepigraphie die Vollmacht eines Offenbarungsträgers auch anhand der Übereinstimmungen hinsichtlich der Formen seines Auftretens, seiner Botschaft und seines Schicksals mit der prophetischen Überlieferung der jüdischen heiligen Schriften erkannt werden konnte.[79]

K. Baltzer schreibt in seiner Untersuchung "Die Biographie der Propheten":[80] "In der Antike gibt es eine literarische Gattung, bei der stärker als in anderen Texten Amt und Funktion eines Menschen selbst Thema der Darstellung sind: die Biographie. ... Die Biographien in der Antike stellen vor allem das öffentliche Leben eines Menschen dar. Geburt und Tod bilden den äußeren Rahmen. Aber darin werden die Etappen des beruflichen Lebens hervorgehoben. ... Leben und Amt bilden keinen Gegensatz, sie sind weitgehend in der Darstellung identisch. Wie ein Mensch seine Tätigkeit erfüllt hat, was er zum Wohl der Mitmenschen geleistet hat, welche Tugenden ihn auszeichnen, die Erfahrungen, die er gemacht hat, das soll den Göttern und der Nachwelt überliefert werden. Damit hängt zusammen, daß die Biographie so stark am Typischen interessiert ist, nicht zuerst am individuellen Schicksal. Der einzelne wird gemessen am Allgemeingültigen. ... Dem modernen Leser fällt vor allem auf, wie wenig in den antiken Biogra-

---

78) D.E. Aune (Prophecy 106) gelangt hingegen unter Hinweis auf die formalen und inhaltlichen Unterschiede zwischen der biblischen und der nachbiblischen Prophetie zu dem Schluß, daß "the integrity of the various forms of early Jewish prophecy is revealed most clearly in its independence from OT prototypes." Jedoch weist er an anderer Stelle darauf hin, daß die Nachrichten über Johannes den Täufer diesen gleich in mehrfacher Hinsicht mit den klassischen Propheten in Verbindung bringen (ebd. 130f.).

79) "Indem ein Redner bei seinem Auftreten Mikrogattungen verwendet, über die schon seine Vorgänger verfügt haben, zeigt er, daß er sich mit dieser prophetischen Tradition verbindet und mit demselben Anspruch auftritt" (M. Sato, Q 104). Möglicherweise könnte das Fehlen eines bevollmächtigenden Botenspruchs zur Einleitung sowohl der Verkündigung des Täufers (Mk 1,7f.; Mt 3,7ff./Lk 3,7ff.) als auch der pseudepigraphen Offenbarungsschriften sich dadurch erklären, daß eine solche Berufung auf unmittelbare Gotteserfahrung angesichts der zunehmenden Transzendenz der jüdischen Gottesvorstellung unmöglich geworden war. Dies ist jedoch nicht als Beweis für die Diskontinuität zwischen biblischer und nachbiblischer Prophetie (so D.E. Aune, Prophecy 130ff.) zu werten, sondern als Merkmal einer Entwicklung: Weitaus mehr als die Berufung auf die göttliche Beauftragung als Legitimation der eigenen prophetischen Verkündigung scheint die grundlegende und faktisch erkennbare Übereinstimmung mit dem Bild der klassischen Propheten Kennzeichen wahrer Autorität als Verkünder der wahren göttlichen Offenbarung gewesen zu sein.

80) K. Baltzer, Die Biographie der Propheten, Neukirchen-Vluyn 1975. Vgl. auch K. Koch, Formgeschichte 246-250.

phien Entwicklungen dargestellt werden. Einzelne Topoi werden mehr oder weniger nebeneinander gestellt; sie entsprechen den kleinen Steinen, aus denen ein Mosaik zusammengesetzt ist."[81] "Weil Biographien typisiert werden, können einzelne Elemente bis zu ganzen Biographien auf verschiedene Personen übertragen werden."[82] Zum besseren Verständnis der biblischen Prophetenüberlieferung erscheint Baltzer eine Verwendung der literarischen Gattung der Biographie, die sowohl in ägyptischen Grabinschriften[83] als auch im hellenistisch-römischen Raum[84] begegnet, gerechtfertigt, denn die außerbiblischen Texte, in denen diese Gattung begegnet, lassen s. E. Vergleiche bzw. Folgerungen eher zu als eine Verwendung moderner Gattungen.[85] Nach einer Analyse der prophetischen Überlieferung innerhalb der biblischen Überlieferung kommt Baltzer zu dem Ergebnis, daß "im AT die literarische Gattung >Idealbiographie< aufgenommen und entwickelt worden ist",[86] und versucht anhand der Deutungsmuster und Strukturen, die sich hieraus ergeben, "ein Bild der Geschichte der Institution >Prophetie< im AT zu gewinnen".[87] Obwohl sich Baltzers These in der alttestamentlichen Forschung nicht durchsetzen konnte,[88] läßt sich der Ertrag seiner Analyse partiell für diese Untersuchung fruchtbar machen.

Baltzers als literarische Gattung isolierte "Idealbiographie" eines Propheten setzt sich aus verschiedenen Gattungselementen zusammen, die von einer Prophetenbiographie auf die andere übertragbar sind und die ihre Bedeutung in zunehmendem Maße gerade durch ihren allgemeinen und stereotypen Charakter erhalten. Der Endpunkt einer solchen Entwicklung in der prophetischen Überlieferung besteht s. E. darin, daß sich die Legitimation und Bedeutung eines Propheten aus der Übereinstimmung der ihn betreffenden Überlieferung mit den stereotypen Motiven der "Idealbiographie" ergibt. Diese Entwicklung fällt mit einer erkennbaren Tendenz in der Rezeption der biblischen Überlieferung im antiken Judentum zusammen, die geprägt ist von einer "Anthologisierung von Einzeltexten, also Aussonderung von Kernsätzen, und eine[r] Systematisierung des Schriftganzen", wobei " geschichtliche Nachrichten ... gern typologisch aufgefaßt" werden.[89] Während Baltzer den Nachweis eines konkreten "Sitzes im Leben" für die von ihm erkannte Gattung "Idealbiographie" schuldig bleibt,[90] lassen sich jedoch die vergleichbaren formalen Strukturen der von ihm untersuchten Texte auch als Raster der vorliegenden Untersuchung heranziehen.

Es wurde bereits angemerkt, daß die Pseudepigraphie die Wahrheit und Autorität einer gegenwärtigen prophetischen Offenbarung durch deren Rückprojektion in die biblische Tradition zum Ausdruck bringen konnte. Die Apokalypsen Ba-

---

81) K. Baltzer, Biographie 20.   82) Ebd. 36.
83) Vgl. E. Otto, Biographien: HO I, 2 148-157
84) Vgl. H. Gerstinger, Art. Biographie: RAC II, 386-391.   85) K. Baltzer, Biographie 21.
86) Ebd. 193.   87) Ebd. 194.   88) Vgl. T. Polk, Persona 19-22. 179-181.
89) K. Koch, Rezeptionsgeschichte 148. In seinem Referat auf dem VII. Europäischen Theologenkongreß in Dresden bestimmt Koch diese Entwicklungen als Begleiterscheinungen einer "durchgängigen Eschatologisierung" (ebd.) in der Rezeptionsgeschichte der biblischen Überlieferung im antiken Judentum (einschließlich LXX und Targumim).
90) Vgl. T. Polk, Persona 181, Anm. 39.

ruchs, Elijas und Moses, die Testamente Abrahams, Adams, Hiobs und Isaaks, die Psalmen Salomos - um nur einige pseudepigraphe Schriften zu nennen - erlangten ihre Autorität und Bedeutung dadurch, daß sie diesen bekannten Gestalten aus der Geschichte Israels als ihren ursprünglichen Autoren zugeordnet wurden. Genauso könnte eine gegenwärtige prophetische Existenz im antiken Judentum auch daran gemessen worden sein, inwieweit sie mit den biblischen Prophetenleben übereinstimmte.

Um die im ersten Hauptteil dieser Arbeit zu untersuchenden Aussagen der synoptischen Überlieferung über Johannes den Täufer als Propheten mit dem Prophetenverständnis seiner Zeitgenossen vergleichen zu können, um so Aufschluß zu gewinnen über die Berechtigung der These, daß das Auftreten des Täufers von seiner Umwelt als das eines Propheten interpretiert wurde und er sich selbst als ein solcher sah, mußte zunächst geklärt werden, woraus sich dieses Prophetenverständnis konstituierte und durch welche formalen und inhaltlichen Grundzüge es sich auszeichnete. Hierbei ergab sich, daß die eigentliche Grundlage der Interpretation des Phänomens der Prophetie im palästinischen Judentum zur Zeit Johannes' des Täufers dessen heilige Schriften waren. Den hebräischen heiligen Schriften des Judentums kommt dabei vorrangige Bedeutung zu, jedoch bieten auch LXX und Targumim zusätzliche Informationen, die für diese Untersuchung von Nutzen sein können. Wo im zweiten Hauptteil dieser Untersuchung LXX und Targumim interessante Abweichungen vom MT bieten, wird dies gesondert berücksichtigt. Wenn allein der MT Grundlage der Untersuchung des entsprechenden Motivkomplexes in den jüdischen heiligen Schriften ist, zeigt das an, daß die Übersetzungen keine interessanten Varianten boten. Schließlich sollen die Prophetenlegenden in der antiken jüdischen Literatur mit ihrem Bestand an zeitgenössischen Traditionen das Bild von der Interpretation der biblischen Überlieferung hinsichtlich der Rahmenbedingungen für die Deutung einer gegenwärtigen prophetischen Existenz vervollständigen.

Der Prophet erhält seine Bestätigung durch seine Umwelt. Wenn diese ihn nicht als einen solchen erkennt, ist es ihm kaum möglich, seinem Selbstverständnis tatsächlich Ausdruck zu verleihen. Zieht man einen Vergleich mit der Pseudepigraphie, bei der die Glaubwürdigkeit einer gegenwärtigen Offenbarung durch ihre Bindung an einen traditionellen Offenbarer untermauert werden sollte, könnte man durchaus erwarten, daß auch das Auftreten eines Propheten im antiken Judentum einer solchen Übereinstimmung mit der prophetischen Überlieferung der heiligen Schriften bedurfte. Wenn nun die Vorstellung von Auftreten, Leben, Werk und Verkündigung eines »typischen« Propheten durch zahlreiche stereotypisierte Elemente in der Überlieferung fixiert war, konnten auch die Kategorien zur Interpretation eines Propheten zur Zeit Johannes' des Täufers nach den Vorgaben dieser Überlieferung ausgerichtet werden.

C. Johannes der Täufer als Prophet in der synoptischen Überlieferung

I. Johannes der Täufer im Markusevangelium

Das Markusevangelium bietet an Nachrichten über Johannes den Täufer zunächst eine Notiz über dessen Auftreten und Predigt (Mk 1,2-8), direkt gefolgt von dem Bericht über die Taufe Jesu (Mk 1,9-11). Weitere Belege, die für die Interpretation der Darstellung des Täufers bei Markus relevant sind, sind die Fastenfrage (Mk 2,18), die Aufschluß gibt über die Jüngerschaft des Täufers, und die Bemerkung über Mutmaßungen sowohl des Volkes als auch des Herodes Antipas, Jesus sei der auferstandene Johannes (Mk 6,14-18; 8,28). Vom Tod des Täufers erzählt die Novelle vom Tanz der Herodiastochter in Mk 6,17-29. Ob sich hinter dem Jesuswort vom Gekommensein des Elias redivivus (Mk 9,11-13) eine Elija-Täufer-Typologie verbirgt, ist in diesem Teil der Untersuchung zu diskutieren. Schließlich berichtet der Evangelist im Zusammenhang mit der Frage der Synhedristen nach Jesu Vollmacht von der allgemeinen Überzeugung des jüdischen Volkes, daß Johannes ein Prophet gewesen sei (Mk 11,27-33).

Wenn hier und in den folgenden Abschnitten nach dem Bestand, der Auswahl, Anordnung und Funktion der Täuferüberlieferungen in den synoptischen Evangelien gefragt wird, um so die frühesten rekonstruierbaren Traditionen über Johannes einzugrenzen (die ihrerseits durch einen Vergleich mit alttestamentlichen und antiken jüdischen Prophetenüberlieferungen Aufschluß geben können über seine Bedeutung im Rahmen der hier begegnenden bzw. rezipierten Prophetenbilder), lassen sich die Täufernotizen des Markus in zweifacher Hinsicht auswerten: Zum einen zeigen sie, was in christlichen Kreisen an Täufertraditionen zur Zeit der Abfassung des Markusevangeliums noch bekannt war. Durch einen Vergleich mit den von Matthäus und Lukas aus der Logienquelle Q übernommenen Täuferstoffen und dem lukanischen Sondergut sowie mit dem Bericht des Flavius Josephus (Ant 18, 116-119) lassen sich die spezifischen Merkmale der markinischen Darstellung des Täufers aufweisen. Es ist wahrscheinlich, daß diese in ihren Grundzügen mit dem Täuferbild der von ihm angesprochenen Gemeinden übereinstimmen.

Zum anderen kann man zurückfragen nach den Aussagen der als vorredaktionell erkannten Täuferüberlieferungen im Markusevangelium. Sie müssen ursprünglich nicht durch christliche Überlieferungsträger tradiert worden sein und erlauben die Frage nach einem Grundbestand an Traditionen, die ihrem Ursprung nach frei sind von einer Ein- und Unterordnung des Täufers im Glauben der christlichen Gemeinden, die Markus anspricht.

1. Johannes der Täufer in der markinischen Vorgeschichte: Mk 1,1-8. 9-11

a. Auftreten und Predigt des Täufers

Während Lukas sein Evangelium mit zwei kunstvoll miteinander verbundenen Geburtsgeschichten einleitet (Lk 1; 2) und Matthäus mit einer Genealogie, die Jesus als Nachkommen der Erzväter und Davididen ausweist, beginnt (Mt 1,1-17), setzt das Markusevangelium mit einem Schriftzitat ein, dem dann direkt ein Bericht über Auftreten und Predigt Johannes' des Täufers folgt: Das εὐαγγέλιον Ἰησοῦ Χριστοῦ des Markus beginnt mit einem aus Ex 23,20, Mal 3,1 und Jes 40,3 zusammengesetzten LXX-Zitat (Mk 1,2f.). Hierbei wird der gesamte zitierte Komplex dem Propheten Jesaja zugeschrieben.[1] Eingeleitet mit dem autoritativ begründenden καθὼς γέγραπται[2] übernimmt Mk 1,2f. den ersten Halbsatz aus Ex 23,20 LXX, wobei dieser aus seinem Sinnzusammenhang gelöst wird. Ist in Ex 23,20ff. die Rede von einem ἄγγελος, einem Boten Jahwes, der das Volk Israel durch die Wüste in das gelobte Land führen wird, so ist hier durch Kombination mit Mal 3,1 LXX der Sinn dieser Aussage dahingehend verändert, daß der ἄγγελος dem Kommenden den Weg bereiten wird. Mit diesem "Kommenden" ist sowohl in Mal 3,1 als auch in Jes 40,3 ursprünglich Jahwe selbst gemeint. Indem der Evangelist nun das πρὸ προσώπου μου aus Mal 3,1 LXX durch das πρὸ προσώπου σου aus Ex 23,20 LXX und das τοῦ θεοῦ ἡμῶν in Jes 40,3 LXX durch das unbestimmte Possessivpronomen αὐτοῦ ersetzt, identifiziert er den (durch den Propheten angesagten) Kommenden als Ἰησοῦς Χριστός. Daß der Jesaja-Text auch im zeitgenössischen Judentum verschieden gedeutet werden konnte, läßt sich vorsichtig aus der Interpretation von Jes 40,3 im Targum Jonathan folgern.[3] Hier wird עמא דייוי statt יהוה gelesen: Die Aufforderung lautet im Targum somit, dem Volk Jahwes in der Wüste den Weg zu bereiten.

Der LXX-Text bezieht entgegen dem MT und TJon ἡ ἔρημος auf φωνὴ βοῶντος als dessen Aufenthaltsort. Diese weder in Qumran[4] noch in der späteren rabbinischen Literatur[5] bezeugte Interpretation bietet Markus die Möglichkeit, bei der folgenden Einführung des Täufers an das Schriftzitat anzuknüpfen. Die Verbindung zwischen den beiden von Markus zitierten Prophetenworten besteht im "Bereiten des Weges"; das κατασκευάσει τὴν ὁδόν in Mk 1,2 korrespondiert mit ἑτοιμά-

---

1) Jesaja wird bei den Synoptikern häufig zitiert, so in Mk 1,2f. par. Mt 3,3; Lk 3,4-6; Mk 7,6f. par. Mt 15,8f.; Mk 11,17 par. Mt 21,13; Lk 19,46; Mt 1,23; 4,15f.; 8,17; 12,18-21; 13,14f.; Lk 4,18f.; 22,37. W. Grundmann (Evangelium nach Markus 36) bemerkt hierzu: "Die hohe Schätzung und starke Verbreitung des Jesaja, die aus den vielen Jesajahandschriften bei den Qumranfunden hervorgeht und durch die große Zahl der Jesajazitate im Neuen Testament bestätigt wird, läßt erkennen: Jesaja ist der Prophet der messianischen Zeit."

2) Vgl. LXX II Reg 14,6; 23,21; II Chr 23,18; 25,4; 33,32; Tob 1,6 sowie Mk 9,13; 14,2; Mt 26,24; Lk 2,23; Act 15,15, Röm 1,17; 2,24; 3,4. 10; 4,17; 8,36 u.ö.

3) Vgl. neben A. Sperber, Bible III auch J.F. Stenning, Targum 130f.

4) Die Gemeinschaft von Qumran interpretierte Jes 40,3 als Schriftgrund für ihren Rückzug in die Wüste (1QS VIII, 13f.; IX,19f.). 5) PesR 29/30B.

σατε τὴν ὁδόν in 1,3. Der an dieser Stelle begegnende Gebrauch von κύριος als christologischer Hoheitstitel findet sich im gesamten Neuen Testament.[6] Der Titel "[drückt], absolut gebraucht, das umfassende Herrsein Jesu [aus]".[7] Gegen die generalisierende Annahme W. Foersters, daß "die LXX-Stellen, die [von Gott] als κύριος sprachen, auf Jesus bezogen werden [konnten]: in ihm handelt Gott so, wie es das AT [nach christlichem Verständnis] vom κύριος ausgesagt hat,"[8] spricht jedoch, daß der Gottesname in jüdischen heiligen Schriften in griechischer Sprache auch anders umschrieben werden konnte.[9]

Als der in Mal 3,1 angekündigte ἄγγελος wurde im Judentum zur Zeit des Täufers der Prophet Elija erwartet. Die Elias redivivus-Vorstellung fußt auf dem alttestamentlichen Bericht von der Entrückung des Propheten in der Wüste am Jordan (IIReg 2; vgl. Sir 48,9; IMakk 2,58). Elija, der sich in der Wüste aufhielt (IReg 17,2ff.; 19,4ff.), der das auf einen Abweg geratene Volk zum rechten Verhalten zurückgeführt und dessen intakte Beziehung zu seinem Gott Jahwe wiederhergestellt hat (IReg 18,21f.), wird nach Mal 3,23 (3,22 LXX) beim Anbruch der Endzeit erwartet, um durch Aufrichtung von Harmonie und Frieden unter den Menschen dem vernichtenden Gotteszorn zuvorzukommen. Im Rahmen eines "poetischen Rückblicks auf Israels große Männer"[10] wird in Sir 48,10 das erwartete Kommen Elijas, der zur vorbestimmten Zeit den Zorn Gottes vor dem zukünftigen Gericht beschwichtigen wird, gerühmt.[11] Das Kommen eines προφήτης πιστός als idealen Anführers und Hohenpriesters erwartet IMakk 14,41 (vgl. 4,46). Daß die Erwartung einer Wiederkunft Elijas in neutestamentlicher Zeit im Volk lebendig war, wird belegt durch Mk 8,28parr.; 9,11par. und Joh 1,21. Auch im späteren rabbinischen Schrifttum ist diese Vorstellung präsent.[12] Der Sendung des Propheten folgt die ἡμέρα κυρίου, das eschatologische Gerichtshandeln Jahwes.[13]

Wenn Markus nun in 1,4 ἔρημος als den Ort angibt, an dem Johannes[14] sich aufhielt und das βάπτισμα μετανοίας εἰς ἄφεσιν ἁμαρτιῶν verkündigte (Jos. Ant 18, 116ff.

---

6) Vgl. W. Foerster, Art. κύριος κτλ.: ThWNT III, 1081-1098; insb. 1087-1094.

7) W. Foerster, ebd. 1094.   8) W. Foerster, ebd. 1094.

9) So als Tetragramm in althebräischer Schrift in 8HevXIIgr, als ΙΑΩ in pap4QLXXLev[b] und als ΠΙΠΙ in den Übersetzungen von Aquila, Symmachus und Theodotion (zusammengestellt bei E. Hatch, H.A. Redpath, Concordance [Supplement] 126). Vgl. hierzu J.A. Fitzmyer, Hintergrund 279-290.   10) O. Eissfeldt, Einleitung 810.

11) θυμός ist an vielen Stellen der LXX (Jer 6,11; 7,20; 10,25; Thr 4,11; Ez 7,8; 9,8; 14,19; 20,8. 13. 21; 22,22; 30,15; 36,18; Zeph 3,8 u.ö.) der ausgegossene (ἐκχυνόμενος) Gotteszorn (vgl. Apk 16,1ff.).   12) mEd VIII,7; bEr 43b.; vgl. E. Schürer, History II, 515f. sowie Bill. IV, 779.

13) Vgl. M. Sæbø, Art. יום: ThWAT III, 582ff.; E. Jenni, Art. יום: THAT I, 723f.; G. Delling, Art. ἡμέρα D. Der Gebrauch im NT: ThWNT II, 954-956.

14) J. Gnilka (Evangelium nach Markus I, 47) faßt ὁ βαπτίζων an dieser Stelle als "Bei:namen" auf und erklärt die zahlreichen Textvarianten damit, "daß man dies nicht beachtete". Dieser Interpretation steht entgegen, daß sich βαπτίζων zusammen mit κηρύσσων hier direkt auf das vorhergehende Schriftzitat bezieht. Ein solcher Gebrauch des Partizipiums durch einen vorangestellten substantivierenden Artikel begegnet bei Markus allein in diesem Zusammenhang (1,4;

33

berichtet hingegen nichts vom Aufenthaltsort des Täufers), weist diese Angabe seine Adressaten nicht nur auf die Wüstenzeit Israels als Zeit sowohl des Ungehorsams Israels (vgl. Act 7,41ff.; Hebr 3,8f.) als auch der göttlichen Gnade (vgl. Act 7,36; 13,18) hin. Der Evangelist identifiziert ihn mit dieser Aussage zugleich auch mit dem ἄγγελος aus Ex 23,20 LXX und der φωνὴ βοῶντος aus Jes 40,3 LXX, da durch das Stichwort ἔρημος eine direkte Assoziation zwischen der vom Propheten verheißenen Kündergestalt und dem Täufer hervorgerufen wird. Weiterhin verweist das κηρύσσειν des Johannes auf die φωνὴ βοῶντος; das Bereiten des Weges für den Kommenden findet statt in der Predigt der Bußtaufe zur Vergebung der Sünden.

Welche Hindernisse sind vor dem Erscheinen des κύριος aus dem Weg zu räumen? Im Sinne der Analogie zwischen Mk 1,3 und 1,4 ist es die ἁμαρτία des Volkes. Der Genitivus qualitatis βάπτισμα μετανοίας charakterisiert das von Johannes angebotene Wasserbad als Möglichkeit für den einzelnen Frommen, das büßende Eingeständnis seiner sündhaften Unreinheit zu realisieren. Durch die Taufe der Buße findet eine Reinigung des Volkes von eben dieser ἁμαρτία statt, der das Kommen dessen folgt, den der Rufer in der Wüste ankündigt.[15]

Die Kernaussage des Markus in den ersten vier Versen seines Evangeliums ist also, daß sich mit dem Auftreten und Wirken Johannes' des Täufers die Prophezeiungen der Schrift erfüllt haben: Er war der bereits von Jesaja verheißene Bote des κύριος, nämlich des Christus, und der im Maleachibuch angesagte Elias redivivus. Der Inhalt seiner Botschaft ist hier der Aufruf zur Buße, die sich in der Teilnahme an der von Johannes angebotenen Taufe vollzieht und durch die der Bußfertige sich der göttlichen Vergebung seiner Sünden gewiß sein kann.

Folgerichtig berichtet der Evangelist in 1,5, daß ἡ Ἰουδαία χώρα καὶ οἱ Ἱεροσολυμῖται πάντες in die Wüste kamen und die vom Täufer angebotene Möglichkeit zur Sündenvergebung ergriffen,[16] um damit ihrerseits dem kommenden κύριος den Weg zu ebnen. Die einander überschneidenden Begriffe zur Bezeichnung der gro-

---

6,14. 24). Auch sind diejenigen Lesarten, bei denen sich der Artikel nicht findet bzw. bei denen βαπτίζων dem folgenden κηρύσσων direkt zugeordnet wird, recht gut bezeugt, wohingegen sich an keiner Stelle, an der Markus Johannes als βαπτιστής bezeichnet (6,25; 8,28), abweichende Lesarten finden. Ein substantivischer und verbaler Gebrauch desselben Verbums schließen sich nicht aus. Zu beachten ist hier, daß sowohl Taufe als auch Predigt des Johannes als Erfüllung der alttestamentlichen Prophezeiungen dargestellt werden.

15) Gegen E. Lohmeyer (Evangelium des Markus), der in Mk 1,4 den Täufer als "Wegbereiter für sein Volk" (ebd. 13) charakterisiert: "Dann läßt sich für Mk das Verständnis des Zitates nur so umschreiben: Gott sendet vor dem Ende der Tage seinen Engel, er trägt Züge und Gestalt des Elia; der bereitet dem Volke Gottes den Weg zur Vollendung. Noch ist hier nichts von einem kommenden Messias angedeutet, sondern nur die Tatsache des nahen Endes und das Erscheinen eines Vorbereiters" (ebd. 11).

16) Durch das ὑπ' αὐτοῦ wird die aktive Rolle des Johannes bei dem Taufakt bezeichnet: "Johannes vermittelt und wirkt, was in dem Akt des Untertauchens von Gott geschenkt ist, und nur er tut es" (E. Lohmeyer, Evangelium des Markus 16).

ßen Anzahl der Taufwilligen sollen hier wohl den Eindruck erwecken, daß sich die gesamte Bevölkerung Judäas und Jerusalems zu Johannes in die Wüste begab. Daneben verwendet Markus das Verb ἐκπορεύεσθαι, um den Auszug des Volkes zu Johannes darzustellen. Mit dieser Wortwahl lehnt er sich möglicherweise an den spezifischen Gebrauch dieses Verbs in der LXX an. Hier steht ἐκπορεύεσθαι entweder für einen geordneten militärischen Zug[17] oder für den Exodus des Volkes Israel aus Ägypten.[18] Markus gebraucht für das "Herausgehen" zur Bezeichnung eines ungeordneten Auszuges einzelner Individuen meist den Plural von ἐξέρχεσθαι (so in Mk 1,29; 3,6; 6,10. 12; 8,11; 11,12; 14,16. 26. 48; 16,8. 20). Wo ἐκπορεύεσθαι im Markusevangelium ein solches "Herausgehen" bezeichnet wie in Mk 1,5 und in 10,46 (vgl. auch 11,19), steht es für den geordneten Zug einer großen Menschenmenge. Sowohl Stil als auch Wortwahl des Verses lassen sich also als Betonung der Allgemeingültigkeit der Johannestaufe verstehen, als Hinweis auf die Geschlossenheit der Bevölkerung bei der Entsündigung im Sinne einer aktiven, mitwirkenden Vorbereitung auf das Eintreten der Endereignisse in typologischer Entsprechung zur Landnahme.

Die Aussage F. Büchsels: "Die Sühne der Sünden [im Judentum zur Zeit des Täufers] wird erreicht einerseits durch den Kultus, andererseits durch persönliche Leistungen und Erlebnisse. Unter den kultischen Mitteln der Versöhnung steht an erster Stelle der Versöhnungstag, er beseitigt die Sünden aller Juden"[19] ist dahingehend zu ergänzen, daß im Palästina des ersten nachchristlichen Jahrhunderts eine rituelle Reinigung durch ein Tauchbad in der מקוה jeder Synagoge überall im Land erlangt werden konnte. Möglicherweise ist auch aus der späteren Festlegung von Gebetszeiten, die mit den Opferzeiten übereinstimmten, auf eine Relativierung der Bedeutung des Opfers bereits vor der Tempelzerstörung zu schließen.[20] Jedoch scheint gerade der Versöhnungstag den Vollzug der allgemeinen Entsündigungsriten im Judentum in besonderer Weise zu repräsentieren.[21] Der Opferkult ist überhaupt Bestandteil der vorgeschriebenen Sühneriten;[22] nach den Bestimmungen für den jährlichen Versöhnungstag in Lev 16 (vgl. Ex 30,10; Lev 23,26-32; 25,9; Num 29,7-11) werden durch den Hohenpriester im Jerusalemer Tempel das Volk Israel und der Tempel von allen Sünden entsühnt, wird alle Unreinheit fortgenommen.[23]

---

17) So in Num 1,40; I Sam 11,7; I Chr 5,18; II Chr 26,11 u.ö.

18) So in Ex 13,4.8; 14,8; Dtn 11,10; 23,5; 25,17; Jos 2,10; I Reg 8,9. Die Wüstentypologie beinhaltet die Erwartung, daß "die Wüste, in der Gott seinem Volk nach dem Auszug aus Ägypten so nahe war, auch die Stätte der neuen Gottesgemeinschaft in der Heilszeit sein werde" (F. Lang, Erwägungen 464). 19) F. Büchsel, Art. ἱλάσκομαι κτλ.: ThWNT III, 313.

20) G. Fohrer (Glaube 52f.) verweist in diesem Zusammenhang insb. auf die Festlegung von Lesungen für Wochengottesdienste in mTaan IV,3.

21) Auch Philo Alexandrinus (SpecLeg I, 186) berichtet davon, daß dem Versöhnungstag in weiten Kreisen des antiken Judentums eine hohe Bedeutung beigemessen wurde.

22) Vgl. Lev 5,25; 12,6-8; 14,10-32; 15,14f. 29f.

23) Vgl. den stellenweise Lev 16 nacherzählenden (vgl. V,4) Mischnatraktat Yoma, der vorführen will, "wie die festliche Handlung [des Versöhnungstages יום הכיפורים] bis zur Zeit der Zerstörung von Tempel und Stadt sich abspielte" (J. Meinhold, Joma 19). Es ist hierbei zwar zu bedenken, daß die in der Mischna gesammelten Bestimmungen eine ideale Wirklichkeit repräsentieren und nicht einfach auf die Praxis in der Zeit vor der Zerstörung des zweiten Tempels rückschließen lassen, doch vgl. TR Kol. 26.

Mk 1,4f. berichtet nun davon, daß Johannes ebenfalls eine Sündenvergebung anbietet, von der das Volk regen Gebrauch macht. Er scheint seiner Taufe hier dieselbe sühnende Kraft wie den regulären rituellen Reinigungen und Waschungen zuzugestehen. Auch der Entsündigungsritus am Versöhnungstag läßt sich mit der Johannestaufe insofern vergleichen, als auch hier nicht der mit Sünden behaftete Mensch selbst agiert, sondern eine stellvertretende Person im Bewußtsein ihrer göttlichen Bevollmächtigung und Beauftragung den Reinigungsritus aktiv vollzieht.[24]

Johannes, aber auch jeder, der sich seiner Taufe unterzog, scheint nach Mk 1,4f. die Suffizienz der regulären rituellen Reinigungs- und Entsündigungsmöglichkeiten angesichts des in naher Zukunft erwarteten Gottesgerichts zu relativieren. Es könnte an dieser Stelle vermutet werden, der Verfasser des Markusevangeliums übe hier Kritik an der Zulänglichkeit des rituellen jüdischen Reinigungswesens und auch des öffentliche Kultes am Brandopferaltar vor dem Heiligtum (möglicherweise gerade am Versöhnungstag). Es bestehen nämlich neben dem Topos der Allgemeinheit der Entsündigung in der Darstellung des Markus augenscheinlich weitere Parallelen zwischen dem Versöhnungstag und der Taufe des Johannes. Werden bei ersterem die Verfehlungen des Volkes auf den Sündenbock übertragen und dieser εἰς τὴν ἔρημον getrieben, um dort durch sein Sterben das Volk zu entsühnen (Lev 16,21; vgl. mYom IV,3ff.), so geht das Volk selbst nach Mk 1,5 in die Wüste zu Johannes, um durch seine Taufe unmittelbar von allen Sünden rein und quasi neu geboren zu werden. Ähnlich wie der Hohepriester während des Vollzugs der Entsündigungsriten besondere Kleider trägt (Lev 16,4; vgl. mYom III,6-7), so ist auch der Täufer durch seine besondere Tracht gekennzeichnet (Mk 1,6). An dieser Stelle ist zu fragen, wie Markus den Tempel und die jüdischen Sühneriten bewertet.

Fest steht, daß hier ein Ansatzpunkt für eine Zuordnung der Notiz über Auftreten und Wirken des Täufers zum redaktionellen oder traditionellen Material des Markusevangeliums vorliegt. Ist die obige Frage dahingehend zu beantworten, daß der Evangelist einer Kritik des jüdischen Tempelkultes und insbesondere der Vollmacht des Hohenpriesters, aufgrund von Jahwes Verheißung Sünden zu vergeben, Raum gewährt, ist damit zu rechnen, daß er die Verse selbständig gestaltet hat, um sein Evangelium durch die geschehene Erfüllung einer auf Christus hinweisenden Prophezeiung einzuleiten. Bestehen jedoch keine Berührungspunkte zwischen der Intention des Markus und einer Kritik am Tempelkult, ist der Verdacht berechtigt, daß Traditionen vorliegen, die bis in die Zeit des Täufers zurückreichen können und zur Gewinnung von Informationen über seine Interpretation durch seine Umwelt dienlich sind.

---

24) R.L. Webb, John the Baptizer 370: "By thus offering an alternative to the temple, John's ministry was encroached upon the exclusive domain of the temple priesthood."

Eine Durchsicht der Stellen, an denen das Wort ἱερόν im Markusevangelium begegnet, zeigt, daß der Evangelist den Jerusalemer Tempel als Zentrum des jüdischen Kultus und die Wirksamkeit Jesu zwar kontrastiert, ihn jedoch ebenso als Schauplatz der Wirksamkeit Jesu darstellt. Der markinische Jesus besucht den Tempel (Mk 11,11; "täglich": 14,49), er klagt in Wort und Tat die Profanierung des idealen Tempelkults an (11,15-19), er geht im Tempel umher (11,27) und lehrt dort (12,35). Von einer prinzipiellen Tempelkritik des Markus kann also nicht gesprochen werden. Hingegen ist die Frage nach seiner Stellung gegenüber dem Entsündigungsritus dahingehend zu beantworten, daß er die Vollmacht, Sünden zu vergeben, vom jüdischen Sühneritus auf Jesus, den υἱὸς τοῦ ἀνθρώπου überträgt (Mk 2,5. 7. 9. 10): "Israel kennt den Zuspruch der Vergebung an das Volk, dessen Glied der einzelne ist, auf Grund der Opfer vor allem am Großen Versöhnungstag durch den Hohenpriester. Was in Israel der Hohepriester am heiligen Ort zur heiligen Zeit unter Vollzug der vorgeschriebenen Opfer tun darf, das tut Jesus hier an einem einzelnen zu beliebiger Stunde an einem beliebigen Ort ohne die vorgeschriebenen Opfer."[25] Markus gesteht Jesus die Vollmacht zu, Sünden zu vergeben. Dies macht es unwahrscheinlich, daß er bestrebt ist, dem Täufer Gleiches zuzubilligen. Die Möglichkeit, daß wir es bei Mk 1,4f. mit Traditionsmaterial zu tun haben, gewinnt hierdurch an Wahrscheinlichkeit. Gestützt wird diese Angabe auch dadurch, daß Mk 1,5 nahelegt, daß der Ort der Wirksamkeit des Täufers und der Taufe Jesu aus Nazaret in der Umgebung von Jerusalem lag, bzw. von dort aus auch zu Fuß erreicht werden konnte. Da der Evangelist Markus sonst bestrebt scheint, Galiläa in Umkehrung traditioneller jüdischer Vorstellungen als Ort der eschatologischen Offenbarung und Jerusalem als Ort der Ablehnung dieser Offenbarung zu zeichnen (vgl. Mk 1,1-8,26 mit 11-16), war die Lokalisierung der Täufertätigkeit wohl bereits Bestandteil allgemein bekannter Tradition.

Auch die Notiz über Tracht und Speise des Täufers in Mk 1,6 dürfte Markus bereits als Tradition vorgelegen haben. Betrachtet man Mk 1,6 im Zusammenhang mit den vorhergehenden Versen, erscheint das eigentümliche Gewand des Täufers als Attribut, das seine Identifikation mit der Kündergestalt aus 1,2f. weiterführt. Es wurde bereits darauf hingewiesen, daß als der eschatologische Künder im Judentum zur Zeit des Täufers nach der Prophezeiung in Mal 3,23 der Prophet Elija erwartet wurde. Nun wird auch von diesem berichtet, daß er mit einer μηλωτή (I Reg 19,13. 19; II Reg 2,8. 13. 14) und einer ζώνη δερματίνη (II Reg 1,8) bekleidet war. Daß die μηλωτή ein Obergewand aus Tierhaar ist, erschließt sich aus Gen 25,25 und Sach 13,4. Die Beschreibung Elijas in II Reg 1,8 nennt ihn einen ἀνὴρ δασύς. Umhang aus Tierhaar und Ledergürtel können also Kennzeichen des Elija, als seine Erkennungszeichen bei seiner Wiederkunft vor dem Endgericht verstanden werden. Johannes der Täufer scheint zunächst in Mk 1,6 durch seine Tracht als

---

25) W. Grundmann, Evangelium nach Markus 76.

der wiedergekommene Prophet Elija ausgewiesen zu werden. Daß diese Identifikation vom Verfasser des Evangeliums gewollt ist, kann man auch daran erkennen, daß er in Mk 9,9-11 in Analogie zur Ankündigung der Wiederkunft des Elija in Mal 3,23 und zu seiner Verfolgung durch Isebel (I Reg 19,2f. 10) Auftreten und gewaltsames Ende des Täufers anführt. Anders verhält es sich mit der Nahrung des Johannes. Von einer Ernährung durch Heuschrecken und Honigwasser berichten die alttestamentlichen Zeugnisse über Elija nichts. Die Angaben über die Speise des Täufers weisen vielmehr in eine andere Richtung: Heuschrecken und Honigwasser konnten im antiken Judentum auch als Surrogate für Fleisch und Wein betrachtet werden.[26] Ein solcher Nahrungsverzicht begegnet nun auch als Kennzeichen verschiedener Propheten.[27] Wäre es demnach möglich, daß die Notizen über Kleidung und Nahrung des Täufers dasselbe aussagen und als Einheit gesehen werden müssen? Ein gemeinsamer Bezug der Angaben auf den Propheten Elija scheidet aus, denn nirgendwo wird von seiner Nahrung berichtet. Ein gemeinsamer Bezug auf das Prophetenamt hingegen könnte indes möglich sein, wenn man die μηλωτή nicht allein auf die Person des Elija bezieht, sondern als eine Art "Standestracht" des jüdischen Propheten begreift. Gestützt wird diese Zuordnung dadurch, daß in Sach 13,4 die δέρρις τριχίνη als Bekleidung der Propheten ausdrücklich erwähnt wird. Der Hebräerbrief zählt in 11,35-40 die gewaltsamen Geschicke der Propheten und Märtyrer in der Geschichte des Judentums auf. "Jedes einzelne Glied weist zurück auf das Leben von Propheten und Blutzeugen der Spätzeit."[28] Als Bekleidung dieser Propheten nennt der Hebräerbrief nun αἴγεια δέρματα (11,37). Weiterhin subsumiert I Clem 17,1 unter den Trägern von Ziegen- und Schaffellen nicht allein Elija und Elisa, sondern auch Ezechiel und die anderen Propheten. Aus den angeführten Belegen kann man zu diesem Zeitpunkt der Untersuchung vorsichtig schließen, daß aus tierischem Material verfertigte Oberbekleidung zur Zeit des Täufers als Charakteristikum eines Propheten interpretiert werden konnte.

Wenn Nahrung und Kleidung des Täufers gemeinsam als Erkennungszeichen eines Propheten gesehen weden müssen und nicht als feste Attribute des Elija, besteht eine Spannung zwischen dem offensichtlichen Bestreben des Markus, Johannes als Elias redivivus zu identifizieren, und der Aussage des Verses. Die Spannung löst sich auf, wenn man davon ausgeht, daß der Evangelist hier eine vorgefundene Nachricht aufgegriffen und sie in den Anfang seines Evangeliums eingefügt hat, um seinem Interesse als Verfasser, den Täufer als den auf Christus hinweisenden, wiedergekommenen Elija zu zeichnen, Ausdruck zu geben.

Das die folgende Täuferpredigt einleitende ἐκήρυσσεν verbindet die Verse 7 und 8 mit dem als traditionell erkannten Vers 4. Letzterer ließe sich wie folgt para-

---

26) O. Böcher, Aß Johannes der Täufer kein Brot? 91 (zum jüdischen Fasten in Form eines Verzichts auf Fleisch und alkoholisches Getränk vgl. insb. mTaan IV,7; bTaan 30b und bBB 60b sowie mHul VIII,1). 27) Vit Pr 4,3; vgl. Dan 1,8 u. Mart Jes 2,11. 28) O. Michel, Hebräerbrief 418.

phrasieren: Johannes ruft auf zu einer von ihm selbst durchgeführten allgemeinen Lustration, welche die Sünden des Volkes vor dem Kommen des κύριος beseitigt. Die Aussage der Verse Mk 1,7f. hingegen ist: Johannes verkündet die Überlegenheit dessen, der nach ihm kommt, indem er ihm gegenüber seine Demut und Inferiorität bekundet. Er betont den vorläufigen Charakter seiner Wassertaufe und weist auf die vom Kommenden durchgeführte Geisttaufe hin. Was der Verfasser veranschaulichen will, scheint deutlich: Johannes ist sich selbst seiner Inferiorität gegenüber dem Kommenden, nämlich Jesus dem Christus, und der grundsätzlichen Minderwertigkeit seiner *geistlosen* Wassertaufe gegenüber der (christlichen) *geistbegabenden* Taufe bewußt. Die Frage ist nun, ob sich aus dem Grundbestand der Verse 7 und 8 Traditionen herauslösen lassen, die von Markus aufgegriffen und verarbeitet wurden.

Betrachtet man den ersten Halbsatz von Mk 1,7, scheint es, als ob das komparativische ὁ ἰσχυρότερός μου ein Verhältnis zwischen zwei Gestalten ausdrückt, das sich mit dem Verhältnis des ἄγγελος in den Versen 2f. und dem von ihm angekündigten κύριος schwerlich vereinbaren läßt, wenn man die Identifikation des kommenden κύριος mit Jahwe voraussetzt. Ein solcher doppelter Anthropomorphismus, wie er hier durch die Verknüpfung des ὀπίσω μου mit dem Bild vom Schuhriemenlösen ausgedrückt ist, wäre (obschon durchaus nicht völlig undenkbar; vgl. z.B. den Targum zu Cant 5,10)[29] ungewöhnlich im Rahmen der (durch eine zunehmende Transzendenz in der Gottesvorstellung gekennzeichneten) zeitgenössischen jüdisch-eschatologischen Überlieferungen, die nicht durch die redigierenden Hände eines christlichen Redaktors gegangen sind.

Im Markusevangelium findet sich der Komparativ von ἰσχυρός nur an dieser einen Stelle. Zusammen mit dem folgenden Genitivus comparationis μου drückt er die relative Inferiorität des Sprechers aus. Nun begegnet der Positiv ἰσχυρός in der LXX als Wiedergabe des Gottesnamens.[30] Auf Christus bezieht ἰσχυρός allein Paulus (I Kor 10,22). Von Gott als ἰσχυρός sprechen I Kor 1,25 und Apk 18,8. Als "absolut gebrauchter Gottesname"[31] könnte der Komparativ ὁ ἰσχυρότερος in Mk 1,7 jedoch auch dann nicht auf Jahwe bezogen werden, wenn Markus hier nicht durch den Zusatz μου determiniert hätte, denn ein solcher Komparativ als Gottesname wäre funktionslos. Vielmehr könnte der Positiv hier dem Komparativ zugrunde liegen.

Die Wendung ὀπίσω μου bezeichnet in V 7 das temporale Nacheinander des Wassertäufers Johannes und des kommenden Geisttäufers. Dies ist in zweifacher Hinsicht ungewöhnlich: Zum einen wird ὀπίσω im NT vorwiegend lokal gebraucht,

---

29) M. Reiser (Gerichtspredigt 172) bemerkt unter Verweis auf Ps 108,10, "daß es sich bei dem Vergleich des Täufers um bildliche Rede handelt, wie sie der Täufer offenbar liebte".

30) So in Dtn 10,17; Jos 4,24; II Sam 22,31ff. 47; 23,5; II Esr 11,5; 19,32; Ps 7,12; Jer 39,18; II Makk 1,24.   31) J. Ernst, Johannes der Täufer 15.

eine temporale Bedeutung hat die Präposition nur in den verschiedenen Bearbeitungen des Wortes vom Kommenden,[32] zum anderen steht "Nachfolge" im AT als Ausdruck eines Verehrungsverhältnisses eines nachfolgenden Schülers beziehungsweise Jüngers gegenüber seinem Meister (vgl. I Reg 19,20f.): "Der Jünger geht als Diener im ganz eigentlichen Sinn hinter dem Meister her."[33] Es ist unwahrscheinlich, daß eine so mißverständliche Formulierung aus einem Guß ist. Eher ist daran zu denken, daß Markus hier eine Tradition vorlag, die vom kommenden ὁ ἰσχυρός sprach und damit Jahwe meinte.[34] Der Evangelist hat diese Tradition durch die Hinzufügung des (eine Identifikation des kommenden κύριος mit Jesus erlaubenden) ὀπίσω μου "christianisiert", um den Täufer so zum heilsgeschichtlichen Vorläufer Jesu zu machen: "Johannes ist jetzt der Geringere. Jesus, der Nachfolgende, d.h. nach semitischem Verständnis: der Untergeordnete, ist der Stärkere."[35] Veranschaulicht wird dies durch das Bild des "Schuhriemenlösens": "Das Nachtragen der Sandalen, bzw. ihre Ablösung vom Fuß eines andren (so Mk 1,7; Joh 1,27; Apg 13,25) gehört zu den Diensten eines Sklaven."[36]

Mk 1,8 stellt der abgeschlossenen Tatsache der Wassertaufe des Johannes die zukünftige Geisttaufe des Kommenden gegenüber. Die Zeitenfolge (ἐβάπτισα ... βαπτίσει) verdeutlicht die heilsgeschichtliche Trennung beider Baptismen. Die Gegenüberstellung impliziert, daß eine Geistbegabung durch die Taufe des Johannes nicht erlangt wird. Dem stehen jedoch die vielfältigen Zusammenhänge von Wasser und Geist in der Eschatologie des zeitgenössischen Judentums gegenüber.[37] Daß eine solche Kontrastierung von Wasser und Geist ihre Wurzel wohl nicht in jüdisch-eschatologischen Vorstellungen hat, wird daraus ersichtlich, daß die endzeitliche Begabung mit dem πνεῦμα Gottes als "Ausgießen" (ἐκχέω: Joel 3,1f.) beschrieben wird. Eine solche endzeitliche Lustration prophezeien Deuterojesaja (44,3f.) und Ezechiel (36,25-27), eine Besprengung mit dem Geist der Wahrheit "wie Reinigungswasser" (כמי נדה [1QS IV,21f.; vgl. Num 19]) wurde auch in Qumran erwartet. In Analogie mit einer solchen Besprengung läßt sich also auch das Eintauchen in das Wasser durchaus im Sinne einer Geistbegabung verstehen.

Durch einen Vergleich mit der Q-Parallele des Verses (Mt 3,11; Lk 3,16 [s.u. 76-83]) kann man nun auch zu dem Ergebnis gelangen, daß Markus hier bewußt von allgemein bekannten Traditionen abweicht: Bei den beiden anderen Syn-

---

32) So außer in Mk 1,7 auch Mt 3,11 sowie Joh 1,15. 27. 30 (vgl. BDR § 215).

33) G. Kittel, Art. ἀκολουθέω κτλ.: ThWNT I, 213; doch vgl. auch M. Hengel, Nachfolge 18-20

34) So auch M. Reiser, Gerichtspredigt 170-172.

35) J. Ernst, Johannes der Täufer 15. 36) Bill. I, 121; vgl. bKet 96b; bQid 22b.

37) O. Böcher (Wasser und Geist 197ff.) kommt nach einer Untersuchung des alttestamentlichen Textmaterials und der antiken jüdischen Überlieferungen (vgl. neben den oben angeführten Belegen insb. Sir 24,34-47; äthHen 48,1 sowie Jos. Bell 2,159) zu dem Ergebnis, daß das kultisch reinigende und entsündigende Wasserbad und die endzeitliche Geistbegabung als zusammenhängende Größen in den eschatologischen Hoffnungen des Judentums zur Zeit des Täufers ihren festen Platz haben. Vgl. auch W. Foerster, Geist 119.

optikern wird der Wassertaufe des Johannes nicht allein eine Geisttaufe, sondern eine Taufe ἐν πνεύματι ἁγίῳ καὶ πυρί als Bild für die eschatologische Geistbegabung der Bußfertigen und das vernichtende Feuer, das denjenigen droht, welche die von Gott gewährte letzte Möglichkeit zur Sündenvergebung ablehnen, gegenüberge-stellt. "Vermutlich meint πνεῦμα ursprünglich >Wind<. Sturmwind und Feuer wer-den oft zusammen genannt."[38] Matthäus und Lukas veranschaulichen im Gegen-satz zu Markus das drohende Gericht mit dem Bild vom Worfeln des gedrosche-nen Getreides (Mt 3,12; Lk 3,17): Beim Worfeln wird die Spreu im Ausdrusch vom Weizen getrennt, vom Wind fortgeblasen, zusammengekehrt und verbrannt.[39]

Eine solche göttliche Feuerstrafe wurde wiederholt von den biblischen Prophe-ten angekündigt.[40] In der außerbiblischen jüdischen Literatur finden sich ebenfalls viele Belege für diese Vorstellung,[41] die auch den neutestamentlichen Autoren nicht fremd ist.[42] Die spätere rabbinische Literatur redet von einer "Feuerflut" zur Bestrafung der gottlosen Menschheit.[43] In der Q-Version stehen sich nicht die Jo-hannestaufe vor dem Kommen des κύριος und die eschatologische Geistbegabung gegenüber wie im Markusevangelium, sondern eine "Antizipation des eschatologi-schen Gerichts durch ein sühnendes Tauchbad"[44] und das endzeitliche Vernich-tungsgericht Jahwes über alle Unreinen. F. Lang[45] schließt daraus: "Der Text bei Q hat hier wohl das Ursprüngliche erhalten. Das Logion beschreibt die in Gnade und Gericht sich vollziehende Sammlung der endzeitlichen Gemeinde."

Markus will also in 1,7f. zum Ausdruck bringen, daß Johannes auf den nach ihm auftretenden Jesus hinweist und daß er um die Minderwertigkeit seines Reini-gungsbades gegenüber der Verleihung des Geistes durch diesen weiß. Folgende

---

38) E. Schweizer, Art. πνεῦμα κτλ. E. Das Neue Testament: ThWNT VI, 397.

39) Zum Verbrennen der nutzlosen Spreu vgl. G. Dalman, Arbeit und Sitte III, 132-139. R.L. Webb (Activity 109; vgl. John the Baptizer 395-300) schlägt eine weitere Deutemöglichkeit des Bildes in Mt 3,12/Lk 3,17 vor. Unter der Voraussetzung, daß die vom "Kommenden" ausgeführte Hand-lung nicht die Trennung der bußfertigen Menschen von den Sündern ist, sondern daß er beide Gruppen ihrer jeweiligen Bestimmung zuführt, ist es somit Aufgabe des Johannes, durch seine Taufe die Gerechten auszusondern: "Thus, it is John's ministry which creates this division be-tween these two groups. It is the response to John's ministry which has, in effect, *already* >win-nowed the wheat from the chaff<."

40) Jes 9,4. 18; 10,16-19; 26,11; 30,33; 47,14; 66,15f.; Jer 5,14; 7,20; 17,4; 21,12; Ez 5,4; 15; 22,17-22; 38,22; 39,6; Am 5,6; Hos 8,14; Ob 1,18; Zeph 3,8b; Sach 12,6; 13,9; Mal 3,19.

41) äthHen 102,1; syrBar 37,1; 48,39. 43; IVEsr 13,10f.; PsSal 15,4f.; Jub 9,15; 36,10; Sib 3,54f. 71f. 543. 618. 673f. 761; 4,159f.; ApkEl 5,22ff.

42) Mk 9,43. 45; I Kor 3,13; II Thess 1,8; II Petr 3,7ff.; vgl. Apk 20,9.

43) So bSan 108b; bZev 116a; BerR 49. Vgl. hierzu aber auch M. Reiser, Gerichtspredigt 160, der das Feuer als Mittel zur Läuterung in der Eschatologie des antiken Judentums unter Hinweis auf Sach 13,9 und Mal 3,2f. für bedeutungslos erklärt.

44) O. Böcher, Wasser und Geist, 202.

45) Art. πῦρ κτλ.: ThWNT VI, 943. Ders. aber anders: Erwägungen 467ff. M. Reiser (Gerichtspre-digt 156) hält es für wenig wahrscheinlich, "daß bereits der Täufer von einer Taufe mit (heili-gem) Geist sprach."

Spannungen im Text deuten nun auf eine redaktionelle Bearbeitung hin: Zunächst fällt die Relativierung der Bedeutung der Johannestaufe (die ja nach Mk 1,4 das Volk von seiner sündhaften Unreinheit zu reinigen in der Lage ist) gegenüber der vollmächtigen Geisttaufe des Kommenden auf. Weiterhin sperrt sich die Wortwahl gegen die gänzliche Zuordnung der Täuferpredigt entweder zum vormarkinischen Traditionsmaterial oder zu dem vom Evangelisten frei gestalteten Stoff. Die einander ausschließende Gegenüberstellung von Wassertaufe und Geistverleihung läßt sich schwerlich mit dem Zeugnis des Alten Testaments und der zeitgenössischen jüdischen religiösen Literatur vereinbaren. Sie dient hier allein der Demonstration der viel höheren Einschätzung der Bedeutung sowohl Jesu gegenüber Johannes dem Täufer als auch der christlichen Taufe gegenüber der Johannestaufe durch den Evangelisten Markus. Durch das Unterdrücken des traditionellen καὶ πυρί in V 8 schließlich wird die ursprüngliche Ankündigung der kommenden, von Jahwe selbst herbeigeführten Ekpyrosis durch den Täufer umgewandelt in eine unterwürfige Kundgabe der Vorrangstellung Jesu.

Zur Tradition gehören mit hoher Wahrscheinlichkeit die Ankündigung des Kommenden, nämlich Jahwes selbst, und die Gegenüberstellung des sühnenden Reinigungsbades des Johannes mit dem drohenden Vernichtungsgeschehen, der Feuerstrafe Gottes. Markus hat ein Traditionsstück über die Gerichts- und Umkehrpredigt des Täufers (ἔρχεται ὁ ἰσχυρός ... ἐγὼ βαπτίζω ὑμᾶς ὕδατι, αὐτὸς ὑμᾶς βαπτίσει ἐν πνεύματι [ἁγίῳ] καὶ πυρί) "entsprechend seiner leitenden Vorläufervorstellung an die übergeordnete Christusverkündigung angepaßt"[46]. Dieses Traditionsstück konnte er nicht einfach unberücksichtigt lassen, wenn es unter seinen Adressaten bekannt war und sich ein Verschweigen aufgrund der daraus entstehenden Diskrepanz zwischen Aussage des Verfassers und dem Wissenshorizont seiner Adressaten zu Lasten seiner Glaubwürdigkeit ausgewirkt hätte.

b. Die Taufe Jesu

In 1,9 führt Markus Jesus als den vom Täufer bereits angekündigten ἐρχόμενος ein. Der Vers bezieht sich gleich dreifach auf das Vorherige: Das ἦλθεν steht in direktem Bezug zu ἔρχεται in V 7, ἐβαπτίσθη weist zurück auf ἐβάπτισα in V 8, und εἰς τὸν Ἰορδάνην auf ἐν τῷ Ἰορδάνῃ in V 5. Diese Bezüge lassen sich jedoch nicht ohne weiteres miteinander vereinbaren: Die Identifikation Jesu mit dem vom Täufer angekündigten ἐρχόμενος beinhaltet zugleich die Aussage, daß er der von den Propheten Verheißene sei. Um seines Kommens willen rief Johannes somit das Volk zur Taufe; um ihm den Weg zu bereiten, bot er den Bußwilligen die Möglichkeit zur Vergebung ihrer Sünden. Wenn jedoch berichtet wird, daß Jesus zu ihm an den Jordan kommt und sich seiner Taufe unterzieht, entsteht ein Bild, das mit der

---

46) J. Ernst, Johannes der Täufer 16.   47) BDR § 442,4a.

Christusverkündigung des Markus nur schwer in Einklang zu bringen ist: Die Johannestaufe wurde in V 4 qualifiziert als βάπτισμα μετανοίας εἰς ἄφεσιν ἁμαρτιῶν. Das bedeutet, daß derjenige, der sich ihr unterzieht, nicht sündlos ist und seine Sünden abbüßen will. Grund des Rufes zur Bußtaufe war das Beseitigen der Sündhaftigkeit des Volkes als Vorbedingung des Eintreffens des Kommenden, den Markus mit Jesus gleichsetzt. Man erkennt die großen Schwierigkeiten, die entstehen, wenn eine einheitliche Konzeption des Anfangs des Markusevangeliums und des Berichtes von der Taufe Jesu angenommen wird. Es fällt auf, daß der Verfasser des Evangeliums bei der Gestaltung der Verse bestrebt ist, die Verbindung zwischen der Taufe Jesu und dem Taufruf des Johannes möglichst abzuschwächen. So setzt die Erzählung in V 9 erneut ein mit einer doppelten Einleitungsformel. Dem hebraisierenden καὶ ἐγένετο als Entsprechung von ויהי[47] folgt mit ἐν ἐκείναις ταῖς ἡμέραις (MT: בימים ההם) eine Wendung, die der Evangelist auch an anderer Stelle als vorangestellte Zeitbestimmung gebraucht[48] (Mk 4,35; 8,1). Neben der doppelten Signalisierung eines Neueinsatzes trennt er die Verse 9ff. in zweifacher Weise vom Vorherigen ab: So stellt er mit der Nennung von Galiläa zur Bezeichnung der Herkunft Jesu zugleich klar, daß zwischen ihm und dem gemäß Vers 4 zur Taufe strömenden Volk aus Judäa keine Verbindung besteht.[49]

Daneben wird durch die Antonyme ἀναβαίνων ... καταβαῖνον der direkte Zusammenhang zwischen Jesu Heraustreten aus dem Wasser *nach* der Johannestaufe und seiner Geistbegabung betont. Laut Mk 1,5 kommt dem Täufer eine aktive heilsvermittelnde Rolle zu, in Mk 1,9ff. hat sein Taufbad jedoch nur noch vorbereitende Funktion und ist ohne jede Bedeutung für das Kommen des Geistes.[50] Sowohl Matthäus als auch Lukas lassen bei der redaktionellen Verarbeitung ihrer Markusvorlage ein Bemühen erkennen, diese schwierige Tradition in ihrer Bedeutung zu begrenzen: Matthäus fügt einen Dialog zwischen Täufling und Täufer ein, in dem Johannes sich jegliche Autorität abspricht, Jesus zu taufen, um seiner

---

48) Im Alten Testament wird die Wendung häufig in eschatologischem Zusammenhang gebraucht, so in Jer 33,15. 16; Joel 3,2; 4,1 u.ö. Da die Prophezeiung einer eschatologischen Geistbegabung in Joel 3,2 mit Mk 1,9ff. in einem inhaltlichen Zusammenhang zu stehen scheint und vom Evangelisten auch in anderen eschatologischen Zusammenhängen verwendet wird (vgl. die markinische Bearbeitung der sog. ''synoptischen Apokalypse'' [hier bes. Mk 13,17. 24. 32] sowie die Ankündigung der eschatologischen Mahlgemeinschaft in 14,25), erfaßt die Interpretation der Zeitbestimmung als bloße Verfeierlichung der Auftritts (so J. Gnilka, Evangelium nach Markus I, 51) nur einen Teil der Bedeutung.

49) Galiläa hat für Markus theologische Bedeutung. Als Ort der Verkündigung und des Wirkens Jesu steht es Jerusalem als Stätte seiner Ablehnung durch die Juden gegenüber (vgl. P. Vielhauer, Geschichte 340). In diesem Zusammenhang ist auch Mk 3,7 zu berücksichtigen: Hier ist die Rede von der großen Menschenmenge sowohl aus Galiläa als auch aus Judäa und Jerusalem, die Jesus an den See Genezaret folgt. Die Popularität Jesu steht somit derjenigen des Täufers in überbietender Weise gegenüber; während zum Vorläufer Johannes die Menschen nur aus Judäa und Jerusalem kamen, folgen Jesus Menschen aus allen Teilen des Landes. Die Deutung E. Lohmeyers (Evangelium des Markus 21), der die Wanderung Jesu von dem fernen Nazaret zum Jordan als ''ausgezeichnetes Beispiel'' des in Mk 1,5 erwähnten Zuges aller Frommen zum Täufer bezeichnet, scheint mir weniger wahrscheinlich.   50) J. Gnilka, Evangelium nach Markus I, 51.

Minderwertigkeit Ausdruck zu geben (3,14f.). Lukas erwähnt die Taufe Jesu nur noch in einer beiläufigen Partizipialkonstruktion (καὶ Ἰησοῦ βαπτισθέντος: 3,21). Auch hierdurch wird deutlich, daß die frühen Christen um die Taufe Jesu durch Johannes wußten.

Die Anstrengungen der Evangelisten, die diesbezüglichen Traditionen in ihrer Bedeutung möglichst einzugrenzen, zeigen, daß ein völliges Unterdrücken nicht mehr möglich war, denn dies wäre auf Kosten der Glaubwürdigkeit ihrer Botschaft gegangen.

Es ist deutlich geworden, daß bereits der Verfasser des Markusevangeliums bestrebt ist, die Zusammenhänge zwischen der Taufe Jesu durch Johannes und seiner Geistausstattung und göttlichen Adoption möglichst gering zu halten. Die Erzählung von der Taufe Jesu in Mk 1,9-11 "hat ihr Schwergewicht ganz eindeutig in der christologischen Aussage, nämlich in der Einsetzung Jesu zum Messias bzw. zum Gottessohn unter Aufnahme traditioneller eschatologischer Elemente wie Öffnung des Himmels, Herabkunft des Geistes, Himmelsstimme und einer an Ps 2,7 anklingenden Adoptionsformel. Der Taufakt hat demgegenüber nur untergeordnete Bedeutung und wird nur am Rande erwähnt."[51]

An dieser Stelle steht die Frage, warum Markus überhaupt von der Geistbegabung Jesu bei seiner Taufe durch Johannes berichtet. Schließlich wird diese christologisch schwer zu integrierende Tradition von der Taufe Jesu auch im nur wenige Jahrzehnte jüngeren Johannesevangelium gänzlich verschwiegen. Daß der Evangelist darin überhaupt kein Problem sah, kann ausgeschlossen werden.[52] Alles deutet vielmehr darauf hin, daß das Verhältnis zwischen beiden Gestalten beziehungsweise deren unterschiedliche heilsgeschichtliche Relevanz illustriert werden soll. Warum verschweigt Markus den Zusammenhang nicht gänzlich? Es gibt mehrere Möglichkeiten, diese Frage zu beantworten:

1) In dem Bericht von der Taufe Jesu werden die Prophetenworte aus Mk 1,2f. illustriert.

2) Markus will der Superiorität Jesu gegenüber Johannes Ausdruck verleihen. Geistbegabung und göttliche Adoption Jesu wären dann der Vollmacht des Täufers zur Sündenvergebung in überbietender Weise gegenübergestellt.

---

51) G. Barth, Taufe 19.
52) Gegen W. Schmithals (Evangelium nach Markus I, 82): "Für den Erzähler bildet die Taufe Jesu indessen kein Problem, denn er läßt den unbekannten Jesus als gewöhnlichen, aus Nazaret in Galiläa stammenden Menschen zur Taufe des Johannes kommen. Erst im Verlauf des Taufgeschehens wird er zum >Sohn Gottes< berufen." Gegen diese "soteriologische" (ebd. 89) Interpretation spricht neben der Tatsache, daß Jesus für die Adressaten des Evangeliums keiner Einführung bedarf (bzw. als Ἰησοῦς Χριστός in Mk 1,1 bereits eingeführt wurde), daß offen gelassen wird, warum Markus bestrebt ist, die Taufe, die das bußfertige Volk von Johannes empfängt, und die Taufe, deren sich Jesus unterzieht, so stark voneinander abzugrenzen.

3) Dem Evangelisten liegen lebendige, auch in seiner Gemeinde noch bekannte Traditionen vor, die er nicht gänzlich streichen konnte, die er jedoch in solcher Weise in sein Evangelium einbaute, daß der absolute Vorrang des Sohnes Gottes gegenüber dem Täufer unmißverständlich zum Ausdruck kommt.

Dafür, daß Markus mit dem Bericht von der Geistbegabung Jesu während der Taufe die Erfüllung alttestamentlicher Prophezeiungen darstellen will, sprechen zunächst die inhaltlichen Beziehungen zwischen V 2f. und V 9-11: Der aus Galiläa zum Täufer kommende Jesus kann mit dem angekündigten κύριος identifiziert werden, die Taufe durch Johannes als das Bereiten seines Weges. Geistbegabung und Adoption wären dann als Beginn des endzeitlichen Wirkens Jesu zu betrachten. Einer solchen Sichtweise steht die unterschiedliche Qualifikation der Johannestaufe in den Versen 4 und 9f. entgegen. Während die Taufe, die Johannes allen Bußwilligen anbietet, lustrierend-sündenvergebenden Charakter hat, muß die Taufe Jesu nach Mk 1,9-11 eher als Initiation gedeutet werden. Dem öffentlichen und allgemein zugänglichen Reinigungsbad steht ein exklusiver, allein Jesus vorbehaltener Ritus gegenüber.

Eine wertende Gegenüberstellung der Bedeutung und Vollmacht des Täuflings und des Täufers als Intention des Berichts von Jesu Geistbegabung und göttlicher Adoption mit der Johannestaufe wäre ebenfalls möglich. Gestützt wird diese Interpretationsmöglichkeit durch das offenkundige Anliegen des Evangelisten, Jesus als den letzten Täufling des Johannes darzustellen. In direktem Anschluß an den Bericht von der Taufe Jesu (V 9-11) und seiner Versuchung in der Wüste (V 12-13) erzählt er von der Gefangensetzung des Johannes. Die Taufe Jesu erscheint somit als Höhepunkt und Abschluß seiner Tauftätigkeit. Indem er ihn, den erwarteten κύριος, tauft, bereitet Johannes seinem überlegenen Nachfolger den Weg und beendet seine eigene (nunmehr unnötige) Wirksamkeit. Der als Sohn Gottes ausgewiesene und mit dessen Geist begabte Jesus von Nazaret tritt nun an die Stelle des Täufers, predigt und ruft zur Buße (V 14f.). Jedoch kann der Bußruf Jesu und seiner Apostel[53] nicht ohne weiteres als Fortführung der Botschaft des Täufers verstanden werden. Wir erfahren bei Markus nichts von einer Tauftätigkeit Jesu. Sowohl Aufruf zur tätigen Buße als auch Sündenvergebung als Inhalte der Verkündigung Jesu nach dem Zeugnis seines Evangeliums stehen im Kontext des er-

---

53) Neben dem einmaligen Gebrauch des Substantives μετάνοια in Mk 1,4 findet sich das Verb μετανοεῖν bei Markus allein in 1,15 und in 6,12. Dem Genitivus qualitatis in 1,4, der die Zugehörigkeit der Buße zur Johannestaufe als übergeordnetes Beziehungswort ausdrückt, steht in 1,14 der Imperativ als Ruf zur tätigen Reaktion auf das (nahe: ἤγγικεν) Kommen des Reiches Gottes gegenüber. Nach 6,12f. besteht die Tätigkeit der Apostel als Multiplikatoren der Botschaft Jesu neben der Verrichtung von Exorzismen und der Heilung von Kranken im Ruf zur Buße. Interessanterweise werden diese Handlungen in Vers 14 unter dem Namen Jesu zusammengefaßt und als Grundlage der Identifikation Jesu mit dem hingerichteten Johannes bezeichnet. Noch in der Zeit der Abfassung des Evangeliums des Markus scheint der Ruf zur Buße mit dem Namen des Täufers verknüpft worden zu sein.

warteten Hereinbrechens des Gottesreiches und sind weniger Vorbereitung als Kennzeichen und Merkmale der messianischen Zeit. Der Gegensatz zwischen Wassertaufe und (aktiver) Geisttaufe durch den von Johannes angekündigten κύριος in V 8 und der Zusammenhang von Wasserbad und (passiver) Geistbegabung Jesu in V 10 läßt eine eindeutige Bejahung der Berechtigung dieser Interpretationsmöglichkeit nicht zu.

So werden Johannes und Jesus zwar in der Form gegenübergestellt, daß ersterer als Vorläufer des letzteren und als dessen Wegbereiter erscheint, doch zeigt dies allein die Verfasserabsicht des Markus, die Hoheit Jesu gegenüber Johannes zu verdeutlichen. Es erklärt nicht, warum er die göttliche Adoption und Geistbegabung Jesu als Beginn seines Wirkens mit der passiven Teilnahme an einer rituellen Handlung verknüpft, deren Sinn und Zweck die Vorbereitung auf das Kommen des eschatologischen Richters ist.

Unter der Voraussetzung, daß die Traditionen der Wirksamkeit Johannes´ des Täufers und der Taufe Jesu durch Johannes von Markus nicht verschwiegen werden konnten, da sie bis in die Zeit der Abfassung seines Evangeliums allgemein bekannt waren, läßt sich der Widerspruch lösen. Es wurde als Intention des Evangelisten festgestellt:

1) Der Verfasser ist bestrebt, das Faktum der Teilnahme Jesu an der Johannestaufe und seine Geistausstattung und göttliche Adoption deutlich voneinander abzugrenzen.

2) Die Funktion der Rede von der Geistbegabung Jesu bei seiner Taufe durch Johannes besteht darin, diese zunächst schwierige und unverständliche Tradition zu deuten.

3) Die Inferiorität des Johannes gegenüber Jesus und der begrenzte Zeitraum seiner Wirksamkeit sollen betont werden.

In mehreren Punkten bestehen somit Spannungen zwischen dem Wortlaut des Textes und der Verfasserabsicht: 1. Markus interpretiert die Johannestaufe in 1,9f. anders als in 1,4. Die (das Kommen des κύριος vorbereitende) Entsündigung des Volkes steht der Bedeutung als Medium der Geistbegabung und göttlichen Adoption gegenüber. 2. Der Ankündigung eines (im vornherein mit Jesus identifizierten) Geisttäufers folgt der Bericht von der Geistbegabung Jesu.

Die Spannungen lösen sich auf, wenn man davon ausgeht, daß Markus bei der Redaktion seines Evangeliums voneinander unabhängige Traditionen 1) von der Wirksamkeit und Predigt des Täufers und 2) von der Taufe Jesu durch Johannes vorgelegen haben, die von ihm durch Vorschaltung der alttestamentlichen Prophezeiungen miteinander verknüpft und auf Jesus bezogen wurden. Die - seinen Adressaten in ihren Grundzügen bekannten - Inhalte der Täuferpredigt standen im

Gegensatz zu der Verfasserabsicht des Markus und waren offenbar unvereinbar mit dem Bild, das er sich von der irdischen Existenz Jesu machte. Die Tatsache, daß Jesus sich der Taufe des Johannes unterzog (deren für den Evangelisten nicht mehr nachvollziehbare Bedeutung klar definiert war), stellte ein Problem dar, zumal ein Verschweigen der Traditionen für ihn offensichtlich nicht möglich war. Ein Unterdrücken populärer Überlieferungen barg die Gefahr eines Verlusts an Glaubwürdigkeit. Markus könnte dieses Problem nun dadurch zu lösen versucht haben, daß er durch die redaktionelle Gestaltung der ihm vorliegenden Stoffe mißverständliche Interpretationen nach Möglichkeit ausschloß, ohne sie zu übergehen oder einfach zu negieren. Da die traditionelle Überlieferung eine solche Harmonisierung nur bis zu einem gewissen Grad zuläßt, kann man mit einer gewissen Wahrscheinlichkeit die Existenz der beiden folgenden Traditionen voraussetzen und ihren Inhalt bestimmen:

α. Die Tradition von Auftreten und Predigt des Täufers

Als vormarkinische Bestandteile der Verse Mk 1,1-8 wurden die Notizen über Bußpredigt und Taufe des Johannes am Jordan, über deren Popularität und deren Bedeutung vor dem Kommen des in naher Zukunft erwarteten endzeitlichen Richters erkannt. Die durch die Taufe des Johannes ermöglichte Sündenvergebung erscheint als Alternative zu den herkömmlichen Sühneriten sowie als deren Infragestellung. Tracht und Speise signalisieren als Einheit eine äußere Haltung des Täufers, die möglicherweise im Rahmen des Prophetenbildes der alttestamentlichen und zeitgenössischen jüdischen Schriften zu verstehen ist. Es ist davon auszugehen, daß Johannes Jahwes Kommen selbst erwartete. Seine geistbegabende Wassertaufe als letzte Möglichkeit der Sühne vor dem Hereinbrechen des göttlichen Gerichts und des ihm folgenden Vernichtungsgeschehens wird als Möglichkeit verstanden, dem drohenden Zorn Jahwes über die unreinen und widerspenstigen Menschen zu entgehen. Das hierdurch begründete Gesamtbild von der Gestalt und vom Wirken Johannes´ des Täufers steht noch in keinem notwendigen Zusammenhang mit der Wirksamkeit Jesu aus Nazaret und mit dem Christusglauben der nachösterlichen Gemeinden. Es erweckt vielmehr den Anschein einer Erinnerung an den jüdischen Bußprediger Johannes, dessen Wirksamkeit große Popularität erlangte und von dem verschiedene Attribute überliefert wurden, die eine Einordnung innerhalb des altjüdischen Prophetismus zu ermöglichen scheinen.

β. Die Tradition von der Taufe Jesu aus Nazaret durch Johannes

Das offensichtliche Bestreben des Markus, die heilsgeschichtliche Bedeutung der Tatsache der Taufe Jesu durch Johannes herabzuwürdigen, ließe sich erklären durch den Charakter der Johannestaufe, der in Widerspruch zum Jesusbild der nachösterlichen Gemeinde steht: Allein Jesus, der Christus ist sündenfrei, kann Sünden vergeben und den Geist der Endzeit verleihen. An dem Text wird spürbar, daß das Faktum der Taufe Jesu durch Johannes für den Evangelisten nicht unproblematisch gewesen ist.

Warum wurde die Teilnahme Jesu an der Johannestaufe überhaupt bis in die Zeit der Abfassung der Evangelien hinein überliefert? Die Tradition impliziert eine gewisse - im weiteren Verlauf noch näher zu bestimmende - Autorität, die dem Täufer über seinen Tod hinaus zugebilligt wird. Es fällt auf, daß Markus genau diejenigen Charakteristika der Johannestaufe, die er in V 4-8 erwähnte (nämlich ihren Bußcharakter und ihre sündenvergebende Wirkung durch das Medium ὕδωϱ sowie ihre Allgemeinheit), in V 9-11 verschweigt. Dies legt den Schluß nahe, daß eben diese Charakteristika der Johannestaufe bis weit in die zweite Hälfte des ersten Jahrhunderts hinein bekannt waren und daß ihr Fehlen im Zusammenhang mit der Taufe Jesu bei Markus darauf hinweisen soll, daß die allgemein verbreitete Tatsache der Teilnahme Jesu an der Johannestaufe und die ebenfalls allgemein verbreitete Interpretation der Gestalt und des Wirkens des Täufers miteinander nichts zu tun haben.

2. Die Fastenfrage (Mk 2,18) als Beleg für die Authentie von Mk 1,6

Ein Text, dessen inhaltliche Bedeutung für die überwiegende Mehrzahl seiner Leser und Hörer unklar bleibt, dient schwerlich deren Erbauung oder gar Überzeugung. Ein Autor, auch ein Redaktor, dessen - zumal religiös fundierte - Intention es ist, seine Adressaten direkt anzusprechen, gestaltet sein Bildmaterial und seine Erzählstoffe so, daß sie zumindest Berührungspunkte mit dem aufweisen, was jenen bekannt ist, in ihrem Lebensbereich begegnet, sie beschäftigt. So ist auch davon auszugehen, daß die im Markusevangelium in der vom Verfasser erstellten Endgestalt auftretenden und handelnden Personen oder Personengruppen für dessen Adressaten (möglicherweise sogar als definierte Typen) identifizierbar waren.

In Mk 2,18 ist die Rede von den μαθηταὶ Ἰωάννου als Gruppe, die neben den Pharisäern und den Jüngern Jesu als definierte religiöse Gemeinschaft existieren. Der Evangelist berichtet vom häufigen Fasten[54] der Johannesjünger und der Phari-

---

54) Zum iterativischen Gebrauch des Imperfekts vgl. BDR § 325.

säer im Gegensatz zum Fastenverzicht der Jünger Jesu. Leitgedanke des Verses 2,18 in Verbindung mit den nachfolgenden Herrenworten vom Hochzeitsmahl (2,19f.), vom neuen Tuch auf dem alten Gewand (2,21) und vom neuen Wein in alten Schläuchen (2,22) ist die Aufhebung des jüdischen Gesetzes - und somit auch des Fastengebotes - durch die mit Jesus hereinbrechende Gegenwart der eschatologischen Vollendung. Das Fasten der Johannesjünger und Pharisäer steht hier für den Evangelisten als pars pro toto jüdischer Religiosität (und insbesondere angeblich verdienstlicher Akte der Frömmigkeit im Rahmen eschatologischer Erwartungen).[55]

Unsere Frage an den Vers ist nun, welche Angaben über den Täufer und auch über seine unmittelbare Wirkungsgeschichte sich isolieren lassen, die zumindest in den vom Markusevangelium angesprochenen Gemeinden noch bekannt sind und ihren Ursprung im Wirken des Johannes und in seiner Interpretation durch seine Zeitgenossen haben. Folgenden Aussagen ist nachzuspüren:

1) Mit dem Namen des Täufers wird ein rituelles Fasten in Verbindung gebracht, das zumindest nach Auffassung des Verfassers des Markusevangeliums der gegenwärtigen Heilszeit nicht gemäß ist. Der asketische Bußritus scheint bei Markus zum Anachronismus geworden zu sein.

2) Die μαθηταὶ Ἰωάννου werden dargestellt als eine definierte Gemeinschaft, die mit der religiösen Partei der Pharisäer und mit der Jesusbewegung verglichen werden kann.

Warum fasten Johannesjünger? Warum berichtet Markus von deren Fasten? Letztere Frage wird von R. Bultmann[56] dahingehend beantwortet, daß "sich die Gemeinde für ihr Verhalten auf Jesus beruft und die Situationsangabe Gemeindebildung [sei]. Das Logion [V 19-22] war also ... ursprünglich isoliert, und es wurde zu einem Apophthegma verarbeitet, als die Frage nach dem Verhältnis der Gemeinde zur Täufersekte aktuell war."[57] Somit sagen die Verse in der nachösterlichen Gemeinde aus: 1) Jesus hat den Fastenritus der Johannesjünger und der Pharisäer abgelehnt, da er im Gegensatz zu diesen überzeugt war, daß die Heilszeit bereits angebrochen sei. 2) Ein Verzicht auf das freiwillige Fasten ist durch ein Herrenwort sanktioniert.[58]

---

55) mTaan passim; vgl. auch S. Safrai, Religion 814-816 sowie den Exkurs in Bill. IV, 77-114.

56) R. Bultmann, Geschichte 17.

57) Anders M. Dibelius (Formgeschichte 62f.), der als traditionellen Inhalt der Verse Mk 2,18 und 19 die "Verteidigung einer Lebensweise ohne Fasten" (ebd. 62) erkennt. Die Intention der Perikope in ihrer Endgestalt hingegen identifiziert er unter Hinweis auf das "Ende der Hochzeitstage [2,19b.20]" (ebd. 63) als "Rechtfertigung der Fastensitte" bei gleichzeitiger Erhaltung von Traditionen mit "entgegengesetzter Tendenz" (ebd. 63).

58) Vgl. J. Behm, Art. νῆστις κτλ.: ThWNT IV, 933f.

Für eine Beantwortung der Frage nach dem Ursprung des Fastens der Johannesjünger finden sich zunächst nur wenige Anhaltspunkte. So könnte eine Verbindung bestehen zwischen der Notiz über die karge Nahrung des Täufers in Mk 1,6 und der Nahrungsaskese seiner Jünger. Weiterhin läßt sich das Fasten auch als Buße verstehen.[59] Diese Buße wird nun in Mk 1,3 vom Evangelisten als "Ebnen des Weges" für den irdischen Jesus als den erwarteten eschatologischen Richter dargestellt. Schließlich weist das Fasten auf den jüdischen Versöhnungstag hin (vgl. Lev 16,29ff.; 23,27ff.; Num 29,7). Es wurde bereits erwähnt, daß der Anspruch des Täufers mit den jüdischen Sühneriten auch im Rahmen des Versöhnungstages kollidiert. Es bestünde also prinzipiell die Möglichkeit, daß Täuferjünger durch ihr Verhalten einer oppositionellen Haltung gegenüber dem Kult im Tempel Ausdruck gaben.

Für die letztere Möglichkeit spricht, daß auch nach der Darstellung des Matthäus (Mt 3,7) eine offensichtliche Antipathie des Täufers gegenüber den Pharisäern und Sadduzäern bestand. Lk 7,29f. berichtet auch davon, daß die Pharisäer die Johannestaufe ablehnten. Jedoch ist es nicht wahrscheinlich, daß eine entgegengesetzte Stellung gegenüber der Vollmacht des Hohenpriesters, am Versöhnungstag die Sünden des Volkes von ihm zu nehmen, durch einen vergleichbaren Ritus demonstriert wird, der "Trauer für unrechtes Tun"[60] bedeutet, der in der antiken jüdischen Literatur Zeichen der Reue und der Buße ist und dem ein versöhnender Wert innewohnt.[61] Die Pharisäer sind für Markus als Kontrahenten Jesu (Mk 10,1ff.; 12,13ff.) typische Vertreter eines negativ verstandenen Judentums. In dem Bild, das die Evangelisten von den Vertretern des Pharisäismus zeichnen, scheint sich ihre Auseinandersetzung mit einer (pharisäischen?) Gesetzesfrömmigkeit zu spiegeln. Von Johannes dem Täufer wird an keiner Stelle des Neuen Testaments eine Aussage überliefert, die auf einen täuferischen Antinomismus schließen läßt. Hinzu kommt, daß alle drei Synoptiker bedenkenlos die Johannesjünger und die Pharisäer[62] Seite an Seite den Jüngern Jesu gegenüberstellen (Mk 2,18; Mt 9,14; Lk 5,33), so daß der Eindruck erweckt wird, daß beide religiöse Gruppen eher Gemeinsamkeiten als Differenzen aufwiesen.

---

59) Im AT hat das Fasten (צום) als "Selbstminderungsritus" (F. Stolz, Art. צום: THAT II, 537; vgl. H.D. Preuß, Art. צום: ThWAT VI, 960) hauptsächlich Bußcharakter. Das Fasten ist hier "Ausdruck der Beugung des Menschen vor Gott, wie die Wendung ענה נפש zeigt, Aktion der Selbstentsagung und -peinigung, die auf Gott Eindruck machen, seinen Zorn besänftigen, ihn zur Erfüllung dessen, was der Mensch wünscht, bewegen soll" (J. Behm, Art. νῆστις κτλ.: ThWNT IV, 928). Diese Vorstellung setzt sich fort im antiken jüdischen Schrifttum: PsSal 3,8; Test Rub 1,10; syrBar 5,7; IV Esr 10,4; Vit Ad 6.

60) H. Mantel, Art. Fasten/Fasttage II. Judentum: TRE XI, 46.

61) Vgl. insb. TestRub 1,10; TestSim 3,4; TestJud 15,4; PsSal 3,8.

62) Entgegen der parallelisierenden Darstellung des Markus in 2,18 hatten die Pharisäer keine "μαθηταί".

Vom Fasten des Täufers spricht auch das Q-Logion Mt 11,18/Lk 7,33. Unabhängig von der Beantwortung der Frage nach dem Charakter der an dieser Stelle und in Mk 1,6par. erwähnten Nahrung des Täufers[63] scheint hier ein Indiz dafür vorzuliegen, daß das rituelle Fasten der μαθηταὶ Ἰωάννου dem Verhalten ihres Lehrers nachgebildet ist. Ein Fastengebot des Täufers ist nicht überliefert. Was könnte die Täuferschüler trotzdem dazu bewogen haben, nach dem Tod ihres Lehrers Askese zu üben? Die Nachahmung des Meisters allein dürfte als Ausgangspunkt der Installation eines festen Fastenritus nicht ausreichen, bedarf vielmehr selbst einer Begründung. Das Problem löst sich, wenn man das Verhalten der Johannesjünger als Weiterführung dessen interpretiert, zu dem der Täufer aufrief. Fasten ist nach Joel 1,14f.; 2,12ff. Ausdruck der Buße angesichts des nahen ”Tages Jahwes” und geht der göttlichen Sündenvergebung voraus. Zentraler Bestandteil der Predigt des Johannes war der Ruf zur Taufe der Buße als letzte Möglichkeit des Entrinnens vor dem eschatologischen Vernichtungsgeschehen im Feuer. Das könnte dazu geführt haben, daß ein rituelles Fasten von denen, die überzeugt waren, daß sich die in naher Zukunft erwarteten Endereignisse so abspielen würden, wie es Johannes vorhergesagt hatte, als Realisation der fortwährenden Buße auch weiterhin ausgeübt wurde.

Die Diskussion über das Fasten der Täuferschüler und das Nichtfasten der Jesusjünger spiegelt die Situation der nachösterlichen Gemeinde wider.[64] Eine direkte Ableitung von Aussagen über den historischen Täufer aus den Nachrichten über das Fasten seiner Jünger ist in der Tat nicht möglich. Jedoch besteht die Möglichkeit, daß das Täuferbild der Evangelisten hier nach dem Verhalten ehemaliger Täuferjünger innerhalb des Urchristentums ausgerichtet ist. Folgende Entwicklung ist demnach vorstellbar: Johannes der Täufer ernährte sich demonstrativ von Heuschrecken und Honigwasser, um dadurch seinem Selbstverständnis Ausdruck zu verleihen. Er rief öffentlich zur Bußtaufe angesichts des drohenden Gerichts. Nach seinem Tod wurde der Bußruf von seinen getauften Jüngern aufgenommen. Ihr Lehrer war tot, das endzeitliche Gericht Gottes war ausgeblieben. Der Fastenritus als markantes Zeichen der Buße bot nun die Möglichkeit, die in der Taufe vermittelte Seinsweise aufrechtzuerhalten.[65] Für die christliche Gemeinde, die sich genötigt sah, sich von diesen internen Strömungen abzugrenzen, war ein solches rituelles Fasten ein festes Kennzeichen der ehemaligen Täuferjünger. Die überkommenen Traditionen von Fleisch- und Weinverzicht des Johannes wurden parallel zu deren Fasten als quantitativer Verzicht auf Nahrung, als Askese interpretiert. Besonders Lk 7,33 könnte von einer solchen Rückprojektion der Fastensitte der Täuferschüler in das Leben Johannes´ des Täufers zeugen.

---

63) S.o. 37f.   64) Vgl. J. Ernst, Johannes der Täufer 349.

65) Wasserbad und Fasten als Bußleistungen finden sich in der antiken jüdischen Literatur: So wird in Vit Ad 5f. das Wasserbad der Eva als Substitut für das Fasten Adams als Zeichen der Buße bezeichnet.

3. Jesus als Johannes redivivus: Mk 6,14-16/8,28

Die Verse Mk 6,14-16 berichten von der Reaktion des Herodes Antipas auf die Nachricht vom ungewöhnlichen Wirken und Verkündigen Jesu aus Nazaret.[66] Als Grundlage der Interpretation des Auftretens Jesu durch den Tetrarchen werden die Meinungen im Volk angeführt: Die einen halten Jesus für den von den Toten wiederauferstandenen Johannes, andere für Elija, andere für einen Propheten ὡς εἷς τῶν προφητῶν. Herodes Antipas folgt der Auffassung, Jesus sei der wiederauferstandene Johannes.

Ungeachtet der vielfältigen Versuche, die redaktionellen und traditionellen Bestandteile der drei Verse voneinander abzugrenzen,[67] lassen sich anhand des Textes in seiner vorliegenden Gestalt Beobachtungen anstellen, die zur Klärung der Aussageabsicht des Evangelisten beitragen können:

Die Verse schließen direkt an den Bericht von der Aussendung der δώδεκα (Mk 6,7-13) an. Die von Jesus ausgesandten Jünger sind mit der Vollmacht ausgestattet, Exorzismen und Krankenheilungen vorzunehmen (6,13) beziehungsweise die πνεύματα ἀκάθαρτα (6,7) auszutreiben. Sie leben in Armut und Besitzlosigkeit (6,8f.) und rufen zur Buße auf (6,12). Der Zwölferkreis als Multiplikator der Verkündigung Jesu vollführt - wie sein Meister - die Handlungen, die zu der Frage nach dem Ursprung eines solchen vollmächtigen Auftretens Anlaß geben. Die aufsehenerregenden δυνάμεις, die Jesus - dessen Messianität ja noch verborgen war[68] - besitzt, führen zu seinem Vergleich mit Johannes, mit Elija und mit einem Propheten ὡς εἷς τῶν προφητῶν. Alle drei Möglichkeiten dokumentieren, daß die jeweilige Gestalt ebenfalls als Besitzer solcher δυνάμεις verstanden wurde. Neben dieser Aussage, die alle drei als Prophetengestalten miteinander verbindet, besteht eine weitere Auffälligkeit: Durch das ὡς εἷς τῶν προφητῶν in Vers 15 wird unterschieden zwischen einem Prophetentum nach dem Vorbild der biblischen Propheten (wie z.B. Jesaja, vgl. Mk 1,2) und einer anderen Art des Prophetentums, wie es

---

66) Die Antwort der Jünger auf Jesu Frage nach seiner Identität in Mk 8,28 "hat große Ähnlichkeit mit den 6,14-16 wiedergegebenen Urteilen, so daß beiden Formulierungen eine gemeinsame Überlieferung zugrunde liegen wird, die Markus zweimal verwendet" (W. Grundmann, Evangelium nach Markus 217). J. Gnilka (Evangelium nach Markus I, 245) kommt zu dem Urteil, daß in 8,28 die jüngere Gestalt des Textes vorliegt: "Vermutlich war es Markus, der in 8,28 kürzte" (ebd. 245).

67) R. Bultmann (Geschichte 328f.) hält allein V14 für traditionell, während E. Lohmeyer (Evangelium des Markus 115) alle drei Verse als Traditionsmaterial erkennt: "[Das] Erzählstück stellt einige Urteile zusammen, die in Galiläa über Jesus umliefen." W. Schmithals (Evangelium nach Markus I, 313) ordnet allein die Parenthese in Vers 14a der Tradition zu, J. Gnilka (Evangelium nach Markus I, 244 Anm. 1) hingegen die Verse 14a und 16.

68) Erst mit der (mißverstandenen) Offenbarung im Bekenntnis des Petrus (Mk 8,29) beginnt sich die wahre Identität Jesu zu enthüllen (vgl. Mk 15,39): "Im Rahmen seiner Messiasgeheimnistheorie gibt der Evangelist zu verstehen, daß man zwar auf Jesus aufmerksam wird, daß seine wahre Bedeutung im Volk noch nicht erkannt ist" (W. Schmithals, Evangelium nach Markus I, 313).

sowohl Elija als auch Johannes der Täufer zu repräsentieren scheinen. Eine Gegenüberstellung von Johannes und Elija einerseits und den anderen biblischen Propheten andererseits zeigt auch Mk 8,28. Bereits E. Lohmeyer[69] hat darauf hingewiesen, daß zwischen den drei Identifikationsmöglichkeiten an dieser Stelle ein inhaltlicher Unterschied besteht, der an der Satzkonstruktion kenntlich wird.[70]

Worin besteht dieser Unterschied? Was verbindet Johannes in diesem Zusammenhang mit Elija? Das Kommen des Elija "ist Zeichen der nahen oder auch gegenwärtigen eschatologischen Heilszeit"[71]. Das Wirken des Täufers wurde ebenfalls im Horizont der gespannten eschatologischen Erwartungen im Judentum und auch der von Jesus ausgehenden Bewegung interpretiert.[72] Wo im Neuen Testament (wie in Mk 6,15 und 8,28) im Plural und mit vorangestelltem Artikel von Propheten die Rede ist,[73] sind die biblischen Propheten gemeint,[74] die "alles im voraus verkündigt haben, was sich später in Christus erfüllt hat"[75] und in deren Nachfolge (hinsichtlich ihres gewaltsamen Geschicks als Exempel für die Verfolgung des Getreuen Jahwes durch seine gottlose Umwelt)[76] auch das Martyrium Jesu[77] angeführt wird.

Die Gemeinsamkeit in den Urteilen über Jesus scheint darin zu bestehen, daß sein Wirken im Rahmen des Prophetentums gedeutet wird. Hierbei stehen sich jedoch Deutungen des Propheten a) als Verkünder des göttlichen Willens in der Geschichte des Volkes und b) als endzeitliche Gestalt, dessen Erscheinen das Kommen des Messias und das baldige Gericht ankündigt, gegenüber. Die eigentliche Identität Jesu, seine Messianität, ist hier noch nicht offenbar geworden.

Der Verfasser des Markusevangeliums schrieb für einen konkreten Leser- bzw. Hörerkreis und hatte eine konkrete Intention, nämlich die Abfassung einer zusammenhängenden Deutung des irdischen Wirkens und der Passion Jesu, des Christus, für den Gebrauch in den von ihm angesprochenen christlichen Gemeinden.

---

69) Evangelium des Markus 162.
70) Johannes und Elija stehen im Akkusativ, εἷς (τῶν προφητῶν) hingegen im Nominativ. Sollte die neben weiteren Textzeugen von den wichtigen Codices A, D, L und Θ vertretende Lesart zu Mk 8,28, welche die Konjunktion ὅτι vor ᾿Ιωάννου ausläßt, die ursprünglichere sein (wie z.B. E. Lohmeyer [Evangelium des Markus 162 Anm. 2] annimmt), wäre das ebenfalls ein Indiz für eine absichtsvolle Trennung zwischen Johannes und Elija einerseits und den biblischen Propheten andererseits.   71) E. Lohmeyer, Evangelium des Markus 11; s.o. 33.
72) Der vermutete Tenor der Täuferpredigt, seine Interpretation durch seine Zeitgenossen und Anhänger und schließlich die Rolle als Vorläufer und Verkünder des Messias Jesus, die Markus Johannes zubilligt, stehen in direktem Zusammenhang mit dem erwarteten Anbruch der Zeit des endzeitlichen Straf- bzw. Heilsgeschehens.
73) Als Parallele Mt 16,14; zur Bezeichnung der biblischen Schrifttradition Mt 5,17; 7,12; 22,40; Lk 13,28; 16,29.31; 24,27, Johannes inkludierend Lk 16,16, auf Jesus als den Messias hinweisend Mt 2,23; 11,13; 26,56; Lk 18,31; 24,25f. 44.   74) Eine Ausnahme stellt Lk 16,16 dar (s.u. 94-99).
75) G. Friedrich, Art. προφήτης κτλ. D. Propheten und Prophezeien im Neuen Testament: ThWNT VI, 834.   76) Mt 5,12 par. Lk 6,23; Mt 23,29 par. Lk 11,47.   77) Mt 23,37 par. Lk 13,34.

Man kann davon ausgehen, daß die Kompatibilität seiner Darstellung des irdischen Wirkens Jesu mit den Traditionen und Erinnerungen, die in der Gemeinschaft von Christen, die seinen Adressatenkreis bildeten, lebendig waren, seiner Verfasserabsicht entsprach; das heißt: in den Grundzügen mit dem übereinstimmte, was hier an allgemein zugänglicher mündlicher Überlieferung bekannt war. Zur Übermittlung seiner christologischen Konzeption dürfte er dementsprechend nur zeitgenössische (Fehl-)Interpretationen Jesu angeführt haben, die für seine Adressaten plausibel und glaubwürdig waren.

Für diese Untersuchung ergibt sich nun folgendes:

1) Traditionen, die Johannes den Täufer der biblischen Prophetie zuordnen, könnten bis in die Zeit der Abfassung der Evangelien hinein lebendig gewesen sein.

2) Das Prophetentum des Täufers wird zumindest von den christlichen Tradenten dem Prophetentum des Elija beigeordnet.

3) Exorzismen und Krankenheilungen Jesu bilden der nachösterlichen Gemeinde die Anknüpfungspunkte für die Identifikation ihres Meisters mit dem Täufer.

Worin könnte für Markus der Zusammenhang zwischen solcher vollmächtigen Tätigkeit und dem Wirken des Johannes bestanden haben? Die Akzeptanz dieser Aussage in den von ihm angesprochenen Gemeinden scheint er vorauszusetzen. Um hierauf eine Antwort zu finden, müssen wir weiterfragen nach der Bedeutung der Exorzismustätigkeit und der Heilkraft Jesu für die nachösterliche Gemeinde und insbesondere für den Verfasser des Markusevangeliums.

C.H. Ratschow[78] definiert Exorzismus als "terminus technicus für >Beschwörung< im Sinne der Beseitigung böser numinoser Einflüsse, speziell für die Vertreibung dämonischer Mächte"[79]. Exorzismus und Krankenheilung gehören im Vorstellungsbereich der Antike dort zusammen, wo man "keine natürliche Ätiologie von Krankheiten gekannt hat, sondern alle Krankheiten auf die Einwirkung von Dämonen zurückführte"[80]. Heilungsmethoden exorzistisch-apotropäischer Natur finden sich im antiken (wie auch im modernen) Volksglauben in vielfacher Weise. Auch im Neuen Testament begegnet die Überzeugung, daß Krankheit und Tod auf die Einwirkung dämonischer Mächte zurückgehen.[81] So berichtet Markus von Exorzismen, die Jesus durchführte. Daß ein Exorzismus Jesu ausdrücklich die Heilung eines Besessenen bewirkte, erfahren wir in Mk

---

78) Art. Exorzismus I. Religionsgeschichtlich: RGG³ II, 832.

79) Während die Vorstellung der alttestamentlichen Überlieferung fremd ist, finden sich in der antiken jüdischen Literatur Belege für derartige Praktiken: In Tob 6,9 empfiehlt der Engel Rafael dem Tobit das Verbrennen von Fischherz und -leber wegen der exorzistischen Wirkung des dabei entstehenden Rauches. In Tob 8,2 wird der δαίμων, der von Sara Besitz ergriffen hatte, von Tobit gemäß den Anweisungen Rafaels ausgetrieben und in der Wüste gebunden. Josephus berichtet in Ant 8, 45-49 von der Fähigkeit Salomos, Krankheiten zu heilen und Geister auszutreiben. Der Verfasser der Antiquitates fügt den Hinweis an, daß diese Heilkunst noch in seiner Zeit in Gebrauch ist, und nennt als Beispiel einen in seiner Anwesenheit durchgeführten Exorzismus gemäß den Anleitungen des Salomo.   80) O. Böcher, Dämonenfurcht 152f.

5,2-13; 7,24-30 sowie 9,17-29. Solche Tätigkeit führt die jüdischen γραμματεῖς gemäß Mk 3,22. 30 zu dem Fehlurteil, die Heilkraft Jesu sei auf dessen eigene dämonische Besessenheit zurückzuführen. Durch das in Mk 3,29 eingefügte Logion wird solche Vollmacht definiert als durch den heiligen Geist Gottes gewirkt. Heilkraft wird vom Verfasser des Markusevangeliums an dieser Stelle indirekt mit Geistbesitz begründet. In der Logienquelle (Mt 11,4-6 par. Lk 7,22f.) deutet Jesus seine Heilungen als Erfüllung von eschatologisch bestimmten prophetischen Weissagungen (Jes 29,18f.; 35,5f.; 61,1). Diese Interpretation berührt sich mit der Darstellung des Markus, der derartiges Wirken Jesu auf seine - noch verborgene - Messianität bezieht.

Jesu Exorzismen und Krankenheilungen scheinen für Markus und die Adressaten seines Evangeliums definiert zu sein als Erweis seiner Vollmacht angesichts der hereinbrechenden Endzeit. Worin liegt nun der Bezug zur Wirksamkeit des Täufers bzw. zu den diesbezüglichen Traditionen, die den markinischen Gemeinden bekannt waren? Oder konkreter gefragt: welche Elemente der Traditionen über Johannes den Täufer könnten Anknüpfungspunkte bieten für eine Interpretation seines Wirkens als Exorzismus bzw. Krankenheilung?

In den Nachrichten über Johannes, die uns das Markusevangelium überliefert, lesen wir nichts von Heilungen oder Exorzismen. Seine Aktivitäten beschränken sich auf Bußpredigt und Tauftätigkeit. Vergleicht man indes die Wirkung der Johannestaufe mit den Heilungen und Dämonenaustreibungen Jesu, lassen sich Verbindungslinien erkennen: Die Johannestaufe vermag die Menschen zu entsühnen (Mk 1,4f.). Ihre äußere Form ist die Reinigung des Menschen im Jordanwasser, das Abwaschen der ihn belastenden Sünden (Mk 1,5. 8f.). Nun sind Dämonen als Verursacher unreiner Existenz den neutestamentlichen Autoren nicht fremd.[82] Auch dem kranken Menschen kann in der Vorstellung des antiken Volksglaubens Unreinheit anhaften. Daß die durch solche dämonische Einwirkung verursachte, stofflich verstandene[83] Unreinheit sowie Krankheit mit Wasser abgewaschen werden können, ist in der Bibel eine verbreitete Vorstellung.[84] So war "das Entfernen von Schmutz, von schädlichen Einflüssen und Krankheiten wie auch von ritueller Unreinheit so eng miteinander verbunden, daß man keinen dieser Aspekte separat voneinander deuten kann".[85]

Es ist wahrscheinlich, daß die Johannestaufe zumindest von denjenigen Kreisen, die an der neutestamentlichen Tradition aktiv beteiligt waren, im Rahmen dieses Vorstellungskreises verstanden wurde. So ließe sich erklären, daß Markus in der Komposition seines Evangeliums die Exorzismen und Krankenheilungen der Zwölf im Auftrag Jesu als erzählerische Basis dem Urteil des Herodes Antipas und des Volkes über Jesus voranstellte. Von hier aus ist der Bezug auf die entspre-

---

81) Vgl. Ders., Christus Exorcista 70.

82) Vgl. Mk 6,7par.; Mt 12,43par.; I Petr 3,18-22.

83) Vgl. K. Goldammer, Art. Entsündigung I. Religionsgeschichtlich: RGG³ II, 502.

84) Ex 29,4; Lev 15,2-30; 16,4. 24; Num 8,5-22; 19,11-22; II Reg 5,10. 14 u.ö. Vgl. hierzu O. Böcher, Dämonenfurcht 195-201.

85) R.E. Clements, Art. מים: ThWAT IV, 862.

chenden Berichte des Evangelisten über die Heilungen Jesu möglich. Diese qualifizieren das Austreiben von Dämonen und die hierdurch bewirkte Heilung von Kranken als Zeichen seiner Messianität, als durch Gottes Geist verliehene Kräfte. Solche "ausführlichen Schilderungen der Heilungswunder Jesu ... dienen der Absicht, die endzeitliche Gegenwart des Königreichs Gottes deutlich werden zu lassen".[86] Dem Täufer werden von Markus also stillschweigend Vollmachten zuerkannt, die der Evangelist an anderer Stelle als Zeichen der heranbrechenden Gottesherrschaft mit der Autorität Jesu als des auf Erden wirkenden Messias verbindet. Die Beobachtung gewinnt umso mehr Gewicht dadurch, daß sich in Mk 6,15 und 8,28 ein Zusammenhang zwischen Johannes und dem Propheten Elija erkennen läßt.[87] Die Rolle des Wegbereiters des kommenden Messias am Ende der Zeiten wird in der jüdischen Tradition dem Propheten Elija zugeschrieben. Der Evangelist bezog in 1,1ff., aufbauend auf der jüdischen Erwartung des eschatologischen Wegbereiters, die Botschaft Johannes' des Täufers auf Jesus.

Als Ergebnis läßt sich festhalten: für Markus waren die von Jesus überlieferten Dämonenaustreibungen und Heilungen offenbar Anknüpfungspunkte für die Wiedergabe einer Tradition, die Jesus als Johannes redivivus identifizierte. Eine solche Anordnung der Traditionsstoffe setzt voraus, daß den Adressaten seines Evangeliums eine derartige Interpretation des Täufers nicht fremd war. Weiterhin wird eine Einordnung des Täufers in die altjüdische Prophetie und, innerhalb dieses Vorstellungskreises, eine engere Beziehung zwischen ihm und Elija vorausgesetzt.

Beide Beobachtungen führen zu dem Schluß, daß sich in Mk 6,14-16 und 8,28 Reste von Traditionen erkennen lassen, in deren Rahmen die Einordnung des Täufers in die Reihe der biblischen Propheten keine Probleme zu bereiten schien, die die Wirksamkeit des Täufers analog zur Erwartung des Wiederkommens Elijas als Zeichen des nahen Weltendes deuteten, die von der sündenvergebend-lustrierenden Wirkung der Johannestaufe wußten und sie als endzeitliche Symbolhandlung in Entsprechung zu den Exorzismen und Krankenheilungen Jesu interpretierten.

4. Gefangenschaft und Tod des Täufers: Mk 6,17-29

Die an die Frage nach der Identität Jesu anschließenden Verse berichten im Sinne einer den Erzählverlauf unterbrechenden "Rückblende" von der Gefangensetzung und Hinrichtung des Johannes durch den Tetrarchen Herodes Antipas. Als Anlaß der Kritik des Johannes an Herodes Antipas wird dessen Verstoß gegen die Tora, nämlich seine Heirat mit Herodias, der Frau seines Bruders,[88] genannt (Mk

---

86) O. Böcher, Christus Exorcista 140.
87) Vgl. hierzu auch die Heilung des Sohnes der Witwe in Zarpat durch Elija in I Reg 17,17-24.
88) Lev 18,16; 20,21; vgl. Dtn 25,5. Bei Markus liegt eine Verwechslung vor. Herodias, die Tochter

6,18). Das Verhältnis zwischen dem Tetrarchen und dem Täufer ist nach Darstellung der Verse 19f. von einer merkwürdigen Ambivalenz: Herodes Antipas läßt Johannes verfolgen in der Absicht, ihn zu töten, vermag es jedoch nicht, da er den Täufer als ἀνὴρ δίκαιος καὶ ἅγιος fürchtet. Er läßt ihn gefangennehmen, setzt sich jedoch auch jetzt noch mit seiner Verkündigung auseinander (V 20). Bei einem Festbankett anläßlich seines Geburtstages ordnet er schließlich die Enthauptung des gefangenen Täufers an (V 21-28). Die Täuferjünger nehmen den Leichnam ihres Meisters entgegen und sorgen für sein Begräbnis (V 29).

Die novellistische Schilderung des Schicksals Johannes' des Täufers ist in ihrer hier vorliegenden Form aller Wahrscheinlichkeit nach unhistorisch.[89] Der Darstellung des Evangelisten steht der Bericht des Flavius Josephus (Ant 18, 116-119) entgegen. Dieser will als Beweggrund des Herodes Antipas, der zur Hinrichtung des Johannes führte, seine Furcht vor einem durch den populären Täufer ausgelösten Volksaufstand verstanden wissen.[90] Auf der Grundlage beider Berichte wird man zunächst allein schließen dürfen, daß das Faktum der Hinrichtung des Täufers auf Anordnung des Herodes Antipas als historische Tatsache bezeichnet werden kann.

Gegen einen redaktionellen Ursprung der Erzählung vom Ende des Täufers sprechen verschiedene Gründe. So nennt Markus in 6,25 Johannes "ὁ βαπτιστής", während er ihn in seinem Evangelium auch mit dem Partizip "ὁ βαπτίζων" bezeichnet (1,4; 6,14). In den Versen 17-29 werden weiterhin 14 Worte verwendet, die an keiner anderen Stelle im Markusevangelium auftauchen.[91] Auch wenn man hier themenbedingte hapax legomena ausblendet, bleibt diese Häufung signifikant. Es finden sich entgegen der Vorliebe des Evangelisten für historisches Präsens nur Imperfekte und Aoriste.[92] Der Genitivus absolutus ist zwar nicht "in Fülle gebraucht",[93] doch sind die Verse reich an Partizipialkonstruktionen, was bei Markus

---

des Aristobulus, war die Frau des Stiefbruders des Herodes Antipas (der ebenfalls den Namen Herodes trug), und nicht des Philippus. Dessen Frau war Salome, die Tochter der Herodias. Bevor Herodes Antipas seine Schwägerin Herodias zur Frau nahm, verstieß er seine Gattin, eine Tochter des Nabatäerkönigs Aretas IV. von Damaskus (Jos. Ant 18, 109f. 130-136; vgl. E. Schürer, History I, 344).

89) So R. Bultmann, Geschichte 328; E. Lohmeyer, Evangelium des Markus 118; W. Grundmann, Evangelium nach Markus 174; J. Gnilka, Evangelium nach Markus I, 251f.; J. Ernst, Johannes der Täufer 26.

90) "Josephus's version of John's preaching seems to be adapted to Graeco-Roman taste" (E. Schürer, History I, 346). Die Reaktion des Tetrarchen ist durchaus vorstellbar: "Die Königsschelte in einer Krisenzeit konnte leicht als Angriff auf die Staatsautorität mißverstanden werden" (J. Ernst, Johannes der Täufer 342).

91) Allein in Mk 6,17-29 finden sich die Worte ἐνέχω, συντηρέω, ἀπορέω, εὔκαιρος, γενέσια, μεγιστᾶνες, χιλίαρχος, ὀρχέομαι, ἥμισυς, σπουδή, ἐξαυτῆς, πίναξ, ὅρκος und σπεκουλάτωρ. Hinzu kommen das Substantiv φυλακή, das bei Markus nur in 6,48 noch einmal begegnet und dort in einem anderen Sinnzusammenhang gebraucht wird, sowie das Verb ἀποκεφαλίζω, das neben Mk 6,27 in dem direkt an die Erzählung vom Ende des Täufers angrenzenden Vers 6,16 auftaucht.

92) E. Lohmeyer, Evangelium des Markus 117f.; vgl. N. Turner, in: J.H. Moulton, Grammar IV, 20.

93) E. Lohmeyer, Evangelium des Markus 118.

sonst nicht in dem Maße begegnet.[94] Hieraus kann der Schluß gezogen werden, daß die "im Volk umlaufende Geschichte"[95] in Mk 6,17-29 von Markus "bereits fest geformt vorgefunden wurde".[96]

Die Frage nach dem redaktionellen Interesse des Markus an der Novelle vom Ende des Täufers wird in der exegetischen Forschung verschieden beantwortet. So wurde auf eine Vorabbildung der Passion Jesu in Gefangenschaft und Tod des Johannes hingewiesen: "Im Licht der Aussagen des Evangeliums über den Täufer ist dessen Tod im Sinn des Markus von der Passion Christi her zu verstehen."[97] "Der leitende Gesichtspunkt im markinischen Bild des Täufers ist ... dessen Vorläuferrolle. In seinem Todesschicksal bereitet Johannes dem Messias den Weg."[98] Bezüglich des Verhaltens des Herodes Antipas und des Täufers wird weiterhin auf Analogien in den zeitgenössischen jüdischen Märtyrerberichten hingewiesen.[99] Schließlich ist die Rede von dem Interesse des Evangelisten an einer "formalen Ausfüllung der Lücke, die zwischen Aussendung und Rückkehr der 12 Boten entsteht".[100]

Neben der Feststellung, daß Mk 6,17-29 Traditionsgut birgt, das zum vorredaktionellen, vielleicht sogar zum vorchristlichen Bestand an Überlieferung über Johannes den Täufer gehört, zeigt sich, daß solches Traditionsgut offenbar problemlos in die Gesamtkonzeption des Markus eingefügt werden konnte. Bereits zu Beginn seines Evangeliums hat er die klare geschichtliche Trennung des Auftretens Jesu und Johannes´ betont (Mk 1,14). Herodes Antipas hört laut Mk 6,14-16 erst nach der Hinrichtung des Täufers vom Wirken Jesu aus Nazaret. So bietet die Tradition von der Hinrichtung des Täufers durch Herodes Antipas die Möglichkeit, den Bericht von der auf den Messias Jesus hinweisenden Existenz und Wirksamkeit Johannes´ des Täufers zu einem erzählerischen Abschluß zu bringen. Die Frage ist nun, mit welchen spezifischen Kategorien und Motiven das Ende des Täufers beschrieben ist. Hier fällt zunächst auf, daß sich die Adressaten des Markusevangeliums unkommentiert mit der Vorstellung von einer möglichen Wiederkunft des Täufers konfrontiert sehen und daß seine Hinrichtung durch den Tetrarchen aufgrund seiner öffentlichen Anklage des Herrschers in kausaler Weise mit

---

94) Der Gen. abs. findet sich bei Markus relativ selten (insgesamt 34x; vgl. BDR § 423).

95) J. Gnilka, Evangelium nach Markus I, 246.

96) W. Grundmann, Evangelium nach Markus 173.   97) J. Gnilka, Martyrium 80.

98) R. Bultmann, Geschichte 329; J. Gnilka, Evangelium nach Markus I, 252; ähnlich J. Ernst, Johannes der Täufer 28 und R.L. Webb, John the Baptizer 54.

99) Dan 3,1-30; II Makk 6,18-7,42; MartJes 5,1ff. H.-W. Surkau (Martyrien 75) verdeutlicht in seiner Untersuchung die grundlegenden Kennzeichen der jüdischen Märtyrerberichte: "Ein durch alle Martyrien hindurchgehender Zug ist der, daß der Märtyrer durch seine Standhaftigkeit seine Gegner für sich gewinnt." "Der tragende Gedanke für alle Martyrien ist der des Gesetzes" (ebd., 76). Für J. Gnilka (Evangelium nach Markus I, 246) sind "Elemente dieses Märtyrerbildes ... ohne Zweifel in unserem Bericht vorhanden".

100) W. Grundmann, Evangelium nach Markus 172f.

seiner Wiederkunft verknüpft wird. Mk 6,17f. stellt Johannes als Verteidiger des Mosegesetzes dar: Herodes Antipas hatte nicht allein gegen die Verbote aus Lev 18,16 und 20,21 verstoßen, sondern als römischer Vasallenfürst durch seine Tat das von ihm beherrschte Land und das Volk kultisch verunreinigt.[101] Es kommt hinzu, daß Ehebruch bei den Propheten ein beliebtes Bild für die Verunreinigung des Landes ist (Jer 2,23; Ez 23,7; Hos 5,3).

Den Täufer umgibt tatsächlich ein Moment des Tremendum. Herodes Antipas scheint sich davor zu fürchten, dem heiligen Mann Gewalt anzutun. Es wird hier sogar der Anschein erweckt, daß der Tetrarch insgeheim von einer höheren Legitimation der Person und Botschaft des Täufers überzeugt ist und aus diesem Grund auf seinen Rat hört.

Ob sich für all diese Motive Parallelen in der alttestamentlichen und nachbiblischen Prophetenüberlieferung ausweisen lassen, wird im zweiten Hauptteil dieser Arbeit noch eingehende Untersuchung erfahren. Bedeutsam ist an dieser Stelle die Häufung solcher Motive, die den Tod des Täufers geschichtlich einordnen und deuten. Im Gesamtzusammenhang des Markusevangeliums bietet die "Legende, die keinen christlichen Charakter zeigt",[102] ein Täuferbild, das diesen als populären Vertreter der jüdischen Gesetzesobservanz darstellt, als machtvollen und selbst vom Herrscher beachteten und gefürchteten Gottesmann, der das (dem Gesetz widersprechende) Verhalten jenes Herrschers öffentlich kritisiert und daher von diesem schließlich hingerichtet wird. Vergleicht man hiermit die Darstellung der Passion Jesu bei Markus, fällt auf, daß (unbeschadet einer Tendenz, im Tod des Täufers eine Vorabbildung des Geschicks Jesu zu zeichnen) wesentliche inhaltliche Differenzen bestehen: So tritt der Täufer des Markusevangeliums für die (Ehe-)Bestimmungen der Tora ein (6,18), Jesus hingegen hat das Gesetz überwunden (Mk 2,18-22. 23-28; 3,1-6; 7,1-23) bzw. kondensiert im sogenannten"Doppelgebot der Liebe" (12,30f.).[103] Das Ambiente des festlichen Gastmahls ist bei Jesus nicht Ort des letztendlichen Scheiterns und des Todes, sondern der Vorwegnahme des eschatologischen Freudenmahles (Mk 2,15; 6,35-44; 8,1-9; 10,38f.; 14,18-25). Schließlich fehlt das Motiv der gegen den Gottesmann intrigierenden Herrschergattin (Mk 6,24) in den Darstellungen der Passion Jesu.

Sowohl die Stellung des Textes im Markusevangelium als Dokument des nachösterlichen Glaubens als auch seine vermutete vorredaktionelle Fixierung lassen sich im Sinne der Frage nach "prophetischen" Strukturen und Motiven im Selbst-

---

101) Dtn 24,4; vgl. Gen 20,9; 26,10; Lev 18, 25. 27f.; Num 35,34; I Reg 18,18; Ez 36,17 (s. auch J. Maier, Tempel 378f.). Vgl. auch den Begriff der Solidarbürgschaft (ערבות) in der späteren rabbinischen Literatur (Sifra zu Lev 26,37; bSanh 27b; bSchebu 39a; bRHSh 29a).
102) So R. Bultmann, Geschichte 328.
103) J. Jeremias (Theologie 198-204) weist darauf hin, daß die kritischen Aussagen des Jesus der synoptischen Evangelien gegenüber einem als falsch interpretierten Verständnis der Tora und der entsprechenden Halacha wohl auf den historischen Jesus zurückgeführt werden können.

verständnis und in der Interpretation Johannes' des Täufers auswerten. Die Kombination von Motiven, mit der die Erzählung seines Todes ausgestaltet ist, läßt sich unter der Prämisse eines bloßen Ausdrucks des Scheiterns des Täufers im Rahmen der Christusverkündigung des Markusevangeliums nicht erklären. Es erscheint wahrscheinlicher, daß die Aussageabsicht der Erzählung Reminiszenzen einer frühen Interpretation der Wirksamkeit des Täufers birgt, die im weiteren Verlauf der Untersuchung auf mögliche Analogien im zeitgenössischen jüdischen Prophetenverständnis hin befragt werden müssen.

5. Das Wort vom Elias redivivus: Mk 9,11-13

In Mk 9, 11-13 berichtet der Evangelist im Anschluß an die Verklärungsgeschichte von einer Unterhaltung Jesu mit Petrus, Jakobus und Johannes, in deren Verlauf vom Gekommensein des Elias redivivus die Rede ist. Dieses Gekommensein wird in Vers 13 präzisiert durch zwei Aussagen: 1. ἐποίησαν αὐτῷ ὅσα ἤθελον und 2. καθὼς γέγραπται ἐπ' αὐτόν. Daß die erste Aussage sich auf Gefangenschaft und Tod Johannes' des Täufers bezieht, ist aus den Versen selbst nicht ohne weiteres ersichtlich. Es wird jedoch dadurch deutlich, daß er zum einen von Markus als Elias redivivus ausgewiesen wurde (Mk 1,1-4) bzw. die Darstellung seines Endes Analogien zur Verfolgung Elijas durch Isebel aufweist (Mk 6,17. 24; vgl. I Reg 19,1ff.). Zum anderen wird der Täufer auch von Matthäus, der die Verse aus dem Markusevangelium übernahm (Mt 17,10-12), expressis verbis mit der erwarteten endzeitlichen Prophetengestalt identifiziert (Mt 17,13).

Markus betont, daß dieses Schicksal Johannes' des Täufers schriftgemäß war. Mit der Wendung καθὼς γέγραπται führte er bereits in 1,2 den Täufer ein (s.o. 32). Da das Alte Testament nichts von einem solchen Leiden des nach Mal 3,1. 23 (3,22 LXX) erwarteten Elias redivivus überliefert, ist am ehesten an die Verfolgung des Propheten in I Reg 19,2. 10 zu denken. Die Verse Mk 9,11-13 werden von den Kommentatoren als nachösterliche, christologisch bedingte Vereinnahmung des Täufers bezeichnet.[104] Das Gespräch Jesu mit seinen Jüngern über das endzeitliche Erscheinen des Elija wäre dann Ausdruck einer solchen heilsgeschichtlichen Einordnung dessen, der (nach Auffassung und Aussageabsicht des Markus) Jesus als den Christus ankündigt, ihm den Weg bereitet und in seinem eigenen Schicksal dessen Passion präfiguriert: "Die Sätze beantworten nur dann den jüdischen Satz vom Kommen des Elia, wenn man ihnen den urchristlichen Glauben zugrunde legt, daß Johannes der Vorläufer, Jesus der Erfüller und Vollender sei."[105]

---

104) M. Dibelius (Formgeschichte 219) bestimmt die Verse als "in der Gemeinde erhaltenes Traditionsstück". E. Lohmeyer (Evangelium des Markus 184) stellt fest, daß "Frage und Antwort aus den Diskussionen der Urgemeinde mit jüdischen Gegnern hervorgegangen" sind. "Der >Sitz im Leben< für dieses Traditionsstück kann die judenchristliche Schriftreflexion über alttestament-

Ein vorchristlicher Ursprung der in Mk 9,11-13 enthaltenen Überlieferung ist demnach nicht wahrscheinlich. Wir können den Text also höchstens daraufhin befragen, welche Reminiszenzen an Johannes den Täufer ihm zugrunde liegen, bzw. sowohl den christlichen Kreisen, aus denen Markus seine Traditionen schöpft, als auch den Adressaten seines Evangeliums bekannt waren. Um hierauf eine Antwort zu finden, muß man sein Augenmerk darauf lenken, daß der Verfasser seine Aussagen nur andeutet: Weder ist namentlich von Johannes die Rede noch von seiner Hinrichtung durch Herodes Antipas. Nähere Informationen über Art und Weise der Wirksamkeit des Täufers fehlen ebenso wie eine Bestimmung des Schriftgrundes seines Todesgeschicks. Dennoch setzt der Text voraus, daß seine Adressaten in diesen Punkten informiert sind. Kann man daraus schließen, daß der Evangelist hier auf Bekanntes Bezug nimmt, um so Bestandteile der in den vom Markusevangelium angesprochenen Gemeinden bekannten Täuferüberlieferungen aufzuspüren?

Über die Hinrichtung Johannes' des Täufers durch den Tetrarchen hatte Markus bereits in 6,17-29 berichtet. In diesem Punkt dürfte es keine Schwierigkeiten bereitet haben, die Aussage ἐποίησαν αὐτῷ ὅσα ἤθελον in Mk 9,13 auf den Täufer zu deuten. Eine Begründung dieses Schicksals im Alten Testament findet sich in den bisherigen Kapiteln des Markusevangeliums nicht. Könnte sich καθὼς γέγραπται ἐπ' αὐτόν auf die Verfolgung Elijas (I Reg 19,1ff.) beziehen? Hierfür spricht wiederum die deutliche Anlehnung der Schilderung des Endes Johannes' des Täufers an den alttestamentlichen Bericht von der Verfolgung des Propheten durch Isebel (Mk 6,17. 24). Die Notwendigkeit einer namentlichen Erwähnung des Täufers ist hierdurch nicht mehr gegeben. Im erzählerischen Zusammenhang des Evangeliums ist klar, wessen Schicksal in Mk 9,11-13 angedeutet ist.

Unklar ist die Identifikation des Täufers als Elias redivivus in Mk 9,11-13 nur in einem Punkt: Worin konnten die frühen Christen Zusammenhänge zwischen der Wirksamkeit des Täufers und jener des im Maleachibuch angesagten endzeitlichen Propheten Elija erkennen? Dessen Aufgabe ist nach Mk 9,12 das ἀποκαθιστάνειν πάντα. Zwar können Bußruf und Tauftätigkeit des Johannes (Mk 1,4-8) im Rahmen der jüdischen Elijaerwartung gedeutet werden (s.o. 56) und somit eine nochmalige inhaltliche Füllung des ἀποκαθιστάνειν πάντα ersetzen, doch würde ein Verweis auf die offenkundige Intention des Markus, den Täufer mit den Zügen des Elias redivivus zu zeichnen, nicht erklären, warum diese Identifikation bereits Bestandteil der traditionellen, vom Evangelisten übernommenen Täuferüberliefe-

<hr />

liche Bezugstexte (Mal 3,23; Jes 53,3; Ps 22,7 [LXX 21,7]; 119,22 [LXX 118,22]) gewesen sein" (J. Ernst, Johannes der Täufer 32). Wie in Mk 6,17-29 wird das Leidensgeschick Jesu vorabgebildet: Johannes der Täufer hat für Markus "gerade so sein echtes Vorläufertum unter Beweis gestellt und erwiesen, daß er der erwartete Elija redivivus ist" (J. Gnilka, Evangelium nach Markus II, 43). 105) E. Lohmeyer, Evangelium des Markus 183.

rung war. Anders wäre es, wenn das Wirken des Johannes bereits in diesem Stadium der Überlieferung als Erfüllung der Prophezeiung von Mal 3,23 verstanden worden wäre.

Es ist wahrscheinlich, daß die Identifikation Johannes' des Täufers als Elias redivivus nicht allein redaktionelle Bildung des Markus ist. Hingegen spricht vieles dafür, daß die Verknüpfung der traditionellen Elija-Täufer-Typologie und des historischen Faktums seiner Hinrichtung durch Herodes Antipas mit der Vorstellung des - zumal als schriftgemäß ausgewiesenen - Leidensgeschicks des Elias redivivus als Antizipation der Passion Jesu der Verfassertätigkeit des Markus zuzurechnen ist, der den Täufer im Rahmen seiner Deutung des Lebens Jesu diesem heilsgeschichtlich vor- und unterordnet. Die Parallelisierung seines Geschicks mit dessen Leiden scheint "ein besonderes Anliegen des Markus" zu sein.[106]

Im Rahmen dieser Untersuchung bleibt dennoch festzuhalten, daß hinter der christologischen Vereinnahmung des Täufers durch Markus Traditionen sichtbar werden, die diesen als den angesichts der heranbrechenden Endzeit erwarteten Propheten Elija zu interpretieren scheinen. Die Vorstellung vom schriftgemäßen Leiden des Propheten kann in dem Zusammenhang redaktionell sein,[107] jedoch ist auch zu überprüfen, ob das Auftreten Johannes' des Täufers, dessen prophetische Autorität durch seinen gewaltsamen Tod offensichtlich nicht geschmälert wurde, bereits von seinen Zeitgenossen in diesen Kategorien verstanden werden konnte. Aus diesem Grund läßt sich die posthume Identifikation Johannes' des Täufers als Elias redivivus, der dem nach ihm kommenden eschatologischen Richter den Weg bereitete, im Sinne der Frage nach dem Prophetentum des Täufers als Bestandteil früher Überlieferung ausgewertet werten.

6. Die Frage nach der Vollmacht Jesu: Mk 11,27-33

Der Text, den die anderen Synoptiker von Markus übernahmen,[108] folgt auf die Erzählungen von der Tempelreinigung (Mk 11,15-19) und der Verfluchung des Feigenbaums durch Jesus (Mk 11,12-14. 20f.). In direktem Anschluß fügt Markus das Gleichnis von den bösen Weingärtnern an (12,1-12). Bei seinem zweiten Besuch in Jerusalem wird Jesus von dem gesamten Synhedrion[109] nach seiner ἐξουσία, nach der Legitimation seiner Verkündigung, gefragt. Jesus antwortet ihnen wie bei einem Streitgespräch[110] mit einer Gegenfrage, von der er seine Antwort abhängig

---

106) J. Gnilka, Evangelium nach Markus II, 43.
107) O.H. Steck (Israel 243) versucht nachzuweisen, daß es für die Annahme einer Verbindung zwischen der Vorstellung vom gewaltsamen Geschick der Propheten und der Vorstellung vom eschatologischen Propheten keine Belege gibt.   108) Mt 21, 23-27; Lk 20, 1-8; vgl. Joh 2,13-22.
109) Vgl. hierzu Mk 14,43."Die vollständige Aufzählung der Fraktionen des Synhedriums ... stellt eine Brücke zur Passionsgeschichte her" (J. Gnilka, Evangelium nach Markus II, 138).
110) Vgl. TestHiob 36ff.; bSan 65b; bTaan 7a.

macht: Er fragt nach dem göttlichen[111] oder menschlichen Ursprung der Johannes-taufe. Die Mitglieder des Synhedrions geraten bei der Beantwortung der Frage Jesu in ein Dilemma. Eine Bejahung der göttlichen Legitimation des Täufers stünde im Widerspruch zu der Ablehnung, die sie ihm gegenüber an den Tag legten, eine Verneinung wäre höchst unpopulär, da Johannes beim ὄχλος als Prophet gilt. Ihr daraus resultierendes Unvermögen, die Entscheidungsfrage Jesu zu beantworten, führt dazu, daß jener seinerseits die Frage nach seiner ἐξουσία unbeantwortet läßt.

Die Verfasserabsicht des Markus läßt sich anhand der deutlichen Rollenvertei-lung relativ klar erkennen: Der Evangelist charakterisiert die Mitglieder des Syn-hedrions durch "Unglauben, Furcht und unehrliche Diplomatie"[112] und "entlarvt sie als Opportunisten",[113] um so die unbedingte Superiorität Jesu zu betonen und der Ablehnung der Kompetenz des Hohen Rates durch die christliche Gemeinde eine Begründung im Leben Jesu zu geben. Es geht dem Verfasser also offenbar "um einen Streit zwischen Gemeinde und Synagoge".[114]

Daß Mk 11,32 für diese Untersuchung von Bedeutung ist, ist offensichtlich: "ἅπαντες γὰρ εἶχον τὸν Ἰωάννην ὄντως ὅτι[115] προφήτης ἦν". J. Ernst[116] bemerkt zu die-sem Vers: "Die Kennzeichnung als Prophet nimmt sicher Bezug auf eine histori-sche, im Bewußtsein des Volkes festsitzende Meinung." Neben dieser Aussage des Textes, der zwar in seiner vorliegenden Form "höchstwahrscheinlich auf das Kon-to des Evangelisten geht",[117] dem jedoch möglicherweise ein vorredaktionelles[118] Zeugnis für eine eindeutige Interpretation des Täufers als Propheten zugrunde liegt, bergen die Verse jedoch noch weitere wertvolle Informationen. Zunächst ist dazu der Text in seiner vorliegenden Gestalt zu analysieren:

Die Mitglieder des Synhedrions fragen Jesus: "ἐν ποίᾳ ἐξουσίᾳ ταῦτα ποιεῖς;" (V 28). Worauf bezieht sich das neutrische Demonstrativum ταῦτα? Gefragt wird hier nach der Grundlage der ἐξουσία Jesu, eine Handlung zu tätigen, die mit diesem ταῦτα bezeichnet wird. Währen M. Dibelius[119] das rückweisende ταῦτα in Vers 28 für unbestimmt hält, bezieht R. Bultmann[120] ταῦτα ποιεῖς auf die Tauftätigkeit Jesu

---

111) οὐρανός dient hier der Umschreibung des Gottesnamens. Vgl. Dan 4,26; I Makk 3,18; Lk 15,18.21; Joh 3,27; mSan X,1; mNed X,6; mBQ 6,4; bSan 27a u.ö.

112) J. Kremer, Antwort 133.   113) W. Grundmann, Evangelium nach Markus 318.

114) J. Gnilka, Evangelium nach Markus II, 137.

115) Die von den Codices B, C, L, Ψ (vgl. ℵ²) sowie weiteren Handschriften bezeugte Lesart "ὄντως ὅτι" ist als die lectio difficilior wohl als ursprünglich anzusehen.

116) Johannes der Täufer 35. Es werden jedoch keine Gründe hierfür angeführt.

117) J. Gnilka, Evangelium nach Markus II,137f. "Mit der Charakterisierung des Johannes als ech-ten Profeten stellt Markus dessen Bedeutung klar heraus, gewinnt aber zugleich ein Mittel, bei aller Parallelisierung den Täufer eindeutig von Jesus abzusetzen" (ebd. 140).

118) R. Bultmann (Geschichte 19) erkennt in Mk 11,28-30 ein "echt palästinensisches Apophtheg-ma." Ähnlich G.S. Shae: "At least the original core of the tradition evidently goes back to the Aramaic-speaking Christian Church" (Question 14).   119) Formgeschichte 42.

120) Geschichte 18.   121) J. Gnilka, Evangelium nach Markus II, 138.

(bzw. seiner Gemeinde). Keine der beiden Interpretationen vermag die andere überzeugend zu entkräften. Auch in der aktuellen Diskussion steht die Auffassung, das Demonstrativum sei "im Kontext des Evangeliums über die Tempelszene hinausgreifend auf sein [Jesu] Wirken und Lehren insgesamt zu beziehen,"[121] der Interpretation gegenüber, es sei auf den Vorgang der Tempelreinigung (11,15-19) bezogen.[122] G.S. Shae[123] verneint in seiner Untersuchung, welche die Existenz authentischer Jesustraditionen in Mk 11,27-33 beweisen will,[124] die Möglichkeit einer Verbindung beider Interpretationen: "If the Temple-cleansing incident is considered as the sole antecedent of the word ταῦτα, the reference to John the Baptist, which forms an important aspect of the argument in the conflict story, would have no correspondence."

Eine solche Beschränkung auf zwei gegensätzliche Interpretationsmöglichkeiten ist meiner Auffassung nach dem Text nicht angemessen, denn sie setzt unbegründet voraus, daß zwischen der Tempelreinigung und der Johannestaufe keine Verbindungslinien bestehen. Es muß vielmehr auch gefragt werden, worin der Zusammenhang zwischen der legitimierenden ἐξουσία und dem einer solchen Legitimation bedürfenden ταῦτα bestehen könnte. Die Stellen, an denen Markus das Wort ἐξουσία in Zusammenhang mit dem Wirken Jesu gebraucht,[125] sprechen von seiner Vollmacht zu lehren (1,22), Dämonen auszutreiben (1,27; 3,15) und Sünden zu vergeben (2,10). Jesus gibt seine ἐξουσία, zu heilen und Dämonen auszutreiben, an die Jünger weiter (6,7ff). Wie bereits festgestellt (s.o. 56), leiten die so übernommenen und legitimierten δυνάμεις jener Jünger hin zu der Interpretation Jesu als Johannes redivivus (6,14-16). Zwei Schlußfolgerungen können hieraus gezogen werden: 1. Über die ἐξουσία Jesu besteht eine Verbindung zwischen seiner Predigt-, Heil- und Exorzismustätigkeit und der Tempelreinigung. 2. In Mk 6,14ff. wird der mit einer solchen Vollmacht ausgestattete Jesus mit dem Täufer identifiziert. Hieraus läßt sich schließen, daß auch zwischen dem Wirken Jesu - dazu gehört auch die Tempelreinigung - und der Johannestaufe Beziehungen bestehen.

In Vers 30 fragt Jesus nach dem göttlichen oder menschlichen Ursprung, also nach der Legitimation der Johannestaufe. Diese ist "nicht allein ein analoges Beispiel, sondern der sachliche Grund der Vollmacht Jesu".[126] Auch für W. Grundmann[127] ist "die Taufe des Täufers [als] der Grund der Vollmacht Jesu" anzusehen.

---

122) J. Ernst, Johannes der Täufer 34. 123) Question 20.

124) G.S. Shae meint, dem Text liege ein Streitgespräch Jesu mit Johannesjüngern zugrunde, die diesen fragten, warum seine Verkündigung des Gottesreiches vom Bußruf des Täufers abwiche: "we have been able to reconstruct a complete piece of teaching probably used by Jesus in conversation with former disciples of John the Baptist" (Question 28). Hauptargument Shaes ist, daß die deutliche Hochschätzung und die Autorität, die dem Täufer hier durch Jesus zugesprochen wird, im Widerspruch sowohl zur jüdischen als auch zur frühchristlichen Lehre und Verkündigung standen: "Therefore, this piece of teaching could not have come from either the rabbis or the early Christians" (Question 15). 125) Mk 1,22. 27; 2,10; 3,15; 6,7; 11,28. 29. 33.

126) E. Lohmeyer, Evangelium des Markus 242 Anm. 3.

Halten wir fest: 1. Jesu Getauftsein wurde demnach als Begründung seiner ἐξουσία verstanden. 2. Es kann davon ausgegangen werden, daß eine inhaltliche Verbindung zwischen der Tempelreinigung Jesu und der Taufe des Johannes besteht.

Ist die Reinigung des Tempels durch Jesus eine Handlung, die der ἐξουσία, der göttlichen Legitimation bedarf? J. Jeremias[128] bezeichnet die Tempelreinigung als "prophetische Zeichenhandlung" in Analogie zu den Symbolhandlungen der alttestamentlichen Propheten.[129] Jesus "reinigt das entheiligte Heiligtum",[130] er "will den Tempel geheiligt wissen, denn Gott ist in ihm gegenwärtig (V 17 zit. Jes 56,7)".[131] Eine solche prophetische Zeichenhandlung bedarf für den urchristlichen Erzähler und seine Adressaten (für die Tempelreinigung und Vollmachtsfrage zumindest im Rahmen der Lesung des Markusevangeliums in den Gemeinden in einem engen Zusammenhang stehen) einer von Gott gegebenen Vollmacht. Tempelreinigung und Taufe bedürfen beide der ἐξουσία. Dies legt den Verdacht nahe, daß auch die Johannestaufe als eine derartige Symbolhandlung gedeutet werden kann was seinerseits die Frage nach einem prophetischen (Selbst-)Verständnis des Täufers ermöglicht.

Bestehen weitere Gemeinsamkeiten zwischen der Darstellung der Tempelreinigung Jesu und der Taufe des Johannes? Letztere wurde in Mk 1,1-8 qualifiziert als eschatologisch bestimmte Reinigung des Volkes von der ἁμαρτία vor dem Kommen des verheißenen κύριος, der vom ersten Evangelisten mit Jesus, dem von ihm verehrten Christus, identifiziert wurde (s.o. 32f.). Neben der vordergründigen Beziehung zwischen beiden Handlungen, die durch das Stichwort "Reinigung" hergestellt wird, rücken ihre Bedeutungen auch dadurch zusammen, daß sich das Motiv der Entsündigung, der Wiederherstellung des unbelasteten Gottesverhältnisses, auch in der markinischen Darstellung der Tempelreinigung findet. Zwar war die Tätigkeit der Händler und Wechsler als Begleiterscheinung der regulären Kultausübung für die im Jerusalemer Tempel opfernden Juden überhaupt nicht anstößig,[132] doch weist die Darstellung des Vorgangs als Realisation von Sach 14,21b[133]

---

127) Evangelium nach Markus 317.   128) Theologie 145. Ähnlich bereits L. Goppelt, Typos 76.

129) Vgl. I Reg 22,11; II Reg 13,14-19; Jes 20,1-6; Jer 13,1-11; 27,1-3. 12b; 28,10f.; 51,59-64; Ez 5,1-17; 24,1-14; Hos 1,2-9 u.ö. J. Kremer (Antwort 131) paraphrasiert die (Vollmachts-)Frage der Mitglieder des Synhedrions: "Handelte Jesus in der Vollmacht Gottes, als ein von Gott bevollmächtigter Gesandter und Prophet oder ohne solche Bevollmächtigung in der Art eines falschen Propheten?"

130) J. Jeremias, Theologie 236. Anders J. Gnilka (Evangelium nach Markus II, 129), der das Vorgehen Jesu als "Ausdruck der Abschaffung des Tempelkultes" begreift.

131) J. Jeremias, Theologie 200.

132) Rabbinische Belege zur Praxis des Handels mit Opfertieren im Tempelbezirk bei S. Safrai, Wallfahrt 201ff.; vgl. Bill. I, 850-852; J. Jeremias, Jerusalem I, 23. 55f.; S. Appelbaum, Economic Life 683.

133) Die LXX übersetzt כְּנַעֲנִי hier mit Χαναναῖος. Das hebräische Wort kann sowohl "Kanaanäer" als auch (in jüngeren Texten) "Händler" bedeuten (vgl. KB II, 462). "Beiden Bedeutungen haftet dieselbe Bedeutungstendenz an: Kanaanäer hindern die Entfaltung der idealen israeliti-

und Mal 3,1-4[134] darauf hin, daß es hier um die zeichenhafte Beseitigung "typischer antisozialer", hemmender Widersacher des Heranbrechens der idealen Ordnung der βασιλεία τοῦ θεοῦ geht.[135] Für Markus war der Tempel die Stätte der Gottesbegegnung und Wirksamkeit Jesu (Vgl. Mk 11,11; 12,35; 13,1; 14,49). Möglicherweise ist bereits die Zeichenhandlung Jesu selbst auf dieser Grundlage als Schaffung der Voraussetzung für das von ihm erwartete endzeitliche Heil zu verstehen. Die Tempelreinigung wäre dann a) im eschatologischen Rahmen und b) als eine das intakte Gottesverhältnis des Volkes wiederherstellende Symbolhandlung zu begreifen.

Zusammengefaßt bedeutet das: Die Frage nach der Vollmacht Jesu dient dem Evangelisten zur Begründung der Ablehnung des Synhedrions als offizielle Vertretung des Judentums. Die Legitimation der Wirksamkeit Jesu durch die Legitimität der Wirksamkeit Johannes´ des Täufers kann keine Erfindung des Markus sein, denn eine solche konstitutive Rolle des Täufers für die Wirksamkeit Jesu widerspräche seiner Aussageabsicht, beide Gestalten klar voneinander abzugrenzen und ersteren letzterem unterzuordnen. Eine Zuordnung der Verse zur markinischen Redaktion ist demnach nicht wahrscheinlich. "Der historische Kern der Überlieferung dürfte durch die Beziehung auf die Taufe des Johannes gesichert sein, da schwer einzusehen ist, inwiefern die Gemeinde in einem Streitgespräch die Frage nach der Vollmacht Jesu mit einer offenbleibenden Frage nach der Taufe des Täufers verbinden sollte."[136] Die Feststellung E. Lohmeyers:[137] "es gibt keine spätere Situation der urchristlichen Gemeinde, in der man die >Vollmacht Jesu< auf die Taufe des Johannes (oder auch nur auf die Analogie mit der Vollmacht des Täufers) hätte begründen können", führt in die richtige Richtung. Es erscheint recht unwahrscheinlich, daß die Vollmachtsfrage in ihrer im Markusevangelium vorliegenden Form einen historischen Anhalt im Leben Jesu hat. Eher denkbar als

---

schen Gesellschaftsordnung, sowohl als Städter als auch als Händler" (K. Engelken, Kanaan 62). Die griechische Transkription des semitischen Wortes beschränkt das Lexem auf den Eigennamen. Dennoch scheinen die Adressaten von Mk 11,15ff. von dieser negativen Konnotation zu wissen. Tatsächlich begegnet die Konnotation "Händler" in den Targumim. So wird כנעני neben Sach 14,21 TJon auch in Gen 38,2 TO (vgl. TPsJ z.St.); Jes 23,8 TJon; Hos 12,8 TJon durch den aramäischen Terminus תגרא, der allein "Händler" bedeutet, übersetzt. Hieraus kann man die Rezeption der mit dem Begriff gekoppelten Tradition im mehrsprachigen palästinischen Raum erschließen (Mit diesem Problem habe ich mich ausführlicher in meinem Aufsatz "Kanaanäer, Händler und der Tempel in Jerusalem" [BiNo 57 [1991], 30-36] beschäftigt).

134) Bereits in 1,1-4 hatte Markus den ἄγγελος aus Mal 3,1 mit Johannes dem Täufer und den κύριος mit Jesus identifiziert. In Kap. 11 wird das Verhältnis beider Gestalten ausgeführt: Die Legitimation des κύριος, der in den Tempel des Herrn kommt (Mk 11,15, vgl. Mal 3,1), ihn kultisch rein macht (Mk 11,15-16, vgl. Mal 3,2f.) und das durch ihn repräsentierte Gottesverhältnis des Volkes restituiert (Mk 11,17, vgl. Mal 3,4), wird in 11,30ff. begründet durch das als durch Gott selbst legitimierte Wirken des ἄγγελος, der das Volk von seiner Unreinheit gereinigt und dem kommenden κύριος damit den Weg bereitet hat (Mk 1,4f., vgl. Mal 3,1).

135) Vgl. M. Tilly, Kanaanäer 36.   136) W. Grundmann, Evangelium nach Markus 316.

137) Evangelium des Markus 243.

die Historizität dieses Streitgesprächs Jesu mit den Synhedristen (als "typischen" Vertretern des Judentums) ist die prinzipielle Faktizität der Begründung der Legitimation dieser prophetischen Zeichenhandlung Jesu durch die (von Gott verliehene) Vollmacht des vom Synhedrium abgelehnten[138] Täufers, die mit dessen Taufbad verbunden ist. Die Notiz in Mk 11,32, Johannes sei vom Volk als Prophet geachtet, stellt einen wertvollen Beleg für eine derartige Interpretation des Täufers dar, betrachtet man sie in Verbindung mit dem Bezug der Symbolhandlung der Tempelreinigung Jesu auf die Symbolhandlung der Taufe des Johannes.

Diese Untersuchung geht von der Annahme aus, daß der Duktus eines Evangeliums eine grundsätzliche Stimmigkeit aufweist. Von daher müssen Abweichungen auf ihre besondere Rolle im Gesamtzusammenhang hin untersucht werden. Hinsichtlich Mk 11,27-33 ergibt sich hieraus folgendes: Entgegen seiner allgemeinen Intention hat Markus dem Täufer eine begründende Rolle gegenüber der Wirksamkeit Jesu zugestanden. Das macht den redaktionellen Ursprung der Verse unwahrscheinlich. Tempelreinigung Jesu und Johannestaufe werden von Markus, und offensichtlich auch in den seinem Evangelium zugrunde liegenden Traditionen als prophetische Zeichenhandlungen verstanden. Die Erinnerung daran, daß sich Johannes der Täufer der Symbolhandlung als Form der prophetischen Verkündigung bedient hat, ist in diesen Traditionen zu erkennen. Ob Jesus aus Nazaret die Gewißheit seiner ἐξουσία, mit der er wirkte, auf die Taufe des Johannes, der er sich ohne Zweifel unterzog, gründete, kann nur vermutet werden. Fest steht, daß in Mk 11,27-33 Aussagen vorliegen, die in einem deutlichen Spannungsverhältnis zu der Verfasserabsicht des Evangelisten stehen und deshalb zumindest als traditionell, wenn nicht in ihrem Kern als historisch betrachtet werden können.

7. Zusammenfassung

Gefragt wurde nach Spuren von Täufertraditionen im Markusevangelium, die eine Begründung in seiner Interpretation durch seine Umwelt, möglicherweise auch in seinem Selbstverständnis haben. Zwei Wege führten zu solchen Traditionen: Zum einen die offensichtliche Bekanntheit bestimmter Reminiszenzen über Johannes in den Gemeinden, die der Evangelist anspricht, zum anderen der Aufweis von diesbezüglichem Überlieferungsmaterial, aus dem er schöpfen konnte und das er in sein Evangelium einordnete. Es ergaben sich hierbei folgende Inhalte der frühesten rekonstruierbaren Täuferüberlieferung:

1) Johannes wird dargestellt als öffentlich auftretender Bußprediger, der mit der sowohl sündenvergebenden als auch geistbegabenden Taufe im Jordan auf das

---

138) Bezüglich des Motivs der Verfolgung des Gottesmannes durch die Führer des Volkes vgl. Mk 6,16-29.

Kommen des in naher Zukunft erwarteten endzeitlichen Richters hinwies. Diese Taufe, die mit den regulären Möglichkeiten, rituelle Reinheit zu erlangen, konkurrierte, bot jedem Bußwilligen die Möglichkeit, dem drohenden Strafgeschehen Jahwes im lustrierenden Wasserbad der Taufe zu entkommen, um so das unbelastete Gottesverhältnis wiederherzustellen. Jesus aus Nazaret hat sich diesem Wasserbad unterzogen und damit das Wirken Johannes´ des Täufers akzeptiert.

2) Es wird von einem qualitativen Fasten des Johannes berichtet, welches - ebenso wie seine Tracht - einen Vergleich mit den biblischen Propheten ermöglicht. Die Zuordnung solchen Auftretens zu der Elias redivivus-Vorstellung ist sekundär. Hingegen müssen dem Evangelisten auch Traditionen vorgelegen haben, die das Wirken des Täufers als Erfüllung von Mal 3,23 verstanden. Ob neben einer traditionellen allgemein-prophetischen Darstellung Johannes´ des Täufers möglicherweise sogar eine (ebenfalls traditionelle) Elija-Täufer-Typologie besteht, muß im zweiten Hauptteil der Untersuchung überprüft werden.

3) Die Johannestaufe wurde dem Wirken Jesu in parallelisierender, offenbar auch konstitutiver Weise gegenübergestellt. Das Tertium comparationis ist die Verkündigungsweise der Symbolhandlung, derer sich beide bedienten. Die dementsprechenden Aussagen des Markusevangeliums können auf andere Weise nicht befriedigend erklärt werden, denn sie stehen in einem offenkundigen Widerspruch zur Christologie der nachösterlichen Gemeinden.

4) Die traditionelle Schilderung des Todes des Johannes zeigt ihn als einen Verteidiger des Gesetzes, der um seine göttliche Legitimation weiß, vom (das Gesetz mißachtenden) Tetrarchen gefangengesetzt und schließlich getötet wird. Der Täufer verlor seine prophetische Autorität durch seinen gewaltsamen Tod nicht. Erst Markus stellt die Tradition von seinem gewaltsamen Geschick in einen Zusammenhang mit dem Geschick Jesu.

II. Johannes der Täufer in der Logienquelle Q

Im Matthäus- und im Lukasevangelium finden sich eine Reihe von Täuferüberlieferungen, die bezüglich ihres Inhalts und zum Teil in ihrem Wortlaut übereinstimmen, aber im Markusevangelium keine Parallele haben. Zu diesen Texten gehören die Bußpredigt Johannes' des Täufers (Mt 3,7-10; Lk 3,7-9), das Wort vom Worfeln und Verbrennen der Spreu (Mt 3,12; Lk 3,17), die Anfrage des Täufers und Jesu Antwort (Mt 11,2-6; Lk 7,18-23) und Jesu Zeugnis über Johannes (Mt 11,7-19; Lk 7,24-35). Dem »Stürmerspruch« in Mt 11,12 entspricht Lk 16,16.

M. Dibelius[139] bezeichnet die Logienquelle Q als eine "hypothetische Größe". Die so bezeichneten Redestoffe, in denen Matthäus und Lukas gegen Markus übereinstimmen, können nicht wie die synoptischen Evangelien als schriftlich eindeutig fixierte Traditionen, die von einem bestimmbaren Redaktor oder Redaktorenkreis zum Gebrauch in ebenso bestimmbaren christlichen Gemeinden überliefert wurden, betrachtet werden und taugen daher nicht zur unmittelbaren Erkenntnis der Intention ihres Verfassers. Mit hoher Wahrscheinlichkeit haben die von Matthäus und Lukas aufgenommenen Traditionen den Evangelisten bereits in einer schriftlich fixierten Form vorgelegen,[140] doch läßt sich eine frühere Schicht als diese Redaktion nur andeutungsweise ermitteln. Ph. Vielhauer faßt zusammen: "Sicher ist nur, daß die Spruchquelle in die frühe palästinische Gemeinde zurückgeht, teilweise in aramäischer Sprache schon schriftlich fixiert war, und dem Mt und Lk in griechischen Übersetzungen vorlag; alles andere ist Vermutung".[141]

Die Logiensammlung war "zu innergemeindlichem Gebrauch bestimmt und wandte sich an Christen, nicht an solche, die es erst werden sollten",[142] als "Kodifikation der gesamten Lehre Jesu"[143] wollte sie "nicht aus dem Leben Jesu erzählen, sondern seine Worte zur Befolgung und zur Belehrung mitteilen".[144]

Die Täufertraditionen der Logienquelle leisten im Rahmen dieser Untersuchung wertvolle Dienste. Sie zeigen zunächst, wie Erinnerungen an den Täufer in zwei historisch aufeinanderfolgenden Stufen in den Dienst der urchristlichen Paränese gestellt wurden: Matthäus und Lukas nahmen sie ebenso in ihre Evangelien auf wie die Q-Redaktion, die überkommene Traditionen von a) Worten und Sprüchen des Täufers und b) Worten Jesu über den Täufer in ihre Logiensammlung einreihte.

---

139) Formgeschichte 236.
140) M. Sato (Q 16) faßt die Hauptargumente für die Schriftlichkeit von Q zusammen: 1. "Die große wörtliche Übereinstimmung des Textes, den Matthäus und Lukas gemeinsam haben", 2. "Die Dubletten zu dem Markus-Text bei Matthäus/Lukas bzw. die Doppelüberlieferungen zwischen Markus und Matthäus/Lukas", 3. "Die übereinstimmende Reihenfolge des Q-Textes bei Matthäus und Lukas".
141) Geschichte 328. Die Existenz einer aramäisch verfaßten Q-Quelle wird hingegen abgelehnt von M. Sato (Q 17), der darauf hinweist, daß die Lesefehler bei der Übersetzung des angenommenen aramäischen Textes ins Griechische ebenso "durch Zufall oder durch mündlich-parallel laufende aramäische Überlieferungen bestimmt gewesen sein" könnten.
142) Ph. Vielhauer, Geschichte 317. 143) Ebd. 318.
144) M. Dibelius, Formgeschichte 245.

Die in der Logienquelle Q enthaltenen Täufertraditionen sind in ihrer schriftlichen Form mit hoher Wahrscheinlichkeit mindestens so früh zu datieren wie das Markusevangelium. Diese "relative zeitliche Nähe"[145] zum historischen Täufer allein kann jedoch nicht das einzige Kriterium sein, das die Authentie der Überlieferung stützt. Im günstigsten Fall lassen sich Inhalte ermitteln, aber der genuine Wortlaut sowohl der Täuferpredigt als auch der Jesuslogien über den Täufer entzieht sich der exegetischen Erkenntnis. Vielmehr ist zu fragen nach Traditionen, die trotz ihrer offenkundigen Tendenz, den Täufer Jesus nicht zu subordinieren, sowohl die Q-Redaktion als auch die Redaktion der Evangelisten überdauert haben. Es muß Gründe dafür gegeben haben, daß solche Traditionen nicht verschwiegen wurden. So ist zu denken zum einen an einen relativ hohen Bekanntheitsgrad der Überlieferung, zum anderen an praktische apologetische Gründe, diese in die christliche Verkündigung und Paränese einzuflechten.

Der Aufweis einer Interpretation des Täufers im Rahmen des zeitgenössischen jüdischen Prophetenverständnisses bedarf solcher Textgrundlage als Ausgangsbasis einer traditionsgeschichtlichen Einordnung. So dienen auch die im Textbestand der Logienquelle Q enthaltenen Täuferüberlieferungen der Rekonstruktion von ursprünglichen traditionellen Inhalten, die mit einer relativ hohen Wahrscheinlichkeit Auskunft geben über die Deutung der Gestalt des Täufers durch seine Zeitgenossen und durch diejenigen Kreise, die diese Inhalte bis zu ihrer Aufnahme in die urchristliche Literatur tradierten.

1. Die Täuferlogien Mt 3,7-12/Lk 3,7-9. 16b-17

a. Die Bußpredigt des Täufers: Mt 3,7-10/Lk 3,7-9

Die Verse bilden den Anfang der von Matthäus und Lukas aus der Logienquelle übernommenen Stoffe. Die beiden Versionen stimmen wörtlich nahezu überein und differieren allein bezüglich der Einleitung[146] und einiger geringfügiger Unterschiede.[147] Daraus ergibt sich, daß hier mit hoher Wahrscheinlichkeit das gleiche schriftlich bereits fixierte Traditionsstück vorliegt, das die Evangelisten jeweils an die von Markus übernommene Notiz von Auftreten und Wirksamkeit des Täufers (Mk 1,2-6; Mt 3,1-6; Lk 3,3-6) anfügten.[148]

---

145) S. v. Dobbeler, Gericht 39; vgl. M. Sato, Q 65.

146) Matthäus spricht von "Pharisäern und Sadduzäern, die zur Taufe kommen" (Mt 3,7), Lukas von der "Volksmenge, die herauskam, um von ihm getauft zu werden" (Lk 3,7).

147) Mt 3,8 καρπόν/Lk 3,8 καρπούς; Mt 3,9 δόξητε/Lk 3,8 ἄρξησθε; Mt 3,10 ἤδη δέ/Lk 3,9 ἤδη δὲ καί.

148) Vgl. hierzu auch J. Schüling (Studien 58), der auf die Möglichkeit hinweist, die Unterschiede zwischen Logienquelle und Markusevangelium als Hinweis auf eine Abhängigkeit beider Quellen von frühen gemeinsamen Überlieferungen zu deuten, sowie N. Walter (>Agreements< 465f.), der von einem "Urmarkus" als Quelle der Parallelen zu Mk 1,2-8 ausgeht.

Die in Mk 1,4 parr. bereits erwähnte Bußpredigt des Täufers wird hier szenisch ausgeführt: Zu Johannes an den Jordan kommt eine Volksmenge,[149] um sich seiner Taufe zu unterziehen (Mt 3,5/Lk 3,7). Beginnend mit einer rhetorischen Frage nach dem (personalen: τίς) Ursprung der (von vornherein als grundlos und falsch ausgewiesenen) Gewißheit, im zukünftigen Zorngericht Gottes[150] zu bestehen, ruft der Täufer die von ihm "γεννήματα ἐχιδνῶν"[151] gescholtenen Taufwilligen auf zu "καρπός",[152] der der Buße gemäß ist. Der Täufer negiert den Inhalt der Unterweisung, welche die falsche Heilsgewißheit begründet: Die Abrahamskindschaft[153] trägt nichts zum Bestehen im erwarteten Gericht bei. Ihre Bedeutung wird relativiert durch die unbedingte Souveränität der Gnadenwahl Gottes, der dem Abraham selbst aus Steinen[154] Kinder erwecken kann. Die Bußpredigt schließt mit einem Bildwort: Die Axt ist den Bäumen bereits an die Wurzel gelegt, ihr Fällen steht unmittelbar bevor. Gefällt und ins Feuer geworfen werden diejenigen Bäume, die keinen καρπὸς καλός bringen.[155]

---

149) Die matthäische Variante: "πολλοὺς τῶν Φαρισαίων καὶ Σαδδουκαίων" dürfte die jüngere sein, denn sie spiegelt die spezifische Eigenart dieses Evangelisten wider, die beiden religiösen Parteien als Repräsentanten jüdischer Frömmigkeit erscheinen zu lassen (vgl. Mt 16,1. 11. 12). Dennoch scheint Matthäus dem traditionellen Text nicht zu widersprechen, denn das, was bei Lukas, und wohl auch in der Q-Vorlage am Verhalten des ὄχλος kritisiert wird, nämlich das Fehlen wahrer Buße und die falsche Heilsgewißheit, repräsentieren bei ihm Pharisäer und Sadduzäer.

150) Der zukünftige Zorn kann in der rabbinischen Literatur das Gehinnomgericht bzw. das ihm folgende Vernichtungsgeschehen bedeuten (vgl. bBB 10a; bAZ 18b).

151) Der Ausdruck γεννήματα ἐχιδνῶν, der mit "giftige Schlangenbrut" wiedergegeben werden kann, findet sich in der LXX überhaupt nicht und neben Mt 3,7/Lk 3,7 nur noch bei Matthäus in 12,34; 23,33, wo er im Zusammenhang der Scheltreden Jesu an die Pharisäer gebraucht wird. Die giftige Schlange ist im NT fast ausschließlich "negativ-dämonisch" (O. Böcher, Christus Exorcista 40f.) qualifiziert. Die mit ihr verglichenen Personenkreise werden zumindest als gefährlich und unrein, möglicherweise auch als ekelhaft und falsch ausgewiesen. Zu unsicher ist die These J. Beckers (Johannes 32 Anm. 61 [S.113]), der Ausdruck sei eine Neuschöpfung Johannes' des Täufers und wäre von Matthäus sekundär aufgegriffen worden.

152) Neben Mt 3,8.10/Lk 3,8.9 findet sich καρπός in den Evangelien des Matthäus und Lukas allein in Jesuslogien (Mt 7,16-20; 12,33; 13,8. 26; 21,19. 34. 41. 43; Lk 6,43. 44; 8,8; 12,17; 13,6. 7. 9.; 20,10 [Lk 1,42 gehört zum lukanischen Sondergut]). Die Bedeutung ist deutlich eingegrenzt: "Wie der Wert eines Baumes an seinem Ertrag abgeschätzt wird, so wird die durch die Tat des Menschen bewiesene Frömmigkeit zum entscheidenden Maßstab für das Gerichtshandeln Gottes" (F. Hauck, Art. καρπός κτλ.: ThWNT III, 618).

153) Die Teilnahme an Abrahams Verdienst ist bedingt durch die leibliche Abstammung von ihm (vgl. mBik I,4; BemR 8).

154) Es soll hier die Widersinnigkeit betont werden, aus leblosen Steinen lebendige Nachkommen zu schaffen, doch vgl. Gen 2,7. Möglicherweise reflektiert das Täuferlogion auch die Entstehung der Taufe des Johannes aus der Proselytentaufe: "Die ungetauft bleibenden Israeliten, denen ihre Abstammung von Abraham nichts nützen kann, gleichen den im Götzendienst verharrenden Heiden" (O. Böcher, Johannes der Täufer 51). Als Belege aus dem rabbinischen Schrifttum seien hierzu genannt mPes VIII,8; mEd V,2; bPes 92a und bYev 46a-47b. Zur Annahme eines vorchristlichen Ursprungs der Proselytentaufe vgl. sowohl Bill. I, 102ff. als auch bes. J. Jeremias, Der Ursprung der Johannestaufe: ZNW 28 (1929), 312-320 sowie Kindertaufe 29-34, jedoch auch G. Barth, Taufe 30f.   155) Vgl. Jes 10,33f.; Ez 15,2-8; Dan 4,11. 20.

Auffällig ist die klare Gliederung der Bußpredigt: Dem Aufmerksamkeit fordernden Scheltwort (Mt 3,7/Lk 3,7) folgt die rhetorische Frage (Mt 3,7/Lk 3,7), danach eine doppelte Aufforderung, a) sich zum rechten Verhalten hinzuwenden (Mt 3,8/Lk 3,8), und b) vom falschen Verhalten abzulassen (Mt 3,9/Lk 3,8). Daran schließen sich eine Begründung (Mt 3,9/Lk 3,8) und ein verdeutlichendes Bildwort (Mt 3,10/Lk 3,9) an.[156]

Es ist zunächst danach zu fragen, was der Text im Rahmen der Evangelien des Matthäus und des Lukas über die eschatologisch bestimmte Bußpredigt Johannes' des Täufers aussagt. Unter den Adressaten beider Evangelisten sind Christen, die auf die Parusie Christi zum eschatologischen Gerichtsgeschehen hoffen und die die Aussagen des Textes auf sich selbst bzw. auf ihre eigenen Gegner beziehen. Unter Ausscheidung der als Bestandteile der matthäischen bzw. lukanischen Redaktion erkannten Elemente läßt sich weiterhin zurückfragen nach dem Inhalt und der Intention des Textes, den die Evangelisten vermutlich in bereits schriftlich fixierter Form aus der Logienquelle übernahmen. Auch dort wird ein christliches Täuferbild gezeichnet, das sich im Rahmen der innergemeindlichen Paränese in die Christusverkündigung einzufügen hatte. Schließlich können wir behutsam nach Spuren von Inhalten Ausschau halten, die in die Richtung des historischen Täufers und seiner Interpretation durch seine unmittelbare Umwelt weisen. Traditionen über ein *öffentliches* Auftreten kann hierbei zwar ein durchaus höherer Grad an Zuverlässigkeit beigemessen werden als Traditionen, in deren Mittelpunkt isolierte Logien oder Ereignisse ohne eine implizierte Kommunikationssituation (deren Empfänger zugleich als Tradenten denkbar sind) stehen. Es ist jedoch eine Überbeanspruchung der Möglichkeiten exegetischer Forschung, einen durch Ausscheidung sowohl der Matthäus-/Lukasredaktion als auch der Q-Redaktion erkannten "Grundtext" nach Informationen über das Selbstverständnis seines originären Sprechers und dessen Adressaten zu befragen.[157]

Die jüngste Stufe der Aussage des Textes ist aus den Evangelien des Matthäus und des Lukas in ihrer vorliegenden Gestalt ersichtlich. Beide Autoren bzw. Redaktoren fügten die ihnen überkommene Tradition von der Bußpredigt des Täu-

---

156) U. Luz (Evangelium nach Matthäus I, 147) erkennt in der Gerichtspredigt des Täufers ein "prophetisches Schelt- und Drohwort, das vielleicht auf Johannes den Täufer selbst zurückgeht und dessen Skopus die radikale Infragestellung des sichtbaren Gottesvolkes Israel ist." Fest steht, daß im weiteren Verlauf der Untersuchung gefragt werden muß, warum ihm eine solche Redeform in der Überlieferung überhaupt zugeschrieben wurde.

157) So S. v. Dobbeler, Gericht 63. Da Palästina zur Zeit Johannes' des Täufers dreisprachig war (s.o. 17-20.), ist es zwar prinzipiell vorstellbar, daß der gebildete Priestersohn Johannes (auch) in griechischer Sprache predigte und daß diese Predigt sowohl mündlich als auch schriftlich auf Griechisch überliefert wurde, doch führt der Versuch, durch Ausscheidung christlicher Überarbeitung einen "Grundtext" zu rekonstruieren, der "inhaltlich mit ziemlicher Wahrscheinlichkeit auf Johannes selbst zurückzuführen ist" (ebd. 59), m.E. (ebenso R.L. Webb, John the Baptizer 261f.) nicht zu Aussagen, die den Anspruch auf einen hohen Wahrscheinlichkeitsgrad erheben können.

fers an eine bestimmte Stelle ihres Evangeliums ein und determinierten sie durch Einleitung und Anwendung. Daneben werden sowohl Begriffe als auch Bildmaterial von beiden auch außerhalb des hier behandelten Textes in bestimmbaren Zusammenhängen verwendet.

In den Gemeinden des Matthäus und des Lukas wurden diejenigen, die sich dem christlichen Glauben anschlossen, getauft. Dem Taufbefehl des Auferstandenen (Mt 28,19) als Zeugnis für diese Tatsache entspricht der Aufruf des Petrus zu Buße und Taufe (Act 2,38). Ich halte es für unwahrscheinlich, daß von den Gemeinden um die beiden Evangelisten in dem Text eine Differenzierung erkannt wurde zwischen einem rechten Verhalten angesichts des in naher Zukunft erwarteten Weltendes im Rahmen der Täuferpredigt, aber auch der urgemeindlichen Paränese. Die Warnung vor falscher Heilsgewißheit angesichts des bevorstehenden, die Menschen in die Geheiligten und die Verdammten aufteilenden Gottesgerichts trifft auch die Adressaten der Evangelisten, denn auch sie "stehen unter dem Zorn Gottes und sind gehalten, ihr Leben im Hinblick auf das drohende Endgericht recht zu gestalten".[158]

Lukas läßt die Anwendung der Bußpredigt im unmittelbaren Anschluß an die Verse folgen: In Lk 3,10-14 werden die καρποὶ ἄξιοι τῆς μετανοίας konkretisiert in Form von sozialen Handlungsanweisungen an die Volksmenge, an Zöllner und Soldaten. Bei Matthäus findet sich eine solche Anwendung nicht. Vielmehr wird der Adressatenkreis der Bußpredigt, der ja Zielscheibe der Kritik auch des Evangelisten ist, eingegrenzt auf Pharisäer und Sadduzäer. Dieser Zusammenstellung beider Gruppierungen begegnen wir nur bei ihm.[159]

Was läßt sich anhand der Wort- und Bildwahl über die Aussageabsicht auf der jüngsten Redaktionsstufe des Textes erkennen? Der auf die Prophezeiungen vom Tag Jahwes als ἡμέρα ὀργῆς[160] hindeutende Ausdruck μέλλουσα ὀργή könnte vormatthäisch bzw. -lukanisch sein, denn ὀργή begegnet außer in 3,7 bei Matthäus überhaupt nicht mehr und bei Lukas nur noch einmal, nämlich in Lk 21,33 im Rahmen der in ihrem Grundbestand sicher vorlukanischen "synoptischen Apokalypse". Von der Bedeutung von καρπός war in diesem Abschnitt bereits die Rede. Das Wort stand bei den Evangelisten und ihren Adressaten für (durch Taten bewiesene) Frömmigkeit. Das Bildwort vom Fällen und Verbrennen des fruchtlosen Baumes[161] wird bei Matthäus dreimal, bei Lukas zweimal ausgeführt: Das Jesuslogion Mt 7,17-19/Lk 6,43f. spricht von der Vernichtung der fruchtlosen Bäume ebenso wie das Wort Jesu an die (als γεννήματα ἐχιδνῶν bezeichneten) Pharisäer in Mt 12,33f.

---

158) A. Sand, Evangelium nach Matthäus 68. 159) Neben Mt 3,7 nur noch in Mt 16,1. 11. 12.
160) Zeph 1,15. 18; vgl. I Thess 1,10.
161) Johannes und Paulus bieten das Wort δένδρον überhaupt nicht, Markus nur 1x in völlig anderem Zusammenhang.

"Das Thema von der guten und schlechten Frucht stammt aus der Spruchüberlieferung und wird in metaphorischer Bedeutung verwendet."[162] Dem christlichen Leser bzw. Hörer der Evangelien war offenbar klar: So wie der Baum, der keinen Ertrag mehr bringt, gefällt und verbrannt wird, so wird der Mensch, der keine guten Werke, keine καρποὶ ἄξιοι τῆς μετανοίας bringt, im eschatologischen Gericht nicht bestehen und der Vernichtung überantwortet werden. Dies ist, in wenige Worte gefaßt, die Aussageabsicht der Evangelisten, und dies könnte auch der Grund sein, weshalb sie die Tradition von der Gerichtsansage und Umkehrpredigt des Täufers aus der Logienquelle übernahmen.

Nach Ausscheiden der als Endredaktion der Evangelisten erkannten Bestandteile der Verse kann nun versucht werden, den Text, der jenen vorgelegen haben muß,[163] zu analysieren. Im Vordergrund steht dabei die Frage, ob sich hinter dem der Logienquelle entstammenden Text ältere Traditionen erkennen lassen. Auch ist zu fragen, was mit der Umkehrpredigt des Täufers bei Q ausgesagt werden sollte.

Man muß sich vergegenwärtigen: Eine Sammlung von Logien, die Jesus aus Nazaret zugeschrieben werden und die von einer Gruppe von Menschen tradiert wurden, die in seinem Leben und Sterben das heilvolle Handeln ihres Gottes erkannten und an seiner Lehre besonders interessiert waren, beginnt mit Worten Johannes' des Täufers. Unabhängig davon, ob man diese Tatsache als Beleg für einen gleichen Rang betrachtet, der den beiden "autoritativen Lehrern der Gemeinde" Jesus und Johannes in der Logienquelle und in den Gemeinden, die ihr Milieu bildeten, zuerkannt wurde,[164] oder als Ausdruck der theologischen Intention der Logienquelle, die die Gerichtsankündigung des Täufers ohne Korrektur aufgriff "als Zeichen dafür, daß auch für sie die johanneische Naherwartung noch Gültigkeit besitzt",[165] ob man die Vereinnahmung des μετάνοια-Gedankens in der Predigt des Täufers, der trotz der gravierenden Unterschiede zu Jesus aus Nazaret für Q "die gleiche Sache Gottes vertrat"[166], in der nachösterlichen Eschatologie betont, oder in radikaler Weise die Worte als christliche Bildung und dem Täufer erst nachträglich in den Mund gelegt erklärt,[167] erscheint deutlich, daß die autoritative Geltung der Bußpredigt an die Person Johannes' des Täufers gebunden ist. Es

---

162) A. Sand, Evangelium nach Matthäus 264.

163) "Da beide Evangelisten den Q-Stoff an der gleichen Stelle und in gleicher Abfolge in den Markusrahmen einfügen, war die Johannespredigt wahrscheinlich bereits in Q in dieser Abfolge zusammengefaßt und den Jesuslogien vorangestellt" (P. Hoffmann, Studien 16).

164) E. Lohmeyer/W. Schmauch, Evangelium des Matthäus 38.   165) P. Hoffmann, Studien 28.

166) So J. Ernst, Johannes der Täufer 47. "Folgende Übereinstimmungen haben ihr Gewicht: Aufruf zur Buße, Zerstörung der Prärogativen Israels, Gericht über Israel, die Möglichkeit, Heiden an die Stelle Israels zu lassen, Abweisung der Selbstgerechten, Zulassung der notorischen Sünder, Sammlung eines >offenen Restes<" (ebd. 74, Anm. 41).

167) "Es wird also als bloßer Zufall zu beurteilen sein, daß Jesus nicht der Sprecher dieser Drohworte ist" (R. Bultmann, Geschichte 123).

macht keinen Unterschied, ob der "Sitz im Leben" des Textes in den christlichen Gemeinden eher deren innere Konstitution, also Warnung vor falscher Heilsgewißheit und Mahnung zu bußfertigem und sozial verträglichem Verhalten, oder Definition nach außen, Abgrenzung gegenüber einer jüdischen Umwelt[168] war: Johannes wird hier gezeichnet als öffentlich auftretender scharfer Kritiker des Judentums. Er verkündet "nicht das Gericht an sich; die Angeredeten sind vielmehr vom Gericht bedroht".[169] Geht man davon aus, daß die Abfolge der einzelnen Redestücke in der Logienquelle mit dem übereinstimmt, was sich im synoptischen Vergleich weder als ursprünglicher Markusstoff noch als Sondergut, das nur von einem Evangelisten verarbeitet wurde, erkannt wurde, dann folgt auf die Bußpredigt des Täufers die Ankündigung des "ἰσχυρότερος" und die Ankündigung dessen, der mit Sturmwind und Feuer taufen wird (Mt 3,11/Lk 3,16). Damit sind sowohl μετάνοια (Mt 3,8/Lk 3,8) als auch πῦρ (Mt 3,10/Lk 3,9) definiert: Ersteres verknüpft die Buße mit der Taufe des Johannes, letzteres verdeutlicht den Zusammenhang zwischen dem Bildwort vom Fällen des fruchtlosen Baumes und der Vernichtung des Sünders in der durch den kommenden Richter durchgeführten Ekpyrosis.

Das Urteil O. Böchers,[170] Q zeige den Täufer als "apokalyptisch bestimmten, Buße und Feuergericht predigenden Propheten des antiken Judentums", soll im zweiten Hauptteil dieser Untersuchung noch auf seine Berechtigung hin überprüft werden. Fest steht bereits hier, daß die Täuferlogien ohne jegliche einordnende und erklärende Rahmung in den Dienst der urchristlichen Paränese gestellt wurden. Es läßt sich deshalb die Vermutung anstellen, daß solche redaktionellen Hinzufügungen überhaupt nicht notwendig waren: Die signifikanten Momente der Verkündigung Johannes´ des Täufers wurden als bekannt vorausgesetzt und christlich gedeutet.

J. Ernst bemerkt zu Mt 3,7-10/Lk 3,7-9: "Schon der Täufer wußte um den engen Zusammenhang von Bußgesinnung und Bußwerken."[171] Zwar läßt sich ein solcher Rückschluß auf die Intention des historischen Täufers m. E. nur bedingt anstellen, da wir zuwenig über den Überlieferungsprozeß des Textes wissen, doch können die christlich tradierten und interpretierten Worte des Täufers sehr wohl auf Inhalte weisen, die in die unmittelbare Nähe zu Johannes führen.

Das bisher Erkannte läßt sich nun zusammenfassen: Die autoritative Geltung der in Mt 3,7-10/Lk 3,7-9 aus der Logienquelle entnommenen Bußpredigt, die einen auffällig klar und prägnant strukturierten Aufbau aufweist, ist an die Person Johannes´ des Täufers gebunden. Sie konnte offenbar problemlos einer Sammlung

---

168) "Aktuelle zeitgeschichtliche Erfahrungen der Q-Gemeinde, vor allem die jüdischen Angriffe gegen die vom väterlichen Glauben abgefallenen Anhänger des Nazareners, mögen der äußere Anlaß für derartig massive Reaktionen gewesen sein" (J. Ernst, Johannes der Täufer 45).
169) P. Hoffmann, Studien 28.   170) Johannes der Täufer 57.   171) Johannes der Täufer 45.

von Jesuslogien vorangestellt werden, da sie mit dieser kompatibel und somit ihre Verwendung im Rahmen der urchristlichen Paränese möglich war. Die Botschaft der Bußpredigt, die in unserem Text als öffentliche Ermahnung der jüdischen Zuhörerschaft begegnet, ist, daß die unbußfertigen und selbstgerechten Menschen, die nicht bereit sind, ihrer Gesinnung durch gute, gottgefällige Werke Ausdruck zu geben, im endzeitlichen Gericht nicht bestehen und der Vernichtung im Feuer[172] anheimfallen werden. "Der in der Drohung eingeblendete Umkehrruf hebt auf die Entscheidung in der Gegenwart und auf die Möglichkeit der Rettung ab."[173]

Es können hieraus zwar keine Aussagen über den historischen Täufer abgeleitet werden, die den Anspruch erheben, mit andere Interpretationen ausschließender Genauigkeit den Inhalt oder gar den Wortlaut der Täuferpredigt zu rekonstruieren, doch läßt sich festhalten, daß die Erinnerung an die Rolle des Täufers als individuell und öffentlich auftretenden Prediger, der den jüdischen ὄχλος angesichts des in naher Zukunft erwarteten göttlichen Gerichts bzw. Vernichtungsgeschehens in scharfer Form zur tätigen Buße ruft, von den christlichen Tradenten rezipiert wurde, obwohl ein Verschweigen dieser Täufertraditionen wohl ebenso möglich gewesen sein wird wie ihre absichtsvolle Vereinnahmung in die jeweiligen christologischen Konzeptionen. Über den gesamten Zeitraum der Überlieferung hinweg scheint es also Gründe gegeben zu haben, die eine solche Unterschlagung der (ursprünglich vom christlichen Glauben nicht vereinnahmten) Überlieferung ausschlossen. Zu denken ist neben der Eignung der Bußpredigt des Täufers für die urchristliche Paränese auch an eine allgemeine Bekanntheit einer solchen Rolle des Täufers in einer breiten Öffentlichkeit, die auf einer dementsprechenden Interpretation durch seine Zeitgenossen schließen lassen könnte und daher einen Vergleich mit religionsgeschichtlichen Parallelen erlaubt.

b. Die Ankündigung des Kommenden: Mt 3,11-12/Lk 3,16b-17

Matthäus und Lukas überliefern als Fortsetzung der Bußpredigt Johannes' des Täufers die auch im Markusevangelium (1,7f.) enthaltene Ankündigung des "Kommenden" (Mt 3,11 ἐρχόμενος ἰσχυρότερός μου / Lk 3,16 ἔρχεται ὁ ἰσχυρότερός μου; vgl. Mk 1,7), dem selbst den niedrigsten Sklavendienst zu tätigen der Täufer nicht würdig ist (Mt 3,11/Lk 3,16; vgl. Mk 1,7) und der im Gegensatz zu dessen Wassertaufe

---

172) J. Becker (Johannes der Täufer 27) hat darauf hingewiesen, daß Johannes nirgends andere Mittel außer dem Feuer nennt, durch die sich das Vernichtungsgeschehen ereignen soll. "Die Metapher von der Feuertaufe ist wohl genuin täuferisch. Der Täufer signalisiert so die konstitutive enge Zusammengehörigkeit seiner Taufe und des Gerichts im Rahmen seiner Verkündigung" (ebd. 28). "Schließlich hat ja die Taufe gerade den Sinn, den Bußwilligen die Flucht vor dem kommenden Zorngericht zu ermöglichen" (O. Böcher, Art. Johannes der Täufer: TRE XVII, 176).
173) J. Ernst, Johannes der Täufer 26.

mit πνεῦμα καὶ πῦρ taufen wird (Mt 3,11/Lk 3,16; vgl. Mk 1,8).[174] Daß sie diese Tradition in ihrem Grundbestand mit hoher Wahrscheinlichkeit nicht von Markus übernommen haben, ergibt sich daraus, daß sie im Sinne eines >minor agreement< gegen diesen im Wortlaut nahezu übereinstimmen und zudem beide das Bildwort vom Worfeln (Mt 3,12/Lk 3,17) anfügen.[175]

Bei der Analyse von Mk 1,7f. wurde deutlich, daß der Überlieferungsprozeß das Wort vom "Kommenden" verändert hat (s.o. 39f.). Es erscheint evident, daß die christlichen Gemeinden, in denen die synoptischen Evangelien jeweils in Gebrauch waren, unter dem ἐρχόμενος, der von Johannes dem Täufer angekündigt wurde, Jesus aus Nazaret verstanden, denn alle drei Synoptiker sowie die Redaktion der Logienquelle stellten Johannes dem kommenden Geisttäufer Jesus, den sie als den Christus erkannten und verehrten, gegenüber (Mk 1,8; Mt 3,11; Lk 3,16; vgl. Act 1,5; 11,16; 13,24f.). Eine Identifizierung des von Johannes angekündigten "Kommenden", der die unbußfertigen Menschen richten wird, ist nur anhand der ihn betreffenden Überlieferung in der christlichen Literatur möglich, denn der originale Wortlaut der Täuferpredigt entzieht sich unserer Kenntnis. Bei der Betrachtung des Markustextes (s.o. 40) hatte sich ergeben, daß er wohl Gott selbst als Richter und Strafenden erwartete.

Sowohl der Redaktion der Logienquelle als auch Markus scheint das Täuferlogion vom kommenden πνεῦμα- und Feuertäufer unabhängig voneinander vorgelegen zu haben, denn es ist höchst unwahrscheinlich, daß beide Evangelisten, zwischen deren redaktioneller Tätigkeit wohl keine Interdependenzen anzunehmen sind, das Wort von der Feuertaufe (Mt 3,11/Lk 3,16) an eine entsprechende Markusvorlage angefügt haben. Zudem wurde darauf hingewiesen, daß πνεῦμα und πῦρ, Sturmwind und Feuer, gerade im Hinblick auf das folgende Bildwort eine Einheit bilden können (s.o. 40f.). Das macht es wahrscheinlich, daß eine solche Ankündigung einer endzeitlichen Richtergestalt in einer breiten christlichen Öffentlichkeit mit der Person Johannes´ des Täufers assoziiert wurde.

Unabhängig von einer atomistischen literarkritischen Analyse des Textes, die scharfsinnig und mit großem Aufwand betrieben wurde, aber bislang noch zu keinem Ergebnis führte, das den Anspruch auf eine mehr als relative Wahrscheinlichkeit erheben konnte,[176] läßt sich der Text Spuren einer Interpretation des Täufers befragen, die im Rahmen des alttestamentlichen und zeitgenössischen jüdischen Prophetenbildes gedeutet werden können. Ein Zuordnung der einzelnen Vokabeln

---

174) Lukas überliefert Lk 3,16b in abgewandelter Form auch in Act 1,5 und 11,16.

175) Vgl. U. Luz, Evangelium nach Matthäus I, 148; O. Böcher, Art. Johannes der Täufer: TRE XVII, 175; W. Wiefel, Evangelium nach Lukas 92.

176) Grundlegend E. Lohmeyer (Überlieferung 300-319); weiter P. Hoffmann (Studien 15-33) sowie U. Luz (Evangelium nach Matthäus I, 149); unlängst S. v. Dobbeler (Gericht 41-82) und J. Ernst (Johannes der Täufer 48-55).

oder gar grammatischen Strukturen zur Markus-, Matthäus-, Lukas- und Q-Redaktion trägt wenig zu dieser Untersuchung bei, da eine Zerlegung des Textes in seine Bestandteile allein zur Bestimmung der verschiedenen Stufen christlicher Überlieferung und dem Aufweis von Entwicklungslinien führen kann, und eine Rekonstruktion einer vorchristlichen Grundlage durch die Analyse der Gestalt des schriftlich fixierten griechischen Textes mehr als fraglich erscheint.[177] Hingegen ist hier nach Aspekten einer christlichen Täuferinterpretation zu fragen, die im Verlauf der Genese des Textes hinzukamen, dieser Genese möglicherweise bereits zugrunde lagen und anhand der vorliegenden Textgestalt eine Eingrenzung erfahren können. Nicht allein die vermutete Nähe der Tradition zum Ursprung ihrer Entstehung bürgt für deren Authentie, sondern auch die Tatsache, daß sie sowohl im Verlauf der mündlichen Tradition als auch über mehrere Redaktionsstufen hinweg beibehalten wurde, obwohl sie mit der leitenden Intention der Tradenten nur partiell übereinstimmte oder sogar eine entgegengesetzte Tendenz aufwies.

Geht man in dieser Weise an den Text heran, stellen sich drei Fragen: 1) Was könnten (nach Subtraktion der christlichen Interpretamente) die Grundaussagen des Täuferlogions sein? 2) Welcher für die christlichen Tradenten anstößigen Interpretation des Verhältnisses zwischen Johannes und Jesus soll durch die im Text fixierte eindeutige Subordination des Täufers gewehrt werden? 3) Welche (dem christologischen Interesse ihrer Traditoren und Redaktoren widersprechenden) Aussagen über die Bedeutung der Taufe des Johannes impliziert der Wortlaut der Überlieferung, wenn er ihren vorläufigen und minderwertigen Charakter betont?

Sieht man von einer Deutung des vom Täufer selbst angekündigten πνεῦμα- und Feuerrichters als Jesus aus Nazaret ab, - und dafür sprechen gewichtige Gründe -[178], ist der "Kommende" Gott selbst als Gerichtsherr.[179] Das relativierende μου gibt zudem "das erste Stadium einer Messiasreflexion[180] zu erkennen".[181] Durch

---

177) Gegen J. Ernst (Johannes der Täufer 55): "Die Logienquelle hat die ursprüngliche Täuferpredigt ohne wesentliche Änderungen tradiert."
178) Unter der Voraussetzung, daß Jesus aus Nazaret erst als Messias bezeichnet wurde, als seine Auferstehung von den Toten bekannt wurde, ist die christologische Deutung des von Johannes angekündigten ἐρχόμενος als Jesus als Rückprojektion zu betrachten.
179) W. Wiefel, Evangelium nach Lukas 92.
180) Der Ausdruck "Messiasreflexion" trifft hier nur teilweise zu, da der משיח/משיחא gemäß den biblischen Verheißungen (Jes 9,5f.; Mi 5,1-3) sowie antiken jüdischen Schriften (PsSal 17,21-46; 18,1-9; syrBar 73,1; IVEsra 12,32 v.l. u.ö.) als königlicher Herrscher über das endzeitliche Israel verstanden wurde, der als Davidide stellvertretend für Jahwe das einstige Großreich restituiert und dessen Auftreten und Wirksamkeit mit der gewaltsamen Überwindung der Feinde und der Errichtung seiner Königsherrschaft beginnt. Der im Judentum zur Zeit des Täufers erwartete eschatologische Feuerrichter konnte neben Gott selbst und seinem Messias auch mit dem Menschensohn des Danielbuches (Dan 7) oder mit Elias redivivus (Mal 3,23) gleichgesetzt werden. Da es nicht Ziel dieser Untersuchung ist, den vom historischen Täufer angekündigten "Kommenden" zu identifizieren, gehe ich dieser Frage hier nicht weiter nach und verweise auf

seine Einfügung wird ein konkreter vergleichender Bezug zwischen Johannes und dem nachmals als Jesus zu deutenden "Kommenden" geschaffen, der auf die Demonstration des immens höheren Ranges des letzteren abzielt.

J. Ernst[182] stellt fest: "Die Verschränkung der beiden ursprünglich aufeinanderfolgenden Worte vom Kommen des Stärkeren und von der Taufe ... gehen auf das Konto der Logienquelle, die deutlich machen wollte, wer der Geist- und Feuertäufer ist." Diese Beobachtung hat vieles für sich,[183] doch sagt der Nachweis der sekundären Verklammerung zweier Inhalte einer Rede in deren schriftlichen, erst mehrere Jahrzehnte nach ihrer mutmaßlichen Entstehung niedergeschriebenen Form noch nichts über deren jeweilige Ursprünglichkeit aus. Worte des Täufers vom "Kommenden" und von seiner Taufe sind auch bei Markus überliefert (Mk 1,7f.). Anders als in der Q-Parallele wird hier jedoch nicht expressis verbis auf Jesus aus Nazaret hingewiesen; die Gleichstellung ergibt sich vielmehr aus dem Kontext (Mk 1,1-4). Dadurch erweist sich die Verklammerung als Ausdruck der Klärungs- und Verdeutlichungsbestrebungen der christlichen Redaktoren. Es ist also nicht möglich, den kommende Täufer mit Sturmwind und Feuer, den der historische Johannes angekündigt hat, einfach mit Jesus aus Nazaret gleichzusetzen. Fest steht nur, daß Johannes nach einhelligem Zeugnis der neutestamentlichen Überlieferung und des Josephus (Ant 18, 117f.) die von ihm angebotene Bußtaufe in seiner öffentlichen Predigt thematisiert und als vorwegnehmende Rettung vor der in naher Zukunft erwarteten, vom "Kommenden" durchgeführten, Taufe[184] im vernichtenden Feuer[185] des dem Gericht folgenden Strafgeschehens qualifiziert hat.[186]

Durch die Verschränkung wird das Verhältnis zwischen Johannes dem Täufer und Jesus aus Nazaret definiert und fixiert: Dieser ist Vorläufer, Schwächerer, Unwürdiger, dessen unzulängliche Taufe allein vorbereitenden Charakter hat, jener ist

---

die Untersuchungen von J. Becker (Johannes der Täufer 34ff.) und R.L. Webb (John the Baptizer 261-306).   181) J. Ernst, Johannes der Täufer 51.   182) Ebd. 54f.

183) Die Erwähnung der (Wasser-)Taufe als Tertium comparationis zwischen Johannes und dem ἐρχόμενος (Mt 3,11/Lk 3,16) dient hier allein der Betonung der Schwäche und Unwürdigkeit des Täufers. Eine derartige Unterordnung des Täufers gegenüber dem Geisttäufer Christus, bzw. dem Jesus aus Nazaret der Evangelien wurde wohl erst dann notwendig, als die nachösterliche christliche Gemeinde sich intern mit dem Faktum der Taufe Jesu durch Johannes (Mk 1,9-11parr.) sowie mit Gruppen von ehemaligen Täuferschülern (Vgl. Act 19,1-7) auseinanderzusetzen hatte. Durch die Verklammerung beider Traditionen konnte folgendes erreicht werden: a) Der Täufer Jesu wurde diesem untergeordnet. b) Jesus wurde als der "Kommende" ausgewiesen. c) Johannes wurde Jesus heilsgeschichtlich vorangestellt und subordiniert. d) Die geistbegabende Qualität der christlichen Taufe gegenüber der geistlosen Johannestaufe wurde betont. e) Christus wurde als der eschatologische Richter verkündet, der die Gemeinde des Heils um sich sammeln und die unbußfertigen Sünder bestrafen wird.

184) Zu Wasser und Feuer als Reinigungsmittel vgl. Num 31,23.

185) Feuer als Medium des Vernichtungsgeschehens bei Matthäus: neben 3,10-12 auch 7,19; 13,40. 42. 50; 18,8f.   186) Vgl. F. Lang, Erwägungen 461.

der eigentliche Vollender, Stärkere und Würdigere, dessen geistbegabende Taufe vor dem eschatologischen Strafgeschehen bewahrt. Johannes wurde so "zum bloßen Herold und Vorläufer Jesu degradiert".[187] Es ist zu fragen, ob einer solchen massiven Unterordnung des Täufers gegenüber Jesus nicht eine entgegengesetzte Erinnerung an das Verhältnis beider Gestalten zugrunde liegt, die verdrängt werden sollte.

Matthäus hat von Markus die Formulierung ὁ δὲ ὀπίσω μου ἐρχόμενος (Mt 3,11; vgl. Mk 1,7) übernommen. Lukas bietet die Präposition ὀπίσω in der direkten Parallele (3,16) nicht und ersetzt sie in Act 13,25 und 19,4 durch μετά. Der Ausdruck verweist auf das Verhältnis zwischen dem Propheten Elija und seinem Schüler Elisa[188], der seinem Lehrer, der ihn mit dem Geist Gottes augestattet hatte,[189] hinterherläuft. Daß die Vorstellung, daß Johannes der Täufer in Analogie zu dem Verhältnis Elijas zu Elisa der Lehrer Jesu war, für diejenigen, für die Jesus aus Nazaret der Christus ist, nicht ohne weiteres nachvollzogen werden kann, liegt auf der Hand. Wenn man allein von der Annahme ausgeht, daß Markus, Matthäus und wohl auch der Q-Redaktion der direkte Bezug auf I Reg 19,20 nicht deutlich war, löst sich das Problem von selbst, denn sie wollten ja mit ἔρχεσθαι ὀπίσω Ἰωάννου der heilsgeschichtlichen Nachfolge und Superiorität Jesu Ausdruck verleihen. Da jedoch die Präposition ὀπίσω in der LXX überwiegend lokal gebraucht und im Neuen Testament ausschließlich in den verschiedenen Überlieferungen des Wortes vom ἐρχόμενος (Mk 1,7; Mt 3,11; Joh 1,15. 27. 30) als temporal ausgewiesen wird,[190] und da zudem jener als ἰσχυρότερος [Ἰωάννου][191] qualifiziert ist (Mk 1,7; Mt 3,11; Lk 3,16), ist es nicht unwahrscheinlich, daß hier in der Form einer inhaltlichen Neuinterpretation der Tradition[192] ein absichtsvolles Zugeständnis an (zumindest mündliche) Überlieferungen, die von einem Schülerverhältnis Jesu aus Nazaret gegenüber Johannes dem Täufer wissen, verborgen sein kann.[193]

Das Bildwort vom Schuhriemenlösen (Mk 1,7; Lk 3,16) bzw. Nachtragen der Schuhe (Mt 3,11) selbst, das bereits auf Johannes zurückgehen kann,[194] soll für seine nachösterlichen Adressaten dem Bewußtsein des Täufers, Jesus als den von

---

187) O. Böcher, Art. Johannes der Täufer: TRE XVII, 178.

188) Ἐλισαιε [...] κατέδραμεν ὀπίσω Ἡλιου (I Reg 19,20 LXX). Vgl. in diesem Zusammenhang auch II Reg 2,8f. 14f. LXX.   189) II Reg 2,15 LXX; vgl. I Reg 19,19 LXX.

190) BDR § 215. Lukas legt durch das temporale (BDR § 226) μετά (vgl. Act 13,25; 19,4) die heilsgeschichtliche Aufeinanderfolge fest.

191) Zum Gebrauch von ἰσχυρός als Gottesname s.o. 39.

192) Ein Anlaß zum wertenden Vergleich des Täufers mit dem >Stärkeren< ist erst gegeben, "wenn jener Angekündigte mit einer Gestalt identifiziert wurde, die mit Johannes vergleichbar war, die neben ihm, eventuell sogar als Schüler unter ihm stand" (P. Hoffmann, Studien 24).

193) Anders J. Ernst, Jesus 20f.

194) Das Bild vom Lösen der Schuhriemen widerspricht durchaus nicht der Gottesvorstellung des zeitgenössischen Judentums (s.o. 40; vgl. J. Ernst, Johannes der Täufer 51f.). Dies schließt jedoch nicht aus, daß dieses Täuferlogion später auf das Verhältnis zwischen Johannes und Jesus bezogen werden konnte.

ihm bereits erkannten Christus verehren zu müssen, Ausdruck verleihen. Entweder haben Matthäus und Lukas die Markusvorlage hier durch ihre jeweilige Redaktion verändert wiedergegeben[195] oder mit einer von Markus unabhängigen Q-Parallele kombiniert.[196] Für die erstere Alternative sprechen die zahlreichen wörtlichen Übereinstimmungen, für die letztere, daß Matthäus und Lukas beide gegen Markus erst die Selbstaussage des Täufers über seine Wassertaufe liefern, also unabhängig voneinander das Wort vom Schuhriemenlösen/Nachtragen der Schuhe in einem übereinstimmend strukturierten Kontext bieten. P. Hoffmann[197] schlägt vor, die Sonderform des Matthäus (τὰ ὑποδήματα βαστάσαι) als aus der Q-Vorlage übernommene Form zu deuten, die von Lukas nach Markus verändert wurde, um die Bildaussage zu verdeutlichen.[198] J. Ernst[199] hingegen will sie als redaktionelle Überarbeitung des Markustextes verstanden wissen. Das Nebeneinander der Überlieferungen, die sich kaum voneinander unterscheiden, quasi synonym sind und in gleichem Zusammenhang verwendet werden, könnte jedoch auch darauf hindeuten, daß beide Versionen nebeneinander verbreitet waren und den Redaktoren in verschiedener Gestalt vorlagen. Daraus wiederum wäre zu schließen, daß das Wort in mehreren Varianten (und damit auch in mehreren voneinander unabhängigen Tradentenkreisen) verbreitet war.

Welchen Anlaß gab es, die Sklavenpflicht des Schuhriemenlösens, von der die Rabbinen sagen, daß selbst ein Schüler, dessen Pflicht es ist, alle Arbeiten für seinen Lehrer zu verrichten, von diesem niedrigsten, als entwürdigend empfundenen Dienst befreit sei,[200] zur Verdeutlichung der Demutsbezeugung des Täufers gegenüber Jesus heranzuziehen? Im vorangegangenen Vers fanden sich Hinweise auf ein Lehrer-Schüler-Verhältnis zwischen Johannes und Jesus. Setzt man nun voraus, daß die hieraus resultierende Relativierung der Autorität Jesu gegenüber seinem Lehrer für die Christologie der Gemeinden, die sich möglicherweise auch mit ehemaligen Täuferanhängern in ihren Reihen auseinanderzusetzen hatten, ein σκάνδαλον war, hätte man einen Grund ausfindig gemacht, die Reversion dieses Verhältnisses so drastisch darzustellen: Johannes ist der Schüler, der sogar für den entwürdigendsten Dienst, den kein Schüler seinem Lehrer zu leisten hat, noch zu unwürdig (und sich dessen auch bewußt) ist. Die Aussage, der hiermit - zumal in verschiedenen Überlieferungsvarianten - begegnet werden soll, könnte lauten: Jesus betrachtete und schätzte Johannes den Täufer als Lehrergestalt. Es sollen hier keine Mutmaßungen über das Selbstbewußtsein Jesu angestellt werden, doch ist es sehr wahrscheinlich, daß die an der synoptischen Überlieferung beteiligten Re-

---

195) So z. B. S. v. Dobbeler (Gericht 49).
196) So P. Hoffmann (Studien 23).   197) Studien 23.
198) Mit dem Ausdruck τὸ ὑποδήματα τῶν ποδῶν vergleichbare Formulierungen begegnen nicht selten in der LXX. Als Beispiele für diesen ”Septuagintismus” (J. Jeremias, Sprache 110) seien genannt LXX Ex 3,5; Jos 5,15; I Reg 2,5; Ps 59 [60],10; 107 [108],10.
199) Johannnes der Täufer 52.   200) bKet 96b; bQid 22b.

daktoren und ihre Tradenten einer dementsprechenden Täuferinterpretation wehrten, die noch in der zweiten Hälfte des ersten Jahrhunderts nicht wenigen bekannt war, mit der sich die christlichen Gemeinden auseinanderzusetzen hatten und deren Grundlagen seinem tatsächlichen Auftreten bzw. dem Verhältnis zwischen ihm und Jesus aus Nazaret sehr nahe zu kommen scheinen.

Ohne einen inneren Bezug auf das urchristliche Kerygma wären die Täuferlogien schwerlich Bestandteil der synoptischen Tradition geworden. Das kann beispielsweise im Verlauf der Integration ehemaliger Täuferanhänger innerhalb der Gemeinden geschehen sein. Hingegen ist es unwahrscheinlich, daß bereits die ältesten vorösterlichen Überlieferungsträger sich eines ''christologischen'' Zusammenhangs von Täuferlogien und Herrenworten bewußt waren. Dieser Bezug wird also wohl nachträglich im Verlauf der Überlieferung hergestellt worden sein. Am Ende des Überlieferungsprozesses des in Mt 3,11f./Lk 3,16f. erhaltenen Textes stehen nun folgende Aussagen über die Johannestaufe: Sie ist Tertium comparationis zwischen der heilsgeschichtlichen Bedeutung des Täufers gegenüber Jesus. Ihrem Medium, dem Wasser,[201] stehen die ungleich höher qualifizierten Medien der Taufe Jesu (nämlich heiliger Geist und Feuer) gegenüber. Den Extrempunkt der hier erkennbaren Tendenz, die Geistbegabung in der christlichen Taufe von der Johannestaufe abzuheben, stellt Act 19,1-7 dar.

Die Hauptaussage der Markusparallele (Mk 1,7f.), nämlich die geistbegabende Wirkung der christlichen Taufe im Gegensatz zur Taufe des Johannes, wurde bereits in Abschnitt I.1.a. (s.o. 41f.) unter Heranziehung alttestamentlicher und außerbiblischer Quellen als relativ junge Überlieferungsstufe ausgewiesen. Die Kontrastierung von Wassertaufe und Geistverleihung steht im Widerspruch zum Zeugnis der Parallelen und läßt sich daher mit hoher Wahrscheinlichkeit als christliche Neubildung bezeichnen.[202]

Als Grundlage der christologisch bearbeiteten Tradition in Mt 3,11f./Lk 3,16f. erkennt man die Ankündigung eines kommenden eschatologischen Richters in der Logienquelle,[203] der so wie ein Bauer am Ende der Getreideernte beim Worfeln die Spreu vom Weizen trennt und verbrennt, auch die unbußfertigen Sünder unter den Menschen am Ende dieses Äons ihrer Bestrafung in einem endgültigen Vernichtungsgeschehen zuführen wird.[204] Es ist zu beachten: Auch hier haben wir es mit einer christlichen Traditions- bzw. Redaktionsschicht zu tun! Der grundlegende Wortlaut des ''Traditionsstücks, das sich schon die palästinensische Gemeinde angeeignet hat''[205] und das sie über Jahrzehnte hinweg tradierte, ist nicht mehr

---

201) ''εἰς μετάνοιαν in V 11a ist sicherlich von Mt hinzugefügt, da eine Auslassung seitens Lk nicht erklärlich ist'' (S. v. Dobbeler, Gericht 49). Vgl. hierzu Act 13,24; 19,4, wo Lukas von dem βάπτισμα μετανοίας des Johannes schreibt.   202) Vgl. R. Bultmann, Geschichte 134.
203) P. Hoffmann (Studien 29f.) weist auf die Betonung des Gerichtsgedankens in der Logienquelle hin.   204) Vgl. P. Hoffmann, Studien 19 sowie J. Schüling, Studien 76.
205) R. Bultmann, Geschichte 262.

zu ermitteln, doch macht die deutlich "christianisierende" Bearbeitung der Überlieferung, zu der ihre "vorchristliche" Aussage nötigte, wahrscheinlich, daß der Grundbestand der Verse für die Frage nach der zu rekonstruierenden frühesten Täuferinterpretation von Wert ist. Reduziert man den Skopus des Textes der Logienquelle auf die Beziehung zwischen der Taufe des Johannes und seiner Predigt, so ist festzuhalten: 1. Johannes erklärt Sinn und Bedeutung seiner Taufe in seinem öffentlichen Aufruf zur Umkehr angesichts des in Kürze drohenden Endgerichts. 2. Die Taufe ist vorwegnehmende Rettung vor dem vernichtenden Feuer[206] und damit wirksame Symbolhandlung.

Die in Mt 3,7-12/Lk 3,7-9. 16b-17 enthaltenen, von den beiden Evangelisten aus Q übernommenen Täuferlogien wurden auf Inhalte hin befragt, die mit hoher Wahrscheinlichkeit am Anfang der Traditionskette stehen und im weiteren Verlauf der Untersuchung als Ausgangsbasis einer traditionsgeschichtlichen Einordnung der Aussagen über Johannes den Täufer dienen können. Es ergab sich folgendes:

1) Die Bußpredigt Johannes' des Täufers erhielt ihre autoritative Geltung von seiner Person her.

2) Der Täufer trat individuell und öffentlich auf. Er drohte seinen jüdischen Zuhörern Unheil als göttliche Strafe für ihr sündhaftes Verhalten an und rief zu einer Neuorientierung auf, welche die Abwendung dieser Strafe ermöglicht.

3) Johannes hat seine als geistbegabend verstandene Taufe in seinem Ruf zur Umkehr angesichts der Nähe des Endgerichts thematisiert. Sie ist nicht allein Hinweis auf das drohende Strafgeschehen, sondern als Symbolhandlung auch real wirkende Rettung vor der vernichtenden Feuertaufe bzw. Aussonderung der Gerechten.

4) Ein Lehrer-Schüler-Verhältnis Johannes' des Täufers und Jesus aus Nazaret in dem Sinne, daß letzterer dem Täufer eine erkennbare Hochachtung entgegenbrachte und Bestandteile seines Auftretens und seiner Verkündigung übernahm, könnte der frühesten Tradition bekannt gewesen sein.

---

206) A. Sand (Evangelium nach Matthäus 68f.) bezeichnet die Johannestaufe in diesem Zusammenhang als "Hinweis auf das anbrechende Gericht". Das mag für den christlich bearbeiteten Text richtig sein, doch scheint ihr Charakter als vorwegnehmende Rettung vor dem drohenden vernichtenden Feuer im Zusammenhang der älteren Überlieferung angesichts der Verbindung der Elemente Wasser und Feuer in der jüdischen Kathartik (s.o. 41f.) zu überwiegen.

2. Johannes und Jesus: Mt 11,2-19/Lk 7,18-35

a. Anfrage des Täufers und Antwort Jesu: Mt 11,2-6/Lk 7,18-23

In der Szene, die eine Reihe von Worten Jesu über Johannes den Täufer einleitet und die bei Markus nicht überliefert ist, kommen Johannesjünger[207] zu Jesus, um die Frage des Täufers zu übermitteln,[208] ob er der in seiner Bußpredigt angekündigte ἐρχόμενος sei, oder ob dessen Kommen noch ausstünde (Mt 11,3/Lk 7,19). Die Frage lautet dabei nicht: "Du oder ich?", sondern: "Du oder ein anderer?"[209] Jesu Entgegnung geht auf diese Entscheidungsfrage zwar nicht explizit ein, aber er antwortet mit einem - möglicherweise Jes 29,18f.; 35,5f. und 61,1 aufgreifenden - Hinweis[210] auf seine Heilungen, Totenauferweckungen und die Evangeliumsverkündigung an die Armen als Erfüllung der prophetischen Verheißungen für die eschatologische Zeit des Heils für Israel (Mt 11,4f./Lk 7,22).[211] Ein Makarismus, in dem diejenigen selig gepriesen werden, die an Jesus keinen Anstoß nehmen, beschließt das Logion (Mt 11,6/Lk 7,23).

Bei Lukas wird die Anfrage des Täufers durch die Beauftragung seiner Jünger als Boten in 7,18f. dupliziert und dadurch betont.[212] Ferner erscheinen hier die Boten durch eine "verlebendigende Ausmalung"[213] als direkte Augenzeugen der Ta-

---

207) Von besonderem Interesse ist hierbei, daß Lukas in 7,18 δύο τινὰς τῶν μαθητῶν, Matthäus in 11,2 dagegen διὰ τῶν μαθητῶν bietet. Der Text des Matthäus ist nicht absolut sicher: Eine Reihe von jüngeren Handschriften überliefert δύο an Stelle von διά. Eine "präzisierende" (A. Sand, Evangelium nach Matthäus 237) Harmonisierung der beiden Versionen durch die Veränderung im Text des Matthäus, an die zunächst zu denken wäre, ist unwahrscheinlich. Der von Nestle[26] gebotene Text (nach ℵ; B; C*; D; f¹³ et al.) ist weitaus besser bezeugt. Hieraus darf jedoch nicht geschlossen werden, daß der bei Lukas überlieferte Text gegenüber Matthäus sekundär wäre. Die Betonung von zwei Zeugen zur Beglaubigung der Identität Jesu könnte sich auf die entsprechende Bestimmung des Zeugenrechts nach Dtn 17,6; 19,15 beziehen. Im NT wird mehrmals auf diese Bestimmung Bezug genommen, so neben Lk 7,18 auch in Joh 8,17; II Kor 13,1 und Hebr 10,28. R. Bultmann (Geschichte 345) bezeichnet Lk 7,19 als "Fortbildung der bei Mt 11,2 erhaltenen Fassung von Q". Sicher ist die präzisierende Variante einer Aussage oft jünger als deren allgemein gehaltene Fassung, doch weist die Tatsache, daß sich in der christlichen Literatur des ersten und zweiten Jahrhunderts n. Chr. noch Belege für diese Bestimmung des jüdischen Gesetzes finden, auf die Möglichkeit hin, daß bereits die Vorlagen des Matthäus und des Lukas keine einheitliche Lesart boten.
208) Besonders deutlich bei Lukas wird die wörtliche Weitergabe der ihnen aufgetragenen Botschaft durch die Jünger des Johannes (Lk 7,19f.).   209) A. Sand, Evangelium nach Matthäus 237.
210) J. Jeremias (Theologie 31.106) weist auf eine rhythmische Sprache des Logions hin. Das wiederholende καί bei Matthäus scheint als Wiedergabe des aramäischen ܠ ursprünglicher (so P. Hoffmann, Studien 193; vgl. N. Turner, in: J.H. Moulton, Grammar IV, 34).
211) Vgl. Jes 26,19; 29,18f.; 35,5f.; 42,18; 61,1; Jub 23,28f.; äthHen 5,9; 96,3; IV Esr 8,52-54 sowie bSan 91b.
212) Vgl. W. Grundmann, Evangelium nach Lukas 162. Möglicherweise ist hier auch an eine Betonung des (heilsgeschichtlichen) Abstandes zwischen Johannes und Jesus durch die Zwischenschaltung der Botenbeauftragung zu denken.
213) W.G. Kümmel, Antwort 193. J. Jeremias (Sprache 161) weist auf eine Häufung lukanischer Sprach- und Stileigentümlichkeiten in dem Vers hin.

ten Jesu,[214] zu denen - gegen Matthäus - auch Exorzismen gehören (Lk 7,21). Von solchen Heilstaten Jesu berichtete Matthäus bereits in 5,1-7,29 (Evangeliumsverkündigung) und 8,1-9,34 (Heilungen, Totenauferweckungen, Exorzismen). Lukas bereitet die Szene durch ihre Anfügung an den Bericht von der Heilung des Dieners des Zenturio (Lk 7,1-10) und der Auferweckung des Jünglings in Nain (Lk 7,11-17) vor.[215]

Matthäus läßt den Täufer aus dem Gefängnis heraus seine Frage an Jesus richten (11,2). Bei Lukas erfahren wir hingegen nichts über seinen Aufenthaltsort. Zwar wird von der Gefangennahme des Johannes durch Herodes Antipas erst in Mt 14,3 (nach Mk 6,17) berichtet (Lukas erwähnte sie bereits in 3,20), doch diente schon in Mt 4,12 die Notiz "Ἰωάννης παρεδόθη" dazu, die Abgrenzung der konkurrenzlosen Verkündigung Jesu (Mt 4,17) von dem gleichlautenden Bußruf des bereits ausgeschalteten Täufers (Mt 3,2) bewußt zu machen. Besteht anhand der Übereinstimmungen von Mt 11,2 und Lk 7,18 eine gewisse Wahrscheinlichkeit, daß auch in der Logienquelle von der Sendung der Johannesjünger zu Jesus in einem Einleitungssatz berichtet wurde,[216] so stellt sich hier doch die Frage, warum entweder Lukas die Notiz vom Aufenthalt des Johannes im Gefängnis an dieser Stelle nicht aus Q übernommen, oder Matthäus die Aussage hinzugefügt hat. Wenn man nicht davon ausgeht, daß den Evangelisten verschiedene Versionen der Logiensammlung vorgelegen haben, spräche mehr für eine Hinzufügung durch Matthäus. Die Hinzufügung wäre in diesem Fall jedoch keine freie Erfindung des Evangelisten, sondern eine Verdeutlichung, die Bezug nimmt auf einen Sachverhalt, der unter seinen Adressaten bekannt war.

Die aufzählende Zusammenfassung der bisherigen Wirksamkeit Jesu als (prophetische Verheißungen erfüllende) eschatologische Heilszeichen in Mt 11,5f./Lk 7,22f., mit denen Jesus der Anfrage des Täufers begegnet, beantwortet die Anfrage des Täufers positiv allein für die Adressaten der Evangelien. In ihrem Vorverständnis ist Jesus der Christus und als solcher der vom Täufer angekündigte ἐρχόμενος. So impliziert die Täuferanfrage für die nachösterlichen Gemeinden bereits die Antwort, daß die wundersamen Heilungen, Exorzismen und Totenauferweckungen Jesu sowie seine Predigt vom Reich Gottes Kennzeichen seiner Messianität

---

214) "Das von ihm in 11,2 eingefügte τὰ ἔργα τοῦ Χριστοῦ weist ... auf die Lehre und die Taten des Messias zurück" (P. Hoffmann, Studien 191). Der massive Würdetitel scheint gegenüber dem lukanischen κύριος (7,19) sekundär zu sein, denn der Titel κύριος, dem רבון, רב, und מרא entsprechen (vgl. W. Foerster, Art. κύριος κτλ.: ThWNT III, 1085), kann neben seiner Bedeutung als Bezeichnung des ἐρχόμενος bei der Parusie hier auch auf das durch die Schüler des Täufers vermittelte Verhältnis der beiden Lehrergestalten Johannes und Jesus hinweisen (Vgl. IKor 16,22; Apk 22,20). Sicher bezeugen beide Titel für die Adressaten der Evangelientexte die durch seine machtvollen Werke bezeugte Hoheit Jesu, doch scheint Lukas der Q-Vorlage und ihrer historischen Grundlage näher zu kommen.

215) Von Blindenheilungen hat Lukas bis 7,18ff. jedoch noch nichts berichtet.

216) So P. Hoffmann, Studien 192.

waren. R. Bultmann[217] schließt aus der offenkundigen Diskrepanz zwischen der Frage des Täufers und der Antwort Jesu, die deutlich wird, wenn man von diesem Vorverständnis absieht, daß die Verse Mt 11,5f.par. an sich auch isoliert überliefert gewesen sein könnten. In ihrem ursprünglichen Sinn sollten sie somit aussagen, daß die nahende Heilszeit und die mit ihr verbundenen Heilswunder, von denen die Verheißungen reden, in der Wirksamkeit Jesu bereits angebrochen sind: "Die Evangelisten haben, wie schon Q, den Sinn verengt: die Schilderung bezieht sich auf Jesu Wirken, auf seine Wunder, die ihn als Messias legitimieren."[218] Die Täuferanfrage Mt 11,3 wäre dann Gemeindebildung[219] und sekundär mit dem Jesuslogion verknüpft.

Wann eine solche Verknüpfung beider Logien im Verlauf der christlichen Überlieferung stattgefunden hat, ist im Rahmen dieser Untersuchung von untergeordneter Bedeutung.[220] Wichtig ist vielmehr, daß sie stattfand und daß der so entstehende, christologisch begründete Sinnzusammenhang Teil des Bestandes der Logienquelle Q wurde. Der Text wurde in der exegetischen Forschung als Belehrung der christlichen Adressaten über die Unterlegenheit des Täufers und einer von ihm ausgehenden Bewegung interpretiert,[221] die auch nach Ostern noch auf den endzeitlichen Richter bzw. Heilsbringer wartet,[222] bis J. Ernst[223] und K. Backhaus[224] darauf hinwiesen, daß die in der urchristlichen Überlieferung zu erkennenden Gegensätze zwischen "täuferischem" und "christlichem" Selbstverständnis[225] ebenso auch eine geschichtliche Entwicklung spiegeln können, deren Anfangspunkt in der Auseinandersetzung mit einer konkurrierenden Täufersekte zu bestehen scheint, und die schließlich in einen internen Dialog zwischen ehemaligen Täuferschülern und nachösterlichen Christen mündete.

---

217) Geschichte 22. Anders W.G. Kümmel (Antwort 193), der Mt 11,2-6par. als ursprünglich selbständiges Überlieferungsstück ohne jegliche chronologische oder topographische Fixierung bestimmt.

218) R. Bultmann, Geschichte 136. Ähnlich J. Jeremias (Theologie 106): "Matthäus und Lukas haben dieses Wort als eine Aufzählung von Wundertaten verstanden, die Jesus vor den Augen der Sendboten des Johannes vollbrachte."

219) So auch A. Sand, Evangelium nach Matthäus 238.

220) Zwar ist eine Zusammengehörigkeit von Täuferfrage und Jesuslogion in der Logienquelle aufgrund der Übereinstimmungen von Mt 11,5f. und Lk 7,22f. wahrscheinlich (So M. Dibelius, Formgeschichte 258f.; P. Hoffmann, Studien 209f.), doch gibt es keine Indizien für eine traditionelle Verknüpfung der beiden Überlieferungen. Ursprünglich wurde wohl die zunächst isoliert tradierte Zusammenfassung der eschatologischen Heilszeichen Jesu nicht mit der als sekundäre christliche Bildung anzusehenden (R. Bultmann, Geschichte 22. 115) Täuferfrage verknüpft. Vgl. auch J. Schüling (Studien 78ff.). 221) Vgl. Mt 9,14ff.par.; Lk 11,1; Act 18,24-19,7.

222) Vgl. M. Dibelius (Formgeschichte 245.258f.); R. Bultmann (Geschichte 22); aber auch noch W. Wiefel (Evangelium nach Lukas 149).

223) J. Ernst (Johannes der Täufer 58ff.) schließt eine Konkurrenzsituation zwischen einer Täufersekte und der christlichen Gemeinde als Sitz des Textes im Leben der Gemeinde mit dem Hinweis auf die extrem positive Formulierung des Makarismus Mt 11,6par. aus. Seines Erachtens richtet sich der Text an "Halbchristen", die mit Johannes noch >zwischen den Testamenten< standen, und den letzten Schritt zum Christusglauben noch nicht getan hatten.

224) Jüngerkreise 368.

Johannes dem Täufer werden in Mt 11,2-6par. Attribute zuerkannt, mit deren Hilfe drei für den christlichen Glauben fundamentale Aussagen bestätigt werden: Jesus ist der ἐρχόμενος, er ist der vom Täufer Angekündigte, er ist der Christus. Diese Aussagen gilt es als wahr auszuweisen. Daher muß die Gestalt, die als idealer Frager nach der Identität Jesu begegnet (wie auch ihre Charakterisierung) eine gewisse Bekanntheit und Autorität bei den Adressaten der Überlieferung haben und glaubhaft dargestellt werden. Der Täufer ist hier die typische Adresse, um die ihn als Messias beglaubigenden eschatologischen Heilstaten Jesu aufzuzählen. Was sagt das über Johannes aus?

Zunächst: Der Text beweist, daß Johannes der Täufer das Kommen einer endzeitlichen Richter- bzw. Erlösergestalt erwartete.[226] Er ist die typische Gestalt, um die Frage nach dem ἐρχόμενος zu stellen, die in ihrer christlichen Rezeption mit: "Es ist Jesus, der Christus" beantwortet wird.[227]

Der Sitz des Textes im Leben der urchristlichen Gemeinden ist sicher nicht in einer Konkurrenzsituation zwischen Täufer- und Jesusbewegung zu lokalisieren. Vielmehr ist davon auszugehen, daß die Anhängerschaft des Johannes eine partielle Integration in die christlichen Gemeinden erfuhr. Trotzdem wird deutlich darauf hingewiesen, daß diese eigenständige Bewegung von Johannes ausging. Aus der Tradition der Logienquelle übernehmen beide Evangelisten, daß der Täufer eigene μαθηταί hatte und über diese befahl. Die Konkurrenzsituation, die sich daraus ergibt, daß Johannes ebenso wie Jesus μαθηταί um sich sammelte, dürfte nicht überliefert worden sein, wenn sie nicht auch bei den Adressaten der urchristlichen Verkündigung bekannt gewesen wäre.[228]

Die urchristliche Überlieferung machte sich hier offenbar die Autorität des Täufers zunutze. Durch sie wird in Mt 11,2-6par. die Messianität Jesu bekräftigt. Hieraus ließ sich weiterhin zurückschließen, daß diejenigen Angaben über Johannes, mit denen seine Autorität bezeichnet wird, hin zu dem Ursprung dieser Traditionen führen können. Es ergab sich, daß er als der Prototyp dessen dargestellt

---

225) Vgl. Joh 4,1f.; Act 18,24-28; 19,1-7. 226) Vgl. P. Hoffmann, Studien 201.

227) J. Ernst (Johannes der Täufer 60) bezeichnet die Gestalt des Täufers in diesem Zusammenhang als "Symbol für eine sich durchsetzende eschatologische Neuorientierung: Was Johannes zu seiner Zeit vom kommenden Richter-Gott erwartet hat, ist jetzt in Jesus erfahrbar geworden." Für P. Hoffmann (Studien 199) steht die Identifikation des "Kommenden" mit Jesus aus Nazaret am Ende des Überlieferungsprozesses; noch für die Q-Redaktion war mit ihm die vom Täufer angekündigt Richtergestalt gemeint.

228) Mit dem isolierten Begriff μαθητής werden in der synoptischen Überlieferung fast ausschließlich die Männer bezeichnet, die sich Jesus als ihrem Meister anschlossen. (Vgl. K.H. Rengstorf, Art. μαθητής κτλ. C. Der Begriff im NT: ThWNT IV, 444). Zwar werden dem Täufer Jünger zugestanden, doch sind sie an allen Stellen durch Johannes determiniert (Vgl. M. Hengel, Nachfolge 40. 68f.).

wird, der auf den endzeitlichen Richter wartet, dessen Urteil zu Erlösung oder Vernichtung führt. Er scheint weiterhin eine eigenständige Bewegung ausgelöst zu haben, die aber letztendlich von der christlichen Gemeinde vereinnahmt wurde. Zu den bestehenden Assoziationen, die an die Gestalt des Täufers geknüpft waren, gehörte offensichtlich auch die Erinnerung an dessen Gefangenschaft. Die christologische Vereinnahmung gerade dieser Tradition stellt nun ein Mittel dar, den Täufer trotz seiner (eine Vielzahl von Parallelen zu Jesus aufweisenden) Charakterisierung in der Erinnerung der christlichen Tradenten und Adressaten der Evangelienüberlieferung von letzterem abzugrenzen, also "unschädlich zu machen",[229] um damit eine (mit dem christlichen Kerygma konkurrierende) Verehrung des Johannes abzuwehren, ohne zugleich eine Abwehrbewegung gegen diese interne "Konkurrenzbewegung" oder gar ein superstitiöses Selbstverständnis der ehemaligen Johannesschüler zu begründen.

b. Worte Jesu über den Täufer: Mt 11, 7-11 / Lk 7,24-28

Übereinstimmend werden die folgenden Jesuslogien von Matthäus (11,7a) und Lukas (7,24a) durch einen Wechsel der Zuhörerschaft Jesu eingeleitet. Waren es in Mt 11,2-6/Lk 7,18-23 die zu ihm gesandten Johannesjünger, so redet er jetzt zum ὄχλος über den Täufer, indem er zunächst drei rhetorische Fragen stellt, die auf den Grund des Zuges eben der Zuhörer Jesu in die Wüste abzielen (Mt 11,7b-9a/Lk 7,24b-26a; vgl. Mk 1,5; Mt 3,5; Lk 3,7. 21). Jesus überbietet die in der dritten Frage implizierte Antwort, die die Person des Täufers als Grund und Ziel des Wüstenzuges ausweist, dadurch, daß er ihn als περισσότερος προφήτου bezeichnet (Mt 11,9b/Lk 7,26b). Johannes ist demnach der in der Schrift prophezeite Bote, der dem ἐρχόμενος den Weg bereitet (Mt 11,10/Lk 7,27). Er ist der größte unter den Menschen (Mt 11,11a/Lk 7,28a), wird jedoch in der βασιλεία der geringste sein (Mt 11,11b/Lk 7,28b).

Der Text ist als eine Zusammenstellung von zwei Jesuslogien und zwei interpretierenden Zusätzen zu betrachten.[230] Die weitgehende Übereinstimmung zwischen seinen beiden Überlieferungsvarianten[231] und das Fehlen einer Markus-

---

229) Möglicherweise kann aus der massiven Aufzählung von eschatologischen Heilstaten Jesu auch auf den Täufer zurückgeschlossen werden, indem man sie als Zeichenhandlungen interpretiert. Diese Zeichenhandlungen könnten dann der Negation der Taufe des Johannes als dessen (für die Jesusbewegung zwar übernommene und modifizierte, aber qualitativ doch deutlich abgegrenzte) minderwertige Zeichenhandlung in überbietender Weise gegenübergestellt sein. Die versteckte Polemik würde sich dann gegen die Erinnerung gerade der ehemaligen Täuferanhänger unter den Christen an einen derartigen Charakter der Johannestaufe als wirksame prophetische Symbolhandlung richten. 230) Vgl. A. Sand, Evangelium nach Matthäus 239.
231) Ausführliche Aufzählung der geringen redaktionellen Differenzen bei J. Ernst (Johannes der Täufer 56f.).

parallele führt zu der Zuordnung des gesamten Abschnittes zur Überlieferung der Logienquelle Q. Matthäus scheint hierbei den ursprünglichen Wortlaut eher bewahrt zu haben als Lukas.[232]

Als erstes komplexes Logion begegnet im Text die Fragenreihe nach dem Ziel des Zuges in die Wüste (Mt 11,7b-9/Lk 7,24b-26). Das in Mt 11,10/Lk 7,27 nachfolgende Reflexionszitat aus Ex 23,20 LXX; Mal 3,1 LXX ist wohl sekundär an das Herrenwort angefügt;[233] es begegnet in gleichem Zusammenhang, nämlich zur Bedeutung der Schriftgemäßheit der Vorläuferschaft und der vorbereitenden Rolle des Täufers gegenüber Jesus, auch in Mk 1,2; Lk 1,17; 7,27 (vgl. Apk 22,16). Der Vers Mt 11,11/Lk 7,28 scheint aufgrund seiner redaktionellen Einleitung durch Q Einfügung in den jetzigen Zusammenhang zu sein.[234] Die Spannung zwischen der positiven Würdigung des Täufers durch Jesus in Mt 11,11a/Lk 7,28a, die das Urteil Jesu aus Mt 11,9/Lk 7,26 weiterführt, und der Einschränkung dieses Urteils durch Mt 11,11b/Lk 7,28b deutet auf die nachträgliche Ergänzung durch die zweite Vershälfte hin.[235] "Vom Bekenntnis der Gemeinde zu Jesus her bedurfte diese Aussage, die Johannes zum Größten der Menschen erklärte, einer Korrektur, zum mindesten einer Erläuterung."[236]

Die Kombination von Logien und redaktionellen Ergänzungen in Mt 11,7-11/Lk 7,24-28 sollte wohl bereits in Q als einheitliche Rede verstanden werden. "Der

---

232) J. Ernst (ebd. 61) weist in diesem Zusammenhang auf eine Reihe von "graezisierenden" stilistischen Verbesserungen und Glättungen durch Lukas hin.

233) M. Dibelius, Überlieferung 12. J. Jeremias (Sprache 164) weist darauf hin, daß alle drei Synoptiker Ex 23,20 LXX mit Mal 3,1 LXX kombinieren: "Daraus ergibt sich, daß die neue christliche Fassung der Weissagung schon in fester Formulierung umlief, ehe die Synoptiker sie aufgriffen." 234) A. Sand, Evangelium nach Matthäus 240.

235) Die Codices A, D, Θ, Ψ, die Minuskelgruppe f^{13}, der Mehrheitstext $\mathfrak{M}$ sowie eine Reihe weiterer Zeugen ergänzen in Lk 7,28a προφήτης vor 'Ιωάννου. Diese "ermäßigende Korrektur" (M. Dibelius, Johannes der Täufer 9) relativiert die "Größe" des Täufers. Die wohl ursprünglichere Lesart im Text von Nestle[26] (vertreten durch ℵ, K, L, W, X, Ξ, Π, f^1, et al.) spricht von Johannes als dem Größten unter allen γεννητοὶ γυναικῶν (vgl. Hi 11,2. 12; 14,1; 15,14; 25,4 LXX; 1QH XIII,14; XVIII,12f. 16. 23 sowie Gal 4,4). Da die Bezeichnung auch Jesus einschließt, empfand man offenbar die somit gegebene Möglichkeit, von einer Überordnung des Täufers gegenüber Jesus zu sprechen, als anstößig und grenzte die Bedeutung der "Größe" des Täufers ein: Er sollte allein als größter unter den Propheten (nämlich weil er auf Jesus hinweis) erscheinen, nicht aber als größter unter den Menschen, wie der wohl ursprünglichere Text bezeugt. Es ist festzuhalten, daß auf das Prophetentum des Johannes, von dem hier bedenkenlos die Rede ist, glaubhaft Bezug genommen werden kann, um ihn von Christus abzugrenzen.

236) P. Hoffmann, Studien 220. Mt 11,11b par. wird bereits bei M. Dibelius (Formgeschichte 142f.) als einschänkender Zusatz beurteilt, wobei er allerdings in Mt 11,11a par. ein von der Täuferbewegung usurpiertes Herrenwort sieht, das die christliche Gemeinde zu einer solchen einschränkenden Bemerkung provozierte: "Die Worte ... sind nicht aus der Lage Jesu, sondern aus der Situation der Gemeinde zu verstehen" (ebd. 245 Anm. 1). Ähnlich auch R. Bultmann (Geschichte 178). Anders jedoch O. Böcher (Art. Johannes der Täufer: TRE XVII, 177), der die originäre heilsgeschichtliche Bedeutung des antithetischen Parallelismus betont, in dem die "Größe" des Täufers bis zum Anbruch der βασιλεία τοῦ θεοῦ terminiert ist, sowie J. Ernst (Johannes der Täufer 62), der auf den streng parallelen Aufbau der beiden Vershälften verweist.

Wunsch, zu wissen, was der Herr vom Täufer gedacht und was der Christ von ihm und seinem Kreis zu halten habe, fügte die Stücke aneinander."[237] Die beiden überlieferten Logien sprachen ursprünglich offenbar von einer Hochschätzung Johannes' des Täufers durch Jesus. Sie weisen jedoch in ihrer Endgestalt auf die Vorläuferschaft des ersteren hin, der seine Größe und Bedeutung allein dadurch erhält, daß er auf Jesus hinweist. Sie betonen schließlich die Bedeutungslosigkeit des Täufers angesichts der von der christlichen Gemeinde erwarteten Parusie. Eine solche massive redaktionelle Deutung und inhaltliche Veränderung macht wahrscheinlich, daß wir es hier mit Traditionen der palästinischen Christenheit zu tun haben, denen eine hohe Autorität beigemessen wurde und die vielleicht sogar in ihrem Grundbestand auf Jesus aus Nazaret selbst zurückzuführen sind.[238] Im Sinne der Fragestellung dieser Arbeit besteht somit die Möglichkeit, die Logien auf Aussagen Jesu von Nazaret über Johannes den Täufer als Propheten hin zu befragen.

α. Die Fragenreihe nach dem Ziel des Zuges in die Wüste: Mt 11,7b-9/Lk 7,24b-26

Die Wüste, in der das Ziel des ὄχλος liegt, ist in der synoptischen Überlieferung (Mk 1,3. 4; Mt 3,1. 3. 5; Lk 1,80; 3,2. 4) charakteristischer Schauplatz der Wirksamkeit Johannes' des Täufers.[239] Neben der christologisch begründeten Verfasserabsicht der Evangelisten, den Täufer auf der Grundlage von Jes 40,3 als den verheißenen Boten des κύριος auszuweisen, ist hier auch eine tatsächliche Reminiszenz an die Lokalität, an der sich Johannes aufhielt und taufte, vorstellbar.

In jedem Fall zielt die Fragenreihe auf die wertende Charakterisierung des Täufers - verbunden mit der Reflexion der offenbar vorhandenen Bereitschaft, dessen Autorität anzuerkennen - ab. Ihre Pointe läßt sich paraphrasieren: "Worin besteht der legitimierende Grund dafür, daß ihr die Autorität des Johannes anerkannt habt?"

Zwischen den drei Fragen und ebenso auch zwischen den Antworten muß eine inhaltliche Beziehung bestehen, denn die Bezeichnung des Täufers als περισσότερος προφήτου in Mt 11,9b/Lk 7,26b bildet den Höhepunkt der Klimax und die zentrale Aussage des Logions. Es muß also auch ein Zusammenhang zwischen dem im Wind schwankenden Schilfrohr, den weichen Gewändern und dem Auftreten des Täufers bestehen. Die beiden ersten Fragen implizieren eine negative, die dritte Frage eine positive Antwort. Somit läßt sich zunächst sagen, daß sowohl Schilfrohr als auch der Mensch in weichen Gewändern etwas repräsentieren, was sich

---

237) M. Dibelius, Überlieferung 7. 238) Vgl. R. Bultmann, Geschichte 178.

239) Vgl. M. Dibelius, Überlieferung 49 Anm. 2. Die drei Fragen kennzeichnen die Zusammengehörigkeit von "Wüste" und Johannes dem Täufer. Vgl. auch P. Hoffmann, Studien 217.

mit der Wirksamkeit des Täufers nicht vereinbaren läßt. M. Dibelius[240] interpretiert das Logion dahingehend, daß betont werden soll, daß "nur törichte oder absurde Erwartungen duch Johannes enttäuscht werden konnten". "Das >im Wind schwankende Rohr< ist ein alltägliches Vorkommnis im Jordantal; die >weiche Kleider tragenden Höflinge< sind im Kontrast zum Propheten genannt."[241] J. Ernst[242] bemerkt hierzu, der Spruch wolle nur "andeuten, daß der Täufer in keine der herkömmlichen Kategorien eingeordnet werden kann."

Es ist davon auszugehen, daß die Bedeutung der in dem Logion verwendeten Bilder seinen Adressaten und Tradenten unmittelbar verständlich gewesen sein muß. Ansonsten wären sie wohl schwerlich Bestandteil der Überlieferung geworden. G. Theißen[243] schlägt nun anhand einer um 19 n.Chr. anläßlich der Gründung von Tiberias[244] geprägten und umlaufenden Bronzemünze, auf der ein Schilfrohr ("the characteristic vegetation of the region of Tiberias")[245] und die Legende ΗΡΩΔ(ΟΥ) ΤΕΤΡΑ(ΡΧΟΥ) abgebildet sind,[246] vor, daß in den ersten beiden Fragen der Tetrarch dem Täufer gegenübergestellt wird. "Der Kontrast wird durch zwei Verhaltenszüge bestimmt. Auf der einen Seite steht der sich klug anpassende Politiker, auf der anderen der kompromißlos seine Botschaft ausrichtende Prophet."[247] Der Konflikt des Täufers mit Herodes Antipas ist literarisch belegt (Mk 6,17-29; Mt 14,3-12; Lk 3,19f.; Jos. Ant 18, 117). Der Tetrarch ist Adressat seiner Gerichtspredigt. Da nun offenbar die Tracht des Täufers (vgl. Mk 1,6par.) ebenfalls in Kontrast zu solcher >höfischen< Kleidung steht,[248] kann auch die zweite Frage Jesu in Mt 11,8/Lk 7,25 auf solche Weise gedeutet werden.

Wenn das Logion wirklich auf Jesus aus Nazaret zurückgehen sollte, hätten wir ein Zeugnis für dessen Interpretation des Täufers als prophetische Gestalt, die in direkter Opposition zum Herrscherhaus steht, dieser Opposition in Wort und Auftreten Ausdruck verleiht und dessen kompromißlose, göttlich bevollmächtigte

---

240) Überlieferung 11.　　　　241) P. Hoffmann, Studien 217.　　　　242) Johannes der Täufer 62.
243) G. Theißen (Rohr 43-55; vgl. auch Lokalkolorit 25-44) unternimmt in seinem Aufsatz den Versuch, die Alternative >wörtliche oder metaphorische Deutung< durch eine >emblematische< Deutung zu überwinden: Ausgehend von der hohen Bedeutung der Münze in der Antike als "Massenkommunikationsmittel" (ebd. 45) zeigt er auf, daß sowohl der numismatische, der literarische als auch der historische Befund für eine polarisierende Gegenüberstellung des Tetrarchen und des Täufers sprechen. Die Verbindung zwischen dem prägenden Machthaber und dem Emblem einer Münze ist in Mk 12,13-17parr. vorausgesetzt und kann daher auch ermöglichen, daß "aus dem >Schilfrohr< der Münzen des Herodes Antipas ein ironischer Spottname für diesen herodäischen Fürsten wurde" (ebd. 50). Die literarische Analyse des Logions erweist, daß in der zweiten und dritten rhetorischen Frage ihr Gegenstand eine abschließende Erläuterung erfährt. In der ersten Frage fehlt eine solche Erläuterung jedoch. Eine allgemein bekannte Assoziation "Herodes Antipas - Schilfrohr" scheint die - zumal gefährliche - explizite Erläuterung entbehrlich gemacht zu haben. Schließlich weist der Begriff "Schwankendes Rohr" zur Bezeichnung des Tetrarchen in dieselbe Richtung wie "Schlauer Fuchs" (Lk 13,32). "Schwankendes, knickendes Rohr ist Bild für Unsicherheit (Vgl. II Reg 18,21)" (M.-L. Henry, Art. Rohr, Schilf: BHH III, 1606). Es ist wahrscheinlich, "daß Antipas als ein Meister kluger Anpassung gelten konnte - und gleichzeitig als ein zögernder Mensch" (ebd. 52).
244) Zur Datierung vgl. Y. Meshorer, Coins 74.　　　　245) Ebd. 75.
246) Abb. der Münze bei Y. Meshorer, Coins (Plate IX, Abb. 63-65); vgl. F.A. Madden, History 97, Nr. 1.　　　　247) G. Theißen, Rohr 55. Ebenso S. v. Dobbeler, Gericht 233.
248) Vgl. O. Böcher, Wölfe 411.

91

Gerichtspredigt Grundlage der Hochachtung ist, die Jesus ihm entgegenbringt. Nun ist bereits für das Jahr 26/27 n. Chr. ein anderer Münztyp belegt, der anstelle des Schilfrohrs eine andere Pflanze, wahrscheinlich eine Palme abbildet.[249] Hieraus schließt Theißen wiederum, daß die Überlieferung, deren Grundlage die Assoziation "Schilfrohr - Herodes" ist, bis zu diesem Zeitpunkt, also wahrscheinlich im Galiläa der zwanziger Jahre, entstanden sein muß: "genau zur Zeit und im Gebiet des Wirkens Jesu".[250]

Ist es somit möglich, die Frage nach der Rückführbarkeit des Logions auf Jesus aus Nazaret positiv zu beantworten, so gibt es keine ausreichenden Hinweise für eine Zuordnung des Komparativs περισσότερος in Mt 11,9/Lk 7,26 zu seinem grundlegenden Wortlaut. "Johannes ist deswegen >mehr als ein Prophet<, weil er die besondere Funktion ausübt, Vorläufer Jesu zu sein."[251] Der christologisch begründete Komparativ wird der nachösterlichen Tradition bzw. der Redaktion der Logienquelle zuzuordnen sein. Dennoch birgt er einen Anhalt dafür, daß Tradenten und Adressaten der Überlieferung auch nach dem Tod des Täufers von der Möglichkeit der Deutung seiner Person in den Kategorien des biblischen Prophetentums wußten, denn der Komparativ setzt den Positiv zu seinem Verständnis voraus.

β. Die Würdigung des Täufers durch Jesus (Mt 11,11a/Lk 7,28a) und ihre nachträgliche Einschränkung (Mt 11,11b/Lk 7,28b)

Johannes der Täufer erfährt hier die Würdebezeichnung "Größter unter den Menschen". Unmittelbar auf diese Würdigung durch Jesus folgt deren radikale Einschränkung: In der Gottesherrschaft wird er der Geringste aller Menschen sein. Zwar läßt sich allein aus dem Komparativ μικρότερος nicht einfach ein Schülerverhältnis Jesu gegenüber dem Täufer ableiten,[252] doch "bezeugen die Aussagen des historischen Jesus über den Täufer die dankbare Hochachtung des jüdischen Schülers für seinen bedeutenden Lehrer",[253] oder sind doch zumindest "Zeugnis der Solidarität Jesu mit dem Täufer".[254] Die "Größe" des Täufers, von der das Logion redet, läßt sich inhaltlich füllen, wenn man die einschränkende Bemerkung in der zweiten Vershälfte daraufhin untersucht, welche Interpretation des

---

249) G. Theißen, Rohr 46. 54 (Abb. bei Y. Meshorer, Coins (Plate IX, Abb. 67-72A)). 250) Ebd. 54.
251) S. v. Dobbeler, Gericht 234. Anders W. Grundmann (Evangelium nach Lukas 165), der das >mehr< auf die "Berechtigung zum sakramentalen Handeln" bezieht.
252) So J. Ernst, Jesus 25ff. Der Komparativ μικρότερος bezieht sich s. E. auf die Gesamtheit der christlichen Gemeindeglieder, aber nicht auf Christus. "Es geht also gerade nicht um den Täuferschüler Jesus, der seinem Lehrer Johannes überlegen ist, sondern um die Jesusjünger, die in der Ordnung des Himmelreiches d.h. konkret in der christlichen Gemeinde, mehr zählen als Johannes der Täufer bzw. als die mit den Jesusjüngern konkurrierenden Täuferjünger" (ebd. 26). Anders P. Hoffmann (Studien 223f.), der die Bezeichnung im Sinne seiner leitenden Intention auf den Menschensohn bezieht. 253) O. Böcher, Johannes der Täufer 48.
254) R. Bultmann, Geschichte 177.

Täufers durch ihre Anfügung verhindert werden soll. Zunächst: Die Minderwertigkeit des Täufers wird in dem Vers in die βασιλεία τῶν οὐρανῶν verlegt. Das könnte bedeuten, daß Johannes in der Gegenwart der Tradenten bzw. Redaktoren nicht als bedeutungslos dargestellt werden konnte, sonst hätte man das getan. Nach dem Zeugnis von Rabbinen[255] werden in der erwarteten Gottesherrschaft gegenwärtig bestehende Maßstäbe in ihr Gegenteil verkehrt. Es läßt sich daher auch rückschließen, daß die "Größe" des Täufers ihre Interpretation als geschichtliche Tatsache erfuhr, die jedoch dort, wo sich die Herrschaft Gottes Bahn bricht, als überwunden, ja invertiert gelten kann. Die christliche Tradition hat von einer exponierten Stellung der Propheten in der Gottesherrschaft gewußt (Lk 13,28; vgl. Mt 8,11f.). Umso mehr gewinnt an Bedeutung, daß der Täufer hier zwar als (irdischer) Prophet gelten darf, jedoch beim Anbruch der Gottesherrschaft seine Dignität völlig verliert.

Die Vehemenz, mit der die Aussage von Mt 11,11a/Lk 7,18a durch die Anfügung der zweiten Vershälfte neutralisiert wird, deutet darauf hin, daß wir es auch bei dem zweiten Logion mit einer Überlieferung zu tun haben, der man eine sehr hohe Autorität beimaß und die gerade aus diesem Grund einer Korrektur im Sinne des christologisch bedingten Täuferbildes sowohl der Logienquelle als auch der Evangelisten bedurfte.

Das praktische Ziel der beiden innerhalb der Tradition zusammengewachsenen und ergänzend interpretierten ursprünglichen Aussagen Jesu über den Täufer im Rahmen sowohl der Logiensammlung von Q als auch der Evangelien des Matthäus und des Lukas ist somit die Belehrung der Leser bzw. Hörer über die Unterlegenheit des Täufers gegenüber Jesus und - hieraus resultierend - eine Standortbestimmung und Abgrenzung der nachösterlichen christlichen Gemeinde gegenüber denjenigen Gruppen in ihren Reihen, die sich noch auf Johannes, seine Taufe und seine Verkündigung berufen.[256] Die nachösterlichen christlichen Tradenten und Redaktoren lassen durch die deutlich erkennbare, massive deutende Veränderung des ältesten rekonstruierbaren Textes ihr Bestreben erkennen, populäre, aber für den christlichen Glauben anstößige Täuferinterpretationen zu neutralisieren.[257] Unbeschadet dessen sind noch auf diesen jüngeren Überlieferungsstufen Erinnerungen an das Auftreten und Wirken des Täufers ersichtlich, die zum Grundbestand der Täuferüberlieferung gehören können. So wird die Bezeichnung des Täufers als Prophet nicht abgelehnt, sondern dient hier vielmehr der Einschränkung seiner Bedeutung. Hierzu verwendet Lukas Material - nämlich die

---

255) Vgl. bBM 85b.
256) P. Hoffmann (Studien 224) lokalisiert den Sitz des Textes im Leben der nachösterlichen christlichen Gemeinde in einem "ersten Stadium der Auseinandersetzung mit dem Täufer, in dem ehemalige Täuferanhänger, die sich nun zu Jesus als dem Menschensohn bekennen, nach der Bedeutung ihres und Jesu Lehrers zurückfragen". Vgl. M. Dibelius, Formgeschichte 258f.; R. Bultmann, Geschichte 177.

Prophezeiung vom Kommen des Elias redivivus aus Mal 3,1 - , das er an anderer Stelle unterdrückt (Mk 9,11-13 par.) oder gar bezüglich der Interpretation auf den Täufer hin negiert (Vgl. Lk 9,7-9).[258] Die in den Logien erläuterte "Größe" Johannes´ des Täufers war also in den Gemeinden, die an der Überlieferung der Q-Stoffe Anteil hatten, bekannt und scheint im Rahmen der Verkündigung in jenen Gemeinden derart problematisch gewesen zu sein, daß sie einer sekundären, aktuellen Relativierung bedurfte.

Um ein vielfaches deutlicher sind die Aussagen der beiden Logien selbst, die, wie die Untersuchung ergeben hat, mit recht hoher Wahrscheinlichkeit auf Jesus aus Nazaret selbst zurückgeführt werden können. Jesus hat die Autorität Johannes´ des Täufers hochachtungsvoll anerkannt.[259] Grundlage solcher Wertschätzung scheint für Jesus das Wirken des Täufers als kompromißlos auftretender prophetischer Wüstenprediger gewesen zu sein, der seiner Opposition gegenüber dem sündhaften Herrscherhaus in Wort und Werk Ausdruck verleiht.

c. Der »Stürmerspruch«: Mt 11,12f. / Lk 16,16

Das von Matthäus und Lukas in einem jeweils anderen Zusammenhang[260] gebotene Logion besteht aus zwei (sowohl in ihrer Abfolge als auch in ihrem Wortlaut verschieden überlieferten) Aussagen: Bei Matthäus ist zunächst die Rede von der βασιλεία, gegen welche die βιασταί "von den Tagen des Johannes bis jetzt" gewaltsam anstürmen (βιάζειν: 11,12). Zusammengefügt durch ein begründendes γάρ schließt sich die Aussage an, daß "alle Propheten und das Gesetz" ἕως Ἰωάννου prophezeit haben (Mt 11,13). Lukas beginnt mit der letzteren Aussage, wobei sich bei ihm an Stelle von ἐπροφήτευσαν kein Verb findet und so von einer "Geltung" von Gesetz und Propheten[261] μέχρι Ἰωάννου die Rede ist (Lk 16,16a). Hierauf folgt die modifizierte Parallele zu Mt 11,12: Für βιάζεται steht εὐαγγελίζεται; für βιασταὶ ἁρπάζουσιν αὐτήν steht πᾶς εἰς αὐτὴν βιάζεται (Lk 16,16b).

Die ursprüngliche Abfolge der beiden ursprünglich zwar zusammengehörigen, doch jeweils eigenständige Sinneinheiten bildenden Logien "ist nicht mit Sicherheit auszumachen, da beide Evangelisten an dem für ihre jeweilige Gesamtkon-

---

257) Vgl. R. Bultmann, Geschichte 177. 258) Vgl. O. Böcher, Johannes der Täufer 47.

259) Vgl. O. Böcher, Art. Johannes der Täufer: TRE XVII, 177: "Jesus billigte seinem Lehrer eschatologische Bedeutung zu und sah ihn als wiedergekommenen Elia an."

260) Matthäus überliefert das Logion innerhalb einer Spruchkette über den Täufer; Lukas innerhalb einer Abfolge verschiedener Sprüche über das Gesetz bzw. eines pharisäischen Nomismus. "Ein enger Zusammenhang mit dem Kontext besteht weder hier noch dort" (M. Dibelius, Überlieferung 23).

261) Bei Lukas finden sich die Verbindung νόμος καὶ οἱ προφῆται bzw. Μωϋσῆς καὶ οἱ προφῆται zur Bezeichnung der jüdischen heiligen Schriften neben 16,16 auch in 16,29. 31; 24,27. 44; Act 13,15; 24,14; 28,23; bei Matthäus neben 11,13 in 5,17; 7,12; 22,40.

zeption wichtigen Text gearbeitet haben".[262] Matthäus kommt hierbei wohl eine relative Priorität zu,[263] denn die Aussage des Logions bei Lukas zeugt sowohl von einem "universalistischen Missionsgedanken" als auch vom "Rückgang der eschatologischen Naherwartung"[264], woraus geschlossen werden kann, daß die lukanische Variante die jüngere ist.

Das schwer verständliche Logion stellt die Exegese vor zwei Schwierigkeiten: Zum einen ist zu fragen, ob die temporalen Konjunktionen ἕως/μέχρι inkludierend oder exkludierend zu verstehen sind, d.h., ob Johannes der Täufer hier am Ende der alten, von Gesetz und Propheten (also den jüdischen heiligen Schriften) bestimmten, oder am Beginn der neuen, von der Verkündigung des Evangeliums bestimmten Epoche steht. Zum anderen kann βιάζεται "in malam partem" oder "in bonam partem", d.h. als eifriges Erstreben der βασιλεία oder als böswillige Gewalttat interpretiert werden.[265]

War für M. Dibelius[266] noch nicht klar zu erkennen, "ob Johannes diesseits oder jenseits der Zeitengrenze steht," so besteht in der neueren exegetischen Forschung weitgehende Übereinkunft bezüglich der Frage nach der Bedeutung der Konjunktionen.[267] Auch wird βιάζεται im ursprünglicheren Matthäus-Text über-

---

262) J. Ernst, Johannes der Täufer 64. Ähnlich P. Hoffmann (Studien 50f.) und A. Sand (Evangelium nach Matthäus 240f.). Vgl. H. Conzelmann, Mitte der Zeit 12-21.

263) So M. Dibelius (Überlieferung 23); G. Schrenk (Art. βιάζομαι, βιαστής: ThWNT I, 611); G. Friedrich (Art. προφήτης κτλ. D. Propheten und Prophezeien im Neuen Testament: ThWNT VI, 841); J. Jeremias (Theologie 54); P. Hoffmann (Studien 51); W.G. Kümmel (Verheißung 114f. [vgl. jedoch Gesetz 82!]); J. Becker (Johannes der Täufer 76).

264) M. Dibelius, Überlieferung 23f. Bezüglich der Intention des Lukas bestehen verschiedene Auffassungen: Nach G. Friedrich (Art. προφήτης κτλ. D. Propheten und Prophezeien im Neuen Testament: ThWNT VI, 842) soll der Täufer selbst als der Heilbringer erscheinen, der die neue Zeit herbeiführt. P. Hoffmann (Studien 56) weist auf der Grundlage der Darstellung der lukanischen Theologie bei H. Conzelmann (Mitte passim.) auf die Intention des Lukas hin,"die Ablösung der durch Gesetz und Propheten charakterisierten vorchristlichen Zeit zum Ausdruck zu bringen". W.G. Kümmel (Gesetz 82) betont die Gegenüberstellung der bis Johannes geltenden Verkündigung von Gesetz und Propheten und der seither geschehenen Predigt der Gottesherrschaft, die alle Menschen erfassen will. J. Ernst (Johannes der Täufer 65) schließlich bemerkt: "Der Blick der lukanischen Redaktion geht in die Geschichte der Kirche. Die Tore stehen offen, die Menschen drängen in sie hinein."

265) Zur Geschichte der Auslegung von Mt 11,12 vgl. P.S. Cameron, Violence and the Kingdom (ANTJ 5), Frankfurt a.M. 1984 sowie G. Häfner, Gewalt 21-25. G. Schwarz (Jesus 256-260) will in dem "Ungedanken ..., der unmöglich so von Jesus formuliert worden sein kann" (ebd. 257), einen Übersetzungsfehler erkennen. Er sucht daher nach der aramäischen Grundlage des Passus "βιασταὶ ἁρπάζουσιν αὐτήν", findet diese in TJon zu Jes 21,3 (מתאנסין אנוסיא) und versteht die ursprüngliche Bedeutung der Wendung in Mt 11,12 als "die Gewalttätigen werden überwältigt" (ebd. 259). 266) Überlieferung 45.; vgl. ebd. 29.

267) Eine exkludierende Interpretation der älteren Überlieferung in Mt 11,13 ist wahrscheinlich: "Nach der Aussage des Logions zielten also alle Propheten und auch das Gesetz mit ihrer prophetischen Verkündigung auf Johannes hin, mit seinem Auftreten und mit seiner Predigt beginnt die Erfüllung ihrer Verheißung" (P. Hoffmann, Studien 61). Ähnlich bereits G. Friedrich (Art. προφήτης κτλ. D. Propheten und Prophezeien im Neuen Testament: ThWNT VI, 841); anders

wiegend "in malam partem" gedeutet,[268] so daß unter der "Erstürmung" der βασι-λεία deren böswillige, gewaltsame Usurpation durch feindlich gesinnte Mächte zu verstehen ist.

Als solche "feindlich gesinnten Mächte" wurden u.a. "religiöse Gruppierungen des Judentums zur Zeit Jesu" verstanden (A. Sand[269] schlägt vor, hierbei "an Zeloten zu denken, die mit Waffengewalt ihre nationalen und religiösen Ziele durchzusetzen versuchten"). Ein Gewaltanwenden gegen das Himmelreich im Sinne des Versuchs, den Anbruch der messianischen Zeit in gewaltsamer Weise herbeizuführen, kennt auch die spätere rabbinische Literatur,[270] doch ein Bezug zum βιά-ζειν in Mt 11,12 par. ist - setzt man dessen Deutung "in malam partem" voraus - wohl auszuschließen. Eine Deutung der βιασταί als "Anhänger der von Johannes hervorgerufenen Täuferbewegung"[271] gibt der Text sicher nicht her. Ein Vergleich der βιασταί mit den עריצים der Qumranpsalmen (1QH II,11. 21), die als "Glieder der Belialgemeinde"[272] dem Beter nach dem Leben trachten, führt weiter, obwohl gegen eine einfache Deutung von Mt 11,12 "von der Konzeption des heiligen Krieges her"[273] spricht, daß aus dem Fehlen einer Übersetzung der Pluralform עריצים durch βιασταί in der LXX (dafür: ὑπερήφανοι; κραταιοί; λοιμοί; δυνάσται) eine deutliche inhaltliche Differenz zwischen den עריצים als Gewalt*haber* und den βιασταί als Gewalt*täter* hervorgeht. Eine Deutung der βιασταί als "endzeitliche Gegner Jesu"[274] könnte indes möglich sein, wenn man die Gegenüberstellung der עריצים und der עושי התורה innerhalb des Judentums (4Q pPs 37 II,13f.) auf den Kampf Jesu gegen die dämonischen Mächte und Gewalten überträgt, doch bezeichnet der Ausdruck im »Stürmerspruch« doch eher konkrete geschichtliche Gewalttäter et-

---

jedoch J. Becker (Johannes der Täufer 76). Zur Interpretation des Wirkens des Täufers als Ausgangspunkt der christlichen Bewegung vgl. auch Mk 1,1ff.; Act 1,22; 10,37.

268) Grundlegend G. Schrenk (Art. βιάζομαι, βιαστής: ThWNT I, 610-613): Die βιασταί gebrauchen ihre βία dazu, "wider die Gottesherrschaft Sturm zu laufen und den Herzukommenden ihre Segnung zu entreißen." Ebenso E. Käsemann (Problem 210); A. Sand (Evangelium nach Matthäus 240); ähnlich, jedoch mit anderer Zielsetzung [Erweis des Logions als durch die Evangelisten, noch nicht durch Q, umfunktioniertes Kampfwort der Pharisäer] F.W. Danker (Luke 236). G. Hafner (Gewalt 26-37) kommt nach einer Analyse von βιάζομαι, βιαστής und ἁρπάζω allerdings zu dem Schluß, daß die Frage nach der Aussage von Mt 11,12 nicht durch die - die Aussage tragende - Verwendung dieser Vokabeln entschieden werden kann. R. Otto (Reich 79-82) ist für die aktive Übersetzung von βιάζεται mit dem dazugehörigen Subjekt βασιλεία. G. Braumann (Himmelreich 109) lokalisiert den Sitz des Logions im Leben der christlichen Gemeinde unter Hinweis auf Phil 2,6 im Rahmen der "Auseinandersetzung mit der nichtchristlichen Welt, die die junge Gemeinde verfolgt (βιάζεται) und ihr vorwirft, Jesus habe die Himmelsherrschaft gewaltsam an sich reißen wollen (ἁρπάζουσιν)." Ich halte das für unwahrscheinlich, denn zumindest die Hörerassoziation zu βία / βιάζειν wird eher tätlich-personal als metaphorisch gewesen sein.

269) A. Sand, Evangelium nach Matthäus 240. Auch E. Moore (BIAZΩ 542) interpretiert Mt 11,12 als "very strong condemnation of the idea that the kingdom of God could be established or snatched by force of arms".

270) WaR 19; MShir 2,7.

271) A. Sand, Evangelium nach Matthäus 240.

272) O. Betz, Krieg 119.

273) Ebd. 125.

274) O. Böcher, Christus Exorcista 70.

wa als Exponenten Belials. Man kann das Logion nun auch dahingehend auslegen, daß sich in ihm die tätliche Gewalt gegen die βασιλεία Gottes in der Mißachtung seiner Gebote und der Verfolgung seiner Repräsentanten, die diese Gebote mahnend verkünden, konkretisiert.[275] Der alttestamentliche, antike jüdische und neutestamentliche Gebrauch von βία/βιάζειν [אנס] weist in mehrfacher Hinsicht auf letztere Interpretationsmöglichkeit und zugleich auf die Gestalt und den Inhalt der Verkündigung des Täufers:

Der Gebrauch von βία/βιάζειν in der LXX läßt zwei für diese Untersuchung relevante Bedeutungsvarianten erkennen. Zum einen bezeichnet der Ausdruck eine für die jeweiligen Autoren höchst verwerfliche sexuelle Vergewaltigung (Dtn 22,25. 28), zumal am Königshof (Est 7,8). Zum anderen dient das Bild sowohl der verheerenden und unaufhaltbaren Gewalt, die eine Flutwelle bzw. Überschwemmung darstellt, als auch der Verdeutlichung des Ansturms einer Menschenmasse. So gebietet Jahwe dem Moses, das Volk solle nicht zu ihm auf den Sinai vorstürmen (μὴ βιαζέσθωσαν: Ex 19,24 LXX). Der Prophet Jesaja vergleicht den Ansturm der Völker mit der Gewalt einer verheerenden Flutwelle (Jes 17,13), ebenso das Kommen der Feinde (28,2). In jüngeren Texten lassen sich beide Bedeutungsvarianten weiterverfolgen, doch kann man hier bereits eine Konzentration auf die Kritik an den "Gottlosen" erkennen: Das πλῆθος der Gottlosen wird durch die βία ἀνέμων entwurzelt (Weish 4,4), das unbedachte eigenmächtige Handeln mit einem absurden Vergewaltigungsversuch verglichen (Sir 20,4). In der pseudepigraphen Literatur findet sich die Klage über die Sünder, die das ideale Königtum Davids μετὰ βίας verwüsteten (PsSal 17,5) im Kontext sowohl der Klage über das frevelhafte Leben des Herrschers (PsSal 17,22) als auch der Hoffnung auf die Restitution des davidischen Idealreichs durch den Messias (PsSal 17,23ff). Das Verb βιάζειν beschreibt auch bei Josephus häufig physische Gewaltanwendung.[276] Bei einer Überprüfung der verschiedenen Stellen wird überraschend deutlich, daß mit βιάζειν fast überall dort, wo Josephus von einer erzwungenen, oder auch nur gesellschaftlich/religiös nicht sanktionierten geschlechtlichen Vereinigung berichtet, die verwerfliche Tat eines Herrschers bzw. einer Herrscherin, eine inzestuöse Verbindung, oder gar beides zusammen bezeichnet wird.[277] In der Profangräzität, namentlich in antiken Dramen, findet sich βία schließlich in der "erotischen Sphäre" nicht nur als "rechtswidrige, das Objekt gegen seinen Willen zwingende, brutale und kriminelle Gewalt", sondern auch als "erotische, vitale Kraft des Mannes, die das Weib gewinnt".[278]

Das Substantiv βία begegnet im Neuen Testament allein in der Apostelgeschichte des Lukas. Hier bezeichnet es neben der stürmischen Gewalt des Meeres (Act 27,41) auch drastische Gewaltmaßnahmen der römischen Exekutive (Act 5,26). Die jeder Kontrolle entglittene βία τοῦ ὄχλου gegen Paulus gleicht einer "Lynchjustiz" (Act 21,35). Es sind also zwei Bedeutungslinien von βιάζειν/βία festzustellen, die bis in die Zeit der Abfassung der neutestamentlichen Schriften hinein reichen: Der gesetzlich-moralisch äußerst verwerfliche sexuelle Mißbrauch und das unkontrollierte und unkontrollierbare Anstürmen der Naturgewalten (sowohl als re-

275) Vgl. J. Ernst, Johannes der Täufer 70.
276) Ant 1, 261; 2, 58; 4, 244. 252; 7, 152. 168-170; 11, 265; Bell 1, 83. 439. 496. 498; 2, 141; Ap 1, 100; 2, 201. 215; vgl. E. Moore, ΒΙΑΖΩ 519-543. 168-170; 11, 265; Bell 1, 439. 498; Ap 1, 100.
277) Ant 2, 58; 4, 244(!). 252; 7, 152. 168-170; 11, 265; Bell 1, 439. 498; Ap 1, 100.
278) F. Stoessl, Bedeutung 74.

ale Bedrohung als auch als Metapher für das gewaltsame Vordringen einer Menschenmenge, für die "zielstrebig entschlossene Bewegung vordringender Massen").[279]

O. Böcher[280] hat in Anlehnung an H. Baltensweiler[281] im Blick auf Lk 16,18 auf den Zusammenhang zwischen dem »Stürmerspruch« und der Ehe des Herodes Antipas hingewiesen. In der Tat deutet Lk 16,18 auf die in Mk 6,17f. parr. vom Täufer als Verteidiger der Tora kritisierte Ehe des Tetrarchen mit Herodias, der Frau seines Bruders hin. H. Baltensweiler schließt aus dieser Tatsache, daß Jesus das Logion Lk 16,18 im Zusammenhang mit dem Ende des "Gesetzesfanatikers"[282] Johannes geprägt hat. Ob die beiden in Lk 16,16 und 16,18 überlieferten Logien ursprünglich zusammengehörten, ist fraglich, denn Lk 16,18 wurde entweder aus Mk (10,11f.) übernommen oder entstammt doch zumindest einer Tradition, die allen drei Synoptikern unabhängig voneinander zugänglich war (vgl. Mt 5,32), also nicht der Logienquelle Q. Lk 16,16 hingegen kann dem Bestand der Logienquelle zugeordnet werden, so daß eine vorredaktionelle Verbindung der in Lk 16,16. 18 erhaltenen Herrenworte nicht anzunehmen ist.

Die inhaltliche Verbindung zwischen den beiden innerhalb der Abfolge von Sprüchen bezüglich eines pharisäischen Nomismus überlieferten Logien Lk 16,16 und 16,18 und der im Rahmen einer Spruchkette über den Täufer begegnenden Parallele zu Lk 16,16, nämlich Mt 11,12f., besteht vielmehr darin, daß, wenn wir Lk 16,18 zumindest in seiner redaktionell fixierten Stellung und Gestalt auf den "Ehebruch" des Tetrarchen (Mk 6,17f.parr.) beziehen (was aufgrund der Verwendung von βία/βιάζειν in der zeitgenössischen religiösen und profanen Literatur geboten erscheint), beide Logien unabhängig voneinander mit der Verkündigung Johannes' des Täufers in Bezug gebracht werden können. Das würde wiederum bedeuten, daß die Verbindung zwischen dem durch βιάζεται/βιασταί Ausgedrückten, nämlich der aggressiven Mißachtung der Herrschaft Gottes, und der Verkündigung bzw. Scheltrede des historischen Täufers für die christliche Tradition und auch für die Redaktoren Q, Matthäus und Lukas eine bekannte und feststehende Tatsache war.[283] Die gesetzlich-moralische Dimension des durch das βιάζειν des Herrschers herbeigeführten Frevels, die in den biblischen und antiken jüdischen Parallelen zu beobachten war, könnte sich auch auf Lk 16,18 beziehen, wenn hier auf die - dem Gesetz widersprechende - Ehe des Herodes Antipas angespielt wird. Die in Mt 11,7b-9 par. erhaltene, der Logienquelle entnommene Tradition hatte den Tetrarchen dem Täufer gegenübergestellt. Auch Mt 11,12 läßt sich dahingehend interpretieren, daß hier der von Johannes verurteilte Frevel des Herrschers thematisiert wird. Das würde bedeuten, daß Matthäus der Abfolge der Logien in Q und auch

279) G. Schrenk, Art. βιάζομαι, βιαστής: ThWNT I, 611.
280) Art. Johannes der Täufer: TRE XVII, 175.   281) Ehe 71f.; 78f.
282) Ebd. 72.   283) So auch P.S. Cameron, Violence 252.

ihrer traditionellen, möglicherweise sogar ursprünglichen Grundlage näher kommt als Lukas.

Die Beobachtung O. Böchers,[284] aus dem »Stürmerspruch« lasse sich zumindest schließen, "daß die Hoffnung auf das Himmel- bzw. Gottesreich ... zum Inhalt der Predigt des Täufers gehört haben dürfte", gestattet also eine konkretisierende Erweiterung dahingehend, daß die Täuferpredigt wahrscheinlich sowohl als kompromißlose mahnende Verkündigung des jüdischen Gesetzes angesichts des erhofften Kommens des Messias (vgl. insbesondere PsSal 17,5. 23ff.!) als auch als öffentliche Opposition gegenüber dem frevelnden Herrscher verstanden wurde, die sein gewaltsames Ende herbeiführen mußte. Für die Evangelisten,[285] für die Redaktoren der Logienquelle,[286] für die Tradenten des Logions[287] und möglicherweise sogar für Jesus aus Nazaret selbst[288] markierte ein solches Auftreten Johannes´ des Täufers "den Beginn der Zeit der Erfüllung, den Anbruch der Basileia".[289]

Neben der vorherrschenden Aussageabsicht des »Stürmerspruchs« im Rahmen der Evangelien des Matthäus und des Lukas, nämlich der heilsgeschichtlichen Standortbestimmung Jesu, Johannes´ des Täufers und auch der nachösterlichen Christenheit, läßt sich erkennen, daß der Täufer nicht allein den Wendepunkt der Zeiten markierte, "der das Alte abschloß, während mit Jesu Wirken die βασιλεία einsetzt",[290] auch nicht nur als "Zeuge der negativen Erfahrung, daß dem Himmelreich widersprochen und Gewalt angetan wird",[291] auftrat, sondern vielmehr sein Auftreten und seine Verkündigung offenbar auf das engste mit der in naher Zukunft erwarteten Äonenwende verbunden waren, indem er als Mandatar des göttlichen Rechts auf Erden furchtlos den das Volk verunreinigenden und die Gottesherrschaft hemmenden Frevel des Herrschers schalt und somit sein eigenes Ende einleitete.

---

284) Art. Johannes der Täufer: TRE XVII, 176.

285) "Jesu Reichsbotschaft ist Anlaß zur Abgrenzung von der Zeit davor" (J. Becker, Johannes der Täufer 75).

286) "Das Auftreten des Johannes markiert den Wendepunkt der Zeiten, mit ihm beginnt die Endzeit, zunächst in der Epoche der Bedrängnis der Basileia, die bis auf den Tag noch andauert, aber bald durch das Kommen des Menschensohnes abgelöst wird" (P. Hoffmann, Studien 79). Ähnlich bereits G. Schrenk (Art. βιάζομαι, βιαστής: ThWNT I, 611f.), anders R. Bultmann (Geschichte 178).

287) "Johannes ist ... der Prototyp Jesu, nicht nur im passionschristologischen Sinne, sondern umfassender als Vorankündigung des Boten der Weisheit und seines gewaltsamen Geschicks" (J. Ernst, Johannes der Täufer 71).

288) "In der Wirksamkeit des Johannes hat Jesus die Nähe des Gottesreiches gespürt, des Reiches, zu dessen Predigt er sich berufen fühlte" (M. Dibelius, Überlieferung 29). H. Baltensweiler (Ehe 80) vermutet in diesem Zusammenhang, daß Jesus auch das Wort Lk 16,18 im Bezug auf das Ende des Täufers geprägt hat.

289) P. Hoffmann, Studien 62; vgl. G. Hafner, Gewalt 49-51.

290) G. Schrenk, Art. βιάζομαι, βιαστής: ThWNT I, 611.

291) A. Sand, Evangelium nach Matthäus 246.

d. Das Gleichnis von den spielenden Kindern und seine Deutung: Mt 11,16-19/Lk 7,31-35

Dem nur von Matthäus (11,14) aus der Markusvorlage (Mk 9,13) übernommenen Wort von Johannes dem Täufer als Elias redivivus folgt ein ursprünglich durch eine Doppelfrage eingeleitetes[292] Gleichnis, das den Zuhörern Jesu als "γενεά αὕτη"[293] Kinder gegenüberstellt, die bei ihrem Spiel auf der ἀγορά, bei dem sie Hochzeit und Totenklage imitieren, miteinander streiten.[294] In der sich direkt anschließenden, mit dem Gleichnis durch ein γάρ verbundenen Deutung wird das Bildwort auf die negative Reaktion der γενεά αὕτη auf das jeweilige Verhalten des Täufers und Jesu, der hier mit dem christologischen Hoheitstitel υἱὸς τοῦ ἀνθρώπου bezeichnet wird, bezogen.[295]

Die enge Berührung im Wortlaut von Mt 11,16-19 mit Lk 7,31-35 ermöglicht eine Zuordnung der Verse zum Überlieferungsbestand der Logienquelle Q.[296] Die Frage nach der ursprünglichen Zusammengehörigkeit von Bildwort und Deutung erfährt in der exegetischen Forschung eine unterschiedliche Beantwortung: Während R. Bultmann[297] das dem Gleichnis folgende Deutewort als "Gemeindeprodukt, das seine vorliegende Form in der hellenistischen Gemeinde erhalten hat", kennzeichnet, und J. Jeremias[298] bemerkt, es stamme "sicher aus den Tagen der Wirksamkeit Jesu", so folge ich H. Braun[299] darin, daß sich zwar das Deutewort nicht mehr (zumal mit andere Interpretationen mit Sicherheit ausschließender Gewißheit) einer bestimmten Überlieferungsschicht zuordnen läßt, daß es aber auf-

---

292) So M. Dibelius (Überlieferung 15), P. Hoffmann (Studien 196), J. Jeremias (Sprache 101f. 166).

293) Ob γενεά αὕτη das "Volk, das zu Johannes in die Wüste gegangen ist", bezeichnet (so W. Grundmann, Evangelium nach Lukas 167), ist fraglich. Der Ausdruck bezeichnet im Rahmen der - scharf tadelnden - Worte Jesu in der synoptischen Überlieferung vielmehr die typische Verkennung der Dringlichkeit der μετάνοια angesichts der Nähe der Endereignisse durch die Menschen der Generation Jesu (Mk 8,12parr.; Lk 11,29; insb. Mt 23,34-36 par.). Vgl. hierzu J. Jeremias (Theologie 135) sowie W.G. Kümmel (Verheißung 54).

294) Schon A. Jülicher (Gleichnisse II, 26) hat die Aussage der Bildhälfte darin gesehen, daß "obstinanter Eigensinn jedes Zusammenspiel des ganzen Haufens unmöglich gemacht hat". W. Grundmann (Evangelium nach Lukas 167) betont die "Unentschlossenheit der spielenden Kinder, die nicht wissen, was sie eigentlich wollen", P. Hoffmann (Studien 226) bemerkt hingegen, daß die Kinder über ihrem Streit nicht zum eigentlichen Spiel gekommen sind. J. Ernst (Johannes der Täufer 73) faßt zusammen: "Das Gleichnis ... kritisiert generell Verweigerung."

295) Eine direkte Beziehung der streitenden Kinder auf Johannes den Täufer und Jesus aus Nazaret wird von M. Dibelius (Überlieferung 17) ausgeschlossen.

296) J. Jeremias, Sprache 166; vgl. J. Schüling, Studien 86f.

297) Geschichte 178. Ähnlich, jedoch gemäßigter bereits M. Dibelius (Überlieferung 21, Anm. 3).

298) Theologie 117. Das Argument, das hohe Alter der Überlieferung werde schon durch die "überaus gehässige Kritik an Jesus" (ders., Gleichnisse 160) in Mt 11,19a erwiesen, überzeugt mich nicht. F. Mußner (Kairos 37f.) plädiert für eine ursprüngliche Zusammengehörigkeit von Gleichnis und Deutung, "denn das im Gleichnis gefällte Urteil bedarf einer Begründung, die mit dem Logion gegeben wird".

299) Radikalismus II, 38 Anm. 1. P. Hoffmann (Studien 227) geht von einer sekundären Verbindung von Gleichnis und Deutung "spätestens in Q" aus. Vgl. auch V. Schönle, Johannes 79.

grund des "Nebeneinanders des Täufers und Jesu als des Menschensohnes" (obwohl zur alten Überlieferung gehörend) sicher nachösterlichen Ursprungs und sekundär mit dem Gleichnis verbunden ist. Das bedeutet jedoch nicht, daß der durch die Verbindung von Gleichnis und Deutung entstehende Zusammenhang für diese Untersuchung bedeutungslos wäre, denn die hieraus resultierende auffällige Parallelisierung von Johannes und Jesus ist mit der eindeutigen und absoluten Überordnung Jesu, die in der Überlieferung der Logienquelle zu beobachten ist, schwerlich in Einklang zu bringen und weist auf alte, möglicherweise sogar vorösterliche Aussagen zurück. Der Sammler, der die Logien zusammengestellt hat, "wollte aktuellen Unglauben zu seiner Zeit anprangern".[300] "Das Beispiel spielender Kinder ist ernste Warnung, das Verhalten Johannes und Jesu, der als der Menschensohn gesehen wird, unzutreffend und damit negativ zu beurteilen."[301] Die Absicht des aus Gleichnis und Deutung zusammengesetzten Logions könnte demnach folgende sein: Die Adressaten sollen gewarnt werden, daß die ungläubige Weigerung, die heilsgeschichtliche Bedeutung nicht nur von Tod und Auferstehung, sondern auch des zeichenhaften irdischen Wirkens Jesu anzuerkennen, dem törichten Verhalten zankender Kinder gleicht und dem eines Erwachsenen unwürdig ist.[302] Sie sollen gleichzeitig die Rechtmäßigkeit jenes Glaubens, der Johannes und Jesus in ihrem Tun anerkennt, bestätigen.[303]

Für die nachösterlichen Adressaten des Textes, die vom Schicksal sowohl des Täufers als auch Jesu (nämlich deren Hinrichtung) wissen, konnte der "Unglaube" der γενεὰ αὔτη nicht allein den unangemessenen, passiven Unglauben, sondern vielmehr die aktive Verfolgung beider Boten der göttlichen σοφία bedeuten.[304] Auffällig ist hier auch die Berührung mit dem (ebenfalls der Redequelle entstammenden) Drohwort Mt 23,34-36/Lk 11,49-51, wo Jesus der γενεὰ αὔτη die ungläubige, tätliche Verfolgung der Propheten Gottes vorwirft.[305] Die Parallelisierung des Täufers und Jesu als Gottesboten, deren Verkündigung und Wirksamkeit kein Glauben geschenkt wurde, bezieht sich also möglicherweise auch auf ihr gewaltsames Geschick.

Das Analogon für Johannes im Gleichnis ist hierbei das "Trauerspiel" der Kinder (Mt 11,17b/Lk 7,32bβ); Jesus wird hingegen das fröhliche "Hochzeitsspiel" (Mt

---

300) J. Ernst, Johannes der Täufer 76.   301) A. Sand, Evangelium nach Matthäus 243.
302) So F. Mußner, Kairos 32f. "Das Tertium comparationis zwischen den Kindern im [von M. als Bestandteil der ipsissima vox Jesu bestimmten] Gleichnis und <dieser Generation> [liegt] in dem eigentümlich starren und launenhaften Trotz, den Kinder am Tag legen können, und der die Menschen <dieser Generation> dazu führt, daß die den heilsgeschichtlichen Vorgängen und Erscheinungen der Gegenwart blind gegenüberstehen, wie ihre Urteile über den Täufer und Jesus beweisen" (ebd. 38). 303) V. Schönle, Johannes 81.
304) Vgl. U. Wilckens, Art. σοφία E. Neues Testament: ThWNT VII, 516.
305) Vgl. die typologische Deutung von I Reg 19,10. 14 auch in Mk 9,13; Mt 17,12; Act 7,52; Röm 11,3f. und Hebr 11,34. 37.

11,17a/Lk 7,32bα) zugeordnet.[306] Die in Mt 11,19/Lk 7,34 thematisierte Kritik an den Mahlgemeinschaften Jesu mit religiös Deklassierten,[307] die für ihn typisch waren,[308] charakterisiert diese, wie F. Mußner[309] erkannt hat, als Zeichen und wirkkräftige, wegbereitende Proklamation der schon anbrechenden messianischen Heilszeit, und damit zugleich als Antizipation des eschatologischen Freudenmahls.[310] Es bietet sich nun an, die Kritik an der Askese des Täufers ebenfalls bezüglich ihrer eschatologischen Funktion zu deuten. Die Grundfrage ist hierbei zunächst, ob ἄρτος und οἶνος in Lk 7,33 gegenüber der doppelten Negation in Mt 11,18 als "erklärende Glossen"[311] sekundär sind, oder ob Lukas an dieser Stelle die ursprünglichere, dem Wortlaut der Q-Überlieferung nähere Aussage bietet. O. Böcher[312] verweist unter Bezugnahme auf J. Behm,[313] der seinerseits darauf hingewiesen hat, daß mit ἄρτος als Entsprechung für לחם das Grund- und Hauptnahrungsmittel überhaupt und somit auch Fleisch bezeichnet werden kann, sowie unter Hinweis auf die in Mk 1,6 par. (s.o. 37f.) erwähnte spezifische Form der Askese des Täufers [nämlich die Ernährung durch Surrogate von Fleisch und Wein], auf die qualitative, nicht quantitative Bedeutung des täuferischen Fastens: "Er ißt nicht etwa wenig (oder nichts), sondern er verzichtet auf bestimmte Speisen [nämlich auf Fleisch und Wein], denen der antike Mensch verunreinigende Wirkung zugeschrieben hat. Schon deshalb dürfte im Referat der Redequelle über die Nahrung des Täufers die längere Lukasfassung die gegenüber Matthäus ursprünglichere sein."

Es verfehlte m.E. den Kern der Sache, sähe man den hierdurch charakterisierten Unterschied zwischen dem Täufer und Jesus allein in der Gegenüberstellung des "asketischen Täufers" und des "weltoffenen Jesus".[314] Das bei der Untersuchung von Mk 1,6 par. und 2,18 parr. (s.o. 48-51) erlangte Ergebnis war, daß Johannes der Täufer ein demonstratives qualitatives Fasten (nämlich den Verzicht auf Fleisch und alkoholhaltiges Getränk) übte, um seinem Selbstbewußtsein Ausdruck zu geben. Dieses öffentliche qualitative Fasten konnte nach dem Tod des Täufers von seinen Schülern als rituelles quantitatives Fasten, das die fortwährende Buße angesichts des nahen Weltendes realisieren sollte, umgedeutet und weitergeführt werden.

Der Sinn einer solchen Askese ist eben nicht die "Bekundung einer sehr radikal verstandenen μετάνοια vor dem Auftreten des ‹Stärkeren›".[315] Die Berechtigung einer Interpretation der täuferischen Askese als büßende Enthaltsamkeit des

306) A. Sand, Evangelium nach Matthäus 243. Ähnlich bereits F. Hauck, Art. παραβολή: ThWNT V, 757.
307) Vgl. Mk 2,15f.parr.; Mt 9,11 par.; Lk 15,2; 19,7 u.ö.
308) P. Hoffmann, Studien 228.
309) Kairos 34. 36.
310) Vgl. Jes 25,6; 65,13; äthHen 62,14; syrBar 29,8.
311) A. Jülicher, Gleichnisse II, 28; J. Ernst, Johannes der Täufer 73.
312) Aß Johannes 92.
313) Art. ἄρτος: ThWNT I, 476.
314) So J. Jeremias, Theologie 56.
315) F. Mußner, Kairos 36.

Wegbereiters Jesu wird nicht allein durch die Möglichkeit entkräftet, den Verzicht auf Fleisch und Alkohol als symbolische passive Handlungen Johannes' des Täufers zu interpretieren, sondern es zeigt sich vielmehr anhand der (sowohl polarisierenden als auch parallelisierenden) Gegenüberstellung des Johannes und Jesu in der Gleichnisdeutung (Mt 11,18f./Lk 7,33f.). In Analogie zur Antizipation des eschatologischen Freudenmahls durch die Mahlgemeinschaft Jesu mit religiös Deklassierten könnte die qualitative Askese des Täufers möglicherweise auch als endzeitliche Symbolhandlung zu verstehen sein, die die Bedrohung der unbußfertigen Sünder durch das (dem nahen Gottesgericht folgende) Vernichtungsgeschehen ebenso zum Ausdruck brachte, wie die Wirksamkeit Jesu die Vorfreude auf die eschatologische Heilsgemeinschaft der Gerechten. So wie die nachösterliche Gemeinde in der Hinrichtung des Menschensohnes die letztendliche Konsequenz der Verstockung der γενεὰ αὕτη sah, die sich dem Heilshandeln Gottes verweigerte, so gibt die Logienquelle dann an dieser Stelle die Ablehnung des Täufers und seiner Botschaft als paralleles Beispiel für solche Verstockung wieder.

Als Ergebnis kann festgehalten werden, daß die Redaktion der Redequelle, ihre Gewährsleute und auch ihre Benutzer offenbar die Bedeutung des Täufers mit seinen Zeichenhandlungen verknüpfen, um ihn in den Dienst des nachträglichen Aufweises der Vollmacht der - dem jüdischen Gesetz widersprechenden - Handlungen Jesu aus Nazaret zu stellen. Aus diesem Grund wurden vermutlich auch solche Traditionen aufgenommen, die von einer Verbindung von Auftreten und Verkündigung Johannes' des Täufers als Boten der σοφία, nämlich seiner qualitativen Askese und der warnenden Ankündigung des nahen Gottesgerichts sprechen und die dann solcherart in die Logiensammlung eingeordnet wurden, daß sie innerhalb ihres Kontextes mit dem Auftreten Jesu und dessen messianischen Symbolhandlungen verglichen werden konnten.

3. Zusammenfassung

Durch ihre Aufnahme in den Überlieferungsbestand der Logienquelle Q wurden Täufertraditionen in den Dienst der urchristlichen Paränese gestellt. Es ergab sich bei der Analyse der Überlieferung, daß gerade solche Inhalte, die einer massiv interpretierenden Rahmung und Modifikation durch ihre Redaktoren bedurften, als relativ ursprünglich gelten können und sich somit als Ausgangsbasis für eine traditionsgeschichtliche Einordnung heranziehen lassen:

1) In seiner öffentlichen Bußpredigt in der Wüste am Jordan drohte Johannes der Täufer zum einen seinen jüdischen Zuhörern die baldige göttliche Bestrafung

ihrer Sünden an und rief auf zu Umkehr und tätiger Buße, zum anderen thematisierte er die von ihm angebotene Taufe, um durch sie das vorwegnehmende Entkommen des Bußwilligen vor dem eschatologischen Vernichtungsgeschehen zu ermöglichen.

2) Jesus aus Nazaret scheint, wenn er sich nicht bereits selbst zu seinem Schülerverhältnis gegenüber Johannes dem Täufer bekannte, schon den frühesten christlichen Traditionen als nachfolgender Schüler des Täufers namhaft gewesen zu sein.

3) Der Täufer wird dargestellt als Mandatar Gottes, dessen Wirken in der Spannung zwischen seiner göttlichen Beauftragung und dem mit dem Kommen der eschatologischen, strafenden und erlösenden Richtergestalt determinierten Ende der Frist steht, die zu der Erfüllung dieses Auftrages bzw. der Möglichkeit, an der in seiner Taufe gewährten göttlichen Sündenvergebung zu partizipieren, bleibt.

4) Die Bezeichnung des Täufers als Propheten wird nicht abgelehnt, sondern dient vielmehr der Einschränkung seiner Bedeutung gegenüber Jesus aus Nazaret.

5) Johannes der Täufer wurde in Traditionen, die mit einer gewissen Wahrscheinlichkeit authentische Jesuslogien sind, anhand seiner kompromißlosen und durch Gott bestätigten Gerichtspredigt hoch geachtet, die einen Konflikt mit dem Herrscherhaus (das die Gebote Gottes durch seinen Frevel tätlich mißachtete) heraufbeschwor und schließlich seine Festsetzung und sein eigenes Ende provozierte.

6) Die qualitative Askese des Täufers kann in Analogie zu den Mahlgemeinschaften Jesu mit religiöse Deklassierten als wirksame, die Rettung vor dem eschatologischen Strafgeschehen einleitende, passive Zeichenhandlung interpretiert werden.

III. Johannes der Täufer im Sondergut des Lukas

1. Die Täufertraditionen in der lukanischen Vorgeschichte: Lk 1f.

a. Die lukanische Vorgeschichte als Zeugnis der Integration des Täufertums in die christliche Gemeinde

Erst ab 3,1ff. folgt Lukas der Vorlage des Markusevangeliums (Mk 1,2ff.). Bevor er, wie auch dieser, mit dem Auftreten und der Predigt Johannes' des Täufers einsetzt, begegnen wir in den ersten beiden Kapiteln seines Evangeliums zwei zusammenhängenden, abgeschlossenen und miteinander verwobenen Erzählungen über Geburt und Heranwachsen sowohl des Täufers als auch Jesu aus Nazaret. Matthäus hingegen beginnt sein Evangelium mit einer Genealogie Jesu, die diesen als Nachkommen der Erzväter und als Davididen ausweist (Mt 1,1-17). Übereinstimmungen zwischen Lk 1f. und Markus oder Matthäus bestehen nicht. Somit gehören die Täufernachrichten in Lk 1f. zum Sondergut des Lukas, zum Bestand der nur von ihm gebotenen Überlieferung.[316]

Was ist der Anlaß zur Entstehung einer solchen Kindheitsgeschichte? Das Interesse an der Kindheit einer verehrten Person ist im allgemeinen gegenüber ihrer Verehrung sekundär, denn diese beginnt frühestens als Reaktion auf ihre öffentliche Wirksamkeit. Eine umfassende Biographie Johannes' des Täufers wie auch eine Biographie Jesu aus Nazaret, die über die Tradierung punktueller Merkmale ihrer Wirksamkeit hinausgeht, wurde mit hoher Wahrscheinlichkeit zu ihren Lebzeiten nicht festgehalten. Am unmittelbaren Anfang des nachösterlichen Glaubens standen Kreuz und Auferstehung Christi, nicht das Leben und Wirken Jesu aus Nazaret im Vordergrund. Das Interesse an einer Sammlung von Worten einer Person setzte also erst ein, nachdem die Verehrungswürdigkeit bzw. heilsgeschichtliche Bedeutung dieser Person feststand. Auch die Sammlung von Herrenworten in der Logienquelle Q setzt als solche das urchristliche Kerygma voraus.[317] Erst von hier aus wird weitergefragt nach einer Fixierung dieser Logien im Leben Jesu, schließlich nach einem geschlossenen biographischen Rahmen.

Mit hoher Wahrscheinlichkeit ist auch die Überlieferung vom Leben und Wirken Johannes' des Täufers in geschlossener Form erst nach seiner Hinrichtung tradiert worden. Beiden Überlieferungen lag dabei nicht das Bemühen um eine möglichst authentische Darstellung der Vitae Jesu und des Täufers zugrunde, sondern das Streben nach einer Begründung der gemeindlichen Lehre. Bei ihrer Ausgestaltung wurde dort, wo die Überlieferung mangelhaft war, sekundär er-

---

316) Hierunter sind diejenigen Texte ohne Parallele bei Markus und Matthäus zu verstehen, die Johannes den Täufer betreffen und die sich als zusammenhängende Sinneinheiten (nicht als bloße Erweiterung, Ausmalung oder Modifikation der vom Redaktor aus dem Markusevangelium und der Logienquelle Q übernommenen Textmaterial) dem vorredaktionellen, allein Lukas zugänglichen Überlieferungsbestand zurechnen lassen.   317) Anders H. Schürmann, Anfänge 64.

gänzt: "Überall, wo historische Lebensbeschreibungen Lücken aufweisen, pflegt die Legende anzusetzen, falls keine ergänzenden Nachrichten zur Verfügung stehen, um sie auszufüllen."[318] In dem folgende Abschnitt der Untersuchung muß man sich daher stets vergegenwärtigen, daß man es in Lk 1f. in erster Linie mit Aussagen zu tun hat, die hinsichtlich Formgebung, Sprachstil und kontextueller Situation durch das Denken ihrer jeweiligen Urheber, Tradenten und ihres abschließenden Redaktors geprägt sind, durch deren Glaubensüberzeugung und Apologetik, durch die sie und ihre Arbeit umgebenden gemeindlichen Bedürfnisse und die hieraus resultierende jeweilige Intention. Inwiefern sich hinter den einzelnen Bestandteilen der ersten beiden Kapitel des Lukasevangeliums Traditionen erkennen lassen, die mit einer gewissen Wahrscheinlichkeit zutreffende Aussagen über die Interpretation Johannes´ des Täufers durch seine unmittelbare Umwelt, vielleicht sogar über sein Selbstverständnis ermöglichen, wird sich im folgenden Abschnitt der Untersuchung ergeben.

Die Geschichte von der Ankündigung der Geburt des Täufers durch einen Engel (Lk 1,5-25) erzählt zunächst von der priesterlichen Herkunft beider Elternteile (1,5). Die durch ihre Unfruchtbarkeit und ihr hohes Alter gleich auf zweifache Weise erschwerte Empfängnis der Elisabet (1,7) wird dem Zacharias während eines von ihm dargebrachten Räucheropfers im Jerusalemer Tempel durch den gottgesandten Engel Gabriel angekündigt (1,8-20). Der Engel gibt ihm den bedeutungsvollen Namen[319] seines zu erwartenden erstgeborenen Sohnes bekannt (1,13) und sagt ihm dessen asketische Lebensweise (1,15) und hohe heilsgeschichtliche Bedeutung (1,14f. 16-17) voraus. Zacharias verliert zur Strafe für seinen Unglauben gegenüber dem Gottesboten sein Sprachvermögen (1,20. 22).[320] Die Voraussage des Engels erfüllt sich: Elisabet wird schwanger (1,24).

In der nun folgenden Geschichte von der Ankündigung der Geburt Jesu (Lk 1,26-38) erscheint Gabriel der Maria, um auch ihr die Geburt eines Sohnes allein durch das Einwirken des heiligen Geistes anzukündigen (1,31-33. 35). Der Engel teilt auch ihr den Namen des Kindes mit (1,31) und sagt seine messianische Größe voraus (1,32f. 35).

Die Verse Lk 1,39-45 erzählen von einem Besuch der Maria bei Elisabet und der demütigen Preisung der Mutter des Messias durch die letztere. Der hiermit szenisch verbundene Lobpsalm der Maria (»Magnificat«)[321] preist Gottes Macht,

---

318) O. Cullmann, Kindheitsevangelien: Schneemelcher I, 330.

319) Ἰωάννης = יְ(ה)וֹרְחָנָן = Jahwe ist gnädig.

320) Zur Macht Gottes, Menschen verstummen zu lassen vgl. Ez 3,26; 24,27; 33,22. Das Verstummen des Zacharias ist hier jedoch hauptsächlich im Zusammenhang mit der wunderhaften Übereinstimmung in der Namengebung des Neugeborenen (1,59ff.) zu interpretieren. Für die Adressaten der Geburtsgeschichte wird dadurch hervorgehoben, daß die Namengebung des Johannes durch Elisabet unabhängig von der Botschaft des Engels an Zacharias stattfand.

321) Lk 1,46b vg: Magnificat anima mea dominum.

Barmherzigkeit, Gerechtigkeit und Bundestreue wegen der ihr gewährten Fruchtbarkeit und Empfängnis (1,46b-55).

In der Geschichte von der Geburt, der Beschneidung und Namengebung Johannes' des Täufers (Lk 1,57-80) liegt das Schwergewicht auf der Schilderung seiner außergewöhnlichen Namengebung (1,59-66). Unabhängig von der Botschaft des Engels an Zacharias (1,13; vgl. 22) will auch Elisabet das Neugeborene Johannes nennen (1,60). Schließlich wird die rasche Verbreitung der Nachricht von diesen Ereignissen ἐν ὅλῃ τῇ ὀρεινῇ τῆς Ἰουδαίας (1,65f.) betont. In dem folgenden »Benedictus«[322] des Zacharias (1,67-79) lobt dieser Gott wegen der geschehenen Erfüllung seiner Bundeszusage an Abraham (vgl. Gen 22,15ff.) durch die von den Propheten angekündigte Sendung des davidischen Messias. Der als geisterfüllt und somit als prophetisch begabt ausgewiesene (1,67) Zacharias sagt dem Johannes seine Bedeutung als προφήτης ὑψίστου voraus, der dem κύριος vorangehen wird, um ihm durch Zubereitung des Volkes Israel zum eschatologischen Heil und durch Gewährung von Sündenvergebung den Weg zu bereiten. An das »Benedictus« schließt sich eine kurze Notiz vom Heranwachsen des Täufers ἐν ταῖς ἐρήμοις an (1,80).

Der ausführlichen Geburtsgeschichte Jesu (Lk 2,1-20) folgt nur eine knappe Notiz über seine Beschneidung und Namengebung (2,21). In der Geschichte von Jesu Darstellung im Tempel (2,21-39) wird das Kind von zwei Zeugen (nämlich Simeon und der Prophetin Hanna) in seiner göttlichen Sendung und Bestimmung bestätigt. Die Weisheit bereits des heranwachsenden Jesus (2,40) findet Ausdruck in der Erzählung vom zwölfjährigen Jesus im Tempel (2, 41-52), welche die lukanische Vorgeschichte abschließt.

Ausgangspunkt der Untersuchung ist der Sachverhalt, daß die Verse Lk 1,5-2,80 sich als "in sich geschlossener Erzählkranz"[323] durch ihre Sprache, ihren Stil und ihren Inhalt sowohl vom Prolog Lk 1,1-4 als auch von dem (mit einer erneuten Eingangsnotiz [3,1f.] beginnenden) weiteren Erzählverlauf des Lukasevangeliums unterscheiden. Die Fragen an den Text sind: Sind in Lk 1f. ursprüngliche Täufertraditionen erhalten, gehen diese Traditionen erst auf die nachösterlichen christlichen Gemeinden zurück, oder ist der Text insgesamt als redaktionelle Bildung anzusehen? Wenn alte Traditionen auszumachen sind, in welchem Maß und unter welchen Gesichtspunkten wurden sie verändert? Schließlich: Kann aus dem vorliegenden Text zurückgeschlossen werden auf eine historische Basis der Überlieferung? Bevor auf die Frage eingegangen wird, welcher Ursprung für die in Lk 1f. enthaltenen Täufertraditionen anzunehmen sei, ist der Textbestand zunächst grob in zusammengehörige Sinneinheiten zu gliedern. Eine solche grobe Gliederung ist relativ leicht, denn aufgrund ihrer jeweiligen inhaltlichen und formalen

---

322) Lk 1,68 vg: Benedictus Deus Israhel. 323) J. Ernst, Johannes der Täufer 117.

Abgeschlossenheit lassen sich die einzelnen Abschnitte der lukanischen Vorge-schichte gut voneinander abgrenzen.[324] Ich folge im weiteren Verlauf der Unter-suchung dem von E. Schweizer[325] unternommenen Gliederungsversuch:

A	1,5-25:	Ankündigung des Johannes
A'	1,26-38:	Ankündigung Jesu
X	1,39-56:	(Verbindungsabschnitt zum Folgenden):
		Begegnung der Mütter,
		erstes Lebenszeichen des Johannes (+ »Magnificat«)
B	1,57-80:	Geburt, Beschneidung, Namengebung: Johannes
a	1,57f:	Geburt
b	1,59-66:	Beschneidung und Namengebung
c	1,67-79:	»Benedictus«
d	1,80:	Heranwachsen
B'	2,1-40:	Geburt, Beschneidung, Namengebung: Jesus
a	2,(1-5.)6f.(8-20):	Geburt
b	2,21:	Beschneidung und Namengebung
c	2,22-39:	(Darstellung) »Nunc Dimittis«[326] (Prophetie Hannas)
d	2,40:	Heranwachsen
X'	2,41-52:	(Verbindungsabschnitt zum Folgenden): der Zwölfjährige,
		Sohn seiner Eltern und Sohn Gottes.

Es ist deutlich, daß sich die Abschnitte A und A' ebenso wie die Abschnitte B und B' in parallelisierender Weise gegenüberstehen.[327] Durch den Abschnitt X werden die beiden Geburtsankündigungen (A; B) miteinander verknüpft. Diese par-allele Darstellung ist gekennzeichnet durch die fortlaufende Überbietung des Täufers durch Jesus: Die Empfängnis des Johannes wird als Reaktion Gottes auf das Gebet des Zacharias dargestellt (Lk 1,13), die Jesu als Aktion Gottes (1,30ff.). Johannes wird von einer alten und unfruchtbaren Frau geboren (1,7), Jesus von ei-ner Jungfrau, die "noch von keinem Mann weiß" (1,34). Jener wird als προφήτης ὑψί-στου bezeichnet (1,76), dieser als υἱὸς ὑψίστου (1,32).[328] Zacharias zweifelt an der Engelsbotschaft (1,18) und wird für dieses mangelnde Vertrauen gegenüber der göttlichen Autorität (1,20. 22) durch Stummheit bestraft. Maria hingegen erkennt die Botschaft und die ihr zugewiesene heilsgeschichtliche Funktion an (1,38). Dem mit heiligem Geist erfüllten Johannes kommt nur eine relative Größe zu (μέγας ἐνώπιον τοῦ κυρίου: 1,15), dem vom heiligen Geist "gezeugten" (1,35) Jesus[329] eine

---

324) Eine Übersicht über die verschiedenen Ansätze einer Gliederung der lukanischen Vorge-schichte bietet R.E. Brown, Birth 248f. Table IX. Vgl. weiterhin R. Laurentin (Struktur 30), G. Erdmann (Vorgeschichten 11) sowie F. O'Fearghail (Introduction 16).　　325) Aufbau 13f.
326) Lk 2,29 vg: Nunc dimittis servum tuum Domine.
327) W. Wink (John the Baptist 59) weist eine Symmetrie zwischen Lk 1,5-25 und 1,26-38, zwi-schen 1,57-66 und 2,1-21, sowie zwischen 1,67-80 und 2,22-40 nach. Auch R. Laurentin (Struk-tur 27f.) stellt den schematischen Aufbau der einzelnen Szenen fest. Vgl. auch O. Böcher, Lukas 29 sowie F. O'Fearghail, Introduction 17.
328) Gott als ὕψιστος bei Lukas: wörtlich Lk 8,28; Act 16,17; indirekt (neben Lk 1,32. 35. 76) auch Lk 6,35 und Act 7,48 (vgl. A. v. Harnack, Magnificat 77). Zur Bedeutung und zum Gebrauch von ὕψιστος im zeitgenössischen Judentum vgl. P. Trebilco, Communities 127-144.
329) Vgl. J. Ernst, Johannes der Täufer 114.

absolute Größe (οὗτος ἔσται μέγας: 1,32).[330] Zacharias dankt Gott für die Geburt des Johannes (1,67ff.), Maria bereits für die Empfängnis Jesu (1,46ff.). Über die Geburt des Johannes werden sich Zacharias und "πολλοί" freuen (1,14), über die Geburt Jesu freut sich bereits der ungeborene Johannes (1,44). Möglicherweise ist in dem sechsmonatigen Abstand zwischen der Empfängnis und Geburt beider der gleiche Gedanke wie in Joh 3,30 verborgen: Im Sonnenjahr[331] konnten die sechs Monate den Abstand von einem Äquinoktium zum anderen bezeichnen, bei dem das untergehende alte Gestirn durch das aufgehende neue abgelöst wird.[332] In direkter Weise deutlich wird die Überbietung des Johannes durch Jesus in der Geschichte von der Begegnung der beiden Mütter (1,39-45): Nicht nur Elisabet erkennt durch ihre Geistbegabung die Messianität des ungeborenen Jesus, sondern auch der ungeborene Johannes selbst ἐσκίρτησεν ... ἐν τῇ κοιλίᾳ αὐτῆς (1.41. 44).[333] Diese überbietende und parallelisierende Gestaltung betont die sachliche Überlegenheit des wahren Messias Jesus und "läßt den heilsgeschichtlich bedeutsamen Täufer gegenüber Jesus zurücktreten".[334]

Sind die in solcher Weise miteinander verwobenen Geburtsgeschichten des Täufers und Jesu literarische Fiktion des Evangelisten Lukas, oder ist in ihnen altes Traditionsmaterial erhalten? Wenn Lukas nicht der Verfasser ist, ist weiterzufragen, ob die Überlieferung christlichen oder vorchristlich-täuferischen Ursprungs ist. Hinzu kommt die Frage nach der Einheitlichkeit der Quellen und der Verbindung zwischen den Vorgeschichten Johannes´ des Täufers und Jesu aus Nazaret. Erst wenn diese Fragen befriedigend beantwortet sind, können wir nach Spuren frühester Täuferinterpretation, die auf dessen mögliche prophetische Funktion hinweisen, Ausschau halten.

Gegen die Annahme, die lukanischen Vorgeschichten seien eine literarische Schöpfung des Evangelisten, sprechen mehrere Gründe: Zunächst bestehen zwischen Lk 1f. und dem weiteren Evangelium gewisse sprachliche Unterschiede: Von den 96 bei J. Jeremias[335] aufgezählten "hebraisierenden"[336] artikellosen Genitivverbindungen im lukanischen Doppelwerk entfallen 32 Belege auf Lk 1f., ebenso

---

330) Vgl. R. Laurentin, Struktur 42; J. Ernst, Johannes der Täufer 114.
331) W. Rordorf, Art. Jahreszeiten: BHH II, 795.
332) K.L. Schmidt (Rahmen 315) spricht von einer "religiösen oder heiligen Chronologie, ... die Johannes zur Zeit der Sommersonnenwende (das Licht nimmt ab), Jesu zur Zeit der Wintersonnenwende (das Licht nimmt zu) geboren sein läßt. Es ist möglich, daß schon die ursprünglichen Einzelerzählungen diese religiöse Ausdeutung hatten." Vgl. M. Dibelius, Überlieferung 75f.
333) P. Fiedler (Geschichte 22) erkennt weiterhin eine deutlich überbietende Analogie zwischen dem Heranwachsen Johannes´ des Täufers in der Wüste (Lk 1,80) und der Geschichte vom zwölfjährigen Jesus im Tempel (Lk 2,41-52): "Demgegenüber [Lk 1,80] offenbart sich Jesus bereits vorher, und das natürlich nicht in der Wüste ... , sondern im Haus seines Vaters im Himmel, dem religiösen Zentrum Israels."
334) G. Schneider, Evangelium nach Lukas 78; vgl. W. Klaiber, Fassung 212 und Ph. Vielhauer, Benedictus 255.   335) Sprache 19.

finden sich hier 5 der insgesamt 14 Verwendungen von καί als Relativum[337] bei Lukas. Weitere Eigentümlichkeiten der lukanischen Vorgeschichten gegenüber Lk 3-24 sind das häufige Fehlen der Kopula εἶναι,[338] die Anwendung des Titels κύριος auf Gott,[339] artikelloses θεός,[340] das ausschließliche Vorkommen der Ortsbestimmung εἰς τὴν ὀρεινήν[341] und des Begriffes νόμος κυρίου,[342] die Bezeichnung Gottes als σωτήρ[343] und die Betonung einer endzeitlichen λύτρωσις des Volkes Israel und Jerusalems.[344] Diese Gründe allein können nun nicht als sicherer Beweis für eine Übersetzung der lukanischen Vorgeschichte aus dem Hebräischen dienen, denn zum einen können die sprachlichen Eigentümlichkeiten auch der LXX entlehnt sein, und zum anderen läßt sich eine solche sprachliche Heterogenität durchaus mit dem Bemühen des Autors vereinbaren, die heilsgeschichtliche Konzeption seines Doppelwerks auch auf dieser Ebene durchzuführen.[345]

Schwerer wiegt die Beobachtung, daß man bei Lukas "außerhalb der Vorgeschichte keine typologische Entsprechung zwischen Täufer und Jesus" findet,[346] die die absolute heilsgeschichtliche Überlegenheit Jesu gegenüber Johannes relativieren würde. Vielmehr "ist gerade er an der Abwertung des Täufers stärker interessiert als Markus und Matthäus. Während der Evangelist in Lk 1f. eine weitgehende Parallelität des Täufers und Jesu überliefert, ist er von Lk 3 an sehr darum bemüht, diese Parallelität aufzuheben."[347] Schließlich blieben, würde man einen lukanisch-redaktionellen Ursprung der gesamten Vorgeschichte annehmen, die Fragen offen, warum der Evangelist in Lk 3,1f. erneut mit dem auf die Taufe Jesu abzielenden Auftreten und Wirken Johannes' des Täufers einsetzt, erst dann die Genealogie Jesu anführt (3,23-38) und in Act 1,21f. diese Taufe (und nicht die Geburt) als Beginn des irdischen Wirkens des κύριος Ἰησοῦς bezeichnet. Zwar lassen sich auch Gemeinsamkeiten zwischen Lk 1f. und 3-24 feststellen, so die prophetische Funktion des Täufers (Lk 1,76a; vgl. 7,26) als des Vorläufers und Wegbereiters des ἐρχόμενος (Lk 1,17. 76b; vgl. 3,4; 7,27), der das Volk Israel auf das erwartete Kommen des eschatologischen Richters zubereitet (1,77a; vgl. 3,6. 10-14) und ihm die Möglichkeit der Sündenvergebung bietet (1,77b; vgl. 3,3), schließlich seine Stellung am Anfang der mit Jesus beginnenden "Mitte der Zeit".[348] Doch lassen sich

---

336) Vgl. BDR § 259 (insb. Anm. 1).   337) J. Jeremias, Sprache 20; vgl. BDR § 442, 4b.

338) J. Jeremias (Sprache 21, Anm. 18) zählt 22 Belege in der lukanischen Kindheitsgeschichte gegenüber nur 27 Belegen in der gesamten Apostelgeschichte. "Die Weglassung der Kopula ist im allgemeinen Kennzeichen der vorlukanischen Tradition, da Lukas die Kopula nach Möglichkeit nicht streicht, sondern zufügt" (ebd. 21).

339) J. Jeremias (Sprache 23) zählt 24 Belege in der lukanischen Kindheitsgeschichte (ebd. Anm. 32) gegenüber 11 Belegen in Lk 3-24.   340) J. Jeremias, Sprache 52.

341) Ebd. 56.   342) Ebd 90f.

343) In Lk 3-24 wird σωτήρ als christologischer Hoheitstitel verwendet. Vgl. J. Jeremias, Sprache 60.   344) Ebd 73.

345) Vgl. N. Turner, in: J.H. Moulton, Grammar IV, 56 sowie G. Strecker, Literaturgeschichte 240.   346) H. Conzelmann, Mitte 18.

347) O. Böcher, Art. Johannes der Täufer: TRE XVII, 174. Vgl. ders., Lukas 29.

diese Gemeinsamkeiten zum einen auf die "lukanisch-redaktionellen Einflüsse"[349] auf die Gestalt der beiden ersten Kapitel des Lukasevangeliums zurückgeführt, zum anderen auf eine gewisse Harmonie zwischen der Verkündigung des Täufers gemäß der Tradition und der Theologie des Lukas.[350] Eine Vertrautheit des Lukas mit den Überlieferungen von ehemaligen Täuferjüngern,[351] als deren deutlichster Ausdruck betrachtet werden könnte, daß allein er die Kindheitsgeschichte des Täufers bei der Abfassung seines Evangeliums zur Verfügung hatte, würde erklären, warum gerade er eine Fülle von Täufertraditionen bietet, von denen sowohl Markus als auch die Logienquelle Q nichts wissen[352]. Auch Ph. Vielhauer[353] kommt zu dem Ergebnis, daß die lukanische Vorgeschichte in ihrer vorliegenden Gestalt "nicht literarische Schöpfung des Evangelisten, sondern Komposition aus Traditionsstücken" sei. Wie ist nun das Verhältnis zwischen Tradition und Redaktion zu bestimmen?

Wenn ein redaktionell-fiktiver Ursprung der lukanischen Vorgeschichte ausgeschlossen werden kann, so bestehen bezüglich des Verhältnisses zwischen den Geburts- und Kindheitsgeschichten des Täufers und Jesu vier Möglichkeiten:[354]

1) Die Täufergeschichte wurde der Jesusgeschichte nachgebildet.

2) Die Jesusgeschichte lehnt sich in überbietender Analogie an die Täufergeschichte an und ist somit sekundär.

3) Beide Geschichten sind unabhängig voneinander entstanden und nachträglich miteinander verknüpft worden.

4) Beide Geschichten sind auf einer frühen Stufe der Tradition gleichzeitig und zusammenhängend entstanden.

Die drei ersten Möglichkeiten gehen von einem nachträglichen Zusammenwachsen, die vierte Möglichkeit von einer nicht nur vorredaktionellen, sondern ursprünglichen Zusammengehörigkeit beider Geschichten aus. Wenden wir uns zunächst den Möglichkeiten 1 und 3 zu:

R.E. Brown[355] vertritt die Auffassung, Lukas habe die Verse 1,1-25 in Analogie zur Geburtsgeschichte Jesu sekundär gebildet, um jegliche heilsgeschichtliche Rivalität zwischen Johannes und Jesus auszuschließen bzw. um die heilsgeschichtlich untergeordnete Vorläuferrolle des ersteren zu betonen. Gegen diese Möglichkeit spricht schon die Tatsache, daß eine positive Antwort auf die Frage, ob die

---

348) H. Conzelmann, Mitte 172f.   349) J. Ernst, Johannes der Täufer 116.
350) O. Böcher (Johannes der Täufer 58) denkt an eine "Vermittlung von Täuferstoffen durch Apollos ... , den von Johannes getauften und von Aquila und Priscilla im Christentum unterwiesenen alexandrinischen Apologeten und Judenmissionar." Vgl. J. Ernst, Johannes der Täufer 121.
351) Vgl. insb. Act 19,1-4.   352) O. Böcher, Art. Johannes der Täufer: TRE XVII, 174.
353) Benedictus 255.   354) Vgl. W. Wink, John the Baptist 59.   355) Birth 283.

Vorläuferschaft des Täufers gegenüber Jesus durch eine der Jesusgeschichte nachgebildete "minderwertige" Geburts- und Kindheitsgeschichte betont werden soll, allein daran scheitern muß, daß eben die parallelen Züge in der Biographie und Botschaft beider (die sich Lukas sonst zu entkräften bemüht),[356] hier Betonung erfahren. Es ist unwahrscheinlich, daß die relativ hohe heilsgeschichtliche Bedeutung, die dem Täufer in Lk 1f. beigemessen wird, literarisches Werk des Lukas ist, um damit der Diskrepanz zwischen ihm und Jesus als dem wahren Messias Ausdruck zu verleihen. Zwar könnte man anführen, Lukas hätte auf diese Weise die Interpretation des Täufers "kanalisieren" wollen, indem er so die bei den Adressaten seines Evangeliums bekannten Traditionen, die ihn auch für Christen noch verehrungswürdig machten, seiner Christusverkündigung unterordnend einverleiben konnte, ohne sie (was bei der Bekanntheit dieser Traditionen schwerlich möglich gewesen wäre) gänzlich zu unterdrücken. Jedoch ist dann zu fragen, ob dem Verfasser des Lukasevangeliums wirklich unterstellt werden kann, nicht nur Einfluß auf die Täuferinterpretation seiner Adressaten zu nehmen, indem er eine Tradition, die die Bedeutung des Täufers in seiner Vorläuferschaft gegenüber dem Messias konzentriert, als inhaltlich von ihm übernommen und daher als vertrauenswürdig ausweist, sondern auch durch einen bewußten Wechsel in Sprache und Stil (s.o. 109f.) die Authentie dieser Täuferinterpretation zu untermauern.

Ebenso ist die Annahme eines jeweils voneinander unabhängigen Entstehens beider Geschichten in ihrer vorliegenden Gestalt aus zwei Gründen abzulehnen: Zum einen sprechen die zahlreichen literarischen Abhängigkeiten und Übereinstimmungen[357] sowohl zwischen den Abschnitten A und A' als auch zwischen B und B' gegen eine solche Interpretation, zum anderen ist eine solche übereinstimmende Darstellung der Geburt des Messias und des Boten des ἐρχόμενος ohne jegliche Interdependenzen aufgrund der überbietenden Parallelität zwischen jenen Abschnitten sehr unwahrscheinlich.

Für die Annahme, die Geburts- und Kindheitsgeschichte Jesu sei eine überbietende Nachahmung einer ihr vorausgehenden und sekundär mit ihr verknüpften Geburts- und Kindheitsgeschichte Johannes' des Täufers, lassen sich mehrere Gründe anführen: So ist zunächst die Spannung zwischen der Ankündigung der Funktion des Täufers als des eschatologischen Vorläufers und Wegbereiters des κύριος ὁ θεός (1,16f. 76) und der Verehrung Jesu aus Nazaret als κύριος in 1,43 auffällig. Die Spannung zwischen κύριος als Gottesbezeichnung und als christologischem Hoheitstitel könnte ein Indiz für einen jeweils unabhängigen Ursprung der beiden Geburts- und Kindheitsgeschichten sein. Bereits R. Bultmann[358] wies darauf hin, daß weder zwischen Lk 1 und 2 ein primärer Zusammenhang besteht, noch die Vorgeschichte des Täufers und die Weissagung der Geburt Jesu in Lk 1

---

356) Vgl. insb. Lk 9,7-9 mit Mt 14,1f. par. Mk 6,14-16.
357) Vgl. G. Erdmann, Vorgeschichten 11.   358) Geschichte 320.

miteinander in ursprünglicher Beziehung stehen, da sowohl Kap. 2 ohne Kap. 1 völlig von sich aus verständlich sei als auch in Kap. 1 alles darauf hindeute, daß die Vorgeschichte des Täufers ursprünglich eine selbständige Einheit gewesen war, die als Ganzes aus dem Judentum bzw. jüdischen Täufertum übernommen wurde.[359] Lk 1,57 würde dann aufgrund der "natürlichen Geschehensabfolge"[360] direkt an 1,25 anschließen; die dazwischen liegenden Verse wären als (gegenüber der Geburtsgeschichte des Täufers sekundäre) christliche Bildung anzusehen. Nun erweist sich aber Lk 1,43 gegenüber den ihn umgebenden Versen als redaktioneller Einschub des Evangelisten.[361] Wie oben bereits angedeutet, kann beim Grundbestand von Lk 1f. nur von einer redaktionellen Bearbeitung, nicht aber von einer lukanischen Verfasserschaft gesprochen werden. Anhand des Gebrauchs von κύριος läßt sich eine mögliche ursprüngliche Zusammengehörigkeit beider Geschichten also nicht entkräften.

Die Argumentation R. Bultmanns geht weiterhin davon aus, daß zwischen einer vorchristlichen täuferischen Stufe der Überlieferung, nämlich der Geburts- und Kindheitsgeschichte Johannes´ des Täufers, und einer christlichen Überlieferungsstufe, die die Geburts- und Kindheitsgeschichte Jesu in überbietender Parallelität mit ersterer verknüpfte, ein genereller Unterschied bestehen müßte. Auch M. Dibelius[362] weist darauf hin, daß der "Legendenkranz" in Lk 1f. durch die fehlende Unterlegenheit des Täufers, die Ankündigung seines Geistbesitzes (1,15) und seine Aufgabe nicht als Herold des Messias, sondern als Wegbereiter Jahwes als einheitlich, der Form und Art nach jüdisch und daher mit Sicherheit als Überlieferung vorchristlichen Ursprungs gekennzeichnet wird.

Daß die Vorentscheidung einer polarisierenden Gegenüberstellung von "Täuferkreisen"[363] und christlicher Gemeinde hier nicht einschränkungslos Berechtigung hat, hat H. Schürmann[364] herausgestellt: "In früher Zeit müssen die Judenchristen Palästinas ebensowenig von Anhängern des Täufers scharf getrennt gedacht wer-

---

359) Vgl. R. Bultmann, Geschichte 329.
360) J. Ernst, Johannes der Täufer 136 nach M. Dibelius, Formgeschichte 120. Anders R.E. Brown, Birth 282.
361) Vgl. J. Jeremias, Sprache 57; F. Hahn, Hoheitstitel 271 Anm. 6. Die Bedeutung von κύριος in Lk 1,43 "underlines, being an exception, the difference of consciousness of mind between the writer of this verse and the others quoted; it sets off this verse against the general context and marks it as an editoral addition" (P. Winter, Observations 113). Möglicherweise ist auch bereits in 1,16f. an eine christologische Bedeutung von κύριος gedacht; vgl. hierzu I Sam 2,35. R. Laurentin (Struktur 45) nimmt an, daß Lukas in 1,16f. "eine Identifizierung zwischen Jesus und >Gott dem Herrn< nahelegen will." 362) Jungfrauensohn 4f.
363) W. Grundmann, Evangelium nach Lukas 47; vorsichtiger W. Wiefel, Evangelium nach Lukas 46, der von einem "Zyklus judenchristlicher Herkunft" als einer dem Evangelium unmittelbar vorausgehenden traditionsgeschichtlichen Zwischenstufe ausgeht.
364) Lukasevangelium 96; vgl. W. Wink (John the Baptist 81) und insb. K. Backhaus (Jüngerkreise 368f.), der zu dem Ergebnis gelangt: "Die Bewegung Jesu und das früheste Christentum stehen in personaler, soziologischer und theologischer Kontinuität zur Täuferbewegung."

den, wie sie es auch noch nicht von der jüdischen Gemeinde waren, und die eschatologischen Wertungen des Johannes werden erst in einem späteren Stadium >messianisch< in gegensätzlichem Sinn geworden sein, als auch die urchristlichen sich profilierter >messianisch< gaben." Es ist sehr unwahrscheinlich, daß der kunstvolle symmetrische Aufbau der beiden Geschichten von Johannes und Jesus erst am Ende der Überlieferungsgeschichte des Textes nachträglich hergestellt worden sein sollte. Noch weniger ist eine nachträgliche Verknüpfung zweier zwar ursprünglich voneinander unabhängiger, doch übereinstimmender Geschichten denkbar. Vielmehr läßt sich die Parallelisierung der beiden Geburtslegenden dahingehend interpretieren, daß auch die Verehrung des Täufers und Jesu als in ihrer heilsgeschichtlichen Funktion zusammengehöriger Gestalten in einer realen Beziehung stand. O. Böcher[365] schließt daraus, "in der hinter Lk 1f. stehenden Gemeinde seien Johannes und Jesus als gleichberechtigte Heilsträger verehrt worden".

Die legendarischen Motive der Geburtsgeschichte Johannes´ des Täufers müssen m. E. nicht allein einem Kreis von außerchristlichen Täuferverehrern zugerechnet werden, sondern können ebenso ursprünglich in christlichem Milieu beheimatet sein. J. Ernst[366] ist zuzustimmen, wenn er zu Lk 1f. schreibt, "ein wichtiges Argument gegen die Zuordnung zu einer Täufer-Messias-Quelle jüdischen Zuschnitts ist das Fehlen eines Hinweises auf die Taufe, welche das entscheidende Zeichen der Täufergruppe und der äußere Anlaß für die Messianisierung des Meisters gewesen sein müßte", doch darf man diese Aussage nicht dahingehend interpretieren, daß die qualifizierende Nähe des Täufers zu Jesus aus Nazaret und dessen Botschaft vom Gottesreich mit einer Täuferverehrung nicht in Einklang zu bringen sei. So betont H. Schürmann[367], daß "in früher Zeit auch noch Judenchristen ein unmittelbares Interesse an der eschatologischen Predigt des Täufers haben konnten". Die hervorgehobene Rolle, die der Täufer in Lk 1f. spielt, läßt zunächst auf eine Herkunft aus Täuferkreisen schließen.[368] Ebenso kann der Täufer

---

365) Art. Johannes der Täufer: TRE XVII, 178 sowie Lukas 30: "Wenn die - zugegebenermaßen kühne - These des Verfassers zutrifft, mit den beiden prophetischen Zeugen von Apk 11,3-14, Elias redivivus und Moses redivivus, seien Johannes der Täufer und Jesus gemeint, dürfte in Apk 11 ein zweites Zeugnis für solche Täufer-Jesus-Christologie vorliegen." Ähnlich bereits W. Wink (John the Baptist 71): "This parallelism is the artistic expression of the theological conviction of the authors, that through both men God has worked the redemption of Israel." R. Laurentin (Struktur 49) interpretiert den Befund auf andere Weise: "Die Symmetrie der Wendungen und der Einzelstücke, die mehr und mehr zugunsten Jesu durchbrochen wird, dient von Anfang an dazu, den Gegensatz zwischen Vorläufer und Erlöser herauszustellen."
366) Johannes der Täufer 125. Ebenso W. Wink (John the Baptist 71). Vgl. hierzu auch R. Bultmann, Johannes 4f., Anm. 7.
367) Lukasevangelium 96. Auch W. Wink (John the Baptist 81) betont den genetischen Zusammenhang zwischen Täuferbewegung und christlicher Kirche. Vgl. K. Backhaus (Jüngerkreise 370): "Sobald man die frühe Kirche als >outgrowth of the Baptist movement< würdigt, erklären sich auch die vermeintlichen Täuferkreis-Traditionen aus einem christlichen Darstellungsinteresse."
368) So W. Wink, John the Baptist 60.

aufgrund seiner heilsvermittelnden Funktion von Lukas, seinen Tradenten und seinen Adressaten jedoch auch als heilsgeschichtlich bedeutungsvolle Gestalt, quasi im Sinne seiner späteren Bedeutung als erster christlicher "Heiliger"[369], verstanden worden sein. Aus diesem Grund könnten die beiden Personallegenden in Lk 1f. also auch zusammen entstanden, gewachsen und miteinander verschmolzen sein.

Eine die exegetische Diskussion abschließende Antwort auf die Frage nach dem christlichen oder vorchristlich-täuferischen Ursprung der Geburts- und Kindheitsgeschichte Johannes´ des Täufers in Lk 1f. halte ich für nahezu unmöglich. Der Hinweis auf den "hebraisierenden" Sprachcharakter von Lk 1f.[370] als Hauptargument für die Annahme der palästinischen Herkunft der hier erhaltenen Überlieferung trägt zu ihrer Lokalisierung und Datierung ebensowenig bei wie die Anmerkung, die lukanische Vorgeschichte sei geprägt durch "LXX-Idiom" und dadurch als außerpalästinisch ausgewiesen.[371] Die griechische Sprache kann dem Text nicht zu einer Zuordnung zu einer bestimmbaren außerpalästinischen Autoren- oder auch nur Tradentengruppe verhelfen, denn ihr Gebrauch und auch das Vorhandensein heiliger Schriften in griechischer Sprache in Palästina zur Zeit des Täufers ist nachgewiesen.[372] Dies macht es unmöglich, mit sprachlichen Argumenten zwischen "hellenistischen" und "palästinischen" Bestandteilen der Tradition zu unterscheiden.

Eine genaue Abgrenzung und Zuordnung der einzelnen Bestandteile von Lk 1f. zu verschiedenen Quellen bzw. Traditions- und Redaktionsstufen wird immer ein hohes Maß an hypothetischem Charakter behalten.[373] Eine gemeinsame redaktionelle Entstehung beider Kindheitsgeschichten als Fiktion des Lukas ist ebenso unwahrscheinlich wie die Annahme, in Lk 1f. würden historisch nachweisbare Fakten geboten. Das Verhältnis der einzelnen Bestandteile des Textes zueinander ist zu kompliziert, um eine eindeutige Abhängigkeit einer der beiden Personallegenden

---

369) Vgl. ebd. 72.   370) So P. Winter, Observations 121.
371) G. Erdmann, Vorgeschichten 34; vgl. R. Bultmann, Geschichte 321. R. Laurentin (Struktur 21) nimmt an, daß Lukas seine Quellenschrift aus dem Hebräischen selbst ins Griechische übersetzt hat.
372) S.o. 17f. Noch sehr vorsichtig bemerkt hierzu J.A. Fitzmyer (Languages 531): "The most commonly used language of Palestine in the first century A.D. was Aramaic, but ... many Palestinian Jews, not only those in Hellenistic towns, but farmers and craftsmen of less obviously Hellenized areas used Greek, at least as a second language." Vgl. auch Ch. Rabin (Hebrew 1009): "The active use of the three languages of Palestine in the first century C.E., Hebrew, Aramaic and Greek is well attested by written documents", sowie R.H. Gundry (Language 407f.) und (entschieden für den regen Gebrauch der griechischen Sprache in breiten Bevölkerungsschichten) M. Hengel ("Hellenization" 7-18).
373) Anders G. Erdmann (Vorgeschichten 33), der seinerseits den Text vier verschiedenen Quellen zuordnet (Johanneslegende: Lk 1,5-25. 42a. 46-55. 57-66. 80; 2,36-39. 40. 42a. 45b-47. 51b-52; christliche Quelle: Lk 2,7b-12. 15-18. 21.49b; Lukas nach Johanneslegende: Lk 1,26-39. 67-79; 2,6-7a. 19.25-35 [36-39?]; Klammern: Lk 1,39-41. 42b-45. 56; 2,1-5. 13-14. 20. 22-24. 41. 42b-45a. 48-49a. 50-51a).

von der jeweils anderen beweisen zu können. Positiv läßt sich hingegen festhalten, daß Lk 1f. in judenchristlichen Kreisen entstanden sein muß[374] und daß eine Überschneidung, zumindest jedoch ein enger Kontakt des Lukas und seiner Gemeinde mit der aus der Wirksamkeit des Täufers hervorgegangenen Bewegung wahrscheinlich ist. Aus dem oben Gesagten kann man allein den Schluß ziehen, daß die erkennbare Richtung in der Entwicklungsgeschichte des Textes wegführt von einer die beiden gleichsetzenden Darstellung und ihr klares Ziel eine eindeutige Unterordnung Johannes´ des Täufers gegenüber dem Messias Jesus ist.

W.G. Kümmel[375] urteilt über Lk 1f.: "Alle Wahrscheinlichkeit spricht ... dafür, daß Lukas verschiedene Traditionen, die zum Teil auch schon sprachlich eine gewisse Fertigkeit erlangt hatten, bearbeitet und seiner Darstellung des öffentlichen Wirkens Jesu vorangestellt hat." Dieses vorsichtige Urteil vermittelt zwischen den Extremen der Interpretation von Lk 1f. in der neueren und aktuellen exegetischen Diskussion. Um genauere Aussagen über Ursprung, Traditions- und Redaktionsgeschichte der lukanischen Vorgeschichte treffen zu können, bedürfte es hinlänglicher Einblicke in das Verhältnis zwischen Täuferbewegung und Christentum in der Zeit von Ostern bis zur Abfassung der Evangelien. Das hierzu letztendlich erforderliche Quellenmaterial ist uns nicht überliefert.

Warum kümmerte sich der Verfasser des Lukasevangeliums um Täufertraditionen? Wie ist die Tatsache zu werten, daß die ersten Informationen des Textes, also der Beginn seiner gottesdienstlichen Lesung,[376] positive, den Täufer qualifizierende Aussagen über seine Herkunft und Bestimmung sind? Die Einfügung der beiden kunstvoll miteinander verflochtenen Geburts- und Kindheitsgeschichten Johannes´ des Täufers und Jesu aus Nazaret als Vorgeschichte seiner auf Vollständigkeit und Genauigkeit bedachten Darstellung der Geschichte und des Lehrens Jesu bedarf eines Anlasses. Lukas hätte sie sonst vermutlich einfach weggelassen bzw. allein von der Geburt und Kindheit Jesu berichtet. Als Antwort bietet sich die Annahme einer mit dem Evangelium von Jesus Christus mehr oder weniger konkurrierenden Täuferverehrung im unmittelbaren Umfeld des Evangelisten an, die zu der Entstehung und Tradierung dieser Legende führte.[377] Die lukanische Vor-

---

374) Vgl. J. Ernst, Johannes der Täufer 121.   375) Einleitung 106.

376) Vgl. zum Gebrauch des Lukasevangeliums in der Urkirche die Verlesung der christlichen Briefliteratur (I Thess 5,27; Kol 4,16; vgl. I Tim 4,13). In ("distanzierender und überbietender": M. Hengel, Evangelienüberschriften 37) Analogie zur Leseordnung im synagogalen Gottesdienst zur Zeit des Lukas (vgl. Lk 4,16ff.; Act 13,15; 15,21) war im urchristlichen Gottesdienst vermutlich die Verlesung der in den Evangelien kodifizierten Heilsbotschaft von Jesus Christus gebräuchlich (vgl. Justin, Apol. I, 67). Als >Sitz im Leben< der Evangelienliteratur werden Gottesdienst, Katechese und Mission der urchristlichen Gemeinden neben M. Hengel (Evangelienüberschriften 33-37; dort zahlreiche Belege) auch angenommen von K.L. Schmidt (Rahmen VI), K. Aland (Problem 29) sowie W. Schneemelcher (Evangelien 69).

377) "Es fragt sich, ob in Lk 1-2 nicht ... eine bewußte Stellungnahme gegen diese in der Apostelgeschichte (18,25; 19,3-4) bezeugte Verehrung des Täufers vorliegt" (R. Laurentin, Struktur 127). Anders O. Böcher (Lukas 44), der die Möglichkeit in Betracht zieht, daß das sowohl durch

geschichte in ihrer vorliegenden Gestalt hat somit integrative Funktion dahingehend, daß eine solche bestehende und nicht zu unterdrückende Täuferverehrung
in der noch nicht voneinander abgegrenzten Nachfolgerschaft des Täufers und Jesu aus Nazaret dem christlichen Kerygma unterordnend eingegliedert wurde, ohne
dabei ehemalige Täuferverehrer zur Aufgabe ihrer religiösen Identität zu zwingen.

Diese Untersuchung fragt nach den Aussagen der frühesten rekonstruierbaren
Traditionen über Johannes den Täufer. Es ergab sich, daß die Täufertraditionen in
Lk 1f. nicht von den mit ihnen verknüpften Jesustraditionen gesondert analysiert
werden können, da beide mit hoher Wahrscheinlichkeit von Anfang an miteinander verbunden waren. Die Gestaltungsweise der (sowohl formal als auch inhaltlich) überbietenden Parallelität zwischen den Geburts- und Kindheitsgeschichten
beider läßt darauf schließen, daß das jeweils Überbotene in den Täufertraditionen
in den von Lukas angesprochenen Gemeinden allgemein bekannt war. Den Adressaten des Evangelisten Lukas galt es die Glaubhaftigkeit der Geburts- und Kindheitsgeschichte Jesu zu vermitteln.[378] Die mit dieser Geschichte verknüpfte Darstellung des Täufers in Lk 1 mußte daher (zumindest widerspruchslos) mit deren
Vorverständnis übereinstimmen, möglicherweise sogar die Glaubwürdigkeit der
Darstellung Jesu untermauern. Es wurden also wohl keine neuen zweckdienlichen
Aussagen erfunden, sondern bekannte traditionelle modifiziert. Auch der Anlaß
für die Komposition der Vorgeschichte des Lukas in ihrer vorliegenden Gestalt
(nämlich das durch Hochschätzung, möglicherweise sogar durch Verehrung ge-
kennzeichnete Täuferbild eines Teils seiner Adressaten) müßte demnach prinzipiell mit dem übereinstimmen, was diese Vorgeschichte über ihn aussagt. Im Folgenden können daher - ausgehend von der sich aus der formalen und inhaltlichen
Struktur der lukanischen Vorgeschichte ergebenden Gliederung des Textes - die
einzelnen Abschnitte auf ihren Bestand an Informationen über Johannes den Täufer hin ausgewertet werden, die jenen in die Nähe der biblischen Propheten rük-
ken.

b. Die Ankündigung der Geburt Johannes' des Täufers: Lk 1,5-25

Die in diesen Versen gebotenen Informationen über den Täufer sollen nicht unabhängig von der in direktem Anschluß erzählten Ankündigung der Geburt Jesu
(1,26-38) verstanden werden. Die Unterschiede zwischen beiden Geschichten
müßten, wenn die Vermutung richtig ist, daß Lukas eine bestehende Täufervereh-

---

deutliche Hochschätzung als auch durch eine vehement disqualifizierende Darstellung gekenn-
zeichnete Täuferbild seines "Enkelschülers" Lukas als Bestandteil einer "sehr existentiellen
Vergangenheitsbewältigung" anzusehen sei.
378) Vgl. Lk 1,1-4. Gerade Lukas betont hier sein Selbstverständnis als ordnender Redaktor glaub-
hafter Überlieferungen.

rung in die christliche Lehre einbinden wollte, auf den maximalen Bestand und Inhalt der von ihm akzeptierten positiven Aussagen über Johannes hinweisen. Da man davon ausgehen kann, daß Lukas der Verehrung des Täufers in dem von ihm in Kap. 1f. verwendeten traditionellen Material nichts hinzugefügt und ihn in seiner Bedeutung gegenüber Jesus eher relativiert hat, läßt daher auch vermuten, daß die Motive der Erzählung im Rahmen des Evangeliums nicht nur die Aussageabsicht des Lukas wiedergeben, sondern auch mit dem Vorverständnis seiner Adressaten (nämlich der von ihm angesprochenen Gemeinden) übereinstimmen.

Neben dem eigentlichen Vergleich zwischen Lk 1,5-25 und 1,26-38, der darauf abzielt, anhand der Unterschiede zwischen den beiden Geburtsankündigungen, die Johannes und Jesus voneinander abgrenzen, die der lukanischen Redaktion vorliegenden Täuferinterpretationen zu ermitteln, ist nach dem Verhältnis zwischen dem durch seine Geburtsankündigung vermittelten Täuferbild und den Täuferbildern von Lk 3-24, Markus und der Logienquelle Q zu fragen. Die hierbei erkannten Übereinstimmungen lassen sich wie folgt aufschlüsseln:

1) In der Geburtsankündigung des Täufers anzutreffende Traditionen, die auch von Lk 3-24 und der Apostelgeschichte, besonders aber auch von Markus oder von der Logienquelle Q geboten werden, weisen auf deren allgemeine Bekanntheit hin.

2) Elemente der Erzählung, die außerhalb der Vorgeschichte nur im lukanischen Doppelwerk begegnen, scheinen das spezifische Verfasserinteresse des Lukas gegenüber seiner hierdurch näher bestimmbaren Adressatengemeinde widerzuspiegeln.

3) Motive schließlich, die keine Entsprechung außerhalb Lk 1f. haben, lassen sich als konkrete Elemente der Integration von Reminiszenzen einer Täuferverehrung in die Lehre der christlichen Gemeinde verstehen.

Die einzelnen Motive in der Geburtsankündigung des Täufers sind die Grundlage des Vergleichs zwischen ihm und Jesus aus Nazaret. Daher ist zunächst ihre Bedeutung im Rahmen von Verfasserabsicht und Adressatenvorverständnis zu klären. Ein weiterer Punkt kommt hinzu: Bei der Verlesung in der Gemeinde des Lukas[379] hatten die Hörer des Textes - anders als ein Leser - keinen synchronen Zugriff auf die in ihm gebotenen Informationen. Das bedeutet, daß die zuerst vorgelesenen Verse das Vorverständnis der Zuhörerschaft in bezug auf das im Folgenden Gebotene beeinflussen mußten. Man würde den Evangelisten Lukas unterschätzen, ginge man davon aus, er hätte diesen einfachen Sachverhalt nicht berücksichtigt.[380] Johannes der Täufer wird zuerst genannt. Seine Darstellung bildet für die Adressaten des Textes die Basis des Vergleichs zwischen ihm und Jesus.

---

379) Vgl. Anm. 376.   380) Vgl. K. Aland, Problem 29.

Es läßt sich eine grobe Dreiteilung der in Lk 1,5-25 erkennbaren Motivkomplexe vornehmen: Zunächst wird die bedeutungsvolle Herkunft des Täufers betont (1,5-7), danach der Vorgang der Geburtsankündigung ausgemalt (1,8-12. 21ff.). Schließlich wird durch die Engelsbotschaft (1,13-17. 19f.) sowohl die Lebensweise und hierdurch angezeigte Bedeutung des zu erwartenden Erstgeborenen geschildert (1,13-17) als auch ein beglaubigendes Zeichen für diese Botschaft angekündigt (1,19f.). Bezüglich der Herkunft Johannes´ des Täufers erfahren wir zunächst die Namen seiner Eltern[381] und ihre priesterliche Abstammung (1,5): Zacharias stammt aus dem Priestergeschlecht des Abija[382] und ist somit Aaronide;[383] Elisabet ist - wie später üblich und angestrebt[384] - ebenfalls aaronidischer Herkunft. Die beiden sind δίχαιοι (1,6), eine Würdigung, die Lukas neben Jesus nur wenigen Personen zubilligt.[385] Das Hendiadyoin in 1,6 trägt ein übriges dazu bei, ihre mustergültige Charakterisierung zu betonen. Nun könnte man einwenden, diese für einen zeitgenössischen Juden überaus positive Kennzeichnung wäre für täuferische und christliche Adressaten wenn nicht unverständlich, dann doch zumindest fragwürdig. Es ist jedoch anzunehmen, daß die allmähliche Distanzierung derer, die aus dem Judentum in die Gemeinschaften der Täufer- und Jesusbewegungen eintraten, erst zu allerletzt auch die Skala äußerlicher sozialer Werte veränderte, anhand derer die Wertschätzung und beigemessene Autorität der eigenen und einer fremden Person gemessen wurde. Daß hierfür neben der Lebensführung gemäß den Gesetzen der Tora[386] auch die Herkunft von hoher Bedeutung sein kann, geht deutlich aus der Ausführlichkeit der unterschiedlich begründeten Genealogien Jesu hervor.[387]

Vor diesem Hintergrund kann die - in der Antike auf lange Sicht als lebensbedrohend verstandene - Kinderlosigkeit[388] weder als Disqualifikation noch als versagte Seg-

---

381) Ζαχαρίας = זכריה = Jahwe gedenkt; Ἐλισάβετ = אלישבע = Gott schwört.

382) IChr 24,10; Neh 12,17; vgl. M. Stern, Aspects 587-595.

383) Möglicherweise ist hier unter Bezugnahme auf Lk 1,16f. auch an Mal 2,4-7 zu denken, wo Levi als Prototyp des Boten Jahwes bezeichnet wird.

384) bQid 70a; bSan 93a; vgl. M. Stern, Aspects 582-584.

385) Neben Lk 1,6 nur noch in 2,25 (Simeon), 23,50 (Josef) und Act 10,22 (Kornelius).

386) Zwar scheint das jüdische Gesetz für den Verfasser des Lukasevangeliums selbst eine eher untergeordnete Rolle zu spielen (vgl. W. Schrage, Ethik 128), doch beruht z.B. die Pointe der nur von Lukas überlieferten Beispielerzählung vom Pharisäer und Zöllner (Lk 18,9-14) gerade auf der anfänglichen Erwartung ihrer Adressaten, daß der Pharisäer durch seinen Lebenswandel gemäß der Tora Gnade vor Gott finden muß.

387) Lk 3,23-38 par. Mt 1,2-17. Anders R.E. Brown (Birth 268), der die priesterliche Herkunft des Täufers auf die Absicht des Evangelisten zurückführt, nachzuweisen, daß der vorausgesetzten Opposition zwischen Tempel und der Jesusbewegung kein innerer Widerspruch zwischen Christentum und jüdischem Kult zugrunde liegt.

388) Im Alten Testament konnte Kinderlosigkeit noch als Verstoß gegen die gesellschaftliche Norm gewertet werden (Ex 23,26; Hi 24,21; Ps 113,9;). Für die Sicherung des Familienbesitzes und die Versorgung nach dem Verlust der eigenen Arbeitskraft im Alter waren (männliche und legitime) Kinder zwar eine notwendige Voraussetzung und deshalb langfristig wichtig, jedoch wurde Kinderlosigkeit (vgl. Jos. Bell 1, 563; Ant 18, 131) in der hellenistisch-römischen Antike auch von Juden durchaus nicht als Zeichen von Gottlosigkeit o.ä. verstanden (Sir 16,3; Weish

nung[389] der Elisabet interpretiert werden. Das durch 1,5f. vermittelte Vorverständnis der Adressaten von Lk 1,7 ist demnach, daß die Kinderlosigkeit der Elisabet und des Zacharias entgegen einer verbreiteten gesellschaftlichen Wertung nicht als negatives Zeichen verstanden werden darf, sondern als unverschuldetes, in ihrer Ursache in keiner Weise durch irgendwelches Fehlverhalten gerechtfertigtes Unglück. Die Assoziationen der Adressaten scheinen vielmehr in eine andere Richtung gelenkt zu werden: Die Rede von der Kinderlosigkeit einer alten Frau weist überall dort, wo sie in den heiligen Schriften begegnet,[390] auf ihre dennoch eintretende Fruchtbarkeit als Zeichen besonderer göttlicher Zuwendung hin. Auch die typologische Verwendung von Gen 16,15 (21,2. 9) in Gal 4,22f. setzt voraus, daß die Galater die Schwangerschaft der Sara als göttliche Gnade verstehen. Die große Bedeutung der erstgeborenen Söhne jener Frauen, denen Gott im hohen Alter Fruchtbarkeit schenkt,[391] wird durch dieses Motiv jeweils unterstrichen: So sind sowohl Isaak (Gen 17,15-21; 21,1-7), Simson (Jdc 13) und Samuel (I Sam 1) erstgeborene Söhne einer vormals kinderlosen, alten Frau. Durch die Kennzeichnung seiner Geburt als gottgewollt und gottgewirkt in Lk 1,5-7 wird auch Johannes der Täufer unter diese bedeutenden Männer in der Geschichte Israels eingereiht und damit gleich zu Beginn des Evangeliums - als für den weiteren Erzählverlauf grundlegende Information - seine große Bedeutung betont.[392]

Die eigentliche Geburtsankündigung in Lk 1,8-23, die mehrere Bezüge zur Angelophanie in Dan 9f. aufweist,[393] beginnt mit einer Beschreibung von Ort und Zeit der Begegnung: Im Jerusalemer Tempel erscheint dem Zacharias während des Räucheropfers Gabriel als göttlicher Mandatar, um ihm die Geburt eines Sohnes zu verheißen. Auch in 1,26ff. ist es Gabriel, der Maria die Geburt Jesu ankün-

---

3,13 [vgl. 4,1-6]). Das aus Gen 1,28 abgeleitete Gebot, Kinder zu zeugen, führte - in Übereinstimmung mit griechischen und römischen Anschauungen (vgl. Platon, Nomoi VI 784 B) - dazu, daß dauerhafte Kinderlosigkeit den Rabbinen später als Scheidungsgrund galt (mYev VI,6). Nach dem Zeugnis des Polybius (Hist 36, 17,5-10) waren Kinder in Zeiten aktueller Not eher belastend, was zu sinkenden Geburtenraten führte.

389) Ein solches Verständnis wird nahegelegt durch Gen 16,2; 25,21; 30,1f.; Lev 20,21; Dtn 7,14; I Sam 1,6; Ps 127,3. Vgl. J. Maier, Judentum 150-152.

390) Gen 11,30; 17,17; 18,11; 25,21; Jdc 13,2; I Sam 1,2; II Reg 4,14. 17; vgl. IVEsra 9, 43-45.

391) Isaak als der mittlere der drei Erzväter Israels (Lk 20,37; Act 3,13; 7,32) ist nach Lk 13,28 zusammen mit den Propheten im Reich Gottes. Diese Gegenüberstellung legt die Annahme nahe, daß es hier die Absicht des Verfassers war, eine Zuordnung der Erzväter zu den Propheten auszuschließen. Die Existenz eines pseudepigraphen Testaments des Isaak (Übers. v. W.F. Stinespring, in: J.H. Charlesworth, O.T. Pseudepigrapha I, 903-911) beweist jedoch, daß jenem in Teilen der jüdischen und frühen christlichen Tradition prophetische Bedeutung beigemessen werden konnte. Der Richter, Volksheld und Nasiräer Simson und auch Samuel als Nasiräer, Priester, Seher, Prophet und Richter gelangen bei Lukas in seinem Evangelium überhaupt nicht namentlich zur Erwähnung. Anders jedoch die Apostelgeschichte: In Act 3,24 wird Samuel als erster "τὰς ἡμέρας ταύτας" ankündigender Prophet, in Act 13,20 als letzter Richter und Prophet bezeichnet.

392) Vgl. D. Zeller, Ankündigung 29. Anders R.E. Brown (Birth 268f.), der den lukanischen Gebrauch des Motivs der Kinderlosigkeit dahingehend interpretiert, daß hierdurch die Eltern des Täufers der heilsgeschichtlichen Periode des alten Israel zugeordnet werden sollten.

393) R.E. Brown (Birth 270f.) bietet eine Gegenüberstellung der einander entsprechenden Formen und Motive (vgl. auch R. Laurentin, Struktur 53ff.):

Lk 1,10-11	Dan 9,20-21	Gabriel erscheint während der Gebetszeit
1,12	10, 7	Furcht beim Erscheinen des Engels
1,13	10,12	Engel mahnt zur Furchtlosigkeit
1,13	10,12	Zusicherung der Gebetserhörung
1,19	10,11	Botenspruch
1,20. 22	10,15	Verstummen des Visionärs

digt. Gabriel tritt im Alten Testament namentlich allein in Dan 8,16ff. und 9,21ff. auf; seine Funktion ist dabei die eines Angelus interpres.[394] Im äthiopischen Henochbuch wird seine strafende Funktion erwähnt (äthHen 10,9); als einer der sieben Erzengel ist er über Paradies, Schlangen und die Cherubim gesetzt (äthHen 20,7). Er legt Fürbitte für die Menschen ein im Namen Gottes (äthHen 40,6), steht allen Kräften vor (äthHen 40,9) und wird schließlich am Tag Jahwes die >Scharen des Asasel< in den brennenden Feuerofen werfen (äthHen 54,6). In der rabbinischen Literatur ist Gabriel Vermittler des göttlichen Gnadenwillens gegenüber Israel und Nothelfer,[395] aber auch Vollstrecker des göttlichen Strafhandelns.[396] Mit der Nennung dieses Engels in Lk 1,19, dessen Aufgabe und Bedeutung in eschatologischem Kontext interpretiert werden konnte, rückt auch die Ankündigung der Geburt des Täufers in einen solchen Zusammenhang. Die Geburtsankündigung durch den Erzengel Gabriel ermöglicht die Interpretation, daß die Endzeit mit Johannes dem Täufer hereinbricht.[397] Für den Christen Lukas bezieht sich der Anbruch der messianischen Zeit auf die Geburt Jesu; es ist jedoch auch vorstellbar, daß ein Teil seiner Adressaten mit dem Erscheinen Gabriels das baldige Kommen Gottes selbst zum Endgericht assoziierte.[398]

Besteht in der Geburtsankündigung durch den Erzengel Gabriel noch Übereinstimmung zwischen beiden Geschichten, so ist der jeweilige Ort der Angelophanie verschieden: Dem Zacharias erscheint Gabriel während des Räucheropfers im ναὸς τοῦ κυρίου (1,8ff.), der Maria hingegen an ihrem Wohnort in Nazaret (1,26ff.). Dadurch wird zunächst der Eindruck erweckt, daß hier entweder ein den Täufer aufwertendes Motiv vorliegt,[399] dessen Übertragung auf Jesus allein daran scheiterte, daß eine Lokalisation seiner Geburtsankündigung im Jerusalemer Tempel mit den unter den Adressaten des Lukas allgemein bekannten Traditionen nicht zu vereinbaren war, oder daß eine bewußte Gegenüberstellung von Jesus und dem Tempel (wie sie durch die Geschichte vom Zwölfjährigen im Tempel (2,41-52) nahegelegt werden könnte) auch durch den Ort der Geburtsankündigung deutlich gemacht werden sollte. Jedoch kann von einer aufwertenden Funktion des Tempels bei Lukas nicht gesprochen werden. Vielmehr stellt der Tempel als Mittelpunkt der jüdischen Religion für ihn in der Zeit der christlichen Kirche einen

---

394) "Der Verfasser [Lukas] hat die Vorlage [Daniel] nicht einfach abgeschrieben, er hat sie auch nicht systematisch ausgebeutet. Aber sie hat ihm als literarisches Vorbild gedient, um eine analoge Situation zu schildern. Er hat die gegenseitigen Beziehungen entdeckt und daran Gefallen gefunden; sie waren ihm sehr willkommen, um den Grundgedanken - den Hauptberührungspunkt zwischen den beiden Ereignissen - weiter auszugestalten: Gabriel gibt das Zeichen für den Anbruch der messianischen Zeit" (R. Laurentin, Struktur 56). Vgl. O. Böcher, Art. Engel IV. Neues Testament: TRE IX, 596-599.

395) ShemR 18; bMen 29a; bSan 26a; bSot 10b.   396) bSan 19a; 21b.

397) "Am stärksten ist die tätige Beteiligung der Engel beim endzeitlichen Geschehen vorausgesetzt" (G. Kittel, Art. ἄγγελος κτλ. D. ἄγγελος im NT: ThWNT I, 83). Vgl. Lk 12,8f.; II Thess 1,7; Apk 8,2.   398) Vgl. R. Laurentin, Struktur 53.

399) Vgl. G. Schrenk, Art. ἱερός κτλ.: ThWNT III, 245.

heilsgeschichtlichen Anachronismus dar (vgl. Act 6,14; 7,48; 17,24).[400] Auch eine direkte Disqualifikation des Tempels durch die Tatsache, daß die Geburtsankündigung des Messias nicht in ihm, sondern an einem profanen Ort[401] stattfand, ist unwahrscheinlich, denn auch die Pointe von Lk 2,41-52 (die Verdeutlichung der Gottessohnschaft Jesu) beruht auf der Anerkennung des jüdischen Ritus der Darbringung des männlichen Erstgeborenen im Tempel[402] und betont möglicherweise sogar die Bedeutung des Heiligtums in Jerusalem.[403]

Eine Angelophanie am Heiligtum wird im Rahmen der Geburtsankündigungen des Isaak und des Simson nicht berichtet. Neben der Engelerscheinung beim abendlichen Brandopfer in Dan 9,21 findet sich eine indirekte Parallele allein in der Geburtsankündigung Samuels (I Sam 1): Auch hier ist das Heiligtum bzw. sein Vorhof der Ort der Ankündigung.[404] Die Zusage der göttlichen Gewährung eines erstgeborenen Sohnes an einen Mann beim Brandopfer am Heiligtum durch einen Erzengel[405] überbietet deutlich die Geburtsankündigung an eine Frau im Tempelvorhof durch einen Priester (I Sam 1). Diese konkrete Überbietung gleich in drei Punkten (Adressat der Verheißung, Heiligkeit des Ortes, Autorität des Verheißenden) legt - zusammen mit dem beiden gemeinsamen Motiv der wundersamen Fruchtbarkeit der Mütter - nahe, daß es die Absicht des Textes war, den Bezug der Geburtsankündigung des Täufers auf die Geburtsankündigung Samuels zu verdeutlichen.[406]

Der solcherart hergestellte Bezug scheint Lukas - im Gegensatz zum Interesse der Tradition - im Rahmen seiner heilsgeschichtlichen Konzeption zur Verknüpfung des Täufers mit der abgeschlossenen Periode der Schrift und des Gesetzes zu dienen, indem er ihn "in den Kategorien der alten Epoche" beschreibt.[407] Dadurch, daß er die Tradition von der Ankündigung der Geburt Johannes' des Täufers als überbietendes Abbild bedeutender Gestalten der jüdischen Geschichte aufnimmt, kann er diesen in deutlicher (und für seine Adressaten einsichtiger) Weise von Jesus aus Nazaret abgrenzen. Das mit der Bindung an den Jerusalemer Tempel einhergehende Moment der Hochschätzung des Täufers, das seine Geburts-

---

400) H. Conzelmann, Mitte 153f.

401) O. Cullmann (Kindheitsevangelien: Schneemelcher I, 331) weist darauf hin, daß die Weihnachtserzählung des Lukas der theologischen Betonung des Armutsideals in seinem ganzen Evangelium entspricht. Anders E. Bammel, Art. πτωχός κτλ. D. Neues Testament: ThWNT VI, 904-907.   402) Vgl. Ex 13,2-16; 34,20; Num 3,40ff.

403) Es wurde nicht gefordert, das Opfer anläßlich der Erstgeburt eines Sohnes im Jerusalemer Tempel darzubringen, d.h. das Opfer konnte im ganzen Land durch den jeweiligen ortsansässigen Priester stattfinden (t Hal II,7-9; vgl. S. Safrai, Home 768f.).

404) Nur Priester und Leviten nahmen am Opferdienst teil (vgl. hierzu auch Lev 6,11. 22; 7,6; II Chr 8,11). Der herodianische Tempel hatte einen eigenen Frauenvorhof (vgl. Jos. Ant 15, 418f; Bell 5, 198-200).

405) Eine rabbinische Legende von Simon dem Gerechten überliefert dessen Begegnung mit einem Greis als Gottesboten, der ihm im Tempel seinen Tod ankündigte (bYom 39b).

406) Vgl. G. Erdmann, Vorgeschichten 10.

ankündigung intendiert, kollidiert im Rahmen der heilsgeschichtlichen Konzeption des Lukas nicht mit der Verehrung Jesu als des Messias Israels, sondern bietet vielmehr den Ansatzpunkt für eine Integration ehemaliger Täuferverehrer in die Gemeinde derer, für die das Kerygma vom Gekreuzigten und Auferstandenen das konkurrenzlose Zentrum ihrer religiösen Identität bildet.

Die Verheißung des Erzengels an Zacharias beinhaltet weiterhin den Auftrag, den Neugeborenen Ἰωάννης zu nennen (Lk 1,13) sowie die Mitteilungen, dieser würde von großer heilsgeschichtlicher Bedeutung sein (1,14f. 16-17), Alkoholverzicht üben (1,15a), bereits im Mutterleib mit dem Geist Gottes erfüllt sein (Lk 1,15b), ”πολλούς” aus dem Volk Israel zu Jahwe bekehren (1,16) und vor dem κύριος hergehen im Geist und in der Kraft Elijas (1,17a), um Israel auf sein Kommen zuzurüsten (1,17b.c). In dieser Verheißung finden sich mehrere Aussagen, die auch bei Markus und der Logienquelle Q begegnen: So wird eine (Mal 3,1. 23f. und Sir 48,10 realisierende)[408] Darstellung der Wirksamkeit Johannes' des Täufers als Elias redivivus bei Markus (Mk 1,2; 9,11f.) ebenso wie im Redenstoff der Logienquelle Q (bes. Mt 11,10f. par. Lk 7,27f.) bezeugt. Auch von einer Alkoholabstinenz des Täufers, die ihn mit Simson (Jdc 13,7) und indirekt auch mit Samuel (ISam 1,9-15) zu verbinden scheint, läßt sich aus Markus (1,6 par.) rückschließen und wird auch von Q (Mt 11,18 par. Lk 7,33) berichtet. Beide Aussagen könnten also allgemein bekannt gewesen sein.

In der Ankündigung der Geburt Jesu geschieht dessen Namengebung ebenfalls auf Geheiß des von Gott hierzu beauftragten Erzengels (Lk 1,31). Das biblische Motiv der Namengebung auf Gottes Geheiß[409] als ”retrospective interpretation” ist ein ”symbolic way of telling the reader that God foresaw and ordained the role the subject was to play”.[410] In der Botschaft Gabriels an Maria wird auch ihr die heilsgeschichtliche Bedeutung Jesu, nämlich seine Bestimmung als Messias, mitgeteilt und dessen Würde geschildert (1,32f.): Jesus wird Gottes Sohn genannt werden (1,35). Der überbietende Parallelismus in der Darstellung des Täufers und Jesu wird durchgeführt in bezug auf die (ihre jeweilige Gottesbeziehung ausdrükkenden) Namen (1,13/1,31) und ihre ”Größe” (1,15/1,32). Der relativen Bedeutung (μέγας ἐνώπιον κυρίου: 1,15a) des Johannes aufgrund seiner Erfüllung mit dem heiligen Geist (1,15b) entspricht die absolute Heiligkeit Jesu (οὗτος ἔσται μέγας: 1,32) aufgrund seiner Zeugung durch den Geist (1,35). Johannes als dem Vorgänger und Wegbereiter des κύριος entspricht Jesus als Sohn Gottes und Messias (1,16f./1,32f.), der Zurüstung des Volkes das Sitzen auf dem davidischen Königsthron (1,16f./1,32bf.). Die Ankündigung, über die Geburt des Johannes würden sich Zacharias und ”πολλοί” freuen, wird überboten durch die Freude des ungeborenen Johannes über Jesus (1,14/1,44), die Titulierung Jesu als υἱὸς ὑψίστου überbietet sei-

407) H. Conzelmann, Mitte 18.
409) Gen 16,11; 17,19; I Chr 22,9.

408) Vgl. R. Laurentin, Struktur 66f.
410) R.E. Brown, Birth 272, Anm. 29.

ne - erst im »Benedictus« des Zacharias begegnende - Bezeichnung als προφήτης ὑψίστου (1,32/1,76).

Ohne überbietende Entsprechung in der Ankündigung der Geburt Jesu sind allein die Bezeichnung des Täufers als Wegbereiter des κύριος "ἐν πνεύματι καὶ δυνάμει Ἠλίου" (Lk 1,17), der außergewöhnliche Zeitpunkt der Geistbegabung des Johannes (ἐκ κοιλίας μητρὸς αὐτοῦ: 1,15b) und die Ankündigung seiner Alkoholabstinenz. Warum werden diese Nachrichten im Rahmen seiner Geburtsankündigung von Lukas überhaupt geboten?

Das Jesuswort von der Identität Johannes´ des Täufers als gekommener Elija übernimmt Lukas gegen Matthäus (Mt 11,14; 17,10) aus der Markusvorlage (Mk 9,11f.) nicht. Hingegen übernimmt er Traditionen, welche nur die Funktion des Täufers nach Mal 3,1. 23f. charakterisieren, sowohl von Markus als auch aus der Logienquelle:

Mal	Mk	Mt	Lk
3,1	1,2	3,3b	3,4
	1,2	11,10	7,27
		11, 3	7,19
3,23	9,11f.	11,14	-/-
	9,11f.	17,10	-/-

Dieser Befund legt die Annahme nahe, daß Lukas bestrebt ist, dem Täufer in seinem Evangelium den Titel des Elias redivivus abzusprechen.[411] Aufgrund der hohen Autorität eines Jesuswortes für seine Adressaten scheint der Evangelist diejenigen Logien, die Johannes den Würdetitel des Elias redivivus zusprechen, bewußt nicht tradiert zu haben. Die offensichtlichen Schriftzitate jedoch, welche die Funktion des Täufers als Wegbereiter Jesu betonen, ohne ersterem einen eigentlichen Ehrentitel zuzugestehen, werden redaktionell verarbeitet: "Lukas hat das Eliamotiv gemieden im Interesse seiner heilsgeschichtlichen Konzeption."[412] Die nur im Lukasevangelium begegnende Darstellung der Totenauferweckung durch Jesus in Nain (Lk 7,11-17) charakterisiert vielmehr diesen mit den Zügen Elijas (vgl. I Reg 17,17-24). Werden auch in Lk 1,17 innerhalb des Erzählzusammenhangs den Ausdruck (προελεύσεσθαι[413]) und die Funktionen (ἐπιστρέψαι;[414] ἑτοιμάσαι[415]) des von Maleachi angekündigten Elias redivivus erwähnt, so geschieht das wohl mit dem Ziel, die untergeordnete und vorläufige heilsgeschichtliche Bedeutung des Täufers zu verdeutlichen.

Lk 1,15 ist die einzige Stelle, an der Lukas von einer pränatalen Geistbegabung

---

411) Vgl. O. Böcher, Johannes der Täufer 47 sowie Lukas 35f.
412) F. Lang, Erwägungen 465.
413) Vgl. Mal 3,1.
414) Vgl. Mal 3,23.
415) Vgl. Mal 3,23.

schreibt. Die Geistbegabung Jesu hingegen geschieht erst anläßlich seiner Taufe (3,22). Bezüglich der von Lukas beabsichtigten Interpretation dieser Nachricht durch seine Adressaten bestehen zwei Alternativen: Entweder war eine Assoziation der Geistbegabung des Täufers mit der Berufung des Propheten Jeremia (Jer 1,5) oder des Gottesknechts (Jes 49,1) intendiert, oder aber eine Verstärkung der bereits durch das Motiv der gottgeschenkten, wunderbaren Fruchtbarkeit der Mütter hergestellten Verbindung zwischen Johannes und Simson.[416] Beide Interpretationen sind möglich. Für die erste Alternative spricht, daß auch Paulus die Autorität seiner in Form und Inhalt durchaus mit der Botschaft der biblischen Propheten vergleichbaren Evangeliumsverkündigung durch den Verweis auf seine vorgeburtliche Erwählung (Gal 1,15; vgl. Act 26,16ff.) stützen will; für die zweite Alternative, daß Lukas hiermit der Zuordnung des Täufers zu den hervorragenden Vertretern der Zeit Israels ein weiteres Motiv zugesellt, das jene Zuordnung durch die Adressaten seines Evangeliums verstärkt.

Die Tradition, die von einer pränatalen Geistbegabung des Täufers spricht, ermöglicht beide Interpretationen. Lukas will offenbar zeigen, daß diese Geistbegabung von der Zeugung Jesu durch den Geist überboten wird. Sie befähigt Johannes bereits im Leib seiner Mutter, die Nähe des Messias zu erkennen. Allein das läßt die Annahme zu, daß das Überbotene allgemein bekannt und akzeptiert war.[417] Weiterhin ermöglicht die Tradition die heilsgeschichtliche Abgrenzung Johannes' des Täufers gegenüber Jesus aus Nazaret, indem die enge Verbindung seiner Person mit Simson als Repräsentant der vergangenen Epoche Betonung erfährt.

Bei der Analyse von Mk 1,6 par. (s.o. 37f.) wurde festgestellt, daß auch Alkoholverzicht als Kennzeichen eines Propheten verstanden werden konnte. Lukas läßt diese Stelle der Markusvorlage gegen Matthäus (1,4) aus. Er verschweigt somit seinen Adressaten eine - jenen schwerlich unbekannte - Aussage, die sowohl von Markus als auch von der Logienquelle Q an dieser Stelle geboten wird. Ruft man sich an diesem Punkt weiterhin ins Gedächtnis, daß Lukas durch die Informationen, die er zuerst bietet, das Verständnis des weiteren Erzählverlaufs festlegt, dann zeigt sich, daß in Lk 1,15 gegenüber 7,33 im voraus vermittelt werden soll, daß der Alkoholverzicht Johannes' des Täufers allein auf dessen Vergleichbarkeit mit den Nasiräern Simson[418] und Samuel[419] hindeutet. Simson als Retter Israels aus der Hand der Feinde (Jdc 13,5) und Samuel als charismatischer Held und Initiator des israelitischen Königtums (ISam 8 - 12. 15) sind "Volkshelden" der vergangenen Epoche. Auch das kann - im Gegensatz zur Davidsohnschaft Jesu - durch-

---

416) Jdc 13,5.
417) R.E. Brown (Birth 275) hält die Geistbegabung des Täufers für einen "way of describing the beginning of the career of a prophet".
418) Jdc 13,4. 7. 14.   419) I Sam 1,11 LXX.

aus als eine Relativierung der heilsgeschichtlichen Bedeutung Johannes´ des Täufers gegenüber dem nach ihm Kommenden verstanden werden.[420]

Die Darstellung der heilsgeschichtlichen Funktion des Täufers als den in Mal 3,1. 23f. prophezeiten Elias redivivus, seine vorgeburtliche Geistbegabung und sein Alkoholverzicht ordnen ihn für Lukas der Zeit des Gesetzes zu. Es werden also offenbar Traditionen, die zu einer Lukas nicht genehmen Täuferinterpretation unter seinen Adressaten führen konnten, in einer Weise gedeutet, die zwar jene - offenbar recht bekannten - Traditionen nicht unterdrückte, jedoch die Interpretation der Verkündigung des Täufers als göttlich legitimierte Botschaft im Horizont der Erwartung der endzeitlichen Wiederkunft des Propheten Elija sowie der täuferischen Askese als Merkmal eines prophetischen Selbstbewußtseins von vornherein einschränkte. Die Traditionen scheinen ursprünglich die Identifikation des Täufers mit dem Elias redivivus, seine göttliche Erwählung und seine Alkoholabstinenz überliefert zu haben. Ihre nachträgliche Deutung besteht dann in ihrer Verwendung zur Bedeutung der heilsgeschichtlichen Vorläuferschaft des Täufers gegenüber Jesus. Ihre eigentliche, in der Gemeinde des Lukas bekannte und von ihm unterdrückte Bedeutung könnte somit auf einer solchen "prophetischen" Interpretation, möglicherweise sogar auf einem entsprechenden Selbstbewußtsein des Täufers beruhen.[421]

Setzt man nun auch hier voraus, daß diejenigen, jeweils von Aussagen über Jesus aus Nazaret überbotenen, nur in der lukanischen Vorgeschichte begegnenden Aussagen des Textes über Johannes den Täufer, die ihn in seiner Bedeutung relativieren (bzw. eine heilsgeschichtliche Einordnung im Sinne des Lukas vornehmen), nicht vom Evangelisten erfunden wurden, sondern als Rückprojektion eines tatsächlich bestehenden Verhältnisses in die Geburts- und Kindheitsgeschichten beider die Grenzlinie zwischen dem Zeugnis von Resten einer Täuferverehrung im unmittelbaren Umfeld des Evangelisten und dem Bemühen des christlichen Redaktors Lukas um eine Begrenzung eben dieser Verehrung markieren, dann ergibt sich folgendes Bild einer auf der Basis seiner Geburtsankündigung rekonstruierbaren Täuferinterpretation. Diese liegt als Traditionsmaterial der lukanischen Redaktion, welche sie pointiert und modifiziert, zugrunde, scheint aber auch unter seinen Adressaten lebendig gewesen zu sein:

---

420) Die ursprüngliche Bedeutung des zeitlich begrenzten Nasiräats (Num 6,1-21) als zu besonderen Diensten Jahwes berufende, in das priesterliche System eingebundene Weihe (so G. Mayer, Art. נזר: ThWAT V, 331-333; vgl. G. Delling, Art. Nasiräer: BHH II, 1288f.) entwickelte sich in jüngerer Zeit zu einer religiösen Leistung, durch die Dankbarkeit für göttlichen Beistand ausgedrückt wurde (vgl. Jos. Bell 2, 313; mNaz II,7; III,6).

421) Für M. Dibelius (Jungfrauensohn 5) deuten die Aussagen von Lk 1 über Johannes den Täufer auf "prophetisches Tun". "Die Zurüstung des Volkes für Jahwe ist seine Aufgabe, und so zieht er einher vor Gottes Angesicht mit Kraft und Geist des Elia, des verehrtesten Propheten der jüdischen Legende."

1) Die Geschichte von der Ankündigung der Geburt des Täufers durch den Erzengel Gabriel setzt voraus, daß die Adressaten des Lukas den Johannes anderen, zwar bedeutungsvollen, aber für den Evangelisten heilsgeschichtlich zur bereits abgeschlossenen Zeit Israels gehörenden Männern beiordnen: "Die Täufererzählung hat im Rückgriff auf große Gestalten und wunderbare Ereignisse der jüdischen Geschichte das Bild des außergewöhnlichen Mannes illustriert."[422] Der vorläufige Befund, daß Isaak, Simson und Samuel, denen er beigeordnet wird, entgegen der Intention des Lukas im ersten Jahrhundert im Rahmen des altjüdischen Prophetentums interpretiert werden konnten, wird im zweiten Hauptteil der Untersuchung zu überprüfen sein.

2) Die Geburtsankündigung durch Gabriel erlaubt, Johannes den Täufer in einen eschatologischen Kontext zu stellen, da das Auftreten des Erzengels für die Nähe des endzeitlichen Geschehens stehen kann.

3) Die auch Markus und der Redaktion der Logienquelle bekannte Identifikation Johannes´ des Täufers als Elias redivivus scheint von Lukas im Sinne seiner heilsgeschichtlichen Konzeption verarbeitet worden zu sein. Hierbei vereinnahmt, deutet und begrenzt er eine populäre Tradition, die dem Täufer diesen Würdetitel zuspricht.

4) Die Überlieferungen von der Geistbegabung im Mutterleib und vom Alkoholverzicht lassen einen Vergleich mit den klassischen Propheten Jeremia und Jesaja bzw. der biblischen Prophetengestalten allgemein zu. Für Lukas ist von vorrangiger Bedeutung, daß sich diese Überlieferungen in seine Darstellung der Heilsgeschichte einordnen lassen, ohne daß einer (mit dem christlichen Kerygma konkurrierenden) Täuferverehrung der Boden bereitet wird und ohne ehemalige Täuferschüler von vornherein auszuschließen. Die Einbindung dieser Motive in die Simson-Täufer-Typologie ermöglicht eine solche begrenzende und dennoch integrative Verwendung des populären Überlieferungsmaterials.

c. Die Begegnung der Mütter und das »Magnificat«: Lk 1,39-56

Nachdem bereits oben darauf hingewiesen wurde, daß die Funktion der Notiz vom Besuch der Maria bei Elisabet darin besteht, daß in diesem Verbindungsstück zwischen den Geburtsankündigungen Johannes´ des Täufers und Jesu aus Nazaret die Freude des Zacharias über die Geburt des Johannes durch die Freude bereits des ungeborenen Johannes über die Geburt Jesu überboten wird, konzentriert sich die Untersuchung nunmehr auf den Lobgesang der Maria (Lk 1,46-55). Das »Magnificat« weist in Form und Wortlaut eine Reihe von Gemeinsamkeiten mit dem Lobgesang der Hanna (ISam 2,1-10) auf, die sich nicht allein durch die Annah-

---

422) J. Ernst, Johannes der Täufer 124.

me eines gleichen "Sitzes im Leben" und der daraus resultierenden formalen und inhaltlichen Verwandtschaft erklären lassen: Beide Dichtungen sind in ihrer Form geprägt durch den Satzrhythmus des Parallelismus membrorum; in beiden folgt der lobenden Nacherzählung des Handelns Gottes (Lk 1,46-49/ISam 2,1f.) die Preisung seiner (irdische Maßstäbe in ihr Gegenteil verkehrenden) Gerechtigkeit und Allmacht (Lk 1,50-55/ISam 2,3-10). Inhaltliche Entsprechungen bestehen zwischen Lk 1,46f. und ISam 2,1, zwischen Lk 1,49b und ISam 2,2, zwischen Lk 1,52 und ISam 2,7f. und auch zwischen Lk 1,53 und ISam 2,5. Der Bezeichnung der eigenen ταπείνωσις in Lk 1,48 schließlich entspricht ISam 1,11.

Die hierdurch hergestellte Parallelität zwischen dem »Magnificat« der Maria und dem Lobgesang der Hanna wirkt befremdlich - wurde doch bei der Analyse der Geburtsankündigung des Täufers festgestellt, daß durch die enge Verbindung zu Samuel offenbar allein die Zugehörigkeit des Täufers zur Zeit Israels betont werden soll. Nun lesen eine Reihe von Zeugen[423] in Lk 1,46 Ἐλισάβετ/Elisabet anstelle von Μαριάμ und beziehen somit das »Magnificat« nicht auf Jesus, sondern auf Johannes den Täufer. Der Lobgesang wäre dann erst sekundär der Maria zugeschrieben. Zwar ist diese Textvariante allein durch die Altlateiner und einige Kirchenväter (und somit gegenüber der überwiegenden Mehrzahl der Textzeugen[424] nur relativ schwach) bezeugt, doch sprechen für eine ursprüngliche Gestalt des »Magnificat« als Lobgesang der Mutter des Täufers auch einige inhaltliche Gründe. So wies bereits A. v. Harnack[425] darauf hin, daß die Notiz von der Geisterfüllung der Elisabet (Lk 1,41b) in Analogie zur Geisterfüllung des Zacharias (1,67) einen Lobgesang erwarten lasse. Von einer Geisterfüllung der Maria erfahren wir hingegen nichts. Weiterhin wäre, so v. Harnack, ein Bezug von καὶ εἶπεν (1,46) auf Elisabet als logisches Subjekt des Satzes ohne weiteres möglich, würde man Μαριάμ als sekundäre Ergänzung des ursprünglichen Textes wegstreichen. Für einen Subjektwechsel wäre s. E. ohnehin εἶπεν δὲ Μαριάμ angebrachter. Das Personalpronomen αὐτῇ in 1,56 scheint sich daher auf Elisabet als Sprecherin des unmittelbar voranstehenden Lobgesanges zu beziehen; der Aufbau der lukanischen Vorgeschichte schließlich mache es "nicht wahrscheinlich, daß Lukas der Maria einen umfangreichen Lobgesang in den Mund gelegt hat; er hat Maria und Joseph sehr diskret behandelt und eben damit eine hohe Wirkung erzielt, dagegen die Nebenpersonen viel kräftiger in Reden hervortreten lassen".[426]

Kann somit eine ursprüngliche Zugehörigkeit des »Magnificat« zur Täufertradition generell ausgeschlossen werden?[427] Es ist nicht völlig unwahrscheinlich, daß

---

423) a, b, l, Ir[lat], Or[lat.mss], Nic.
424) ℵ, A, B, C², K, L, W, Δ, Θ, Ξ, Ψ, *f*¹, *f*¹³, 053, 28, 33, 565, 700 et al.
425) Magnificat 65f. Allerdings kommt A. v. Harnack bei seiner Untersuchung zu dem Ergebnis, daß das Magnificat seine vorliegende Endgestalt zwar grundsätzlich dem Evangelisten verdankt, jedoch bereits sehr früh interpretierend verändert wurde: "sowohl >Ἐλισάβετ< als >Μαριάμ< sind erklärende Zusätze, aber jenes ist die richtige, dieses die falsche Erklärung. Lukas hat einfach καὶ εἶπεν geschrieben" (Magnificat 66).
426) A. v. Harnack, Magnificat 65. Vgl. T. Kaut (Befreier 266ff.), der durch eine linguistische Textuntersuchung ebenfalls zu dem Ergebnis kommt, daß "die synchronische externe Kohärenzanalyse diesen rekonstruierten Hymnus einer Einzelperson als ursprünglich zur Täufererzählung (dann im Munde der Elisabet) und damit zum Täuferdokument zugehörig auszuweisen vermag" (ebd. 322).
427) So W. Wink, John the Baptist 65: "There is therefore no convincing evidence that Baptists

128

auch das »Magnificat« als Zeugnis einer Verbindung Johannes' des Täufers mit Samuel von Lukas zwar aus der Überlieferung der aus dem Täufertum kommenden Tradenten in seiner unmittelbaren Umgebung übernommen wurde,[428] jedoch die in dem Lobgesang besonders hervorgehobene, mit der Bedeutung Jesu in unzulässiger Weise konkurrierende, heilsgeschichtliche Gewichtigkeit des Erstgeborenen der Elisabet über das gerade noch tolerierbare Maß an Wertschätzung bzw. Verehrung des Täufers hinausging und somit vom Evangelisten der Maria in den Mund gelegt wurde. Positiv ergäbe das für diese Untersuchung, daß auch das »Magnificat« von den Adressaten des Lukas als Beleg für eine lebendige Assoziation der Gestalt Johannes' des Täufers mit Samuel und somit auch als "Mittel zur Verwirklichung göttlicher Verheißungen"[429] interpretiert werden konnte.[430]

d. Die Geburt, Beschneidung und Namengebung des Täufers: Lk 1,57-66

Dem »Magnificat« folgt in Lk 1,57-66 die erzählerische Ausgestaltung und Fortführung des in 1,5-25 angelegten überbietenden Parallelismus zwischen Johannes und Jesus. Ihre inhaltliche Entsprechung haben die Verse in der Erzählung von der Geburt, Beschneidung und Namengebung Jesu (2,1-20. 21).

In den Versen 57 und 58 wird mit wenigen Worten von der Geburt des Johannes und vom χαίρειν der Nachbarn und Verwandten berichtet. Demgegenüber wird die Geburt Jesu in Lk 2,1-20 in kräftigen Farben legendarisch ausgemalt. Über den Erstgeborenen der Elisabet erfährt man nur den bloßen Tatbestand seiner Geburt (Lk 1,57). Über den Erstgeborenen der Maria werden hingegen Ort und besondere Umständen seiner Geburt (2,1-7), die Proklamation seiner Messianität durch die Engel (2,8-14) und der Besuch durch die Hirten sowohl als Empfänger der Proklamation als auch als Augenzeugen der Tatsächlichkeit der ihnen von den Engeln verkündeten Ereignisse erzählt. Das eigentliche Subjekt des Geschehens von 1,57f. ist Gott selbst, dessen große Barmherzigkeit die Geburt des Johannes ermöglichte. In Lk 2,1-20 hingegen ist das Jesuskind in der Krippe als σωτήρ, χριστός und κύριος (2,11) der deutliche Mittelpunkt allen Geschehens. Weiterhin ist die Bezugnahme auf biblische Traditionen hinsichtlich Lk 1,57f. evident: 1,57 lehnt sich deutlich an Gen 25,24 an, 1,58 an Gen 21,6. Die Beschneidung und Namengebung des Johannes (Lk 1,59-64 [65f.]) ist, korrespondierend mit der Verheißung seines Namens durch den Erzengel Gabriel in 1,13, die Bestätigung der Engelbotschaft, wobei durch die - von der Botschaft an Zacharias durch dessen Verstummung als unabhängig ausgewiesene - Wahl des Namens durch Elisabet das Mira-

---

ever employed the Magnificat in an alleged >Nativity of John<." Zu einem ähnlichen Ergebnis kommt J. Ernst (Johannes der Täufer 131).

428) Vgl. G. Erdmann, Vorgeschichten 31.   429) G. Fohrer, Art. Geburt: BHH I, 528.

430) Vgl. O. Böcher, Lukas 29, insb. Anm. 8.

kulöse des Geschehens erzählerisch noch gesteigert wird. Auch bei der Beschneidung Jesu liegt das Schwergewicht auf der Namengebung durch den Erzengel. Anders als bei der Geschichte über die Beschneidung und Namengebung des Johannes ist die Verbindung von 2,21 zur Geburtsankündigung Jesu jedoch ungleich schwächer.

Die Notiz vom unmittelbaren und allgemeinen Bekanntwerden der besonderen Umstände der Geburt des Johannes (Lk 1,65) scheint eine tatsächliche weite Verbreitung dieser Geburtsgeschichte zu reflektieren. Zugleich ist diese Notiz jedoch durch den folgenden Vers verbunden mit dem »Benedictus«, das in seiner vorliegenden Endgestalt aus der Hand des Lukas den Erstgeborenen des Zacharias als den auf den kommenden Messias hinweisenden προφήτης ὑψίστου besingt. Auch hierdurch werden die unter den Adressaten des Evangelisten in ihrem Kern bekannten Täufertraditionen in ihrer Bedeutung begrenzt bzw. der Geschichte Jesu aus Nazaret in unterordnender Weise vorangestellt. In Übereinstimmung mit der redaktionellen Konzeption von Lk 1,5-25 scheint somit auch 1,57-66 der Integration solcher Traditionen zu dienen, die ehemalige Täuferschüler in die christlichen Gemeinden hineintrugen.

e. Das »Benedictus« des Zacharias: Lk 1,67-79

In seinem Lobgesang preist Zacharias zunächst Gott wegen seiner Bundestreue (Lk 1,68-75), um dann nach einem abrupten Wechsel des Adressaten der Rede die zukünftige heilsgeschichtliche Rolle seines Erstgeborenen (1,76-79) vorauszusagen. Die Frage nach dem Ursprung der Verse 68-79 wird von den Exegeten unterschiedlich beantwortet: Während die einen den vorchristlich-täuferischen Ursprung des Lobgesangs für wahrscheinlich halten,[431] vertreten andere die Auffassung, das »Benedictus« sei von Lukas dem »Magnificat« sekundär nachgebildet.[432] Die Textgrundlage für eine Zuordnung von Lk 1,68-79 sowohl als Johannes verehrender Hymnus zum eindeutig täuferischen Traditionsmaterial als auch als christliche Dichtung zur lukanischen Redaktion ist zu vage, als daß hier eine die exegetische Diskussion abschließende Antwort gegeben werden könnte. Auch für die dritte Interpretationsmöglichkeit, die den Ursprung des »Benedictus« in "judenchristlichen" Kreisen lokalisiert,[433] gibt es nur wenige Anhaltspunkte im

---

431) Ph. Vielhauer (Benedictus 267) hält es für sehr wahrscheinlich, daß "das Genethliakon auf Johannes aus der Täufersekte stammt und den Täufer als den endzeitlichen Vorläufer Gottes, Offenbarer und Heilbringer feiert". Hieraus folgert er, daß "Lukas seinem Werk ein nicht-christliches, täuferisches Dokument ohne redaktionelle Eingriffe und Korrekturen einverleibt hat" (ebd. 256; zu einem ähnlichen Ergebnis kommt auch H. Thyen, ΒΑΠΤΙΣΜΑ 117). Dieser Befund läßt sich aber auch mit der Annahme einer "internen" Auseinandersetzung zwischen Reminiszenzen einer Täuferverehrung und dem urchristlichen Kerygma vereinbaren.

432) So G. Erdmann, Vorgeschichten 32f.   433) So R.E. Brown, Birth 378.

Text. W. Wink[434] zieht aus der Tatsache, daß die Aussage der Verse Lk 1,68-75 von jener der folgenden Verse 76-79 abweicht,[435] den Schluß, daß der Text redaktionellen Ursprungs sei. O. Böcher[436] hingegen vermutet mit E. Schweizer,[437] daß zumindest der Grundbestand von Lk 1,68-75 aus täuferischer Tradition stammen könnte.

Ist eine wortgetreue redaktionelle Verarbeitung eines "Täuferliedes" durch Lukas nicht zu verifizieren, so kann doch vermutet werden, daß sich der Evangelist inhaltlich auf Traditionen bezieht, die - wenn nicht als komplexer Hymnus, so doch zumindest jeweils für sich und in voneinander unabhängiger Form - in seiner unmittelbaren Umgebung umliefen. Das »Benedictus« in seiner vorliegenden Form hat seine Endgestalt zwar durch die Hand des Verfassers des Lukasevangeliums erhalten, nimmt jedoch offenkundig Bezug auf solche Überlieferungen, die Johannes dem Täufer eine herausragende heilsgeschichtliche Rolle zubilligten. In jedem Fall besteht die Aussage des Lobgesangs im Rahmen der Intention des Lukas darin, daß Jesus der erwartete σωτήρ ist (Lk 1,69; 2,11; vgl. 3,6), Johannes hingegen der Wegbereiter und Prophet in der Tradition der ἁγίων ἀπ᾽ αἰῶνος προφητῶν αὐτοῦ (1,70). Noch prägnanter: Johannes der Täufer ist nicht der Messias, sondern nur sein Prophet.

Für die Suche nach ursprünglichen Traditionen, die den Täufer im Rahmen des biblischen Prophetentums interpretieren, ergibt sich daraus, daß das »Benedictus« - obschon in seiner im Lukasevangelium begegnenden Endgestalt nicht als zusammenhängende Überlieferung aus Täuferkreisen ausweisbar - zwei wertvolle Informationen enthält: Zum einen fixiert Lukas in den ersten beiden Kapiteln seines Evangeliums die Verwendung des messianischen Hoheitstitels σωτήρ auf die Person Jesu aus Nazaret und schließt somit die Möglichkeit, daß der Titel dem Täufer beigelegt werden könnte, aus. Zum anderen dient die verehrende Bezeichnung Johannes´ des Täufers als προφήτης ὑψίστου in Lk 1,76 der Begrenzung seiner heilsgeschichtlichen Bedeutung. Im Rahmen der redaktionellen Bearbeitung des Überlieferungsmaterials in der lukanischen Vorgeschichte könnte der Evangelist somit eine bekannte Tradition, nämlich das Auftreten Johannes´ des Täufers als

---

434) "There is no basis whatever for arguing that the Benedictus was originally a Baptist hymn. It is an unashamedly Christian hymn which spares only two verses to John" (John the Baptist 68).
435) "Luke 1,68-75: referring to the Davidic Messiah.
  1,76-79: referring to John´s role as the Messiah´s forerunner"
  (John the Baptist 65).   436) Lukas 29.
437) Briefliche Mitteilung an O. Böcher, in: ders., Lukas 29 Anm. 8. E. Schweizer verneint die Möglichkeit einer täuferischen Herkunft der Verse Lk 1,76-79. Anders jedoch T. Kaut (Befreier 184ff.), der aufgrund der literarischen Beziehungen zwischen der Täufererzählung Lk 1,5-25. 57-67 und dem poetischen Text 1,76-79 davon ausgeht, daß diese Verse, in denen der Täufer als eschatologische Heilsmittlergestalt gesehen wird, als ursprüngliche literarische Einheit aus Anhängerkreisen des Täufers stammen. Den Ursprung der Verse Lk 1,68. 71-75 hingegen vermutet Kaut in "jener priesterlich-levitischen Gruppe um Eleazar ben Simon, die sich am antirömischen, zelotischen Aufstand 66-70 n. Chr. beteiligte" (ebd. 245).

öffentlichen Verkündigers der Botschaft Gottes[438] in Analogie zu den biblischen Prophetengestalten aufgenommen haben, um damit ein Konkurrenzverhältnis zwischen ihm und Jesus aus Nazaret auszuschließen.

f. Das Heranwachsen des Täufers in der Wüste: Lk 1,80

Die Erwähnung Johannes' des Täufers in der lukanischen Vorgeschichte endet mit der Notiz, er hätte seine Jugend ἐν ταῖς ἐρήμοις verbracht, um dort an Körper und Geist zu wachsen bis zu dem Tag, an dem er selbst den Auftrag, zu dem er bereits im Leib seiner Mutter vorherbestimmt worden war (Lk 1,16f.), durch das ῥῆμα θεοῦ vernehmen sollte (3,1f.).

Bezüglich Lk 1,80 bestehen vier verschiedene Möglichkeiten der Deutung:

1) Der Vers reflektiert in seiner ursprünglichen Form und Bedeutung die Tatsache, daß Johannes der Täufer bei der Gemeinschaft von Qumran aufgewachsen ist.[439]

2) Die Notiz vom Wüstenaufenthalt des Täufers ist allein als redaktionelle Überleitung zum Ort seines öffentlichen Wirkens (vgl. Lk 3,2ff.) zu verstehen.[440]

3) Lk 1,80 gehört zur Topik der Geburtslegenden berühmter Heroen Israels wie Isaak (Gen 21,8), Simson (Jdc 13,24f.) und Samuel (ISam 2,21).[441]

4) In Lk 1,80 und 2,40 wird das Prinzip des überbietenden Parallelismus zwischen Johannes und Jesus weitergeführt: Während die Wendung τὸ δὲ παιδίον ηὔξανεν καὶ ἐκραταιοῦτο in beiden Versen in wörtlicher Übereinstimmung begegnet, nimmt jener zu allein an Begabung mit dem göttlichen πνεῦμα; dieser aber wird vielmehr erfüllt mit σοφία und ist Träger der χάρις θεοῦ.

Für die erste Deutungsmöglichkeit spricht neben der lokalen Nähe, der religiösen Bedeutung der Wüste auf der Grundlage von Jes 40,3[442] und der zentralen Bedeutung der eschatologischen Naherwartung sowohl in der Bußpredigt des

---

438) Vgl. J. Ernst (Johannes der Täufer 126): "Es ist denkbar, daß dem Johannes ... eine einzigartige, am ehesten noch mit dem von Gott gesandten Propheten zu vergleichende Funktion zugesprochen worden ist."

439) A.S. Geyser (Youth 75) nimmt unter der Voraussetzung einer - bei der Lukasredaktion weggefallenen - ursprünglichen Analogie zu Lk 2,41-52, der Erzählung vom zwölfjährigen Jesus im Tempel, in Lk 1 an, daß Johannes in der Wüste von Essenern adoptiert und geprägt worden sei. Ähnlich B. Reicke, Baptisten 81 und D. Flusser, Art. John the Baptist: EJ 10, 161. Eine ausführliche Aufarbeitung der Literatur zum Thema bis 1966 bietet H. Braun, Qumran II, 1-29. Vgl. auch M. Tilly, Wüste 273f.

440) So J. Ernst, Johannes der Täufer 137. 277 sowie F. O`Fearghail, Introduction 13.

441) O. Böcher, Art. Johannes der Täufer: TRE XVII, 175.

442) Vgl. die Zitation von Jes 40,3 in Lk 3,4f. mit 1QS VIII,14.

Täufers als auch in der in 1QpHab II,5-9 (u.ö.) festgehaltenen Lehre zunächst die dem Täufer und dieser Lehre gemeinsame, hohe Bedeutung der rituellen Waschung bzw. Taufe. Die Gemeinschaft von Qumran strebte nach Erhaltung und ständiger Erneuerung der Reinheit als Vorbereitung auf das Weltende. Heiligkeit und kultische Reinheit wurden hier als kongruente Begriffe verstanden (1QS VI,16-23). Die rituellen Waschungen der Gemeinschaft - auch Josephus[443] berichtet ausführlich von Reinigungsbädern der Essener - bereiten zum wahren Bund mit Jahwe (vgl. 1QS III,3ff.; IV,20ff.; CD X,10-13; XI,22), der seinerseits das Bestehen im Endgericht garantiert. Sie bringen also göttliche Sündenvergebung. Die Reinheit des einzelnen ist aber nicht automatisch durch seine Waschung gewährleistet. Reinheit des Herzens ist vielmehr Voraussetzung der rituellen Waschung (1QS III,3-9) und zeigt sich erst in der - sich an die Waschung anschließenden - Lebensführung (1QS V,13b).

Auf den ersten Blick scheint die Hypothese einer engen Beziehung des Täufers zur Qumransekte einleuchtend. Jedoch bestehen zunächst drei bedeutende Unterschiede zwischen Johannestaufe und den rituellen Waschungen in Qumran: Diese wurden 1) im Gegensatz zur einmaligen Johannestaufe ständig wiederholt, sie stellten 2) anders als die allen bußwilligen Juden mögliche Taufe des Johannes einen exklusiven Ritus dar, dem bereits ein bußfertiger Lebenswandel vorangehen mußte, und sie wurden 3) nicht durch einen Täufer, sondern durch jedes Mitglied der Gemeinde an sich selbst vorgenommen (1QS III,3-9; V,13ff.).[444] Das Interesse Johannes' des Täufers an kultischer Reinheit scheint vielmehr auf seine Herkunft aus priesterlicher Familie zu weisen (vgl. Lk 1,5).

Auch ist hinsichtlich der Gerichtskonzeptionen zu unterscheiden zwischen dem prophetisch-eschatologischen Gerichtsverständnis Johannes' des Täufers (s.o. 70-76) und dem apokalyptischen Gerichtsverständnis der Gemeinschaft von Qumran (vgl. 1QpHab V). Der Unterschied zwischen beiden Gerichtskonzeptionen besteht darin, daß letzterer die Funktion zukommt, die Religionsgemeinschaft zu stabilisieren, indem das erwartete Vernichtungsgericht über die Gottlosen und das Heilsurteil über die Gerechten und Auserwählten die Gerichtserwartung bestimmt.[445] Die Gerichtsaussagen des Täufers hingegen richten sich an Gesamtisrael, implizieren also nicht von vornherein, daß seine Adressaten von der Verurteilung im drohenden Gericht verschont bleiben.

War es den Adressaten des Lukas überhaupt möglich, die Notiz vom Wüstenaufenthalt des Täufers auf einen engen Kontakt zur Qumransekte zu beziehen? Die Gemeinschaft von Qumran wird weder im Lukasevangelium noch in allen anderen Schriften des Neuen Testaments erwähnt. Zwar lassen sich gewisse Verbin-

---

443) Bell 2, 129. 138. 149f. 161. Vgl. R. Bergmeier, Essener-Berichte 97-101.
444) Vgl. G. Barth, Taufe 34-36. Anders jedoch O. Betz, Proselytentaufe (Postscriptum) 44ff.
445) Vgl. E. Brandenburger, Gerichtskonzeptionen 48-54.

dungslinien zwischen ihr und den Christen aufweisen, doch fehlen ausreichende Belege für eine Bestätigung der Hypothese, daß die Gemeinschaft vom Toten Meer für die Adressaten des Lukas eine bekannte Größe war.

Die Annahme einer Mitgliedschaft oder gar Ausbildung Johannes' des Täufers bei der Qumransekte muß angesichts der gegenwärtigen Quellenlage bloße Spekulation bleiben. Ein Kontakt kann jedoch auch nicht pauschal abgelehnt werden.[446] Nicht nur die räumliche Nähe, sondern auch die partielle Verwandtschaft der eschatologischen Naherwartung und der daraus erwachsenden (Reinigungs-) Riten zwingen zu dem Eingeständnis, die Frage nach den Beziehungen zwischen dem Täufer und Qumran noch nicht definitiv verneinen zu können.

Die zweite Deutungsmöglichkeit geht davon aus, daß die lukanische Kindheitserzählung hier allein "im Vorgriff auf den für die spätere Tätigkeit typischen lokalen Rahmen [hat] aufmerksam machen wollen".[447] Nun hat Lk 1,80 zwar als sicher redaktionell überarbeiteter Vers überleitenden Charakter,[448] doch beantwortet diese Interpretationsvariante nicht, warum Lukas unkommentiert eine Information (nämlich den Wüstenaufenthalt des heranwachsenden Johannes) bietet, deren allein lokale Bedeutung frühestens in 3,2ff. von den Hörern der Lesung des Evangeliums in den Gemeinden als solche erkannt werden konnte.

Eine Weiterführung der bereits in der Darstellung von Geburtsankündigung und Geburt Johannes' des Täufers angelegten Zuordnung seiner Person zu bedeutenden Gestalten der (vergangenen) jüdischen Geschichte durch Lukas in 1,80 ist m.E. wahrscheinlicher. Die Intention des Endredaktors, nämlich die Zuordnung der Gestalt des Täufers zur Zeit Israels und seine hierdurch gewährte Abgrenzung gegenüber Jesus aus Nazaret, stimmt in auffälliger Weise mit der Entsprechung von Lk 1,80 in Gen 21,8; Jdc 13,24f. und I Sam 2,21 überein. Gleichzeitig dient der Vers als zusätzlicher Beleg dafür, daß eine solche (vom Evangelisten als bekannt vorausgesetzte) Zuordnung zu dem Bestand der von Lukas verarbeiteten, seinen Adressaten geläufigen Täufertraditionen gehörte, deren Interpretation er im Sinne seiner Intention zu fixieren bemüht war.

Schließlich spricht ein weiterer gewichtiger Grund für die Annahme, daß auch in Lk 1,80 und 2,40 der überbietende Parallelismus zwischen Johannes dem Täufer und Jesus aus Nazaret als Grundprinzip der lukanischen Endredaktion der in von ihm in den Kapiteln 1f. verarbeiteten Traditionen seine Entsprechung findet. Laut 1,80 nimmt die Geistbegabung des Johannes während seines Wüstenaufenthaltes

---

446) Wie z.B. von J. Ernst, Johannes der Täufer 277 (vgl. R.L. Webb, John the Baptizer 351).
447) J. Ernst, Johannes der Täufer 277.
448) J. Jeremias (Sprache 76f.) verweist auf einen für die Lukasredaktion signifikanten intransitiven Gebrauch von αὐξάνειν, auf die nur bei ihm (in sicher redaktionellen Passagen) begegnende Pluralform αἱ ἔρημοι sowie auf den ebenfalls "typisch lukanischen" Gebrauch von ἀνάδειξις.

zu.[449] Erst die von Lukas (3,21f.) aus dem Markusevangelium (Mk 1,9f.) übernommene Nachricht von der Taufe Jesu berichtet hingegen von dessen Geistbegabung. Weiterhin ist von einer Geistbegabung der Maria in der lukanischen Vorgeschichte nichts überliefert, wohingegen sowohl Zacharias (Lk 1,67) als auch Elisabet (1,41b) das πνεῦμα empfangen. Daß die Möglichkeit einer Verbindung von Geistverleihung und Johannestaufe von Lukas ausgeschlossen werden soll, zeigt sich darin, daß er in 3,21f. den Genitivus absolutus καὶ Ἰησοῦ βαπτισθέντος durch das folgende καὶ προσευχομένου von der Geistbegabung des von Johannes Getauften trennt. Ein solches Bestreben, die Taufe Jesu durch Johannes einerseits und seine Geistbegabung und göttliche Adoption andererseits voneinander abzugrenzen, zeigte sich bereits bei Markus (s.o. 42f.) und läßt sich auch bei Matthäus beobachten. Es darf vermutet werden, daß auch der lukanischen Variante eine geläufige (jedoch dem Evangelisten unerwünschte) Tradition zugrunde lag, welche von der Geistausstattung und göttlichen Adoption Jesu während seiner Taufe durch Johannes berichtete. Nun wurde im bisherigen Verlauf der Untersuchung deutlich, daß Lukas offensichtlich auch eine unter den Adressaten seines Evangeliums allgemein bekannte (und daher nicht einfach übergehbare) Tradition vorgelegen haben mußte, die von einer Geistausstattung Johannes' des Täufers bereits vor Jesus aus Nazaret (Lk 1,15; vgl. 1,35) berichtete. Indem nun Lukas als τέλος der zunehmenden Geistausstattung des Täufers in der Wüste seine Bußpredigt und die Ankündigung des kommenden σωτήριον (3,6) anführt, könnte er zum einen die Bedeutung seiner Geistbegabung und des Offenbarungsortes begrenzt haben. Zum anderen scheint er Traditionen, die von einem Geistempfang Johannes' des Täufers bereits vor Jesus wußten, dahingehend verarbeitet zu haben, daß sie weder als Zeugnisse einer höheren heilsgeschichtlichen Bedeutung noch der geistvermittelnden Funktion seiner Taufe interpretiert werden können, ohne sie jedoch in direkter Weise als unzutreffend zu bezeichnen.

Während also eine durch Lk 1,80 belegte Mitgliedschaft Johannes' des Täufers bei der Qumransekte sowie eine ausschließlich überleitende Funktion des Verses im Erzählverlauf des Evangeliums mit hoher Wahrscheinlichkeit ausgeschlossen werden können, spricht vieles dafür, daß der Täufer hier den Heroen der Zeit Israels beigeordnet wird. Die Notiz von seinem κραταιοῦσθαι πνεύματι dient somit der unterordnenden heilsgeschichtlichen Voranstellung gegenüber Jesus.

Lukas folgt auch in 1,80, dem Abschluß der Täuferstoffe in der Vorgeschichte seines Evangeliums, seiner leitenden Intention, das seiner redaktionellen Arbeit zugrunde liegende Überlieferungsmaterial in der Weise zu bearbeiten, daß solche Traditionen, die von ihm nicht verschwiegen werden können, da dies der Glaubwürdigkeit seines Evangeliums abträglich wäre, in seine heilsgeschichtliche Konzeption integriert und dadurch "entschärft" werden. Hinter diesen bearbeiteten

---

449) Vgl. Jdc 3,10; II Sam 3,1.

Traditionen lassen sich Inhalte erkennen, die noch zur Zeit des Lukas allgemein bekannt waren und die mit nicht geringer Wahrscheinlichkeit der tatsächlichen Interpretation Johannes' des Täufers durch seine Zeitgenossen bzw. ihren Erinnerungen an sein Auftreten nahekommen.

Positiv ergibt sich für diese Untersuchung, daß die Notiz vom Wüstenaufenthalt des Täufers zusammen mit dem (ebenfalls nur bei Lukas überlieferten) Wortempfang in der Wüste (Lk 3,2) nicht als Vorwegnahme des Ortes seiner nachmaligen Wirksamkeit interpretiert werden muß, sondern vielmehr auch die enge Verbindung seiner Gestalt mit der Wüste als Ort der göttlichen Beauftragung belegen kann. Weiterhin wird Johannes in der Überlieferung mit Isaak, Simson und Samuel verglichen. Schließlich scheint die Geistbegabung des Täufers sowohl Lukas als auch seinen Adressaten bekannt gewesen zu sein.

2. Die Standespredigt des Täufers: Lk 3,10-14

Die Analyse der Verse im Rahmen des lukanischen Sonderguts greift dem in diesem Abschnitt ausgeführten Ergebnis der literarkritischen Untersuchung - nämlich der Zuordnung der Verse Lk 3,10-14 zum vom Evangelisten weder von Markus oder der Logienquelle Q übernommenen noch redaktionell erdichteten Textbestand - vor. Die Standespredigt des Täufers findet sich nur bei Lukas. Sowohl die unmittelbar vorangehenden Verse Lk 3,7-9, als auch die folgenden Verse 3,16b-17 stimmen hingegen mit der Überlieferung des Matthäus gegen Markus überein und können somit der Logienquelle Q zugeordnet werden. Formal können Lk 3,10-14 als Dialog, die vorherigen und folgenden Verse hingegen als Monolog bezeichnet werden.[450] Als erzählerischer Rahmen der Standespredigt fungiert die Versammlung der Hörer der Bußpredigt des Johannes anläßlich seiner Taufe am Ufer des Jordan.

In Lk 3,10 wird die Bußpredigt Johannes' des Täufers unterbrochen durch einen fragenden Einwurf der ὄχλοι. Sie fragen: "τί οὖν ποιήσωμεν;" Die Frage der Volksmenge bezieht sich auf 3,8f., auf die καρποὶ ἄξιοι τῆς μετανοίας.[451] Die Antwort des Täufers besteht in einer Aufforderung zu sozialem Handeln, nämlich zum Teilen von Kleidung und Nahrung mit denjenigen, die ihrer bedürfen (3,11). In gleicher Form folgt die Frage der taufwilligen τελῶναι, wie für sie ein Handeln, das vor der μέλλουσα ὀργή (3,7) rettet, aussehen müßte (3,12). Der Täufer gebietet den Zollpächtern, sie mögen sich nicht unrechtmäßig an überhöhten Zolleinnahmen bereichern (3,13). Dieselbe Frage nach gottgefälligem, vor dem Gotteszorn rettenden Tun stellen schließlich die anwesenden στρατευόμενοι (3,14a). Ihnen gibt der Täufer die Anweisung, auf Erpressung, Mißhandlung und gewalttätige Aufbesserung ih-

---

450) Vgl. S. v. Dobbeler, Gericht 48.   451) Vgl. H. Sahlin, Früchte 57.

res Soldes zu verzichten (3,14b). "In beiden Fällen wird nicht der Beruf an sich ins Auge gefasst, sondern die Versuchungen zum Missbrauch der Möglichkeiten des Berufs."[452]

Deutlich ist der streng parallele Aufbau der Standespredigt: Dreimal folgen Angabe der Fragesteller, Frage der Zuhörer und Antwort des Täufers in Form einer Anweisung zu sozial verträglichem Handeln aufeinander. Die Anwendung der Bußpredigt des Täufers in Lk 3,10-14 konkretisiert in formal auffällig streng gehaltener Gestaltung die bußfertigen, vor der Verurteilung im göttlichen Zorngericht rettenden Handlungsformen und weist sie als Vorbedingung der in der Taufe gewährten Sündenvergebung aus. Die Standespredigt des Täufers nach Lk 3,10-14 entspricht - anders als die Täuferlogien des Markus und der Logienquelle Q - inhaltlich auch der Täufernotiz des Josephus in Jos. Ant 18, 117, welche die ethischsoziale Komponente seines Wirkens betont.[453]

Zunächst muß nach der Überlieferungsgeschichte der Standespredigt gefragt werden. Auch hier bieten sich wieder verschiedene Möglichkeiten an, den Ursprung des Textes zu bestimmen:

1) Die Standespredigt des Täufers ist eine reine Fiktion des Evangelisten.[454]

2) Das Täuferlogion stammt aus Q und wurde von Matthäus (gegen Lukas) nicht überliefert.[455]

3) Lukas hat die Standespredigt[456] (oder zumindest die Täuferworte ohne die vorangehenden Fragen)[457] aus der Überlieferung des lukanischen Sondergutes übernommen.

Die Möglichkeiten 2 und 3 implizieren die weitergehende Frage, ob

a) in Lk 3,10-14 die Predigt des Täufers an das Volk, das zu ihm an den Unterlauf des Jordan gekommen ist, in ihrem Wortlaut, oder zumindest in ihren wesentlichen Aussagen, erhalten ist,[458] oder ob

b) der Ursprung der Überlieferung in Täuferjüngerkreisen zu suchen ist.[459]

---

452) H. Sahlin, Früchte 57.
453) "κτείνει γὰρ δὴ τοῦτον Ἡρώδης ἀγαθὸν ἄνδρα καὶ τοῖς Ἰουδαίοις κελεύοντα ἀρετὴν ἐπασκοῦσιν καὶ τὰ πρὸς ἀλλήλους δικαιοσύνῃ καὶ πρὸς τὸν θεὸν εὐσεβείᾳ χρωμένοις βαπτισμῷ συνιέναι."
454) So sehr subjektiv R. Bultmann, Geschichte 155: "Ein katechismusartiges Stück, das naiv dem Täufer in den Mund gelegt ist, als ob Soldaten zum Täufer gepilgert wären." Für Bultmann ist es wahrscheinlich, daß "in Lk 3,10-14 ein älteres Wort, das den Besitzenden zur Abgabe mahnte, weitergesponnen wurde" (Geschichte 159).
455) So H. Sahlin, Früchte 58f. Anm. 3 und H. Schürmann, Lukasevangelium 169. Auch R.L. Webb (John the Baptizer 63, Anm. 46) hält dies für möglich.
456) T. Holtz, Standespredigt 469.   457) K.L. Schmidt, Rahmen 26f.
458) T. Holtz, Standespredigt 469; W. Grundmann, Evangelium nach Lukas 104.
459) O. Böcher, Art. Johannes der Täufer: TRE XVII, 179; W. Wiefel, Evangelium nach Lukas 91.

Die Argumentation R. Bultmanns (s. Anm. 454) erweist sich - ungeachtet der Tatsache, daß der dreigliedrige Aufbau des Textes[460] und die Wortwahl[461] für eine redaktionelle Bearbeitung sprechen - m. E. als unzulässige Übertragung neuzeitlicher Assoziationen auf den antiken Text. Von einem generellen religiösen Desinteresse der Soldaten in der Antike, wie es Bultmann (dem dabei möglicherweise sein Bild zeitgenössischer Offizierscasinos oder ähnliches vor Augen stand) hier postuliert, ist nichts bekannt.[462] Schwerer wiegt das Argument, daß in der Standespredigt des Täufers Motive begegnen, die typisch sind für die Redaktion des Lukasevangeliums: Mahnung zu Liebeswerken gegenüber den Armen[463] und beispielhafte Hervorhebung der τελῶναι als Sünder.[464] Dazu kommt die mehrmalige Verwendung der Frage "τί ποιήσωμεν;" im lukanischen Doppelwerk.[465] Kann hieraus geschlossen werden, daß der Redaktor in Lk 3,10-14 in für ihn typischen Formen die ebenfalls für ihn typische sozialethische Paränese[466] ausführt? Gegen eine positive Beantwortung dieser Frage spricht zum einen, daß die ethische Verkündigung zugunsten der Armen nicht allein als spezifisches Merkmal der lukanischen Redaktion bezeichnet werden kann, sondern vielmehr auch in den jüdischen heiligen Schriften,[467] bei Paulus,[468] der sonstigen neutestamentlichen[469] Literatur und daneben auch in den Textfunden von Qumran[470] begegnet.[471] Zum anderen weist die Frage nach dem rechten ποιεῖν überall dort, wo sie sonst bei Lukas angetroffen wird, nicht - wie in 3,14 - auf die Erfüllung des jüdischen Gesetzes, sondern auf die unbedingte Nachfolge Jesu.[472]

Die Annahme einer ursprünglichen Zugehörigkeit der Standespredigt des Täufers zum Bestand der Logienquelle Q scheint angesichts des vorangehenden und nachfolgenden Q-Fadens im Erzählverlauf des Lukas eher wahrscheinlich. So verweist H. Schürmann[473] auf die Möglichkeit, daß Matthäus dieses ihm unliebsame

---

460) Dreigliedrigkeit als Stilprinzip im Lukasevangelium: Vgl. Lk 6,32-34; 7,44-46; 9,7f. 57-62; 11,9f.; 14,18-20; 15,1-32.

461) K.L. Schmidt (Rahmen 26) macht auf einen artikellosen "lukanisch-schriftstellerischen" Gebrauch von τελῶναι (Lk 3,12) und στρατευόμενοι (Lk 3,14) aufmerksam.

462) Lk 7,1-10; Act 10,1-8; vgl. A.D. Nock, Army 781f.

463) Vgl. Lk 4,18; 14,13; 16,20ff.; 19,8.

464) Vgl. Lk 5,27-32; 7,34; 15,1; 18,9-14; vgl. M. Dibelius, Überlieferung 52.

465) Vgl. Lk 10,25; 18,18; Act 2,37; 16,30; 22,10.   466) Vgl. W. Schrage, Ethik 125ff.

467) So (als Verkündigung von Ex 20,12-16/Dtn 5,16-20; 14,28f.) die Besitzparänese in Jes 1,17; 5,8; 58,7; Ez 18,7; Am 5,11-15; 8,4-8; Mi 2,1-5; 6,8; Zeph 2,3; Hi 31,16-22; Prov 16,6.8 sowie Tob 1,17; 4,10f. 16f.; 12,9; Sir 7,36. Vgl. H. Sahlin, Früchte 57. Zur späteren Bedeutung der Liebeswerke bei den Rabbinen vgl. Bill. IV, 559-610.

468) Gal 2,10; Röm 12,8.   469) Eph 4,28; Jak 2,15f.; I Joh 3,17.

470) 1QH V, 21bf.; 1QHab XII, 3-10.

471) Vgl. O. Böcher, Lukas 31.34 sowie Art. Johannes der Täufer: TRE XVII, 177; J. Ernst, Johannes der Täufer 94.

472) So T. Holtz, Standespredigt 462: "In keinem Fall jedoch wird die Frage verstanden als Frage nach kasuistischer Weisung für das gottgefällige Leben, wie in der Standespredigt des Täufers. ... Es scheint also, als benutze Lukas in Apg. eine ihm aus der Tradition bekannte Form der Heilsfrage, ohne sie in ihrer eigentlichen Bedeutung noch voll zu verstehen."

Täuferlogion bewußt nicht in sein Evangelium übernahm: "Vielleicht ließ Matth diesen Abschnitt aus, weil er die ethische Unterweisung Jesus reservieren wollte (vgl. Mt Kap. 5-7)." Allerdings lassen sich auch für diese Vermutung keine weiteren Gründe anführen. Offen bleibt, warum das Logion, das keinerlei christologisch relevanten Inhalte aufweist, in die Einleitung der Sammlung von Herrenworten aufgenommen und in diesem Rahmen überliefert wurde.

Ein redaktioneller Ursprung von Lk 3,10-14 kann also ausgeschlossen und eine ursprüngliche Zugehörigkeit zur Logienquelle nicht positiv bestätigt werden. Fragt man nun, welche Gruppe überhaupt ein Interesse an der Überlieferung des Täuferlogions hatte und zugleich auch als Quelle für den Evangelisten Lukas dienen konnte, so scheint vieles darauf hinzuweisen, daß man es bei dem in Lk 3,10-14 vom Evangelisten rezipierten und redigierten Sondergut mit Überlieferungen aus (ehemaligen) Täuferkreisen zu tun hat.[474] Könnten in diesen Überlieferungen Erinnerungen an den tatsächlichen Wortlaut der Bußpredigt des Täufers am Jordanufer erhalten sein? Eine historisierende Interpretation der Fragen an den Täufer, die eine konkrete Anknüpfung an die der Überlieferung zugrunde liegende Realität darin zu sehen glaubt, daß hier an die warme Kleidung und den Proviant derer, die zu dem Bußprediger an das Jordanufer kamen, an die in der näheren Umgebung lebenden Zollpächter und an die hier stationierten Soldaten gedacht ist, halte ich für gewagt.[475] Selbst wenn man von der Möglichkeit ausgeht, daß bereits zu Lebzeiten Johannes´ des Täufers ein Interesse an der Weitergabe der ihn betreffenden Überlieferung bestanden haben könnte, wäre in den mehreren Jahrzehnten bis zur schriftlichen Fixierung dieser Traditionen jeder unmittelbare Bezug auf die historischen Ereignisse fraglich geworden. Auch das Argument von T. Holtz,[476] "die Zusammenstellung der drei angeredeten Gruppen, Menge, die Zöllner und die Soldaten [sei] so ungewöhnlich, daß sie ihre überzeugendste Erklärung in historischer Erinnerung [finde]", überzeugt mich nicht.

Richten wir unser Augenmerk vielmehr darauf, was den Adressaten mitgeteilt werden soll: Zunächst werden die ethischen Weisungen des Täufers als sehr konkret dargestellt, als lebensnah und vor allem als erfüllbar. Für die christlichen Adressaten des Lukas stehen sie in keinem Mißverhältnis zu ihrer idealen Lebenswirklichkeit, denn die in der Feldrede (Lk 6,20-49) ausgesprochenen Unterweisungen und Forderungen gehen in allen Fällen noch über sie hinaus. Johannes ruft dazu auf, von zwei Gewändern eins abzugeben (3,11a); der lukanische Jesus hingegen gebietet, demjenigen, der einem das Gewand gewaltsam entreißt, obendrein noch freiwillig das Untergewand dazuzugeben (6,29b). Johannes predigt, wer zu

---

473) Lukasevangelium 169.
474) Vgl. J. Ernst, Johannes der Täufer 96. Eine Trennung zwischen "täufernahen Kreisen" und den Sammlern des im Lukasevangelium verarbeiteten Sonderguts, wie sie W. Wiefel (Evangelium nach Lukas 91) voraussetzt, erscheint mir unmöglich.
475) Gegen W. Grundmann, Evangelium nach Lukas 104.   476) Standespredigt 468.

essen hat, solle mit den Bedürftigen teilen (3,11b); Jesus gebietet radikalen Verzicht (6,30). Johannes predigt Aufrichtigkeit, Bescheidenheit und Verzicht auf unsoziales Handeln; Jesus verlangt vielmehr Demut, Selbstaufgabe und Feindesliebe (6,27-29a). Die "Stände" in der Täuferpredigt (Volksmenge, Zolleintreiber, Soldaten) werden kollektiv zusammengefaßt und dadurch auf ihre jeweilige Funktion innerhalb der Volksgemeinschaft reduziert; als Adressaten der Feldrede hingegen erscheint hingegen die Gesamtheit des Volkes (6,19), aus der heraus jedoch durch ihre jeweilige individuelle Selbsteinschätzung definierte Gruppen (Arme, Hungrige, Traurige, Gehaßte, Ausgestoßene, Beschimpfte, Verfluchte, Mißhandelte) angesprochen werden. Gegenüber der radikalen Feldrede Jesu aus Nazaret steht die Standespredigt des Täufers in ihrer Schärfe also weit zurück.[477] Weiterhin wird durch die Einfügung der Verse Lk 3,10-14 in den Text der Logienquelle ein sekundäres Schema der Täuferpredigt geschaffen:

"1) Gerichtsdrohung; - durch sie motiviert:

2) Aufforderung zu Reue und Bekehrung .....

3) Paränese"[478]

Durch dieses Schema wird, ebenso wie durch die Relativität der Forderungen der Standespredigt des Johannes gegenüber der Feldrede Jesu, der Verkündigung des Täufers ihre massiv eschatologische Bedeutung genommen, denn durch die Paränese als Anleitung zum innerweltlichen Handeln wird die Schärfe seines Umkehrrufes angesichts der Bedrohung durch das Gericht gemildert. Gehen somit die paränetischen Bestandteile der Täuferpredigt allesamt auf das Konto des Evangelisten? Unter dem Hinweis auf die eschatologische Bedeutung der an der Tora orientierten Ethik in der rabbinischen Literatur[479] verneint dies J. Ernst:[480] "Es muß sogar mit einer auf jüdisches Denken zurückgehenden Vermengung von Eschatologie und Ethik (die guten Werke zwingen das Ende herbei) gerechnet werden." Wenngleich ein derart direkter Wirkzusammenhang zwischen Gesetzeserfüllung und endzeitlichem Heil in der jüdischen Eschatologie zur Zeit des zweiten Tempels aus diesen späteren Belegen nicht hervorgeht, so scheint doch ein Zusammenhang zwischen der Zugehörigkeit zum Gottesvolk als eine Vorbedingung zur Teilnahme am Endheil und der Bewahrung des Gesetzes zu bestehen. Sowohl die transzendente Hoffnung auf Belohnung des Lebenswandels gemäß den Gesetzen der Tora als auch die existentielle Angst vor jenseitiger Bestrafung der Sünden und Verunreinigungen sind auch für den antiken Juden Größen, die ei-

---

477) Anders H. Schürmann, Lukasevangelium 168: "Die Forderung des Täufers entblößt den Bußwilligen mit ungewöhnlicher Entschiedenheit bis auf das Existenzminimum, wenn im Interesse des Entbehrenden und Darbenden das zweite Unterkleid und entsprechend das nicht zur Sättigung notwendige abverlangt wird."

478) H. Conzelmann, Mitte 21; vgl. H. Sahlin 54f.   479) MekhY Ex 16,25. 30 u.ö.

480) J. Ernst, Johannes der Täufer 313.

ner ausschließlichen Interpretation der ethischen Unterweisung Johannes' des Täufers in seiner Standespredigt als deutliches Kennzeichen der durch die zurückgehende eschatologische Naherwartung gekennzeichneten Urheberschaft des Lukas entgegenstehen. Die These J. Ernsts ist, setzt man dazu noch eine bestehende Analogie zwischen der Interpretation der aktiven Gesetzesbewahrung in Lk 3,10-14 und der fortwährenden Verkündigung des Kerygmas bei der Abendmahlsfeier "ἄχρι οὗ ἔλθη" (I Kor 11,26; hier verstanden als Herbeiführung der Parusie mittels der Vergegenwärtigung des eschatologischen Heilsmahls)[481] voraus, in ihrem Kern als berechtigt zu bezeichnen.[482]

Geht man von dem bei der Analyse von Lk 1f. erkannte Bestreben des Lukas aus, Johannes den Täufer und Jesus aus Nazaret in ihrer heilsgeschichtlichen Bedeutung voneinander abzugrenzen (und zwar so, daß Johannes als minderwertiger Vorläufer erscheint), läßt sich dieser Befund erklären: Der überbietende Parallelismus zwischen Johannes und Jesus wird ebenso wie in den Geburtsgeschichten beider auch in der Darstellung ihrer Verkündigung deutlich. Johannes ist nur der Verkündiger "innerweltlicher" ethischer Forderungen und Handlungsanweisungen, Jesus hingegen der radikale Offenbarer des Gotteswillens angesichts der Nähe der βασιλεία τοῦ θεοῦ. Die Standespredigt des Täufers "transponiert den eschatologischen Bußruf in zeitlos ethische Mahnung".[483]

Hierdurch wird nun - ganz im Sinn der heilsgeschichtlichen Konzeption des lukanischen Doppelwerks - die gesamte Täuferpredigt der Zeit Israels und des Gesetzes als durch das Auftreten Jesu aus Nazaret beendeter Abschnitt der Heilsgeschichte zugeordnet. Lukas will seinen Adressaten demnach zeigen: Die Verkündigung Johannes' des Täufers steht - entgegen anderslautender Interpretationen - mit der Erwartung des Endgerichts nicht in unmittelbarer Verbindung (und somit nicht in Konkurrenz mit der Verkündigung Jesu), sondern ist als sozialethische Unterweisung in der Tradition der biblischen Propheten aus der vergangenen Epoche (vgl. Anm. 467) zu werten.[484]

Daraus ergibt sich, daß in Lk 3,10-14 ebenso wie in Lk 1f. Traditionen in einer Weise redaktionell verarbeitet wurden, die tatsächlich bestehende Täuferinterpretationen in integrierender Weise der Christusverkündigung eingliederten.[485] Die

---

481) Vgl. O Böcher, Art. Abendmahl: NBL I, 6.
482) Noch weiter geht O. Böcher (Lukas 34), indem er auf die Möglichkeit einer grundlegenden Beeinflussung des Lukas durch "ebionitische Elemente" der [historischen] Täuferpredigt hinweist, die zu seiner Vorliebe für die Armen führte.
483) H. Conzelmann, Mitte 93. Ähnlich S. v. Dobbeler, Gericht 48. Vgl. auch W. Wink, John the Baptist 52.
484) Eine nachträgliche "eschatologisierende" Textvariante (Hinzufügung von ἵνα σωθῶμεν nach ποιήσωμεν) findet sich bei D (vgl. sy^c, sa^{mss}).
485) J. Ernst (Johannes der Täufer 97) spricht von einer "Umbiegung" der Täuferpredigt durch Lukas weg von der eschatologischen Verkündigung hin zur Tugendpredigt.

Inhalte solcher Überlieferung konnten von Lukas offenbar nicht verschwiegen werden, da er sonst seinen Adressaten zugemutet hätte, allgemein bekannte Erinnerungen zugunsten einer demgegenüber >unglaubhaften< Geschichtsdarstellung zu leugnen. Der Grund für die Aufnahme der in Lk 3,10-14 aus der Tradition übernommenen Inhalte könnte demnach auch hier die Notwendigkeit gewesen sein, geläufige Täuferüberlieferungen der christlichen Glaubensverkündigung ein- bzw. unterzuordnen, ohne sie zu leugnen, da dies möglicherweise die Akzeptanz des gesamten Werks bei den Adressaten des Evangelisten hätte mindern können.

Die inhaltliche Entsprechung der Verse Lk 3,10-14 zu Jos. Ant 18, 117 gewinnt durch diese Beobachtung an Gewicht. Zwar könnte die tendenziöse Darstellungsweise des Josephus prinzipiell dazu geführt haben, daß dieser die ursprüngliche Verkündigung Johannes´ des Täufers in stark verzeichnender Weise absichtsvoll auf eine ausdrücklich nicht eschatologische, sondern ethisch-tugendhafte Unterweisung reduzierte, doch hat sich gezeigt, daß auch bei Lukas die Aufhebung der eschatologischen Bedeutung der paränetischen Bestandteile der Täuferpredigt nicht ursprünglich ist, sondern der Fixierung der Täuferinterpretation in den frühen christlichen Gemeinden dienen soll. "Johannes der Täufer hat nicht nur das Gericht angedroht, sondern auch Umkehr mit allen ethischen Konsequenzen gepredigt und den Weg der Gerechtigkeit gelehrt. Flavius Josephus hat mit dem Verweis auf Tugend, Gerechtigkeit und Frömmigkeit das Kernanliegen des Täufers zwar verfremdet, aber keinesfalls radikal verfälscht."[486]

Ob die Standespredigt in ihrer überlieferten Form und erzählerischen Rahmung historisch ist, bleibt dunkel. Das Interesse, diese Erzählung schriftlich festzuhalten, kam erst als Reaktion auf die Wirksamkeit Johannes´ des Täufers auf. Dagegen lassen sich ihre Inhalte durchaus als Bestandteile einer allgemeinen zeitgenössischen Interpretation des historischen Täufers bezeichnen, die ihrerseits ein Weiterfragen ermöglichen nach seiner tatsächlichen Verkündigung.[487]

In der hinter der Standespredigt des Täufers in Lk 3,10-14 stehenden Täuferinterpretation lassen sich zusammenfassend folgende Inhalte erkennen, die für die Frage nach der Möglichkeit einer Deutung seines Auftretens im Rahmen des biblischen Prophetentums von Belang sind:

1) Die Standespredigt belegt, daß die Darstellung des Johannes als öffentlich vor dem Volk auftretender, zu gottgefälligem Lebenswandel mahnender Prediger unter den Adressaten des Lukas allgemein akzeptiert war.

2) Hinter der lukanischen Redaktion, welche die Verkündigung des Täufers zur

---

486) J. Ernst, Johannes der Täufer 257.
487) K.L. Schmidt (Rahmen 26f.) rechnet damit, daß "dem dritten Evangelisten nur die hier gegebenen Täuferworte überliefert waren, und daß er aus ihnen die vorliegende Erzählung gestaltet hat. Er wollte eine lebendige Szene mit Spieler und Gegenspieler schaffen."

Ausgestaltung des überbietenden Parallelismus zwischen Jesus und Johannes bzw. zur Zuordnung des letzteren zur Zeit Israels benutzt, scheint eine geläufige Tradition zu stecken, die von konkreten sozialethischen Forderungen in der Verkündigung Johannes´ des Täufers weiß, ohne diesen jedoch jegliche eschatologische Bedeutung zu nehmen. Vielmehr rückt die Konkretheit der Forderungen "den prophetischen Prediger von Lk 3,10-14 in die Nachbarschaft eines Amos oder Micha".[488]

3. Zusammenfassung

In diesem Abschnitt wurde gezeigt, daß sich das den Täufer betreffende Sondergut im Lukasevangelium in seiner Gesamtheit weder der lukanischen Redaktion noch einer klar definierbaren, vom Redaktor ohne weitere Ergänzungen und Veränderungen rezipierten Quelle zuordnen läßt. Sowohl die Traditionsgeschichte als auch die Redaktion der nur bei Lukas begegnenden Nachrichten über Auftreten, Verkündigung und Interpretation Johannes´ des Täufers spiegeln vielmehr einen engen Kontakt der Überlieferungsträger mit zeitgenössischen Täuferverehrern wider. Teile dieser ehemaligen Täuferanhänger scheinen sich bald nach Ostern den christlichen Gemeinden angeschlossen zu haben. Die von Lukas aus der (offenkundig auch außerhalb ihres Kreises allgemein bekannten) Überlieferung dieses Teils seiner Adressaten übernommenen Inhalte, d.h. die grundlegenden Bestandteile der Geburtsgeschichte des Täufers und seine Paränese, wurden von ihm in integrierender Weise der Christusverkündigung beigeordnet. Positive Aussagen über Johannes den Täufer wurden nicht verschwiegen oder negiert, sondern durch entsprechende Aussagen über Jesus aus Nazaret überboten und heilsgeschichtlich vor- und unterordnend fixiert. Diese Arbeitsweise brachte mehrere Vorteile mit sich: Die ausführliche und umfassende Sammlung der Traditionen um Leben und Tod Jesu aus Nazaret (vgl. Lk 1,1-4) gewann hierdurch an Glaubwürdigkeit, denn durch die geschickte Integration auch randständiger und gegenläufiger, jedoch bei den Adressaten des Evangelisten bekannter Traditionen stieg zweifellos der Grad an Übereinstimmung mit der Erinnerung jener Menschen und ihre hieraus resultierende Bejahung der christlichen Glaubensverkündigung des Lukas. Weiterhin wurde hierdurch ermöglicht, daß die Täuferanhänger nicht in die Opposition gedrängt wurden. Eine Verehrung des Johannes wurde von Lukas also nicht direkt abgelehnt, sondern durch Einordnung in seine heilsgeschichtliche Konzeption beibehalten, ohne damit zugleich eine Abwehrbewegung der christlichen Gemeinden gegen eine interne "Konkurrenzbewegung" oder gar ein als anmaßend empfundenes Selbstverständnis seines ehemaligen Jüngerkreises gegenüber der nachösterlichen Christenheit zu begründen. Schließlich konnten auf

---

488) O. Böcher, Lukas 31.

diese Weise jegliche Ansätze zu einer mit dem urchristlichen Kerygma konkurrierenden Messianisierung Johannes´ des Täufers bereits im Keim erstickt werden, denn die geschickte, Johannes in seiner Bedeutung begrenzende Zubilligung der heilsgeschichtlichen Funktionen des Elias redivivus versperrte die Möglichkeit seiner Identifikation im Rahmen von Messiaserwartungen.

Aufgrund dieser redaktionellen Arbeitsweise des Lukas lassen sich in seinem Evangelium eine Reihe von traditionellen Inhalten bestimmen, die Auskunft geben über die Interpretation Johannes´ des Täufers sowohl durch seine Verehrer im Rahmen der urchristlichen Gemeinden als auch durch Christen, die sich der Täuferbewegung niemals zugehörig fühlten (oder ihr sogar entgegenstanden):

1) Die in der lukanischen Vorgeschichte verarbeiteten Traditionen über die Geburt Johannes´ des Täufers bieten eine Reihe von Anhaltspunkten für eine zeitgenössische Interpretation seines Auftretens nach dem Vorbild von Isaak, Simson und Samuel.

2) Die als sekundär erkannte bewußte Darstellung des Auftretens des Täufers mit den Zügen der heilsgeschichtlichen Funktion des Elias redivivus wird von Lukas durch Hinweise auf besondere Kennzeichen dieser Funktion (nämlich Geistbegabung im Mutterleib und Alkoholverzicht) ausgemalt. Die Traditionen, die dieser redaktionellen Darstellung zugrundeliegen, können auf eine frühe Interpretation des Täufers als Prophet hinweisen.

3) Eine Tradition, die in direkter Weise vom Prophetentum des Täufers als geistbegabten öffentlichen Verkündigers der Botschaft Gottes spricht (Lk 1,76), erfuhr durch Lukas eine Verarbeitung im Sinne der Unterordnung des Täufers gegenüber Jesus aus Nazaret und dadurch zugleich inhaltliche Bestätigung.

4) Spätestens vom Endredaktor des Lukasevangeliums gedämpft wurde die massiv eschatologische Bedeutung der Botschaft Johannes´ des Täufers. In Analogie zu seiner Taufe hat auch seine öffentliche und konkrete sozial-ethische Paränese als eschatologische Verkündigung in der Tradition der biblischen Propheten nicht die Sündlosigkeit und die daraus resultierende Reinheit des Individuums im Blick, sondern Volksgruppen bzw. das gesamte Volk.

IV. Übersicht: Johannes der Täufer als Prophet in der synoptischen Überlieferung

In den vorangegangenen Abschnitten wurden die als ursprünglich verstandenen Bestandteile der synoptischen Überlieferung im Markusevangelium, in den Redenstoffen der Logienquelle Q und im lukanischen Sondergut nach Traditionen über Johannes den Täufer befragt, die eine Rekonstruktion seiner Interpretation durch seine Zeitgenossen ermöglichen sollten.

Die folgende Übersicht soll die bei den Adressaten der synoptischen Überlieferung erkennbar populären (doch spätestens von den Endredaktoren der Evangelien deutlich abgeschwächten), entschärften und sekundär mit der Christusverkündigung harmonisierten Motive in der Darstellung Johannes des Täufers zusammenfassend und geordnet auflisten, um so eine Grundlage für einen Vergleich der urchristlichen Überlieferung mit dem zeitgenössischen jüdischen Prophetenbild zu schaffen. Ordnungskriterium ist die natürliche zeitliche Abfolge der einzelnen Motive als Bestandteile einer erkennbaren Biographie des Täufers.

Motiv	Mk	Q	SLk
Geistbegabung im Mutterleib	1,8		1,15b
Geburtslegende			1,5-25
Wortempfang in der Wüste			3,2 (+ 1,80)
Bekleidung: Umhang aus Tierfell und Ledergürtel	1,6	Mt 11,8/Lk 7,25	
Qualitative Nahrungsaskese	1,6	Mt 11,16-19/ Lk 7,31-35	1,15a
Wüste als Aufenthalts- und Wirkungsort	1,4	Mt 11,7/Lk 7,24	1,80
Öffentliches Auftreten	1,5	Mt 3,7/Lk 3,7	3,10ff.
Ankündigung des drohenden göttlichen Gerichts wegen der Sünden des Volkes	1,8	Mt 3,7 10ff. Lk 3,7. 9. 16ff.	1,16f.
Aufruf zur Buße als Wiederherstellung des unbelasteten Gottesverhältnisses	1,4 (11,27-33)	Mt 3,2/Lk 3,3	3,10-14
Konkrete sozialethische Paränese auf der Grundlage des Mosegesetzes	(6,17-27)	Mt 11,12f./Lk 16,16 (3,19)	
Sündenvergebung in der Taufe als Alternative zum rituellen Reinigungs- und Sühnewesen im Judentum	1,4 (11,27-33)		
Taufe als Zeichenhandlung	1,4f.; 11,27-33 (6,14-16)	Mt 3,11/Lk 3,16	
öffentliche Kritik am Herrscher	6,18	Mt 11,7-11/Lk 7, 24-28; 3,19	
Gefangensetzung durch den Herrscher	6,17	Mt 11,12/ Lk 3,20	
Tötung auf Befehl des Herrschers	6,21-29		

D. Johannes der Täufer und die biblischen Prophetenleben

I. Herkunft, Geburt und Jugend des Propheten

In den heiligen Schriften des antiken Judentums ist die Überlieferung bezüglich Herkunft, Geburt und Jugend derjenigen biblischen Gestalten, die als Propheten galten, spärlich. Dennoch läßt sich hier eine Entwicklung erkennen, an deren Endpunkt ein klares Bild vom Beginn der irdischen Existenz einer biblischen Prophetengestalt zu stehen scheint.

Während von Abraham allein dessen Toledot (Gen 11,27) und der Ort seiner Herkunft (Gen 11,31) überliefert sind, erfahren wir über seinen Sohn Isaak,[1] daß dessen Geburt, Name und zukünftige Bedeutung dem hundertjährigen Abraham und der ebenfalls hochbetagten Sara (Gen 17,17) durch Gott selbst angekündigt wurden (Gen 17,19. 21; LXX und Targumim bieten hier keine Varianten, die für diese Untersuchung von Interesse wären). Das hohe Alter der beiden weist auf den Verlust der natürlichen Fruchtbarkeit hin (vgl. Gen 17,17) und steigert zugleich die Bedeutung des wunderbaren Eingreifens der dennoch Fruchtbarkeit bewirkenden Kraft Gottes. Von Isaaks Empfängnis und Geburt wird berichtet (Gen 21,2), ebenso von seiner Namengebung, Beschneidung und seinem Heranwachsen (Gen 21,3f. 8ff.).

Von Aaron, dem Bruder des Mose, weiß die biblische Überlieferung, daß er aus dem Stamm Levi war (Ex 4,14; LXX und Targumim weichen nicht ab). Dies ist von zentraler Bedeutung für das nachexilische jüdische Priesteramt, denn in die legitime Nachfolge des am Sinai zum Priester geweihten Aaron kann nur treten, wer seinen Stammbaum auf ihn, den Nachkommen Levis, zurückzuführen vermag (vgl. Esr 7,1-5; II Chr 13,9f.).

Weitaus umfangreicher sind die Nachrichten über die Geburt des Mose. Nachdem besonders betont wurde, daß sowohl Vater als auch Mutter levitischer Abstammung waren (Ex 2,1 [LXX und Targumim folgen]; vgl. 6,20; Num 26,59),[2] berichtet die Erzählung zunächst von seiner Empfängnis und Geburt (Ex 2,2a), um dann mittels einer Legende von der Gefährdung und bewahrenden Errettung des Neugeborenen[3] seine göttliche Auserwählung bereits zu Beginn seines Lebens zu signalisieren (Ex 2,2bff.). Am Ende der Geburtsgeschichte stehen die Notiz von seiner Namengebung (2,10) und die überleitende Bemerkung von seinem Heranwachsen (2,11).

---

1) Zur Interpretation des Isaak als Prophet vgl. Tob 4,12 (A; B) sowie Ps 105,15; I Chr 16,16. 22. Im folgenden Teil der Untersuchung ist zu beachten, daß es hier allein um die *Rezeption* der Prophetenüberlieferung der hebräischen Bibel geht, wohingegen die Frage nach den biblischen Propheten als historische Gestalten und deren tatsächlicher Verkündigung ausgeklammert bleibt.

2) Vgl. M. Noth, Exodus 14; W.H. Schmidt, Exodus 65-67.

3) Diese Legende ist sehr alt: Vgl. die zahlreichen Parallelen in der Geburtslegende Sargons I. von Akkad (2334-2279 v.Chr.): AOT[2] 234f.; ANET[3] 119.

Von der Geburtsgeschichte Samuels war bereits im Rahmen der Untersuchung der lukanischen Vorgeschichte die Rede. Es ergab sich hierbei, daß zwischen mehreren Motiven der Geburtsgeschichte Samuels (ISam 1f.) und der des Täufers (Lk 1) Parallelen zu bestehen scheinen (s.o. 119f.). Samuel wird zudem sowohl in den "Apokryphen" (Sir 46,16) als auch in der neutestamentlichen Überlieferung (Act 3,24; 13,20) Prophet genannt. Indem Samuel nun in ISam 1 als der von Jahwe durch ein Gelübde erbetene Sohn einer vormals kinderlosen alten Frau begegnet, wird seine Empfängnis, Geburt und Namengebung ebenso wie bei Isaak als gottgewollt und gottgewirkt dargestellt (1,20; in TJon wird allein die Transzendenz Gottes betont, indem Hanna den Sohn nicht *von* Gott [מיהוה], sondern *von vor* Gott [מן יוי קדם] erbeten hat). Als eigentliche Geburtsankündigung kann ISam 1,17 interpretiert werden (TJon akzentuiert hier ebenso wie in 1,20).[4] Im Gelübde der Hanna (ISam 1,11. 28) kündigt sich die zukünftige Bestimmung des Knaben an. Nach ISam 1,1 ist Samuel Ephraimit. Vom Chronisten (IChr 6,12) wurde er jedoch durch eine fiktive Genealogie nachträglich "levitisiert",[5] möglicherweise um so eine für das nachexilische Judentum notwendige Voraussetzung für die legitime Ausübung seines Priesteramtes (vgl. ISam 2,11ff.) zu gewährleisten.

Das Heranwachsen Samuels erfährt mehrfache Erwähnung: In ISam 2,21 wird berichtet, daß er bereits als Knabe im Dienst Jahwes aufwächst (während MT [ויגדל הנער שמואל עם יהוה] und LXX [καὶ ἐμεγαλύνθη τὸ παιδάριον Σαμουηλ ἐνώπιον κυρίου] keinen direkten Dienst am Heiligtum erwähnen, betont TJon gerade einen solchen Dienst [משמיש קדם יוי]). Aus 2,26 erfährt man, daß er an Gunst sowohl bei Jahwe als auch bei den Menschen zunimmt (TJon konkretisiert: Während vor Gott sein Lebenswandel gefällt, gewinnt er die Menschen durch seine Taten). Schließlich erzählt 3,19 vom Heranwachsen des designierten Propheten Samuel (TJon weist zudem darauf hin, daß die מימרא דייי ihn dabei nie verließ). An allen drei Stellen ist Samuels zukünftige Bedeutung als Prophet bereits vorabgebildet.

Über den Propheten Elisa erfahren wir allein den Namen seines Vaters (IReg 19,19) und daß er Elija als Schüler nachfolgte und ihm diente (IReg 19,21).

Der Prophet Secharja, der unter Joasch, dem König Judas öffentlich gegen den Abfall von Jahwe und das Übertreten seiner Gebote eintrat (IIChr 24,20ff.), wird vom Chronisten als Sohn des Priesters Jojada bezeichnet.

Bei den Schriftpropheten ist im Rahmen der biblischen Prophetenbücher außer ihrem Herkunftsort kaum etwas über ihre Geburt und Kindheit überliefert. Selbst der Name des Vaters fehlt bei einigen.[6] Ihre eigentliche Biographie setzt vielmehr

---

4) Es fällt auf, daß die Geburt Isaaks durch Gott selbst, die Geburt Simsons durch einen Engel, und die Geburt Samuels durch einen Priester angekündigt wird.   5) M. Oeming, Israel 145.
6) So bei Daniel, Amos, Obadja, Micha, Nahum, Habakuk (vgl. jedoch ZusDan 3,1) und Maleachi.

erst mit ihrer öffentlichen Wirksamkeit bzw. mit ihrer Einsetzung ein.[7] Dennoch weisen einige Nachrichten über die Schriftpropheten hinter deren Einsetzungsberichte zurück: So erfahren wir von Jeremia, daß er Priestersohn war (Jer 1,1).[8] Ebensolches ist überliefert von Ezechiel (Ez 1,3) und Sacharja (Sach 1,1. 7; vgl. Neh 12,4. 16). Von Daniel erfahren wir, daß er königlicher Abstammung, d.h. aus dem Stamm Juda war (Dan 1,3), und bei Zephanja wird dessen Genealogie über vier Glieder zurückgeführt (Zeph 1,1).

In diesem Zusammenhang ist weiterhin die Vorstellung einer göttlichen Erwählung und Berufung des Propheten bereits im Mutterleib zu erwähnen. Die jüdischen heiligen Schriften bieten mehrere Anhaltspunkte für diese Vorstellung. Am deutlichsten ist Jer 1,4f. Hier beginnt der Selbstbericht von der Berufung Jeremias mit dem Rückverweis auf seine Bestimmung zum נביא לגוים (Jer 1,5; TJon ausführlicher) bereits vor seiner irdischen Existenz. Eine solche göttliche Erwählung zum Prophetenamt >bereits im Mutterleib< ist nicht nur dann von Interesse, "wenn diese Tatsache in den äußeren Umständen des bisherigen Lebens verborgen war",[9] sondern signalisiert hier auch, daß die Existenz des Propheten im Heilsplan Jahwes begründet ist.

Auch von Simson ist überliefert, daß seine Geburt und zukünftige Bedeutung als נזיר אלהים (LXX: ναζιραῖον τῷ θεῷ; TJon: נזירא דייי), als Geweihter Gottes >von Mutterleib an< (Jdc 13,3-5; 16,7) seiner bis zu diesem Zeitpunkt unfruchtbaren (Jdc 13,2) Mutter durch einen Engel Jahwes mitgeteilt wurde (Jdc 13,3ff.). Kann dies als Erwählung eines Propheten interpretiert werden? Für eine solche Deutung spricht, daß auch Samuel, den das antike Judentum als Prophet ansah, als ein solcher Nasiräer, als Träger besonderer Kraft Gottes galt (mNaz IX, 5; vgl. 1Sam 1,11). Es scheint also in analoger Weise ebenso möglich zu sein, daß man auch die Geburtsgeschichte des Simson im palästinischen Judentum zur Zeit Johannes' des Täufers als Prophetenerwählung verstand. Damit könnten neben den bereits angeführten Gattungselementen der Geburtsgeschichte auch die lokale Herkunft (Jdc 13,2), der Namens des Vaters (Jdc 13,2), die Namengebung des Neugeborenen (Jdc 13,24) und sein Heranwachsen (Jdc 13,24) im Rahmen der »Biographie« des Propheten gedeutet werden.

Bei Jesaja[10] begegnet das Motiv der vorgeburtlichen Erwählung sowohl in mehreren Worten des Propheten an Israel (Jes 44,2. 24; 46,3; vgl. 48,8) als auch im so-

---

7) Vgl. K. Baltzer, Biographie 123.
8) TJon erweitert und konkretisiert: חלקיה מרישי מטרת כהניא מן אמרכליא. Vgl. auch L. Ginzberg, Legends IV, 294 und VI, 384.　　　　　　　　　　　9) K. Baltzer, Biographie 115.
10) Da hier die Rezeption, nicht die Komposition des Jesajabuches im Vordergrund steht, ist eine differenzierende Betrachtung von Proto-, Deutero- und Tritojesaja der Frage nach der Interpretation des Propheten im antiken Judentum, das von einer solchen Unterscheidung nichts gewußt hat, nicht angemessen.

genannten "zweiten Gottesknechtlied" (Jes 49,1. 5)[11] in einer direkten Rede des Gottesknechts zur Begründung und Beglaubigung seines Auftrags. Drei Argumente scheinen gegen eine Interpretation von Jes 49,15 als Erwählung eines individuellen Propheten zu sprechen: In Jes 49,3 identifiziert sich der Gottesknecht selbst als Israel,[12] das Motiv der Erwählung >von Mutterleib an< findet überall dort, wo es bei Jesaja sonst begegnet, bezüglich Israel Anwendung,[13] und die Targumim zu Jes 49,1 und 5 lassen eine Deutung des Gottesknechts als individuelle Prophetengestalt kaum zu, sondern weisen vielmehr auf die Exegese der Rabbinen als legitime Fortsetzung der Prophetie hin.[14]

Jedoch ist das zweite Gottesknechtlied formal die Rede eines Individuums. Der Gottesknecht stellt seine Berufung im Mutterleib als göttliche Ausstattung seines Mundes "wie ein scharfes Schwert" (Jes 49,2) dar. "Seine Macht beruht vor allem auf seinem Wort."[15] Wenn der Inhalt der Einsetzung zum Gottesknecht die Beauftragung zur prophetischen Verkündigung ist (vgl. Jes 50,4f.), liegt es nahe, daß auch die >Einsetzung im Mutterleib< als Motiv auf die Gestalt des Gottesknechts übertragen wurde.

Der Gottesknecht in Jes 49,1-6 ließ sich mit Israel identifizieren, obwohl seine Gestalt und Funktionen Züge eines individuellen Propheten aufweisen. Es scheint beide Verständnistraditionen gegeben zu haben. Eine zwischen diesen beiden Traditionen vermittelnde Lösung bietet K. Baltzer an. S. E. wurde in der Gestalt des Gottesknechts die prophetische Tradition als Interpretationsrahmen des faktischen Geschicks Israels verwendet: "Wenn Israel >Knecht Jahwes< ist, bedeutet das, daß es die Rechte und Pflichten dieses Amtes übernommen hat. Vor allem die Aufnahme der Erfahrungen des Leidens an der göttlichen Berufung haben Israel es ermöglicht, sein eigenes Geschick zu verstehen und zu ertragen."[16]

Zusammenfassend läßt sich sagen, daß das Motiv der göttlichen Erwählung und Berufung des Propheten >bereits im Mutterleib< in den heiligen Schriften des Judentums bekannt zu sein scheint und daß es - ausgehend von seiner Verwendung

---

11) "Nach dem Zeugnis des Targum scheint das palästinische Judentum zur Zeit Jesu ... das 2. und 3. Ebed-Jahwe-Lied auf den Propheten bezogen zu haben" (H. Haag, Gottesknecht 43). Zur aktuellen Diskussion um die Identität des sog. Gottesknechts vgl. ebd. 34ff. sowie D. Michel, Art. Deuterojesaja: TRE VIII, 521ff.

12) Diese Lesart von Jes 49,3 ("Israel") ist hervorragend bezeugt. Das zeigt, daß die "kollektive" Deutung des Gottesknechts im zeitgenössischen palästinischen Judentum bekannt war (vgl. auch Act 8,34; Origenes, Johanneskommentar I 228).   13) Jes 41,4; 44,2; 46,3; vgl. 44,24.

14) Vgl. insb. TJon zu Jes 50,4. Hier wird durch eine Kombination von Jes 50,4 mit Jer 26,5 das rabbinische Lehrhaus in die traditionsgemäße und legitime Nachfolge der Prophetie gestellt.

15) K. Baltzer, Biographie 177; vgl. D. Michel, Art. Deuterojesaja: TRE VIII, 527.

16) K. Baltzer, Biographie 177; vgl. Num 11,29; Joel 3,1. R. Then (Propheten 273) sieht den Akzent bei einem solchen >prophetischen< Verständnis des Volkes auf seiner "besonderen Verbindung mit Gott", nicht aber auf seiner Verkündigung.

bei der Berufungserzählung eines klassischen Propheten - zur Bedeutung einer besonderen Rolle des solcherart Erwählten im Rahmen der Heilsgeschichte Jahwes mit Israel dient.

Bei den Vitae prophetarum ist der Herkunftsort eines jeden Propheten seiner Vita vorangestellt, bei einigen[17] findet im Anschluß daran auch ihre Stammeszugehörigkeit Erwähnung. Nur ein vergleichsweise geringer Teil der Angaben bezüglich Herkunft, Geburt und Heranwachsen der Propheten in den biblischen Büchern wird übernommen. Dies liegt auch daran, daß letztere die einzelnen Motive nicht bei jedem, der dem antiken Judentum als Prophet galt, bieten.

So wird der Herkunftsort des Propheten allein bei Jeremia (Vit Pr 2,1; vgl. Jer 1,1), Amos (Vit Pr 7,1; vgl. Am 1,1), Jona (VitPr 10,1; vgl. IIReg 14,25);[18] Micha (Vit Pr 6,1; vgl. Mi 1,1 sowie Jdc 17,1), Nahum (Vit Pr 11,1; vgl. Nah 1,1), Ahija (Vit Pr 18,1; vgl. IReg 11,29), Joad (Vit Pr 19,1; vgl. IReg 13,1), und Elija (Vit Pr 21,1; vgl. IReg 17,1) aus der biblischen Überlieferung entnommen. Nur bei Jesaja (Vit Pr 1,1 [R]; vgl. Jes 1,1; 2,1; 13,1; 20,2; IIChr 26,22), Ezechiel (Vit Pr 3,1;[19] vgl. Ez 1,3), Hosea (Vit Pr 5,1 [R]; vgl. Hos 1,1), Sacharja (Vit Pr 15,1 [R]; vgl. Sach 1,1)[20] und Secharja (Vit Pr 23,1; vgl. IIChr 24,20) wird der Name des jeweiligen Vaters wiederholt, allein bei Ezechiel (Vit Pr 3,1;[21] vgl. Ez 1,3) und Secharja (Vit Pr 23,1; vgl. IIChr 24,20) auch der Hinweis auf deren priesterliche Herkunft. Die Erwähnung der Abstammung Daniels aus dem Königsgeschlecht Juda wiederholt und verdeutlicht die Angaben des Danielbuchs (Vit Pr 4,1; vgl. Dan 1,3).[22] Hingegen erfahren wir hier auch eine Reihe von biographischen Nachrichten über die Propheten, von denen die biblische Überlieferung nichts weiß:

Die Vitae prophetarum bieten über die Angaben der heiligen Schriften hinaus Informationen über den jeweiligen Herkunftsort Jesajas, Ezechiels, Hoseas, Joels, Obadjas, Habakuks, Zephanias, Haggais, Sacharjas, Maleachis, Natans, Asarjas und Elisas.[23] Allein in den Vitae prophetarum wird Obadja als Schüler des Elija be-

---

17) Daniel: Juda; Hosea: Issachar; Micha: Ephraim; Nahum, Habakuk, Zephanja: Simeon; Elija: Aaron.

18) Während jedoch II Reg 14,25 Gat-Hefer, einen Grenzort im Gebiet von Sebulon (vgl. Jos 19,13) als Herkunftsort Jonas nennt, gibt VitPr 11,1 an, der Prophet stamme aus Kariathmaus nahe bei der Küstenstadt Azotus.

19) Über Q und S hinaus steht in VitPr 3,1 nach der jüngeren Textversion R bei Th. Schermann (Prophetenlegenden 89f.) in Entsprechung zu Ez 1,3 υἱὸς Βουζή nach προφήτης. Hingegen fehlt υἱὸς Βουζή bei dem von E. Nestle [Marginalien 18. 20] gebotenen Text von R. Th. Schermann gibt weiterhin an, daß R zusätzlich Λευΐτης nach Βουζή bietet, wodurch Ezechiel als Levit erscheint.

20) In dem älteren Codex Q und in der von E. Nestle gebotenen syrischen Rezension fehlt bei den Vitae des Jesaja, des Hosea und des Sacharja (entgegen der Lesart von R) die Nennung ihres jeweiligen Vaters. Jüngere syrische und lateinische Rezensionen erwähnen in Analogie zur biblischen Überlieferung ebenfalls die Väter Joels (vgl. Th. Schermann, Prophetenlegenden 49), Jonas (vgl. ebd. 57f.), Zephanias (vgl. ebd. 67) und Jeremias (vgl. ebd. 84f.).

21) Q: ἐκ τῶν ἱερέων; S: ܠܡܐ ܡܢ; R: ἐκ τῶν υἱῶν τῶν ἀρχιερέων.

22) Q: γένους τῶν ἐξεχόντων (R: ἐξόντων) τῆς βασιλικῆς ὑπηρεσίας;
S: ܠܐܘܚܕܢܐ ܡܢ ܓܢܣܐ ܘܡܫܠܛܢܐ.

23) Isidorus Hispalensis und Salomon von Basrah geben in VitPr 4,1 auch den Herkunftsort Daniels ("Bethoron", "Beth-Huran") an (vgl. Th. Schermann, Prophetenlegenden 97f.).

zeichnet.[24] Bei Elija selbst und bei Elisa begegnet in den Vitae prophetarum die Gattung der Geburtsgeschichte. Die mehr oder weniger ausführliche Reihung von Gattungselementen weist hierbei in beiden Fällen einige Parallelen zu den Geburtsgeschichten Simsons und Samuels auf: Bei der Geburt des Elija wird sein Vater Sobacha[25] Zeuge des Erscheinens mehrerer Engelwesen, die Elija in Feuer hüllen und ihm Flammen zu essen geben. Dem Sobacha wird die Angelophanie nach einem Aufruf zur Furchtlosigkeit (᾿μὴ δειλιάσῃς᾿) dahingehend gedeutet,[26] daß der Wohnort des Elija das Feuer und sein Wort Offenbarung sein werde und daß er Israel richten werde.[27] Bei der Geburt von Elijas Nachfolger Elisa geschah nach Überlieferung der Vitae prophetarum ein Wunder: Als Elisa in Gilgal geboren wurde, brüllte das goldene Kalb[28] so schrill, daß es bis nach Jerusalem gehört wurde. Bei Befragung des Losorakels[29] durch den Priester wurde diesem daraufhin mitgeteilt, daß ein Prophet für Israel geboren sei, der den Götzenkult beseitigen werde.

Gegenüber den Vitae prophetarum bieten die anderen antiken jüdischen Prophetenlegenden wenig Material hinsichtlich Herkunft, Geburt und Heranwachsen der Propheten: Während die Paralipomena Jeremiae mit der Beauftragung des Propheten durch Gott einsetzen, ohne die Herkunft Jeremias zu erwähnen, nennt MartJes 1,2 in Analogie zur biblischen Überlieferung wie in VitPr 1,1 den Vater des Propheten Jesaja.[30]

Bevor nun danach gefragt wird, welche Aussagen über die Entwicklung der Interpretation von Herkunft, Geburt und Heranwachsen eines Propheten sich anhand einer Gegenüberstellung von biblischer und außerbiblischer jüdischer Überlieferung treffen lassen, muß geklärt werden, worin das Sachinteresse an der Entstehung und Tradition dieses Motivkomplexes bestehen kann. Zunächst scheint generell eine Tendenz zu bestehen, die vorhandenen fragmentarischen Nachrichten über eine verehrte Gestalt nachträglich zu ergänzen, um so eine ᾿vollständige᾿ Biographie zu gestalten. Dann ist im antiken Judentum die Vollmacht bzw. Verehrungswürdigkeit dieser Gestalt - besonders im religiös-kultischen Bereich - mit ihrer Abstammung und Zugehörigkeit zu einem bestimmten (erwählten) Stam-

---

24) VitPr 9,2 Q: οὗτος ἦν μαθητὴς ᾿Ηλία (ebenso Isidorus Hispalensis und Salomon von Basrah); S: ܠܟܐܝ ܚܠܡܝܕܐ ܗܘܐ; R: προσεκολλήθη τῷ προφήτῃ ᾿Ηλιᾷ καὶ ἐγένετο αὐτοῦ μαθητής.

25) Der Name des Vaters Elijas ist in der biblischen Tradition nicht überliefert.

26) VitPr 21,3. Sobacha befragt in Jerusalem das Orakel (Q: ὁ χρησμός; S: ܚܠܟܐܝ; R: ὁ χρηματισμός).

27) Die Deutung der Angelophanie bei R ist erweitert: Elija wird Israel das Gericht ἐν ῥομφαίᾳ καὶ ἐν πυρί bringen.

28) Gegen Q und S lokalisiert R das goldene Kalb in Silo.

29) Vgl. LXX Num 27,21; Dtn 33,8; I Sam 14,41; 28,6.

30) Vgl. Jes 1,1; 2,1; 13,1; 20,2; II Chr 26,22. E. Hammershaimb (Martyrium 23, Anm. 2a) weist darauf hin, daß im äthiopischen Text von Mart Jes >des Propheten< auch mit >Amos< verbunden werden kann, wodurch der Prophet Amos als Vater des Jesaja bezeichnet wird.

mesverband verbunden. Ein solches genealogisches Interesse an ihrer Herkunft kann die Entstehung von Traditionen hervorrufen, die Auskunft über ihre Abstammung und die damit verbundenen Charakteristika geben. Auch ist die legendarische Schilderung des göttlichen planvollen Eingreifens zu Beginn der irdischen Existenz (oder bereits vor deren Beginn) ein Mittel, die besondere Rolle des solcherart Erwählten im Rahmen der Heilsgeschichte zu verdeutlichen. Diese verschiedenen Beweggründe für das Entstehen der Überlieferung von Herkunft, Geburt und Heranwachsen eines Propheten ergänzen also einander und können dazu beitragen, daß im Verlauf der Überlieferung einerseits besonders diejenigen Inhalte tradiert werden, die diesen allgemeinen Interessen entsprechen, und andererseits überall dort, wo ein Bedürfnis nach weitergehender Information besteht, nachträglich analoge Traditionen entstehen. Somit ist es möglich, anhand dessen, was gerade die Vitae prophetarum (von denen anzunehmen ist, daß hier Traditionen erhalten sind, die als repräsentativ für das Prophetenbild im antiken palästinischen Judentum gelten können) aus der biblischen Überlieferung sowohl übernommen als auch ergänzt haben, Rückschlüsse zu ziehen über den religionsgeschichtlichen Hintergrund der Geburtserzählung Johannes' des Täufers.

Tabellarische Übersicht: Vorkommen der einzelnen Motive bei der Darstellung von Herkunft, Geburt und Heranwachsen eines Propheten in den heiligen Schriften des antiken Judentums und deren Rezeption in den Vitae prophetarum .

Bedeutung der Symbole:
- ●   Das Motiv ist in der biblischen Prophetenüberlieferung enthalten.
- →   Das Motiv wird von den Vitae prophetarum aus den Nachrichten über den betreffenden Propheten in der biblischen Überlieferung übernommen.
- *   Das Motiv wird nur von den Vitae prophetarum bei dem betreffenden Propheten geboten.
- G   Das Motiv begegnet allein als Gattungselement einer ausführlichen Geburtsgeschichte.

Motiv		Propheten in der biblischen Überlieferung		Vitae prophetarum
Lokale Herkunft		●	→	*
Name des Vaters		●	→	*
Priesterliche Herkunft		●	→	*
Vornehme Herkunft		●	→	
Hohes Alter der Eltern	G	●		
Überwindung der Unfruchtbarkeit	G	●		
Angelophanie eines Elternteils	G	●		*
Deutung durch priesterliches Orakel	G	●		*
Geburtsankündigung	G	●		
Erwähnung der Empfängnis	G	●		
Vorgeburtliche Erwählung		●		
Göttliche Namengebung	G	●		
Namengebung durch die Eltern	G	●		
Ankündigung der Bestimmung	G	●		
Wunder bei der Geburt	G	●		*
Heranwachsen	G	●		
Schüler eines Propheten		●		*

Die tabellarische Übersicht zeigt, welche Motive der Darstellung von Herkunft, Geburt und Heranwachsen eines Propheten in der Überlieferung der heiligen Schriften des antiken Judentums vorkommen, welche davon in die Lebensbeschreibung derselben Propheten in den Vitae prophetarum übernommen werden, welche in Analogie zur biblischen Überlieferung in den Vitae prophetarum ergänzend zu den Nachrichten über den jeweiligen Propheten hinzukommen und welche allein dort geboten werden. Mehrere Motive begegnen allein als Gattungselemente einer ausführlichen Geburtsgeschichte. Hier läßt sich eine Veränderung in der Motivwahl erkennen.

Sowohl die lokale Herkunft eines Propheten als auch der Name seines Vaters und seine priesterliche Abstammung werden in der biblischen Überlieferung bei nahezu allen Propheten erwähnt, von den Vitae prophetarum teilweise erneut angeführt und dort, wo entsprechende Angaben fehlen, sekundär ergänzt. Daraus kann man schließen, daß diese Motive als grundlegende biographische Angaben zum Prophetenbild derer, die ihre religiöse Überlieferung hauptsächlich den biblischen Schriften entnahmen, gehörten. Die singuläre Notiz von der Herkunft des Propheten Daniel aus der jüdischen Aristokratie, von der beide Quellen wissen, läßt sich bezüglich ihrer Stellung und Funktion innerhalb seiner Vita unter dem Motiv der priesterlichen Herkunft des Propheten subsumieren.

Die Angelophanie eines Elternteils und die Ankündigung der zukünftigen Bestimmung des Neugeborenen als Gattungselemente einer ausführlichen Geburtsgeschichte sowie das Schülerverhältnis des heranwachsenden Propheten gegenüber dem Propheten Elija[31] finden sich in der biblischen Überlieferung, werden jedoch in den Vitae prophetarum nur dort zur Ausgestaltung einer Prophetenbiographie verwendet, wo entsprechende Nachrichten in den heiligen Schriften fehlen. Als ausführlichere und individuellere Mitteilungen über den Lebenslauf der Propheten scheinen sie keine derart fundamentale Bedeutung für die Tradenten und Redaktoren der Überlieferung gehabt zu haben wie die zuvor erwähnten "urkundlichen Beglaubigungen" ihrer Bevollmächtigung. Dennoch spricht die Tatsache, daß diese Motive in Prophetenleben eingefügt wurden, um so deren besondere Bedeutung in Analogie zu den Nachrichten der biblischen Überlieferung zu illustrieren, dafür, daß man sie in zunehmendem Maß als wichtige Elemente eines gleichsam »idealen« Prophetenlebens betrachtete.

Allein in der biblischen Überlieferung finden sich die Motive des hohen Alters der Eltern, der Überwindung der hierdurch bedingten Unfruchtbarkeit durch das Eingreifen Gottes, der Geburtsankündigung, der Erwähnung der Empfängnis, der vorgeburtlichen Erwählung des Propheten, seiner Namengebung sowohl durch

---

31) Das Schülerverhältnis des Elisa gegenüber dem Elija wird allein in der lateinische Rezension des Isidorus Hispalensis erwähnt (vgl. Th. Schermann, Prophetenlegenden 113).

göttlichen Beschluß als auch durch seine Eltern und des Heranwachsens des Kindes. Alle diese Motive gehören als Gattungselemente zum übergreifenden Komplex der eigentlichen Geburtsgeschichte. In den Vitae prophetarum ist in diesem Rahmen nichts davon überliefert. Die Motive vom Wundergeschehen bei der Geburt des Propheten[32] und ihrer Deutung durch das priesterliche Orakel als Elemente der Gattung "Geburtsgeschichte" hingegen bieten nur die Vitae prophetarum. Auch diese beiden Motive gehören jeweils zu einer ausführlicheren Geburtsgeschichte, die über bloße biographische Angaben hinausgeht. Eine Übernahme von traditionellen Motiven aus der biblischen Überlieferung durch letztere scheint in beiden Fällen jedoch nicht erkennbar.

Neben einer denkbaren Fortführung der biblischen Gattung "Geburtsgeschichte des Propheten" durch die Vitae prophetarum mit einer (in der Motivwahl erkennbaren) Tendenz zur Verstärkung der Transzendenz Gottes und seiner Offenbarung könnte innerhalb dieses Rahmens auch zwischen einzelnen Motiven eine inhaltliche Verbindung bestehen. So berühren sich die durch das hohe Alter der Eltern des Propheten signalisierte Unmöglichkeit einer Empfängnis (bzw. deren wunderbaren Überwindung durch Gott selbst) und das Wunder bei seiner Geburt dadurch, daß beide Motive den Hinweis auf das übernatürliche Einwirken Gottes und die somit angezeigte Verehrungswürdigkeit des Neugeborenen aufgrund der ihm von Gott selbst zugedachten, besonderen Rolle bedeuten.

Auch das Motiv vom Heranwachsen des Propheten scheint neben seinem Gebrauch in den jüdischen heiligen Schriften ebenso in seiner Modifikation als priesterliches Orakel, das im Sinne eines Vaticinium ex eventu das zukünftige Geschick und die besondere Bedeutung des Neugeborenen voraussagt, auf der durch die Vitae prophetarum repräsentierten Überlieferungsstufe weiterzubestehen.

Bei der Untersuchung der im palästinischen Judentum zur Zeit Johannes´ des Täufers allgemein bekannten Überlieferung bezüglich Herkunft, Geburt und Heranwachsen eines Propheten läßt sich zusammenfassend festhalten, daß offenbar kein Motiv, das in der biblischen Tradition begegnet, in den Vitae prophetarum ohne Berücksichtigung blieb. Die einzelnen Motive der biblischen Überlieferung wurden entweder übernommen oder nachträglich in die Biographien von Propheten eingefügt. Auch dort, wo Motive der Vitae prophetarum ohne eigentliche Entsprechung sind, lassen sich dennoch inhaltliche Verbindungen zu verwandten Motiven der biblischen Überlieferung ausmachen. Daß gerade letztere Motive ebenfalls nicht auf der - durch die die Vitae prophetarum repräsentierten - jüngeren

---

32) Die Rückgabe des neugeborenen Moses an die Brust seiner Mutter durch die Tochter des Pharao ist in diesem Zusammenhang nicht als wundersame Errettung, also als Wunder bei der Geburt zu interpretieren. Das Schwergewicht dieses Teils der Geburtsgeschichte des Moses liegt vielmehr auf der klugen List seiner Mutter und Schwester, mit der sie das Schicksal des gefährdeten Mose zum Guten wenden (vgl. K. Engelken, Frauen 44-46).

Überlieferungsstufe begegnen, führt zu der Annahme, daß hier zwar eine Modifikation der Motive selbst vorliegt, jedoch die Aussageinhalte unverändert bleiben. Hier ist schließlich eine Stereotypisierung in der Darstellung zu erkennen: Deutlich geworden ist die Tendenz, Herkunft, Geburt und Heranwachsen eines Propheten an das anzugleichen, was als das Allgemeine, »Ideale« und zum Aufweis der Vollmacht eines Propheten gleichsam »Notwendige« galt.

Die in der folgenden tabellarischen Übersicht aufgelisteten Motive der Darstellung von Herkunft, Geburt und Heranwachsen eines Propheten in der für das zeitgenössische Prophetenbild repräsentativen religiösen Überlieferung können nun mit den im vorangehenden Teil der Untersuchung ermittelten Nachrichten über Herkunft, Geburt und Jugend Johannes´ des Täufers in der synoptischen Tradition verglichen werden.

Tabellarische Übersicht: Motive der Darstellung von Herkunft, Geburt und Jugend eines Propheten in den Prophetenlegenden des antiken Judentums und der Darstellung von Herkunft, Geburt und Kindheit des Täufers in der synoptischen Tradition

Bedeutung der Symbole:
- ●   Das Motiv ist <u>Bestandteil</u> eines »idealen« Prophetenlebens.
- ➤   Das Motiv findet sich in <u>unveränderter</u> Form bei Johannes dem Täufer.
- ›   Das Motiv findet sich in <u>modifizierter</u> Form bei Johannes dem Täufer.

Motiv	Prophetenbild der zeitgenöss. Überlieferung	Johannes der Täufer
Lokale Herkunft	●	➤
Name des Vaters	●	➤
Priesterliche Herkunft	●	➤
Vornehme Herkunft	●	
Hohes Alter der Eltern	●	➤
Überwindung der Unfruchtbarkeit	●	➤
Angelophanie eines Elternteils	●	➤
Deutung durch priesterliches Orakel	●	›
Geburtsankündigung	●	➤
Erwähnung der Empfängnis	●	➤
Vorgeburtliche Erwählung	●	›
Göttliche Namengebung	●	›
Namengebung durch die Eltern	●	›
Ankündigung der Bestimmung	●	➤
Wunder bei der Geburt	●	›
Heranwachsen	●	➤
Schüler eines Propheten	●	

Anhand dieser tabellarischen Übersicht erscheint deutlich, daß in einem »idealen« biblischen Prophetenleben nahezu alle Motive der Darstellung seiner Herkunft, seiner Geburt und seines Heranwachsens ihre Entsprechung in denjenigen Täufertraditionen haben, deren Authentie bzw. Ursprünglichkeit bei der Untersuchung der synoptischen Überlieferung als wahrscheinlich ausgewiesen wurde.

Im einzelnen läßt sich folgendes beobachten: Die Motive der lokalen Herkunft des Propheten, des Namens seines Vaters und seiner priesterlichen Abstammung begegnen sowohl in dem »idealen« biblischen Prophetenleben als auch in der lukanischen Vorgeschichte. Das Motiv der vornehmen Herkunft kann in diesem Zusammenhang vernachlässigt werden, da es sich aufgrund seiner Stellung und Funktion innerhalb der Biographie des Propheten unter das Motiv der priesterlichen Herkunft subsumieren läßt. Dort, wo die Überlieferung in der zeitgenössischen religiösen Überlieferung Lücken aufwies, scheinen diese Motive sekundär eingefügt worden zu sein. Das wiederum ermöglicht die weitergehende Annahme, daß sie zur Zeit des Täufers als elementare Bestandteile eines Prophetenlebens ebenso auch von jedem, dessen Vollmacht als Prophet zu erweisen war, als Bestandteile seiner eigenen Biographie bekannt waren. Auch die Behauptung, daß Johannes, der Sohn des Zacharias, ein Prophet sei, bedurfte zu ihrer Akzeptanz der allgemeinen Bekanntheit dieser Angaben, wohingegen keine unmittelbare Notwendigkeit bestand, später seine Funktion als Wegbereiter des kommenden Christus hierdurch zu illustrieren.

Die Nachrichten der synoptischen Überlieferung bezüglich Herkunft, Geburt und Heranwachsen Johannes´ des Täufers in Lk 1 beinhalten weiterhin eine Reihe von Motiven, die als Elemente der Gattung "Geburtsgeschichte" entweder von der alttestamentlichen Überlieferung geboten oder von den Vitae prophetarum belegt werden. Die meisten dieser Motive begegnen in beiden Zeugnissen der religiösen Überlieferung, einige allein innerhalb des biblischen Schrifttums, einige allein in den Vitae prophetarum. Als solche Gattungselemente sind zu nennen das hohe Alter der Eltern, die Überwindung ihrer hierdurch bedingten Unfruchtbarkeit durch das Einwirken Gottes, die Angelophanie eines Elternteils, die Geburtsankündigung, die Erwähnung der Empfängnis, das Wundergeschehen bei der Geburt, dessen Deutung durch das priesterliche Orakel, die Namengebung, die Ankündigung der Bestimmung des Neugeborenen und sein Heranwachsen. Während alle anderen Gattungselemente der Geburtsgeschichte in Lk 1 formal und inhaltlich ihre direkte Entsprechung in der biblischen und außerbiblischen jüdischen Überlieferung finden, sind die Motive der Erwählung, der Namengebung, des Wundergeschehens bei der Geburt Johannes´ des Täufers und der Deutung dieses Geschehens offenbar modifiziert. Es fällt auf, daß gerade zwei dieser Motive in seiner Geburtsgeschichte miteinander kombiniert wurden: Das Wundergeschehen bei der Geburt besteht darin, daß sowohl die Namengebung durch den Erzengel als auch die Namengebung durch Elisabet übereinstimmen, wobei ausdrücklich darauf hingewiesen wird, daß aufgrund des Verstummens des Zacharias nach seiner Angelophanie jegliche Kennntnis von der Verheißung des Engels bei der Mutter des Johannes ausgeschlossen ist.

Eine eigentliche Deutung dieses Wundergeschehens fehlt bei Lukas. Kein priesterliches Orakel erklärt die wundersame Übereinstimmung in der Namengebung des Johannes. Jedoch übernimmt das »Benedictus« des - mit Gottes Geist erfüllten - Zacharias die Funktion des Motivs.[33] Hierbei wird nicht etwa die herausragende zukünftige Bedeutung des Neugeborenen selbst angezeigt, sondern dessen Aufgabe, als Prophet dem kommenden Messias den Weg bereiten zu dürfen. Deutlich zu erkennen ist die nachträgliche Relativierung der Bedeutung des Gattungselements "Deutung des Wundergeschehens bei der Geburt des Propheten".

Die göttliche Erwählung und Geistbegabung des Johannes bereits vor seiner Geburt (Lk 1,15b) ist erzählerisch ausgestaltet in Lk 1,39-45. Auch dort wird mittels der Einbindung dieses allgemein bekannten Motivs in den überbietenden Parallelismus zwischen Johannes und Jesus (und auch durch die einschränkende Fokussierung seiner pränatalen Geistbegabung auf die Befähigung zur Erkenntnis der Nähe des Messias bereits im Mutterleib) dessen Bedeutung relativiert und der Christusverkündigung des Lukas in integrativer Weise untergeordnet.

In ihrer Gesamtheit stellen jedoch auch diese Motive nicht allein Rückprojektionen der Verehrungswürdigkeit des solcherart Bezeichneten dar, sondern können ursprünglich zugleich als Maßstab für die Vollmacht eines Propheten betrachtet werden. Der Grund für ihr Aufkommen und für ihre anfängliche Überlieferung im Rahmen der Täufertraditionen könnte zunächst in der Absicht liegen, seine Person an diese Norm anzugleichen. Ihre christliche Rezeption unterschlägt sie nicht. Sie grenzt ihre Bedeutung jedoch dahingehend ein, daß sie ihnen zum einen ihre eigentliche Funktion (nämlich die Ausgestaltung der Biographie einer verehrten Person) nimmt, um vielmehr das göttliche Wirken selbst in den Vordergrund zu rücken. Zum anderen werden die einzelnen Bestandteile der Darstellung von Herkunft, Geburt und Heranwachsen des Propheten in der Geburtsgeschichte Johannes´ des Täufers in den überbietenden Parallelismus zwischen seiner Person und Jesus aus Nazaret eingebunden. Somit kann die wohl ursprüngliche Überlieferung, die von einem Beginn der irdischen Existenz des Täufers in Analogie zu den biblischen Prophetenleben weiß, von der christlichen Tradition und Redaktion in integrierender Weise übernommen werden, um so die Übereinstimmung von christlicher Verkündigung und populärer mündlicher Überlieferung zu gewährleisten und zugleich die Minorität des Täufers gegenüber Jesus Christus zu wahren.

---

33) "Die Antwort, die man durch das Orakelsuchen erhält, ist grundsätzlich ein Gottesspruch, ein Wort Gottes" (H. Ringgren, Art. Gottesspruch, Orakel: BHH I, 599). Auch der Hymnus des Zacharias scheint aufgrund dessen Geistbegabung als von Gott zumindest bestätigter Lobpreis deszukünftigen Geschicks des Neugeborenen betrachtet werden zu können.

Übrig bleibt die Frage, warum das Motiv des Schülerverhältnisses gegenüber einer prophetischen Autorität im Rahmen der Täuferbiographie nicht überliefert wurde. Der Notiz vom Heranwachsen des Täufers in der Wüste (Lk 1,80) folgt in Lk 3,2ff. der Beginn seines öffentlichen Auftretens. Was dazwischen geschah, wo und bei wem Johannes aufwuchs und seine Ausbildung erhalten hat, davon erfahren wir nichts. Hat die christliche Tradition diese Nachricht nicht mehr weiterüberliefert, oder bestand von Anfang an kein Interesse, sie in die Täuferbiographie einzufügen? M. E. ist das Motiv des Schülerverhältnisses gegenüber einer prophetischen Autorität für den Aufweis der Vollmacht einer zeitgenössischen prophetischen Existenz im Rahmen ihrer Anlehnung an ein »ideales« Prophetenleben einfach unpraktikabel. Ihr Bezug auf eine gegenwärtige Prophetengestalt würde einen Lehrer erfordern, dem zum einen ebenfalls prophetische Autorität beigemessen wird und der zum anderen in der Erinnerung der Tradenten noch eine bekannte Gestalt ist. Von einer solchen namentlich allgemein bekannten zeitgenössischen prophetischen Autorität (in Analogie etwa zu der Gestalt des Elija) zur Zeit des Täufers wissen wir aber nichts. Zudem bestand für Christen und auch für (ehemalige) Täuferanhänger wohl kein Interesse daran, nachträglich einen Propheten als Lehrer in die Biographie des Täufers einzufügen, da sich zum einen die vorösterlichen Täuferanhänger aus dem palästinischen Judentum hierdurch in Widerspruch zur sie umgebenden Überlieferung begeben hätten. Zum anderen hatten die Tradenten im Rahmen der christlichen Gemeinden sicher bereits genug damit zu tun, die Autorität Johannes' des Täufers selbst zu relativieren, als daß sie sich hierzu eine zusätzliche, jenem noch übergeordnete Prophetengestalt in die Erinnerung (bzw. ins Leben) gerufen hätten.

Das Ergebnis der Analyse der lukanischen Vorgeschichte, nämlich die Ursprünglichkeit dieser Überlieferungen in der Geburtsgeschichte des Täufers als vorredaktionelle Bestandteile einer allgemein verbreiteten Interpretation seiner Gestalt, läßt sich nun dahingehend konkretisierend erweitern, daß diese Einzelmotive zum größten Teil mit den Elementen eines »idealen« Prophetenlebens direkt übereinstimmen und gerade dort, wo sie modifiziert wurden, ein deutliches Bestreben christlicher Tradenten bzw. des Redaktors zu erkennen ist, die heilsgeschichtliche Dignität des Täufers zu begrenzen.

II. Form, Inhalt und Ort der Beauftragung des Propheten

Wer als beauftragter Bote auftritt, bedarf irgendeines Nachweises seiner Vollmacht. Auch die Beauftragung eines Propheten bedarf zur Realisierung des Auftrags der Anerkennung des Beauftragten als Gottesbote durch die Adressaten seiner Verkündigung. Bestehen Zweifel am göttlichen Ursprung der Verkündigung dessen, der als Prophet auftritt, wird die von ihm übermittelte Botschaft von seinen Zuhörern nicht angenommen. Ebensolches gilt auch für ein Prophetenbuch. Der göttliche Ursprung der darin enthaltenen Prophezeiungen mußte auch zur Zeit Johannes´ des Täufers glaubhaft vermittelt werden, damit diese Autorität beanspruchen konnten. Die Zustimmung der Adressaten sowohl der Verkündigung der Propheten selbst, als auch der in den heiligen Schriften des Judentums gesammelten prophetischen Überlieferung war von deren Verstehens- und Wissenshorizont abhängig. Paßten demnach Auftreten und Verkündigung eines Propheten nicht in das Bild, das man bereits von einem solchen Gottesmann hatte, tat er sich schwer, eine ebensolche Geltung zu beanspruchen. Aus diesem Grund kommt gerade der Beauftragung des Propheten besondere Bedeutung bei der Übermittlung seines vollmächtigen Anspruchs hinsichtlich seines Auftretens und seiner Verkündigung zu.

Im ersten Hauptteil der Untersuchung wurde deutlich, daß die Beauftragung Johannes´ des Täufers zu seiner Unheilsverkündigung durch das Ereignis des Wortes Gottes in der Wildnis der Wüste (Lk 3,2) mit hoher Wahrscheinlichkeit nicht allein der Verknüpfung von Lk 1f. mit dem nachfolgenden Überlieferungsmaterial dient, d.h. grundsätzlich keine literarische Fiktion ist. Sie stimmt vielmehr mit allgemein bekannter mündlicher Überlieferung überein, die ihren Ursprung wohl in einer zeitgenössischen Interpretation des Täufers hat, vielleicht sogar mit seinem prophetischen Selbstbewußtsein. Auch die Einführung des Täufers im direkten Anschluß an das Zitat von Jes 40,3 bereits bei Markus (1,3f.) wies auf eine ursprüngliche, wahrscheinlich vorchristliche Deutung des Beginns seiner Wirksamkeit als Erfüllung der Prophezeiung vom gottgesandten "Rufer in der Wüste" hin.

Die Frage nach einem Paradigma dieser Beauftragung als Bestandteil eines »idealen« Prophetenlebens scheint berechtigt, denn ebenso wie bei der Überlieferung bezüglich Herkunft, Geburt und Heranwachsen der Propheten läßt sich auch hier eine Reihe von Übereinstimmungen in der Darstellung der göttlichen Beauftragung der einzelnen Prophetengestalten feststellen. Zu unterscheiden von - und gegebenenfalls herauszulösen aus - der literarischen Gattung des Berufungsberichts[34] ist die eigentliche Beauftragung des Propheten. Während die Berufung als Erwählung eines Menschen zum Propheten durch das machtvolle Heilshandeln Gottes in der Geschichte dessen prophetische Existenz und Wirksamkeit in einmaliger Weise einleitet, kann die Mitteilung eines göttlichen Auftrags mehrfach geschehen und dient in erster Linie dem Ausweis der Vollmacht der prophetischen Verkündigung. Dem ausführlichen Motivkomplex der Berufung steht die knappe, auf ihre wesentlichen Merkmale reduzierte Darstellung der Beauftragung gegenüber.

Prinzipiell zu unterscheiden ist in diesem Zusammenhang ferner zwischen a) Prophetenbeauftragungen in Form von Visionen oder Auditionen und b) dem sogenannten "Wortereignis", ausgedrückt durch die formelhafte Wendung: "היה

---

34) Vgl. B.O. Long, Art. Berufung I. Altes Testament: TRE V, 676-684.

... דבר יהוה אל (bzw. וַיְהִי)". Während bei der ersteren Form die Beauftragung des Propheten in einer direkten Begegnung mit Gott selbst oder seinem Mandatar stattfindet, ist es beim "Wortereignis" allein der Empfang des wirkmächtigen דבר יהוה,[35] der denjenigen, der ihn empfängt, zur Verkündigung des Gotteswillens bzw. des zukünftigen Geschehens im Rahmen seines Prophetenamtes beauftragt und zugleich ausweist.

Die Überlieferung einer solchen Mitteilung des Gotteswillens an den Propheten kann mehrere Gründe haben: Durch sie wird zum einen die Autorität seiner - ihrem Ursprung nach als göttlich verstandenen - Verkündigung betont, und zum anderen sowohl die Prophetengestalt selbst als auch das Prophetenbuch legitimiert.[36] Dort, wo die Beauftragung durch das Wortereignis dargestellt wurde, konnte hierbei (unbeschadet der Bedeutung der Beauftragung und des Auftrags) die Transzendenz des Beauftragenden im Sinne der zeitgenössischen jüdischen Gottesvorstellung gewährleistet werden.[37]

Was wußte man zur Zeit Johannes' des Täufers über die Beauftragung eines Propheten? Hier interessiert im Rahmen der Frage nach seinem möglichen Selbstverständnis als Prophet besonders die <u>Form</u> einer solchen Beauftragung, der <u>Inhalt</u> der Verkündigung, zu welcher der Prophet beauftragt wird, und der <u>Ort</u>, an dem diese Beauftragung stattfindet, denn diese drei Informationen bietet auch die den Täufer betreffende synoptische Überlieferung. Weisen Verstehenshorizont der Zeitgenossen des Täufers bezüglich der Beauftragung eines Propheten und seine in Mk 1,2 parr. und Lk 3,2 erhaltene Interpretation durch jene Zeitgenossen Übereinstimmungen auf, gewinnt die These, daß die Existenz des Täufers in Analogie zu einer vorbildhaften Prophetenbiographie zu verstehen ist, an Berechtigung.

Die heiligen Schriften des Judentums überliefern bei nahezu allen Propheten, aber auch bei den biblischen Gestalten, die erst im späteren Verlauf der Überlieferung als Propheten betrachtet wurden, deren göttliche Beauftragung: So wird bei den Verheißungen an Abraham zu Beginn der Vätergeschichte dieser von Jahwe selbst beauftragt, seine Heimat, seinen Stammesverband und seine Familie zu verlassen (Gen 12,1f.), um in dem von Jahwe verheißenen Land zu einem großen und bedeutenden Volk zu werden (Gen 12,2f. 7) bzw. das Land in Besitz zu nehmen (13,14ff.). Die Verheißung von Kulturlandbesitz an den Kleinviehnomaden Abraham impliziert, daß der Ort der göttlichen Beauftragung, in dieses Land zu ziehen, als karges Wüstengebiet vorgestellt werden kann.[38] Die Beauftragung Abrahams

---

35) "In jedem Wort ist auch immer auf eine rational nicht näher aufzuhellende Weise etwas von der Sache selbst enthalten. Es ereignet sich also in der Sprache in einem sehr realistischen Sinne eine Verwirklichung der Welt" (G. v. Rad, Theologie II, 90).
36) Vgl. D.E. Aune, Prophecy 98.
37) Vgl. G. v. Rad, Theologie II, 96; W.H. Schmidt, Art. דבר II. Die Wurzel: ThWAT II, 117.
38) Zum Lokalisierungsversuch vgl. Gen 11,31; 12,6; 13,3. 18.

in Gen 12,1f. begegnet hier in Form einer direkten Gottesbegegnung. Ein Wortempfang Abrahams findet sich allein in dem gegenüber Gen 12,1f. 7; 13,14ff. sicher jüngeren Text Gen 15,1-6 [39] im Zusammenhang mit der göttlichen Verheißung zahlreicher Nachkommenschaft. Der דבר יהוה ergeht hier gleich zweimal, um Abraham göttlichen Beistand (15,1f.) und zahlreiche Nachkommenschaft (15,4f.) zu verheißen. In beiden Fällen wich die sonst übliche Unmittelbarkeit der Gottesrede an Abraham (vgl. Gen 12,7; 13,14; 17,1 u.ö.) einer Wortereignisformel, durch welche die Transzendenz des Verheißenden gewahrt bleibt. In den Targumim wird hier ebenso die Transzendenz Gottes betont, aber zudem auch auf den prophetischen Charakter des דבר יהוה hingewiesen. [40]

Die beiden Versionen der Berufung des Mose in Ex 3,1ff. und 6,2ff. berichten von einer Angelophanie (3,2) bzw. Theophanie (Ex 6,2; an dieser Stelle wird weder bei TO noch bei TFr^{P,V} oder TCN die Direktheit der Gottesbegegnung abgeschwächt), bei der dem Mose der göttliche Auftrag erteilt wird, das Volk Israel aus Ägypten zu führen (3,10) bzw. den Israeliten die Heilstaten Jahwes anzukündigen (6,6). Der Berg Horeb in der Wüste als Ort seiner Beauftragung wird nur in Ex 3,1 erwähnt. Der ambivalente "magische" Charakter der Wüste als lebensfeindlicher unheimlicher und bedrohlicher (aber auch als durch ihre schier endlose Ausdehnung und traditionelle Bedeutung als Zufluchtsort des Vertriebenen [Gen 21,14f.] und des verfolgten Gerechten [I Makk 2,29f.] positiv gekennzeichneter) Ort kann - zusammen mit der Erfahrung von hitzebedingten Halluzinationen - ihre Bedeutung als »idealer« Ort einer göttlichen Offenbarung bzw. Beauftragung bestimmen. [41] Hinzu kommt eine Idealisierung der Wüste als Spiegelung einer nachmaligen Rückbesinnung des Judentums auf seine Anfänge als jahweverehrende Wüstennomaden in bewußter Abgrenzung von kanaanäischen Städtern. [42]

Auch während des Zuges der Israeliten durch die Wüste ergehen mehrere göttliche Aufträge an Mose, die formale Übereinstimmungen aufweisen: In Ex 16,10ff. erscheint ihm Jahwe in der Wüste und erteilt ihm den Auftrag, dem murrenden Volk die göttliche Fürsorge zuzusichern. In Ex 19,3ff. ruft Jahwe dem Mose vom Berg Sinai in der Wüste zu, dem Volk die zehn Gebote seines Bundes zu verkün-

---

39) "Der Erzähler und der Kreis, in dem diese Überlieferung lebendig war, konnte sich den Verkehr Gottes mit Abraham nur nach der Art prophetischer Berufungen vorstellen, vermittelt durch ein >Gesicht< und einen prophetisch Bevollmächtigten" (G. v. Rad, Genesis 154). Zur Datierung von Gen 15,1ff. vgl. weiterhin C. Westermann, Genesis 12-36, 257f.

40) Während die LXX in Gen 15,4 unbefangen von der φωνὴ χυρίου (15,1: ῥῆμα χυρίου) und sowohl TO als auch TFr^{V} vom פתגמא דיוי sprechen, bietet TFr^{P} (ebenso TCN) in Gen 15,1 מרמר מן קדם ייי, wodurch Gott nicht mehr als unmittelbarer Sprecher erscheint. TO ergänzt in Gen 15,1 weiterhin בנבואה hinter אברם. Auch TCN liest הוה פתגם דנבו. Das Gotteswort wird dadurch als Prophetenwort ausgewiesen.

41) Anders S. Talmon, Art. מדבר ,ערבה: ThWAT IV, 687. Zur religionsgeschichtlichen Bedeutung der Wüste vgl. X. de Planhol, Art. Deserts: EncRel^2 IV, 304-307.

42) Vgl. J.W. Flight, Idea 158ff. sowie K. Engelken, Kanaan 62.

den. In Num 20,22ff. sagt Jahwe zu Mose am Berg Hor in der Wüste (vgl. Num 21,4. 11. 13. 18ff.), er solle mit Aaron und Eleazar auf den Berg steigen, um dort das Priesteramt Aarons, dessen Tod Jahwe beschlossen hat, an seinen Sohn zu übergeben. In diesem Zusammenhang ist weiterhin die Überlieferung von der Gegenwart Jahwes im Zeltheiligtum in Ex 33,7-11 zu erwähnen. Hier wird berichtet, daß Mose sein Zelt in der Einsamkeit der Wüste fernab vom Lager der Israeliten aufschlägt, um dort mit Jahwe "von Angesicht zu Angesicht" (33,11) zu reden. Der Rückverweis auf diese göttliche Beauftragung des Mose in der Wüste leitet sowohl das gesamte Buch Numeri ein (Num 1,1), als auch die Aufzählung der Stammväter der Leviten (Num 3,14), die Passaordnung (Num 9,1), schließlich die Anweisungen zur Vertreibung der Kanaanäer und zur Landverteilung im Westjordanland sowie der Einrichtung von Asylstädten (Num 33,50).

In Ex 4,15ff. wird Mose am Ende der Gottesbegegnung in der Wüste befohlen, seinerseits Aaron als seinen Boten zu beauftragen. Mose soll "die Worte in seinen Mund legen" (4,15). Die Funktionen des Mose und des Aaron entsprechen hierbei dem Verhältnis zwischen Gott und seinem Propheten (Ex 7,1f.):[43] Aaron soll in die Wüste gehen (4,27) und dort die Beauftragung durch Mose entgegennehmen. Er soll gegenüber dem ägyptischen Herrscher dessen Botschaft verkünden, die Israeliten aus der Zwangsverpflichtung zu entlassen und ihm andernfalls eine Bestrafung durch Gott androhen (4,28; vgl. 6,11).

Mit der Tradition der göttlichen Gesetzesmitteilung an Mose als an einen idealen Propheten (vgl. Dtn 34,10; Hos 12,14; IIChr 24,9; syrBar 1,20f.) während der Zeit der Wüstenwanderung Israels scheint eine weitere Grundlage für die Vorstellung von der Wüste als »idealer« Ort einer Prophetenbeauftragung zu entstehen. In neutestamentlicher Zeit reflektiert die Stephanusrede (Act 7) diese Beauftragung des Propheten (insb. Act 7,37) Mose während der Wüstenwanderung (Act 7,38. 44; vgl. 30. 36. 42), indem die Wüste als Ort der Gottesbegegnung und der heilvollen Zuwendung Jahwes dem Jerusalemer Tempel gegenübergestellt wird, wahrscheinlich um dessen Bedeutung zu relativieren.

Bei der göttlichen Androhung des beschlossenen Untergangs des Hauses Eli (ISam 3,1ff.) erfolgt kein eigentlicher Auftrag Jahwes an Samuel. Einer Berufung Samuels entspricht die Erzählung von seiner Annahme als Ungeborener durch Jahwe in ISam 1 (vgl. insb. 1,17). Dennoch weist ISam 3 Gemeinsamkeiten mit einer Prophetenbeauftragung auf. An Samuel ergeht während einer Audition im Heiligtum in Silo die Mitteilung des Willens Jahwes (3,11ff.). Der Vers 21 weist dieses Geschehen als das erste und grundlegende einer Reihe von weiteren Wortoffenbarungen Jahwes in Silo aus, bei denen er Samuel seinen Willen mitteilt, den dieser

---

43) Während die LXX (᾿Ααρων ὁ ἀδελφός σου ἔσται σου προφήτης) in Ex 7,1 dem MT (ואהרן אחיך יהיה נביאך) folgt, ersetzt TO in Analogie zu Ex 4,16 נביאך durch מתורגמנך (TCN: תרגמנך).

als "Prophet Jahwes" (3,20) dann ganz Israel verkündet. In ISam 15,10f. wird dem Samuel weiterhin mit einer einleitenden Wortereignisformel die Verwerfung Sauls durch Jahwe aufgrund dessen Ungehorsams angekündigt.

Zu Natan, dem Propheten Davids, kommt der דבר יהוה (TJon: פתגם נבואה מן קדם יוי) in der Nacht (IISam 7,4), wohl in Jerusalem (vgl. IISam 12,1). Er soll dem König ankündigen, daß nicht er einen Tempel für Jahwe bauen wird, sondern erst sein Sohn Salomo. Solche Wortereignisformeln leiten weiterhin die Beauftragungen der Propheten Gad (IISam 24,11) und Jehu ben Hanani (IReg 16,1) ein. Diesem wird der Wortlaut der Ankündigung des Untergangs des Hauses Bascha mitgeteilt, wobei der Auftrag zur Weitergabe der Botschaft an den König des Nordreichs ohne ausdrückliche Erwähnung (vgl. IReg 16,7) impliziert ist. Jener soll David verschiedene Möglichkeiten der göttlichen Bestrafung seiner Schuld ankündigen. Bei beiden erfährt man nichts über den Ort der Beauftragung. In beiden Fällen bietet TJon für die Wortereignisformel פתגם נבואה מן קדם יוי.

Der דבר יהוה ergeht an Elija aus Tischbe in Gilead (IReg 17,2). Er wird beauftragt, in das Bachtal Kerit im Ostjordanland zu gehen, um sich dort zu verbergen.[44] Nach einiger Zeit empfängt er in dem ausgetrockneten Bachtal erneut einen göttlichen Auftrag durch ein Wortereignis. Elija soll nach Sarepta gehen, wo sich eine Witwe um ihn kümmern werde (IReg 17,8f.). Durch einen דבר יהוה wird Elija beauftragt, zu König Ahab zu gehen, um ihm ein Ende der Dürrezeit anzukündigen (IReg 18,1), durch einen דבר יהוה wird dem Propheten nach einem langen Weg tief in die Wüste hinein in einer Berghöhle am Horeb befohlen, Hasaël zum König über Aram, Jehu zum König über Israel, und Elisa zu seinem Nachfolger im Prophetenamt zu salben (IReg 19). Anders jedoch IIReg 1,3. 15: Hier spricht ein מלאך יהוה zu Elija. Der Prophet soll ein Strafwort Jahwes gegen Ahasja, den König von Israel, übermitteln, weil dieser nicht Jahwe, sondern einen fremden Gott um Orakel befragt hat.

Der Elias redivivus des Maleachibuches hat den Auftrag, vor dem Anbrechen des Tages Jahwes die Voraussetzungen für dessen Kommen zu schaffen (Mal 3,1. 23f.); ein Auftrag, dessen Erfüllung durch Johannes den Täufer Markus seinem Evangelium voranstellte (Mk 1,2ff.), um so zwischen seiner christologischen Intention und dem Wissenshorizont seiner Adressaten zu vermitteln.

Der דבר יהוה ist auch bei Elisa wirksam gegenwärtig. Diese Tatsache ist Joschafat, dem König von Juda, bekannt (IIReg 3,12). Elisa wird durch den "Besitz" des Gotteswortes als legitimer Jahweprophet ausgewiesen, dem man nicht allein die Verkündigung des Gotteswillens, sondern hier sogar die Rolle eines Ansprechpartners bei der Bitte um göttlichen Beistand zutraut (3,11).

---

44) Vgl. Apk 12,6. 14.

Wie bei der Unheilsankündigung über das Haus Eli an Samuel, so wird auch bei Asarja ben Oded und Secharja ben Jojada, den beiden Propheten der Chronikbücher, keine eigentliche Beauftragung überliefert. Dennoch folgt in beiden Fällen der Bericht von der Ausführung eines göttlichen Auftrags - nämlich der Ansage der Zustimmung Jahwes zu den Reformen Asas (II Chr 15,2ff.) bzw. der Ankündigung der Strafe Jahwes für den Abfall Joaschs (II Chr 24,20) - auf die Notiz vom Geistempfang des Propheten (II Chr 15,1; 24,20). Hieraus kann geschlossen werden, daß ein solcher Geistempfang als Beauftragung verstanden wurde, und somit auch als Bevollmächtigung des Propheten und seiner Botschaft.

Der Prophet Jesaja erhält in einer Vision den göttlichen Auftrag zur Verstokkung des Volkes (Jes 6,1-13). Dagegen findet sich eine Beauftragung durch ein Wortereignis im Jesajabuch nicht. Ist es möglich, Jes 40,3. 6 als Beauftragung eines Propheten[45] zu verstehen? Für den Autor und die Adressaten des Markusevangeliums scheint die Beziehung zwischen dem Aufruf, Jahwe in der Wüste den Weg zu bereiten (Jes 40,3) und dem Auftreten Johannes´ des Täufers vorausgesetzt zu sein, denn Mk 1,3f. will aussagen, daß sich mit dem Beginn der Wirksamkeit des Täufers diese Prophezeiung Jesajas erfüllt hat.

Der Aufruf in Jes 40,3 hat zunächst keinen klaren Adressaten. Hingegen beinhaltet 40,6ff. den Auftrag zu verkündigen sowie die Rückfrage des in der 1. Person sprechenden Propheten[46] nach dem Inhalt der Verkündigung. Aufgrund der durch das Stichwort קול hergestellten Analogie zwischen den beiden Versen 3 und 6 ist es somit möglich, auch Jes 40,3 als Beauftragung eines Propheten zu interpretieren. Im Sinne des Parallelismus membrorum zwischen 40,3b und c[47] ist die Wüste im MT und in TJon nicht Schauplatz der Prophetenbeauftragung, sondern Ort des Kommens Jahwes. Jedoch könnte die Tatsache, daß nicht nur die LXX, sondern auch alle drei Synoptiker und die spätere rabbinische Literatur[48] offensichtlich keine Schwierigkeiten hatten, die Wüste als dessen Aufenthaltsort auf den in Jes

---

45) An dieser Stelle ist erneut zu betonen, daß die antiken Leser und Hörer des Jesajabuches nichts von einem Proto-, Deutero- und Tritojesaja wußten.

46) Unvokalisiertes ואמר kann hier entweder als Partizip oder als finites Verb und im zweiten Fall als 1. Pers. sg. imperf. (וְאֹמַר : 1Q Jesᵃ bietet ואומרה; LXX übersetzt καὶ εἶπα, vg bietet et dixi) oder als 3. Pers. msc. sg. perf. (וְאָמַר: so ein Teil des MT, Peschitto [ܘܐܡܪ] und TJon) interpretiert werden. Die 1. Person ist im Zusammenhang mit der Frage nach der Interpretation des Textes in Palästina zur Zeit des Täufers wohl vorzuziehen, obwohl sie nicht als mit Sicherheit "ursprünglich" angesehen werden kann, denn sie wird von Texten vertreten, die in bezug auf Zeit und Ort ihres Entstehens in diesem Fall mindestens ebenso repräsentativ für das zeitgenössische jüdische Schriftverständnis erscheinen wie Masora und Targum. Vgl. hierzu neben dem Konjekturvorschlag in der BHS auch K. Elliger, Deuterojesaja 3 (anders jedoch D. Michel, Rätsel 131).

47) במדבר gehört offenbar zu דרך יהוה und nicht zu קול קורא, denn andernfalls würde der streng parallele Aufbau von Jes 40,3b und c zerstört werden:

במדבר פנו		דרך		יהוה
ישרו בערבה		מסלה		לאלהינו

48) PesR 29/30B.

40,6b antwortenden Propheten zu beziehen, darauf hindeuten, daß auch diese Interpretation zu neutestamentlicher Zeit möglich war. Gleichzeitig dient ein solches Verständnis der hebräischen Überlieferung als Beleg für eine Tendenz, die Wüste als »idealen« Ort der göttlichen Beauftragung eines Propheten zu deuten.

Bei keinem biblischem Schriftpropheten ist derart häufig von seiner göttlichen Beauftragung die Rede wie bei Jeremia.[49] Bereits in der Einleitung des Jeremiabuches wird der Zeitraum angegeben, während dessen der דבר יהוה an den Propheten ergeht (Jer 1,2f.). Jeremia soll das Gericht über Juda und Jerusalem ankündigen. Während der MT dem Buch den Titel "דברי ירמיהו" gibt (Jer 1,1), lautet er in der LXX "τὸ ῥῆμα τοῦ θεοῦ, ὃ ἐγένετο ἐπὶ Ἰερεμιαν". Deutlich erscheint hierbei die Absicht der Legitimation des gesamten Prophetenbuches durch den zusätzlichen Hinweis auf seinen Charakter als in einem Wortereignis geschehene göttliche Offenbarung. Allein die Verkündigung des göttlichen Auftrags, der durch den דבר יהוה empfangen wurde, gilt bei Jeremia als wahre Prophetie, so in Jer 14,14; 23,21. 32. 38. Das Wortereignis scheint im Jeremiabuch also unbedingten Vorrang vor allen anderen Offenbarungsarten (23,28) zu haben; allein die Verkündigung dieses Wortes definiert hier den Jahwepropheten in der Geschichte (29,19).

Auch das Ezechielbuch beginnt mit der Erwähnung des Wortempfangs des Propheten (Ez 1,3). Das unmittelbar folgende Visionserlebnis bei der Berufung Ezechiels (1,4ff.) wird somit als Szenario des eigentlichen Wortereignisses ausgewiesen, und nicht als selbständige Offenbarungsart. Der Inhalt der Beauftragung des Berufenen wird in Ez 3,16 mit einer Wortereignisformel eingeleitet: Als Prophet wird Ezechiel zum Wächter über Israel bestellt und soll die Möglichkeit der Bekehrung anbieten (3,17f.). Ez 3,22ff. berichtet ferner von der göttlichen Handlungsanweisung (hier durch die יד יהוה), Ezechiel solle weg vom Fluß Kebar "hinaus in die Talebene" gehen, um dort das Wort Jahwes durch dessen Geist zu empfangen und bis zum Fall Jerusalems (vgl. Ez 24,25-27; 33,21f.) zu schweigen. TJon z. St. spricht statt von der יד יהוה von der רוח נבואה מן קדם יוי.

Während am Anfang der Bücher Amos (1,1),[50] Obadja (1,1) und Habakuk (1,1) allein von prophetischen Visionen die Rede ist, bestehen die redaktionellen Überschriften der Bücher Hosea (1,1), Joel (1,1), Jona (1,1), Micha (1,1), Zephanja (1,1), Haggai (1,1), und Sacharja (1,1) aus einer bevollmächtigenden Wortereignisformel. In einigen Fällen folgt hierauf eine direkte Beauftragung. So soll Hosea als Zeichenhandlung für die Untreue Israels eine אשת זנונים heiraten (Hos 1,2). Jona soll die Bestrafung der Stadt Ninive ankündigen (Jon 1,2) und Sacharja zur Umkehr und

---

49) Die "Wortereignisformel" begegnet im Jeremiabuch in 1,4; 2,1; 7,1; 11,1; 14,1; 18,1; 21,1; 25,1; 30,1; 32,1; 34,1. 8; 35,1; 40,1; 44,1.

50) Am 7,15 reflektiert die Beauftragung des Propheten. Amos verweist gegenüber Amazja darauf, daß Jahwe ihn "hinter der Herde weggenommen" hat, um gegen das Volk Israel als Prophet aufzutreten.

zum Befolgen des Prophetenwortes aufrufen (Sach 1,3f.). Bei Joel, Micha, Zephanja und Haggai folgt auf die Wortereignisformel ohne Überleitung der Wortlaut der Prophetie. Bei diesen Propheten impliziert die Wortereignisformel im Rahmen der biblischen Überlieferung also offenbar eine Beauftragung zur Verkündigung des nachfolgenden göttlichen Unheilswortes und zugleich dessen Bevollmächtigung.[51]

Es wurde deutlich, daß die Überlieferung der heiligen Schriften des Judentums in zunehmend stereotyper Weise von der göttlichen Beauftragung der Propheten berichtet. Dagegen findet sich in den Vitae prophetarum nur bei dem Propheten Natan die Notiz, daß er von Gott zu David geschickt wurde, um ihn wegen seines Ehebruchs mit Batseba zurechtzuweisen (VitPr 17,3).[52] Bei einigen anderen Prophetenleben wird allein von der Ausführung des göttlichen Auftrags berichtet (Micha; Jona; Nahum; Habakuk; Zephanja; Haggai; Sacharja; Ezechiel; Asarja ben Oded[53]), und bei allen übrigen macht die Überlieferung der Vitae prophetarum überhaupt keine Angaben. Möglicherweise ist dieses Fehlen von Traditionen bezüglich der Beauftragung der Propheten in ihren Vitae darauf zurückzuführen, daß die biblische Überlieferung hierüber bereits hinreichend Auskunft gab, so daß eine erneute Erwähnung in diesem Rahmen nicht mehr notwendig war. Anders als bei einem Prophetenbuch, dessen Inhalt - nämlich Prophezeiungen mit Geltungsanspruch - offenkundig einer Legitimation bedurfte, scheint der erneute Hinweis auf die göttliche Beauftragung in den Vitae prophetarum (die ja keine eigentlichen Prophezeiungen, sondern Prophetenlegenden beinhalten) unnötig gewesen zu sein.

Hingegen begegnet die Beauftragung des Propheten mehrmals in den Paralipomena Jeremiae: In ParJer 1,1f. 8f. spricht Gott selbst mit Jeremia und erteilt ihm den Auftrag, Jerusalem zusammen mit Baruch zu verlassen. Auf Befragen Jeremias beauftragt Gott ihn weiterhin, die Kultgeräte des Tempels am Heiligtum zu vergraben (ParJer 3,10) und Abimelech zwecks dessen Verschonung bei der drohenden Zerstörung Jerusalems zum Weinberg des Agrippa zu schicken (3,14). Eine interessante Variante der Beauftragung bietet ParJer 7: Der Adler, der Jeremia an einem τόπος ἔρημος (7,13) die Botschaft Baruchs und Abimelechs verkündet, die Israeliten zu versammeln, um ihnen die Rückkehr nach Jerusalem anzukündigen (7,16ff.; vgl. 6,23-25), wird vom Volk in Analogie zu Mose, durch den sich Gott den Vätern in der Wüste offenbart hat, als Erscheinungsweise Gottes erkannt (7,20). Gottes Auftrag an den Propheten, das Volk an den Jordan zu führen, um es dort

---

51) Vgl. hierzu auch II Reg 14,25, wo vom Ergehen des דבר יהוה an Jona die Rede ist.
52) Q: ἔπεμψε κύριος ἐλέγξαι αὐτόν.
    S: ܘܫܕܪ ܐܠܗܐ ܡܟܣ ܠܕܘܝܕ.
    R: ἀπέστειλεν ὁ θεὸς τὸν Νάθαν καὶ ἤλεγξε τὸν Δαυὶδ περὶ τῆς ἁμαρτίας αὐτοῦ.
53) Während Asarja ben Oded nach II Chr 15,1ff. die Zustimmung Jahwes zu den Kultreformen König Asas ansagt, machte er nach VitPr 20,1 der israelitischen Kriegsgefangenschaft der Judäer ein Ende. Hier scheint eine Verwechslung des Asarja ben Oded mit dem Propheten Oded (II Chr 28,9ff.) vorzuliegen.

zu scheiden in diejenigen, die bereit sind, den Fluß unter Zurücklassung ihrer nichtisraelitischen Ehepartner zu überqueren und Jerusalem erneut zu besiedeln, und diejenigen, die sich von ihren Frauen und Männern nicht trennen wollen (8,2ff.), scheint inhaltlich deutliche Parallelen zur Beauftragung Johannes' des Täufers (Lk 3,2f.) aufzuweisen. Zwar kann hier von einer direkten Abhängigkeit sicher nicht die Rede sein, doch berühren sich ParJer 8 und Lk 3 dahingehend, daß besonders Form, Inhalt und Ort beider Beauftragungen in ihren Grundzügen Übereinstimmungen aufweisen.

Als Resultat der Befragung der biblischen Überlieferung und der antiken jüdischen Prophetenlegenden nach einem Verstehenshorizont des palästinischen Judentums zur Zeit Johannes' des Täufers bezüglich Form, Inhalt und Ort der Beauftragung des Propheten läßt sich festhalten, daß sich aus der überwiegenden Mehrzahl der Belege folgendes grobe Paradigma einer »idealen« Prophetenbeauftragung ergibt:

Form:	Inhalt:	Ort:
Wortereignis	Verkündigungsauftrag (Unheilsankündigung; Drohwort; Bußruf)	Wüste

In auffälliger Weise stimmen die in Mk 1,3f. parr. und Lk 3,2ff. reflektierten Traditionen mit diesem zeitgenössischen Paradigma einer Prophetenbeauftragung innerhalb eines als »ideal« verstandenen Prophetenlebens überein. Form und Ort der göttlichen Beauftragung des Täufers können somit in direkter Weise auf dieses Paradigma bezogen werden (vgl. Mk 1,2ff.; Lk 3,2); ihren Inhalt (nämlich seine öffentliche Bußpredigt) kann man dann aus Lk 3,2ff. erschließen. Insbesondere die Beauftragungen des Mose im Rahmen der Exodustypologie und des (zum Anbruch der Endereignisse wiedererwarteten) Elija, aber auch die Beauftragung des Wegbereiters Jahwes in Jes 40 lassen sich hierbei hervorheben als Vorstellungsrahmen und Maßstab für die wertende Interpretation der prophetischen Verkündigung Johannes' des Täufers durch seine Zeitgenossen, aber möglicherweise sogar als Grundlage seines eigenen prophetischen Sendungsbewußtseins.

III. Die Tracht des Propheten

Ein Kleidungsstück kann seinen Träger (als ein von ihm bewußt gewähltes äußerliches Signal) für sich selbst und für seine Umwelt in bestimmter Weise kennzeichnen. Kleidung konnte auch im antiken Judentum als Zeichen des Standes, des Selbstverständnisses oder der Stimmung seines Trägers dienen. Besondere Kleidung trugen sowohl Priester (Ex 28; Ez 44,17ff.; vgl. Jos. Bell 2, 123) als auch hohe Beamte (Gen 41,42; Jes 22,21); besondere Kleidung trug man zum Ausdruck von Freude (Koh 9,8; Mt 22,11; Apk 19,8 u.ö.) und Trauer (Gen 37,34; IISam 3,31; Mt 11,21 par. u.ö.).[54]

Wie in nahezu allen antiken Religionen, so konnte auch im Judentum zur Zeit des Täufers die Kleidung gerade im magisch-religiösen Bereich eine besondere Bedeutung haben: "Die Seelenkraft und Zaubermacht des Menschen geht über auf sein Kleid; dieses wird ... zu seinem Stellvertreter, einem Stück des Selbst."[55] Die Möglichkeit der Annahme einer solchen magisch-sympathetischen Verbindung des - durch den Körperkontakt mit *mana* quasi aufgeladenen - Kleidungsstückes mit seinem Träger und dessen Eigenschaften im antiken Volksglauben ist zu berücksichtigen, wenn im folgenden der Frage nachgegangen wird, welche »Standestracht« in Palästina zur Zeit des Täufers seinen Träger als Propheten ausweisen konnte.

Die Untersuchung von Mk 1,6 hatte ergeben, daß das eigentümliche Gewand des Täufers seinen Träger erst gegenüber den Adressaten des Markusevangeliums als Elias redivivus erscheinen lassen soll, um ihn ohne Verzerrung der Tradition als auf den Christus hinweisenden Propheten darzustellen. Dagegen wurde bereits angesprochen, daß Umhang aus Tierfell und Ledergürtel, die in der frühchristlichen Literatur an mehreren Stellen als typische Tracht biblischer Propheten begegnen, auf einer frühen Stufe der Tradition nicht ausschließlich als Kennzeichen des (wiederkommenden) Elija verstanden werden müssen.

Auch in der sicher zur ipsissima vox Jesu zu rechnenden Frage nach dem legitimierenden Grund für die Anerkennung der Autorität des Täufers (Mt 11,7b-9/Lk 7,24b-26) könnten die am Hof des Herrschers üblichen "weichen Gewänder" (Mt 11,8/Lk 7,25) der Bekleidung des Täufers gegenübergestellt worden sein, um Johannes und Herodes Antipas als den Adressaten seiner prophetischen Gerichtspredigt zu kontrastieren.

Ist es somit anhand der Analyse der synoptischen Überlieferung wahrscheinlich geworden, daß Johannes der Täufer auch durch seine besondere Bekleidung von seiner Umgebung als Prophetengestalt verstanden wurde und hierdurch möglicherweise sogar seinem prophetischen Selbstbewußtsein Ausdruck geben wollte, so bedarf dieses vorläufige Ergebnis nun einer Überprüfung hinsichtlich seiner Berechtigung im Rahmen der zeitgenössischen palästinisch-jüdischen Frömmigkeit.

Die biblische Überlieferung und die antiken jüdischen Prophetenlegenden bieten nun eine Reihe von Nachrichten bezüglich der Kleidung derer, die dem zeitgenössischen Judentum als Propheten galten. Anhand dieser Nachrichten wird der Wissenshorizont der jüdischen Umwelt Johannes' des Täufers deutlich. Zum einen war hier die Bekleidung eines biblischen Propheten in ihrer Art und Bedeutung

---

54) Vgl. H. Weippert, Art. Kleidung: BRL² 185-188; G. Fohrer, Art. Kleidung: BHH II, 962-965.
55) F. Heiler, Erscheinungsformen 119.

definiert, zum anderen könnte prophetisches Selbstbewußtsein mit diesem Vorverständnis äußerlich zum Ausdruck gebracht worden sein.

Die biblische Überlieferung konzentriert sich hierbei auf wenige Gestalten. Die prächtige Amtstracht des Hohenpriesters Aaron wird in Ex 28 und 39,1-31 ausführlich beschrieben. Besonders wichtig ist hierbei, daß Jahwe selbst die Art der Bekleidung seines Priesters bestimmt (vgl. Ex 25,7). Die Übergabe des hohenpriesterlichen Amtes Aarons an seinen Sohn Eleazar geschieht nun nach Num 20,26ff. dadurch, daß Mose diesem Aarons בגד überwirft (vgl. I Sam 18,4). Mit der von Aaron getragenen und dadurch mit dessen *mana* aufgeladenen Kleidung überträgt sich dessen hohespriesterliches Amt und zugleich seine gottgegebene Macht und Autorität: "Durch Anziehen des Kleides eines anderen Menschen gewinnt der neue Träger dieselbe Zauberkraft des alten."[56]

Samuel trägt bereits als Knabe im Dienst am Heiligtum einen אפוד und einen מעיל, die ihn als Priester kennzeichnen (I Sam 2,18f.; vgl. Ex 28,4. 6. 12. 15. 25-28; 39,2. 7. 18-22). Den מעיל gebraucht Samuel auch bei einer Zeichenhandlung (I Sam 15,27f.): Das Zerreißen seines Obergewandes durch Saul leitet den Verlust seines Königtums ein. Ferner wird der aus dem Totenreich aufsteigende Geist von der Totenbeschwörerin in En-Dor an seinem מעיל als Samuel erkannt (I Sam 28,14).

Auch der Prophet Ahija aus Silo[57] führt mittels eines Kleidungsstücks eine Zeichenhandlung durch (I Reg 11,29ff.). Indem er seinen Mantel (שלמה)[58] in zwölf Teile zerreißt, von denen er Jerobeam zehn gibt, zeigt er dem späteren König des Südreichs an, daß Jahwe auch das Reich Salomos zerreißen wird.

Elija trägt eine אדרת (LXX: μηλωτή), die er Elisa überwirft, um ihn damit zu seinem Nachfolger im Prophetenamt zu machen (I Reg 19,13. 19). Die mit dem Kleidungsstück verbundene prophetische Vollmacht und Autorität überträgt sich dabei auf seinen neuen Besitzer. Die אדרת "verkörpert ... die prophetischen Kräfte Elias, und das Überwerfen veranlaßt Elisa, dem zu folgen, der ihn durch diese Kräfte zwingt".[59] In II Reg 1,8 wird Elija dann als בעל שער (wörtlich: "Herr des Haares") bezeichnet. Die LXX übersetzt Ἀνὴρ δασύς, der Targum Jonathan bietet die Entsprechung גבר סערן. In dem Vers ist weiterhin die Rede vom אזור עור (LXX: ζώνη δερματίνη; TJon: זרזא דמשכא), den Elija trägt. In II Reg 2,8 benutzt der Prophet nun seine אדרת, um mit ihr einmal ins Wasser des Jordan zu schlagen,

---

56) F. Heiler, Erscheinungsformen 119; vgl. H.W. Hönig, Bekleidung 151. Auch negative Eigenschaften können an Kleidern haften. So läßt z. B. Jakob seine Familie die durch Verehrung fremder Götter verunreinigte Kleidung wechseln (Gen 35,2; vgl. Ex 19,10. 14); eine kriegsgefangene Frau muß ihre unreine (weil fremdländische) Kleidung ablegen (Dtn 21,13); sowohl der Hohepriester (Lev 16,23f.) als auch die Männer, die den Sündenbock in die Wüste trieben (16,26) und das Sündopfer verbrannten (16,28), müssen nach dem Entsündigungsritual ihre durch den Kontakt mit dem Sündenbock bzw. dem Sündopfer verunreinigten Kleider ablegen und sie waschen.

57) LXX I Reg 12,24°: "Schemaja".　　　　58) Vgl. Ex 22,8. 25; Jos 9,5. 13; Neh 9,21.

59) G. Fohrer, Handlungen 99.

auf daß es sich teilte, damit er und Elisa trockenen Fußes ans andere Ufer gelangen (vgl. VitPr 21,14 [Q]). Nachdem Elija schließlich dort entrückt wurde, nimmt Elisa als sein Nachfolger im Prophetenamt den "Mantel" als das einzige, was von seinem Vorgänger zurückgeblieben ist. Elisa, der sich von Elija zwei Drittel[60] seines Geistes (II Reg 2,9) erbeten hatte, schlägt mit diesem "Mantel" zweimal[61] ins Wasser des Jordan, das sich erneut teilt, um ihn ans andere Ufer zurückkehren zu lassen (2,13f.; vgl. VitPr 22,5 [Q]).[62] Für die Prophetenjünger, die ihn von ferne beobachten, ist das der Beweis, daß tatsächlich der Geist Elijas auf Elisa übergegangen ist (II Reg 2,15).

Der Ausdruck בעל שער in II Reg 1,8 läßt sich nun sowohl als "mit wallendem Haar" als auch als "mit einem Fellmantel bekleidet" verstehen.[63] Letztere Interpretationsvariante hätte zur Folge, daß Fellkleid und Ledergürtel als Einheit und somit als für den Propheten Elija typische Tracht zu interpretieren wären. Das wiederum würde bedeuten, daß sich zwischen II Reg 1,8 und Mk 1,6par. ein gewisser inhaltlicher Bezug erkennen ließe. Ist in II Reg 1,8 also das direkte Vorbild für die Tracht Johannes´ des Täufers verborgen? Ph. Vielhauer[64] lehnt diese Interpretation ab, indem er seinerseits darauf hinweist, daß die Gleichung "אדרת (I Reg 19,13. 19; II Reg 2,8. 13f.) = בעל שער [אדרת] (II Reg 1,8)" erst nachträglich in Analogie zu Sach 13,4, wo von einer אדרת שער (LXX: δέρρις τριχίνη; TJon läßt den Ausdruck aus; vgl. Gen 25,25) als Bekleidung der Propheten die Rede ist, entstanden sei. Auch J. Ernst[65] sieht in II Reg 1,8 keinen Hinweis darauf, daß hier ein "Prophetenmantel" gemeint sei.

Tatsächlich ist die Bedeutung von בעל שער nicht eindeutig. Auch ist es möglich, אדרת unter Verweis auf Jos 7,21. 24,[66] Ez 17,8,[67] Jon 3,6[68] und Sach 11,3[69] nicht allein als "härener Umhang" zu verstehen (die LXX gibt אדרת mit fünf verschiedenen Ausdrücken wieder). Jedoch sprechen m. E. eine Reihe von Gründen für die Annahme, daß in II Reg 1,8 tatsächlich ein Kleidungsstück (wenn auch kein "Mantel" im eigentlichen Sinne) gemeint ist. Zunächst ist zu berücksichtigen, daß der Vers nicht in isolierter Form gelesen und verstanden wurde. Eine Verknüpfung der verschiedenen Angaben über die Tracht des Elija darf man den antiken Lesern

---

60) Der Erstgeborene erbt zwei Drittel des väterlichen Besitzes (Dtn 21,17).

61) "Womit der Erzähler wohl andeuten will, daß er nur im Besitze von zwei Drittel des Geistes von Elia ist" (A. Jirku, Bedeutung 109f.).

62) "Die Tatsache, daß Elisa die Handlung mittels des Mantels vollzieht, ... erhärtet die These von der Übertragung der Kraft und "Persönlichkeit" des Trägers auf die Kleidung" (H.W. Hönig, Bekleidung 151).   63) Vgl. KB I, 17; Gesenius[18] I, 18.

64) Tracht 51: "Der alttestamentliche Sprachgebrauch gibt also keinen Anlaß, Elias *adderet* als härenen Mantel aufzufassen, sie in II Reg 1,8 erwähnt und in Sach 13,4 nachgeahmt zu finden."

65) Johannes der Täufer 285. Anders jedoch M. Hengel (Nachfolge 39f. Anm. 71) und O. Böcher (Wölfe 408); vgl. auch G. Fohrer (Art. Kleidung: BHH II, 963) und E. Würthwein (Bücher der Könige 267f.).

66) "Kostbarer babylonischer Prachtmantel".   67) "Pracht" (des Weinstocks).

68) "Königsmantel" als Gegensatz zum שק.   69) "Pracht" (parallel mit גאון = "Stolz").

und Hörern der Prophetenerzählung schon zutrauen. Aber das allein ist noch zu vage. Schwerer wiegt die Tatsache, daß ”Mantel” und Gürtel an mehreren Stellen im Alten Testament als zusammengehörige Einheit aufgefaßt werden (Ex 28,8. 39; Lev 16,4; Num 31,20; I Sam 2,18; Jes 22,21; Dan 10,5). Dadurch erfährt nun der doppeldeutige Ausdruck בעל שער im direkten Zusammenhang mit אזור עור eine nähere Bestimmung. Weiterhin besteht die Möglichkeit, daß im mehrsprachigen Milieu Palästinas zur Zeit Johannes´ des Täufers die inhaltliche Verbindung zwischen den ähnlichlautenden Vokabeln אדרת (Mantel) und אדורתא (Lehnwort von δορά: abgezogene Haut, Fell) den Hörer von I Reg 19,13. 19 und II Reg 2,8. 13f. an einen Fellumhang als Bekleidung des Propheten Elija hat denken lassen.

Die Bekleidung des Propheten mit einem Umhang aus Tierhaar und Ledergürtel kann mehrere Gründe haben:[70] Der Fellumhang (Gen 3,21: עור; כתנות עור be-zeichnet menschliche und tierische Haut bzw. Leder, aber keine Wolle)[71] kann im Gegensatz zur Kleidung aus pflanzlichen Fasern als von Gott gegeben verstanden werden (vgl. Gen 3,7)[72] und könnte daher als Tracht der idealen Urzeit auch die besondere Gottnähe ihres Trägers signalisieren. Hierbei bestünde allerdings die Schwierigkeit der Harmonisierung mit dem entgegenlautenden Schlachtverbot in Gen 1,29f.[73] Felle und gewobenes Tierhaar gehören weiterhin zur einfachen, ar-chaischen Kleidung der Wüstennomaden,[74] die diese von der seßhaften Bevölke-rung und besonders von Hofbeamten und Priestern unterscheiden. Nicht nur im Zusammenhang mit der späteren Idealisierung des Lebens in der Wüste als Be-standteil der ”Wüstentypologie” (vgl. insb. Dtn 18,15 im Rahmen der Moserede; ferner Ex 3,22; 12,34; 19,10. 14; Dtn 8,4), sondern bereits als bewußte Abgrenzung ihres zu Einfachheit und asketischer Besinnung mahnenden Trägers[75] kann eine solche ”Nomadenkleidung” als Ausdruck seines Selbstverständnisses gedeutet werden. Ph. Vielhauer hat in diesem Zusammenhang auf das bewußt nomadische Auftreten Johannes´ des Täufers hingewiesen,[76] um damit jedoch zwischen der Aussageabsicht der biblischen Überlieferung bei der Darstellung der Propheten-tracht und dessen Absicht, das eigene Auftreten nach dem Paradigma einer escha-tologischen ”Wüstentypologie” zu gestalten - in m. E. unbegründeter Weise - zu trennen. Schließlich könnten dunkler Fellumhang und Ledergürtel des Propheten den Gegensatz zum Priestertum und dessen Tracht, nämlich hellen leinenen Ge-

---

70) Vgl. hierzu O. Böcher, Wölfe 405ff. sowie Dämonenfurcht 252-266 (insb. 258ff.).

71) Vgl. KB III, 759.

72) Vgl. O. Böcher, Wölfe 406f.; H.W. Hönig, Bekleidung 42f. Nach den verschiedenen Targumim zuzu Gen 3,21 verfertigte Jahwe selbst für Adam und Eva לבושין דיקר (TCN: דראופר; TFrP: בסריהון) (TCN: בשרהון; TFrP: מן משך) (TCN: למשך; TFrP: על משך (דיקר) (”Kleider der Ehre für die Haut ihres Fleisches”; aram. יקר anstelle von hebr. עור).

73) S.o. 182.   74) Vgl. Ph. Vielhauer, Tracht 53 sowie G. Dalman, Arbeit V, 17f. 199ff.

75) Vgl. H.W. Hönig, Tracht 69: ”Das alte Gewand [אדרת], das mit der Zeit als Alltagskleidung ausser Gebrauch gekommen ist, wird vom Propheten beibehalten (oder neu hervorgeholt?) und erhält - wie der Schurz des Trauernden und des Propheten - >heiligen< Charakter.”

76) Tracht 53f.; Art. Johannes der Täufer: RGG³ III, 805.

wändern und einem prachtvollen Leinengürtel (Ex 28,39-43; 39,27-29; Lev 16,4; Ez 44,17-19) bezeichnen.[77] Bereits die Elija-Erzählungen lassen sich somit als Ausdruck einer ursprünglichen Überlieferung verstehen, in welcher der Umhang aus dunklem Fell als typische Tracht des Propheten dessen besondere Gottnähe, bewußte Kultur- und Kultusfeindlichkeit ausdrücken kann.[78] Daß die μηλωτή Elijas auch im Rahmen der Vitae prophetarum erwähnt wird, stützt diese Interpretationsmöglichkeit.

Eine אדרת tragen auch die Prophetenjünger um Elisa. Einer dieser בני הנבאים sammelt in seiner אדרת vermeintlich eßbares Gemüse,[79] um den Hunger des Jüngerkreises zu stillen (II Reg 4,38ff.). Hier scheint ein Beleg für eine eigentliche »Standestracht« des Propheten verborgen zu sein, denn die Pointe der Wundergeschichte beruht auf der Selbstverständlichkeit, mit der die mit Weinlaub zu verwechselnden, giftigen Koloquinthen[80] irrtümlich im Mantel gesammelt, zubereitet und verzehrt werden. In Analogie zur Weitergabe desselben Kleidungsstückes (vgl. I Reg 19,19) könnte in einem Prophetenkreis, in dem das Prophetenamt offenbar nicht durch personale Sukzession allein vom Propheten auf einen einzigen Prophetenjünger überging, die Bekleidung der Jünger mit einer gleichen Tracht wie ihr Meister durchaus als magische Übernahme seiner mit der אדרת verbundenen prophetischen Dignität und Vollmacht verstanden worden sein.

Der Prophet Jesaja legt als Zeichenhandlung seinen שק ab, um zur Realisierung der Exilierung der Ägypter und Kuschiten (vgl. 20,4) drei Jahre lang nackt einherzugehen (Jes 20,2ff). Der Text könnte bereits die "in der Zeit seiner Entstehung gängigen Vorstellungen von der Kleidung des Propheten"[81] reflektieren. Für den Verfasser und seine Adressaten scheint klar zu sein, daß ein Prophet mit einem solchen שק bekleidet ist. Daraus könnte man schließen, daß der שק zur »Standestracht« der Propheten gehört. Jedoch ist der Zusammenhang zwischen diesem שק und der אדרת, wie sie Elija, Elisa und dessen Prophetenjünger tragen, nicht offensichtlich. Der grobe שק aus dunklem[82] Ziegen- oder Kamelhaar[83] wurde vielmehr getragen zum Zeichen der Trauer und der Buße (Gen 37,34; II Sam 3,31; I Reg 21,27; I Chr 21,16; Dan 9,3; Ps 69,12; Jdt 8,5f.; I Makk 3,47 u.ö.), besonders in der Erwartung des göttlichen Gerichts (Jes 3,24; 22,12; Ez 7,18; Joel 1,13; Am 8,10; Jon 3,5f.). Das mit dem rituellen Fasten verbundene Anlegen des שק wurde im nachexilischen Judentum zu einem festen Brauch.[84] Der σάκκος als Gewand aus dunklem

---

77) Anders H.W. Hönig, Tracht 78; vgl. W. Eiss, Art. Priesterkleidung: BHH III, 1491-1493.

78) Vgl. O. Böcher, Wölfe 409.   79) S.u. 183.   80) J. Feliks, Art. Koloquinthe: BHH II, 975.

81) O. Kaiser, Jesaja II, 93; vgl. O. Böcher, Dämonenfurcht 245ff. G. Fohrer (Handlungen 31-33. 99) interpretiert den שק als "Kleidung von Kriegsgefangenen".

82) Vgl. Jes 50,3; Apk 6,12.

83) G. Fohrer, Art. Sack: BHH III, 1638; G. Stählin, Art. σάκκος: ThWNT VII, 56-64; vgl. aram. שק = Ziegenhaarstoff.

84) G. Stählin, Art. σάκκος: ThWNT VII, 60; vgl. S. Safrai, Religion 815 sowie Bill. IV, 103.

Haarstoff wird erwähnt in Mt 11,21par., Apk 6,12 und 11,3, wohingegen μηλωτή (die griechische Entsprechung von אדרת in LXX III Reg 19,13. 19; IV Reg 2,8. 13f.) im Neuen Testament allein in Hebr 11,37 begegnet. Dennoch besteht eine Reihe von Gemeinsamkeiten zwischen dem שק und der אדרת שער, die es erlaubt, von der Möglichkeit einer grundsätzlichen Übereinstimmung in der Interpretation beider Kleidungsstücke zu sprechen: So sind beide aus tierischem Material gefertigt. Damit gilt für den שק, was oben von der אדרת שער gesagt wurde. Die Motive des unmittelbar göttlichen Empfangs der Kleidung aus tierischem Material, der Rückbesinnung auf die ursprüngliche Tracht der Wüstenzeit sowie der Abgrenzung von der städtischen 'gottlosen' Kultur lassen sich auch hier wiederfinden. Weiterhin signalisiert der שק - insbesondere bei dem Verkünder eines göttlichen Droh- und Unheilswortes - dessen Trauer über Ursache und Wirkung des kommenden Gerichts. So berichtet MartJes 2,10 davon, daß die Propheten Jesaja, Micha, Ananja, Joel, Habakuk und Jesajas Sohn [Schear-]Jaschub aus Trauer über den Abfall Jerusalems den σάκκος anlegen (vgl. insb. Gen 37,34; Thr 2,10; syr Bar 9,2). Dieser Vorgang ist auch im Judentum zur Zeit Johannes' des Täufers ein durchaus gebräuchlicher und daher ohne weiteres verständlicher Akt der Trauer und der Buße.

Aus diesem Grund könnten schließlich auch die σάκκοι der beiden (als Propheten ausgewiesenen: προφητεύσουσιν; vgl. Apk 11,10) Zeugen in Apk 11,3[85] sowohl als Bußkleider als auch als Prophetentracht zu verstehen sein. Diese beiden Interpretationen schließen sich gegenseitig nicht aus. Vielmehr ist die Prophetentracht hier - wie in Jes 20,2[86] und möglicherweise auch in MartJes 2,10 - zugleich Mittel einer prophetischen Gleichnishandlung. Die σάκκοι der beiden Zeugen weisen diese daher nicht allein als Bußprediger aus, sondern realisieren damit zugleich die Trauer über das Eintreffen ihrer Unheilsprophezeiungen (vgl. Apk 11,13).

Das Jeremiabuch berichtet davon, daß auch dieser Prophet in ähnlicher Weise wie Jesaja eine Zeichenhandlung mit seinem Gürtel (אזור; LXX περίζωμα λινοῦν; vgl. II Reg 1,8) durchführt (Jer 13,1-11). Indem Jeremia seinen in Jerusalem gekauften Gürtel in einer Felsspalte am Euphrat verbirgt (13,4ff.) und dessen verdorbene Überreste später wieder aus dem Versteck holt (13,6f.), verwirklicht er das Geschick der nach dem Zweistromland Deportierten (13,11). Den Adressaten des Textes soll gezeigt werden: Die Heiligkeit des Trägers des Gürtels hat letzteren erhalten, so wie Jahwe sein Volk bewahrt hat. Seitdem der Gürtel von seinem Träger getrennt wurde, verrottet er. Wie der Gürtel am Euphrat verdorben ist, so hat Gott das Volk im Exil dem Verderben preisgegeben.[87] Das Vergleichsmoment

---

85) Mit den beiden μάρτυρες könnten Mose und Elija als Propheten gemeint sein (so G. Stählin, Art. σάκκος: ThWNT VII, 62f; vgl. O. Böcher, Johannesapokalypse 63-68, insb. 67f., sowie Wölfe 410).

86) Es wäre möglich, daß das Ausziehen des שק das zeichenhafte Auftreten des Propheten noch radikalisiert.

87) Vgl. R.P. Carroll, Chaos 131f.; A. Weiser, Jeremia 113; G. Fohrer, Handlungen 33-35.

dieser Zeichenhandlung scheint auf der - auch in Num 20,26ff. und I Reg 19,19 begegnenden - Vorstellung zu beruhen, daß sich das *mana* des Trägers auf seine Kleidung überträgt.

Es wurde bereits angesprochen, daß in Sach 13,4 die אדרת שער als äußeres Zeichen des Prophetentums begegnet. Noch vor der eschatologischen Läuterung Jerusalems und dem Beginn des universalen Königtums Jahwes (Sach 13,7ff.) werden die Propheten gezwungen sein, nie mehr ihren Fellmantel anzuziehen und damit ihre (betrügerische, ja dem Götzendienst gleichzusetzende: 13,2) prophetische Existenz abzuschließen. Die Propheten sollen angesichts des heranbrechenden Tages Jahwes fortan als Bauern leben (13,5). Der Vers Sach 13,4 ist für diese Untersuchung in zweifacher Hinsicht von Interesse. Zum einen besteht seine deutliche Aussage darin, daß die אדרת שער - zumindest zur Zeit des Abschlusses des Sacharjabuches[88] - als die typische »Standestracht« des Propheten gelten konnte. Zum anderen gehört der Text zu den jüngsten Teilen der alttestamentlichen Überlieferung und könnte daher durchaus einen vorläufigen Endpunkt einer sich entwickelnden Anschauung von der »idealen« Tracht eines Jahwepropheten markieren. Ph. Vielhauer weist darauf hin, daß in Sach 13,4 keine "Elia-Imitation" verborgen ist.[89] Das ist zutreffend. Eine direkte Abhängigkeit ist nicht mit der hierzu erforderlichen Sicherheit festzustellen. Jedoch scheint ein mittelbarer Zusammenhang zwischen den Notizen über die Kleidung des Elija und dem Prophetenmantel von Sach 13,4 zu bestehen: Beide Überlieferungen begegnen sich in ihrem Rückgriff auf die »ideale« Tracht eines Propheten. Gerade weil für den antiken Menschen eine magische Wechselwirkung zwischen einem Kleidungsstück und seinem Träger möglich ist, eignet sich der Umhang aus Tierhaar - wie bereits oben angesprochen wurde - aufgrund der mit ihm verbundenen Konnotationen sowohl als »Standestracht« des Propheten als auch als Mittel einer prophetischen Zeichenhandlung. Beide Überlieferungen repräsentieren also verschiedene Formen dieser grundlegenden Bedeutung der Gottnähe und Bevollmächtigung signalisierenden, Kultur- und Kultuskritik ihres Trägers demonstrierenden und Trauer und Buße angesichts des verkündigten Gerichts realisierenden אדרת שער.

Ph. Vielhauer verneint die Frage, ob "Johannes der Täufer selber mit seiner Tracht Elia-Assoziationen wecken wollte,"[90] um zu dem (allerdings nicht weiter ausgeführten) Schluß zu kommen, daß die δέρρις καμήλου "ihren Sinn als eschatologische Demonstration [hat]".[91] Auch J. Ernst kommt zu dem Resultat, daß "die neutestamentlichen Aussagen über den >Mantel< des Täufers weder terminologisch noch sachlich auf die Kleidung des Elija Bezug nehmen".[92] Hingegen demon-

---

88) Als Terminus a quo für die Entstehung von Sach 9-14 gilt der Beginn der "hellenistischen Epoche" in der Geschichte des palästinischen Judentums, die Zeit seit der Eroberung des Landes durch Alexander den Großen (Vgl. O. Eissfeldt, Einleitung 590f.).
89) Tracht 52.   90) Tracht 49, 52f.   91) Ebd. 54.   92) Johannes der Täufer 285.

striere Johannes hiermit "ähnlich wie die Propheten des Alten Testaments ... für jedermann wahrnehmbar die von ihm geforderte Umkehr".[93]

Ich stimme diesen Ergebnissen dahingehend zu, daß eine direkte genetische Beziehung zwischen der alttestamentlichen Überlieferung bezüglich der Tracht Elijas und der δέρρις καμήλου Johannes´ des Täufers unwahrscheinlich ist. Das stimmt auch mit dem Ergebnis der Analyse von Mk 1,6 im ersten Hauptteil dieser Untersuchung, nämlich der Tatsache, daß auf der vermutlich ältesten rekonstruierbaren Überlieferungsstufe der Umhang aus tierischem Material nicht ausschließlich als Kennzeichen des Elija, sondern als typische Tracht der biblischen Propheten verstanden wurde, überein. Vielmehr scheinen bereits die Elija-Erzählungen eine sich im Verlauf der Geschichte der biblischen Überlieferung entwickelnde Tradition vom Umhang aus Tierhaar als typischer Tracht eines Jahwepropheten zu repräsentieren. Hier begegnen Motive, wie sie in Gen 3,21 (Gottnähe); 37,34 (Trauer); Dtn 8,4 (Exodustypologie) usw. erhalten sind, deren Fixierung in Sach 13,4 und MartJes 2,10 zu erkennen ist und die im palästinischen Judentum zur Zeit des Täufers als Hintergrund seines durch diese Kleidung zum Ausdruck gebrachten Selbstverständnisses verstanden werden konnten.[94]

Indem Johannes sich mit einer δέρρις καμήλου bekleidete, signalisierte er seiner Umgebung also den prophetischen Anspruch, mit dem er auftrat. Er erwies sich bei seinem öffentlichen Auftreten und seiner Verkündigung (Mk 1,4-11parr.; 6,17-29par.; Mt 3,7-12par.; Lk 3,10-14) durch das Anlegen einer »Standestracht«, die ihn in die Tradition der biblischen Propheten stellte, als vollmächtiger Jahweprophet. Angesichts seiner eschatologischen Gerichtsbotschaft realisierte er auf diese Weise zugleich die Buße und Trauer im Hinblick auf die drohenden Endereignisse (vgl. insb. Mt 3,7-10par.). Schließlich konnte er dadurch sowohl einer Opposition gegenüber dem Jerusalemer Tempel (vgl. Mk 1,4f. parr.) als auch gegenüber dem Herrscherhaus des Herodes Antipas (Mt 11,7b-9par.) Ausdruck geben. Die Vorstellung, Johannes der Täufer sei der erwartete Elias redivivus, wird hierdurch ermöglicht, denn beide tragen eine prinzipiell gleiche prophetische »Standestracht«. Wahrscheinlicher jedoch als die Hypothese, daß der Täufer durch das Anlegen einer δέρρις καμήλου seinem Selbstverständnis als der wiedergekommene Prophet Elija Ausdruck verleihen wollte, ist die Annahme, daß er wissentlich eine typische Prophetentracht trug, und das von seiner Umwelt auch verstanden wurde.[95]

---

93) Ebd. 289.
94) Dieses Ergebnis stützt auch die Vermutung von O. Böcher (Wölfe 412), mit den "Wölfen in Schafspelzen" in Mt 7,15 könnten "wirkliche - wenn auch >falsche< - Propheten in ihren traditionellen Mänteln aus Haar oder Fell" gemeint sein.
95) Vgl. O. Böcher, Wölfe 411.

IV. Die Speise des Propheten

Die außergewöhnliche Ernährungsweise Johannes' des Täufers, nämlich seine qualitative Nahrungsaskese in Form der Ernährung durch Heuschrecken und Honigwasser scheint seine Zeitgenossen derart beeindruckt zu haben, daß sie neben seiner auffälligen Bekleidung als charakteristisches und bedeutungsvolles Merkmal seines Auftretens festgehalten und überliefert wurde. Anders ließe sich schlecht erklären, daß diese für die Christusverkündigung eigentlich bedeutungslose Nachricht von drei verschiedenen Quellenschichten der synoptischen Überlieferung unabhängig voneinander erwähnt wird (Mk: 1,6 par.; 2,18 parr.; Q: Mt 11,16-19 par.; SLk: 1,15a).

Die Analyse der synoptischen Überlieferung hatte ergeben, daß Tracht und Speise Johannes' des Täufers in Mk 1,6 par. mit hoher Wahrscheinlichkeit als Einheit zu betrachten sind. Als solche scheinen sie im Rahmen eines als »ideal« ausgewiesenen "Prophetenbildes" der biblischen Überlieferung und der antiken jüdischen Prophetenlegenden zu stehen. Ein gemeinsamer direkter Bezug von Tracht und Speise des Täufers auf den Propheten Elija schied aus, denn bezüglich der Nahrung des Elija existierte keine Überlieferung. Die Ursprünglichkeit der hier erhaltenen Tradition wurde bestätigt durch die Beobachtung, daß das in Mk 2,18 parr. erwähnte quantitative Fasten der Johannesjünger dem Verhalten Johannes' des Täufers nachgebildet sein kann. Der Fleisch- und Weinverzicht des Täufers war wahrscheinlich die Grundlage ihres Bußfastens als Aufrechterhaltung des in der Taufe vermittelten Charakters. Die überkommenen Traditionen vom Fleisch- und Weinverzicht ihres Lehrers konnten somit in Analogie zu einem solchen Bußfasten seiner Schüler von der späteren christlichen Überlieferung als eine ebensolche quantitative Askese (Mt 11,18) interpretiert werden. Die charakteristische Fastensitte derer, die aus dem Täuferkreis in die christliche Gemeinde gekommen waren, wurde demnach also in das Leben Johannes' des Täufers zurückprojiziert. Lukas verwendete die Tradition vom Alkoholverzicht des Täufers in Lk 1,15a schließlich dazu, diesen gegenüber Jesus heilsgeschichtlich vor- und damit unterzuordnen. Es wurde bereits angemerkt, daß Lukas hiermit eine populäre Tradition nicht verschwieg, sondern beibehielt und "kanalisierte".

Die qualitative Nahrungsaskese Johannes' des Täufers kann nun nach Mt 11,16-19 par. in ähnlicher Weise wie die Mahlgemeinschaft Jesu aus Nazaret mit religiös Deklassierten verstanden werden. Ebenso wie diese offenbar nicht allein Antizipation, sondern vielmehr bereits Einleitung des eschatologischen Freudenmahls ist, so kann auch der Verzicht des Täufers auf Fleisch und Wein nach dem Zeugnis der Logienquelle Q ursprünglich als eine wirksame passive Symbolhandlung verstanden werden. In ihr war die Bedrohung der unbußfertigen Sünder durch das dem Urteil im nahen Gottesgericht folgende Vernichtungsgeschehen ebenso spürbar wie die durch das Handeln Jesu realisierte Vorfreude auf die eschatologische Heilsgemeinschaft der Gerechten. Ob diese Ergebnisse der Untersuchung der synoptischen Täufertraditionen berechtigt sind, soll nun durch die folgende Untersuchung der biblischen Prophetenüberlieferung und der antiken jüdischen Prophetenlegenden überprüft werden:

Ist in Ex 24,18 allein die Rede davon, daß Mose zum Empfang der Gesetzestafeln auf den Gottesberg steigt, um dort vierzig Tage und vierzig Nächte zu bleiben, so ergänzt Dtn 9,9 die ältere Überlieferung dadurch, daß er auf dem Berg kein Brot (לחם)[96] aß und kein Wasser trank. Das Fasten erscheint hier als Vorbereitung der Theophanie (vgl. I Makk 3,47; syrBar 9,2; 12,5; 21,1; IV Esr 5,13; 6,31. 35; 9,23; 12,51). F. Heiler[97] betont in diesem Zusammenhang die Bedeutung des Fastens als "Mittel der Kraftgewinnung, der Stärkung des *Mana* und *Orenda*" (vgl. Mk 9,29 v.l.) sowie als "ein Mittel zur Erlangung der Visionen, Ekstasen und der Gabe der Prophetie".

Während Mose am Sinai die Gesetzestafeln abschreibt, nimmt er während vierzig Tagen und Nächten kein Brot (לחם; LXX: ἄρτος; TO und TCN: לחמא) und kein Wasser zu sich (Ex 34,28). In der jüngeren Parallelüberlieferung (Dtn 9,18) wird der Nahrungsverzicht des Mose als stellvertretende Sühne für die Sünden des Volkes (vgl. Ex 32) bezeichnet. Ein solches Bußfasten als Selbstminderungsritus, der das Mitleid Gottes erregen soll, begegnet in der biblischen Überlieferung auch als Zeichen der allgemeinen Buße für die Verehrung fremder Götter (I Sam 7,6). Es wird im Sinne einer kultischen Bußversammlung ausgerufen und soll das Erbarmen Jahwes bewirken (I Reg 21,9. 12; Jer 36,6. 9; Jon 3,5-8). Weiterhin ist Fasten als Ausdruck der Trauer über das eigene unrechte Tun sowohl Zeichen der Reue Davids über seinen Ehebruch mit Batseba (II Sam 12,16. 22), als auch Zeichen der Buße Ahabs für seine schweren Sünden (I Reg 21,27) und der Buße des Darius für die vermeintliche Hinrichtung Daniels (Dan 6,19). Fasten mit der Absicht, Jahwes Mitleid oder Beistand zu erwirken (vgl. Jer 14,12a), soll die Bedrohung durch das feindliche Heer beseitigen (II Chr 20,3), eine Reise ohne Gefahren ermöglichen (Esr 8,21) und ein drohendes Todesgeschick abwenden (Est 4,16; vgl. Tob 3,12).

Als gottgefällig wurde allein wahrhaftes und aufrichtiges Bußfasten empfunden (Jes 58,6). Solches Fasten mußte von bußfertigem Verhalten begleitet sein, um Gültigkeit zu erlangen (Jes 58,5ff.), ansonsten wird es von Gott verschmäht (Jes 1,13; ausgelassen bei TJon). Ebenso war der sündhafte Wandel fortan einzustellen (Sir 34,30). Ein allgemeines Bußfasten ist geboten am Versöhnungstag, dem Tag der Reinigung des Volkes von seinen Sünden (Lev 16,29ff.).[98]

Häufig begegnet das Fasten als Bußübung gemeinsam mit dem Anlegen des שק, so in I Reg 21,27; Dan 9,3; Joel 1,14; Jon 3,6. 8 (hier fasten sogar die Tiere und legen

---

96) TCN bietet an Stelle von לחם den Begriff מזון, der im palästinischen Aramäisch zu byzantinischer Zeit generell "Nahrung" bedeutet (vgl. M. Sokoloff, Dictionary 298).

97) Erscheinungsformen 195. Vgl. R. Arbesmann, Art. Fasten: RAC VII, 452: "Fasten verstärkte die Kraft des Gebetes um Erlangung von Offenbarungen"; ferner O. Böcher, Dämonenfurcht 273-284 (insb. 278ff.). Die Rabbinen haben das Fasten als Mittel zur Erlangung übernatürlichen Wissens jedoch abgelehnt (bBer 55a; vgl. bSanh 65b).

98) Auch die Gemeinschaft von Qumran scheint am Versöhnungstag gefastet zu haben (vgl. 1Qp Hab 11).

den קש an); Est 4,3; Ps 69,12 sowie in I Makk 3,47. Auch das Kleid, das David in II Sam 12,20 am Ende seines Bußfastens ablegt, scheint als ein solcher קש verstanden worden zu sein. Interessant ist hierbei, daß das Bußfasten im קש an vier Stellen (II Sam 12,20; I Reg 21,27; Joel 1,14; Jon 3,5ff.) als Reaktion auf die Ankündigung eines göttlichen Gerichtes durch einen Propheten begegnet und zudem in Joel 1,14; 2,12. 15 (hier als als direkter Aufruf des Propheten zu einem Zeichen der rettenden Bekehrung zu Jahwe); Jon 3,5ff. und Est 4,3 als allgemeine Buße des Volkes im Zusammenhang mit einer erwarteten Katastrophe steht.[99] Tracht und Speise scheinen hier als zusammengehörige äußerliche Zeichen der Buße eine Einheit darzustellen.

Aaron und seine Söhne dürfen nach Lev 10,8ff. in Vorbereitung der Amtsführung keine alkoholischen Getränke zu sich nehmen; Abstinenz ist für Priester vor und während der Kulthandlung verbindlich.[100] Auch die Priester im idealen Tempel der Heilszeit müssen vor ihrem Opferdienst abstinent bleiben (Ez 44,21). Jedoch scheidet dieser priesterliche Alkoholverzicht wegen seines solcherart befristeten Charakters als direktes Vorbild der Nahrungsaskese Johannes´ des Täufers aus, denn von einer zeitlichen Begrenzung dessen Fastens ist nichts überliefert. Vielmehr legt die Notiz seiner qualitativen Nahrungsaskese im Rahmen seiner typischen Kennzeichen zur Charakterisierung seiner Person nahe, daß er sie dauerhaft bis zu seinem Tod ausübte.

Zu den Nasiräatsvorschriften in Num 6,1-21 gehört, daß der Gottgeweihte für die Dauer seines Gelübdes abstinent bleiben muß (6,3f.; vgl. mNaz VI,1-6 sowie Röm 14,21). Während das Gelübde der Hanna in I Sam 1,11 einen Alkoholverzicht des Nasiräers Samuel nicht erwähnt und TJon z. St. zudem den Passus ומורה לא יעלה על ראשו weder wiederholt noch umschreibt, erweitert die LXX das Gelübde um den Verzicht Samuels auf Wein und Bier (καὶ οἶνον καὶ μέθυσμα οὐ πίεται). Eine Enthaltung von Brot oder Fleisch bzw. eine sonstige Nahrungsaskese ist in Num 6 jedoch nicht gefordert. Somit ist auch eine direkte Begründung der Speise Johannes´ des Täufers in der Nasiräatsvorschrift allein unwahrscheinlich, zumal das freie Wachsenlassen des Kopfhaars (Num 6,5; vgl. I Sam 1,11) vom Täufer nicht überliefert ist. Dennoch läßt sich hier ein indirekter Zusammenhang erkennen: Im Scheltwort des Amos gegen Israel wirft der Prophet dem Volk vor, es würde die Nasiräer (TJon interpretiert die נזרים an dieser Stelle als מלפין [= Lehrer]) und die Propheten, die Jahwe berufen hatte (Am 2,11), zum Übertreten ihres Abstinenzgelübdes bringen bzw. daran hindern, als Propheten aufzutreten (2,12). Ob der Parallelismus darauf hindeutet, daß nicht nur Priester im Dienst, sondern auch Propheten keinen Wein trinken? Am 2,8 scheint diese Interpretation nahezulegen, denn die vom Propheten gescholtene Sünde Israels gipfelt hier gerade darin, daß die Repräsentanten des gottlosen Kultes mit unrechtmäßig erworbenem Geld Wein kaufen

---

99) Vgl. F. Stolz, Art. צום: THAT II, 537.   100) Vgl. Jos. Bell 5, 229.

und ihn im Tempel selbst trinken. Jes 28,7f. beschreibt sogar mit drastischen Worten heillose Trinkexzesse der Priester und Propheten in Jerusalem, die zum Verlust ihres Offenbarungsempfangs und schließlich zu ihrer Vernichtung führen (28,13). Darauf, daß die Stereotype eines direkten Gegensatzes zwischen dem gottgefälligen Fasten der wahren Nasiräer, Priester und Propheten (vgl. Sir 46,13) und dem disqualifizierenden alkoholbedingten Rausch einer gesetzlosen Priester- und Prophetenschaft im antiken Judentum im Sinne eines allgemeinen Maßstabs der (allein bei den ersteren bestehenden) Gottnähe verstanden wurde, deutet auch hin, daß der klagende Beter in Ps 69,10ff. sein Bußfasten im Dienst für den Tempel als Gegensatz zum Zechgelage seiner über ihn spottenden Feinde empfindet.

Von Jahwe gesandte Raben versorgen Elija in der Wüste am Bach Kerit mit Brot und Fleisch (לחם ובשר: IReg 17,6; vgl. VitPr 21,13 [Q]).[101] Ein Engel Jahwes versorgt Elija ferner in der Wüste am Horeb mit Wasser und Brot (IReg 19,5ff.); diese Speise Elijas reicht für vierzig Tage (19,8). IReg 19,5ff. weist deutliche Bezüge zu Ex 34,28 und Dtn 9,9. 18 auf und ist möglicherweise "eine sekundäre Deutung im Anschluß an die Erzählung von dem vierzigtägigen Aufenthalt des Mose am Sinai".[102] Der Rekurs auf die Nahrungsaskese des Mose könnte hier demnach dazu dienen, die Bedeutung der Theophanie Elijas am Gottesberg in Analogie zur Moseoffenbarung bzw. zur prophetischen Autorität des Mose zu steigern.

Im Jeremiabuch begegnet die Abstinenz als Prüfstein der Treue gegenüber dem Gebot Jahwes: Der Prophet führt Vertreter der Rechabiter in den Tempel, um ihnen dort Wein anzubieten (Jer 35,1-11). Die Rechabiter, die "die Gaben des Kulturlandes, feste Häuser, Acker- und Weinbau verpönten, da ihre Früchte offenbar die Wurzeln des Abfalls vom Gott des Wüstenzuges in sich bargen",[103] sollen auf die Probe gestellt werden, ob sie diese ihnen offensichtlich eigentümliche Tradition der Abstinenz achten. Sie lehnen den Wein dann tatsächlich strikt ab, indem sie sich auf das dementsprechende Verbot ihres Ahnherrn Rechab berufen (Jer 35,6ff.). "Formgeschichtlich gesehen ist die Erzählung der Bericht einer darstellenden symbolischen Handlung."[104] Jeremia führt seine Handlung mittels des Weines durch. In der folgenden Handlungsdeutung (35,12-19) wird dieser Gehorsam der Rechabiter nun dem fortwährenden Ungehorsam der Bewohner des Südreiches gegenübergestellt. Diese hörten nicht auf den Bußruf der Propheten (35,15) und werden daher Unheil erleiden (35,17), jene aber werden für ihren mustergültigen Gehorsam mit der Verheißung dauerhaften Bestandes im Dienst für Jahwe belohnt (35,18f.): "The Rechabites will service, but the people in general will face doom."[105] Die wohl ursprünglich bewußt nomadische Lebensform der Rechabiter

---

101) Vgl. in diesem Zusammenhang auch VitPr 10,3 (R), wo auch über den Propheten Jona berichtet wird: "καὶ ἐτρέφετο ἐκ τῶν κοράκων καὶ ἔπινεν ὕδωρ ἐκ τοῦ χειμάρρου."
102) E. Würthwein, Bücher der Könige II, 227.   103) G. Wallis, Art. Rechab: BHH III, 1559.
104) A. Weiser, Jeremia 318; zu den formalen Merkmalen einer prophetischen Zeichenhandlung vgl. G. Fohrer, Handlungen 18.   105) W.L. Holladay, Jeremiah II, 249.

wird in Jer 35 nachträglich idealisiert und als beispielhaft für einen Repräsentanten des Jahwekultes herausgestellt (vgl. auch ApkAbr 9,7b).[106] Rechabiter und Propheten stehen hier für die Erfüllung des überlieferten Gotteswillens (vgl. TJon zu Jer 35,15f.). Der Gedanke liegt nahe, daß der beispielhafte Alkoholverzicht der Rechabiter als mustergültige Bewahrer der מימרא spätestens dort, wo die im Jeremiatargum überlieferten Traditionen entstanden, in Analogie zu Num 6,3; Jes 28,7f. und Am 2,8 auch als Kennzeichen des Propheten verstanden werden konnte.

Das Gegenteil von "saufen und schwelgen" predigt auch der Prophet Micha (Mi 2,11). Er wirft den (falschen) Propheten weiterhin vor, sie würden denen, die sie ernähren (TJon z.St.: mit Fleisch [בסר]!), trügerisches Heil ansagen (3,5), und droht ihnen den Verlust des Offenbarungsempfangs an (3,6). Die bereits in Jer 35 zu bestehen scheinende Beziehung zwischen Askese und Vollmacht des Propheten ist hier evident.

In Hos 8,13b wird der Fleischgenuß der Opfernden vom Propheten kritisiert: "Die Lust zum Fleischgenuß hat die Aufmerksamkeit auf Jahwes Bundesverfügungen verdrängt".[107] TJon z.St. verstärkt hier den Zusammenhang zwischen Fleischverzehr der Opfernden und dem Mißfallen Gottes.

Dem Propheten Ezechiel wird aufgetragen, aus vermischtem Mehl Brot zu backen (Ez 4,9f.). Von diesem Brot und vom Wasser darf er täglich nur eine knapp bemessene Ration zu sich nehmen (4,10f.). Weiterhin soll er sein Fladenbrot auf Menschenkot backen (4,12). Erst auf seine dringliche Bitte hin wird ihm letzteres erlassen (4,15). Die gesamte ihm befohlene Symbolhandlung wird Ezechiel gedeutet als Abbildung und Einleitung der Zustände während der Belagerung Jerusalems (4,16f.). Ob die öffentliche (4,12) Zeichenhandlung des Propheten eher die Unreinheit[108] oder die Knappheit[109] der Nahrung symbolisieren soll, ist unklar, für diese Untersuchung aber auch nicht von zentraler Bedeutung. Der Ertrag besteht vielmehr in der Tatsache, daß auch Ezechiel hier eine prophetische Zeichenhandlung mittels seiner Nahrung vollzieht. In ebensolcher Weise soll der Prophet auch "sein Brot mit Beben essen und sein Wasser mit Zittern trinken" (Ez 12,17-20). In der - nur als Mahlzeit vor den Augen der Öffentlichkeit verständlichen - Zeichenhandlung symbolisiert Ezechiel durch sein Verhalten gegenüber dem עם הארץ die allgemeine Not nach dem Strafgericht über Jerusalem. Keine eigentliche zeichenhafte Speise des Propheten ist ferner das Fleisch, das Ezechiel in einem rostigen und unreinen Kessel kocht, wobei er den zu einem Festmahl bestimmten Kessel solange über das Feuer hält, bis sein Inhalt verdorben ist, die Unreinheit des Kes-

---

106) Vgl. A. Weiser (Jeremia 31) und K.H. Keukens (Haussklaven 229) sowie G. Fohrer (Handlungen 72).   107) H.W. Wolff, Hosea 186.
108) So W. Eichrodt (Hesekiel 30) unter Verweis auf Lev 19,19 und Dtn 22,9ff.
109) So W. Zimmerli (Ezechiel I, 123f.); vgl. G. Fohrer (Handlungen 50ff.).

sels jedoch bestehen bleibt (Ez 24,1-14). Das Kochfeuer wird zum Vernichtungsfeuer, "die fehlende Bereitschaft, sich von der Unreinheit reinigen zu lassen, führt dazu, daß Jahwes Zorn in seiner ganzen, vernichtenden Härte sich vollenden muß".[110] Der schwer verständliche Text wurde im Targum Jonathan stark interpretiert. Anstelle einer eigentlichen Übersetzung findet sich hier ein midraschartiger Kommentar, in dem fast nichts mehr vom Wortlaut von Ez 24,1-14 steht. Dafür scheinen - setzt man eine abwechselnde Lesung von hebräischem Text und Targum voraus - die zentralen Begriffe der Zeichenhandlung sekundär gedeutet: So interpretiert TJon das Fleisch im Kessel als die Belagerer (Ez 24,4 TJon), den rostigen Kessel als das unreine und sündige Jerusalem (Ez 24,6 TJon) und das Erhitzen des Fleisches als Zuspitzung der Belagerung (Ez 24,10 TJon). Die Betonung liegt also auf der Demonstration der drohenden göttlichen Bestrafung durch den Propheten. Festzuhalten bleibt, daß Nahrungsmittel - bzw. ihre Vernichtung - auch hier als Requisiten einer prophetischen Symbolhandlung begegnen und daß das Moment der Gerichtsverkündigung durch die Symbolhandlung des Propheten in der nachmaligen Interpretation des Textes im antiken Judentum akzentuiert wurde. Daß Fleisch sich für eine solche negative Symbolhandlung im Gegensatz zur zeichenhaften eigenen Speise des Propheten besonders gut zu eignen scheint (vgl. auch Jer 7,21), wird im Danielbuch deutlich:

Daniel und seine Freunde gedeihen am babylonischen Hof nicht bei "der Speise des Königs (d.h. Fleisch; vgl. Dan 10,3) und dem Wein, den er selbst trank"(Dan 1,5), sondern vielmehr bei koscherer Nahrung, bei Gemüse und Wasser. Der historisierende Aufweis einer "Affinität zwischen geistiger Regsamkeit und körperlicher Askese"[111] ist hier unzureichend. Wichtiger ist der Zusammenhang der koscheren Nahrung mit der eigentlichen qualitativen Nahrungsaskese Daniels. An zwei Stellen erfahren wir Ausführliches über ihre Bedeutung bei Daniel: Dan 9,3 berichtet von seinem Fasten als Buße über den Frevel des Volkes (vgl. 9,5ff.). Nach Dan 10,3 diente das Trauerfasten (vgl. 10,2) - hier als qualitatives Fasten in Form des Verzichts auf Fleisch und Wein (zusammengefaßt unter dem Oberbegriff לחם) - zugleich als Vorbereitung auf den folgenden Offenbarungsempfang (10,4ff.; vgl. IVEsr 9,23-27). Dieses Fasten ist zu unterscheiden von dem alten Ritus des individuellen Fastens zum Zeichen der Trauer um einen Toten[112] (vgl. Jdc 20,26; ISam 31,13; IISam 1,11f.; IChr 10,12), der aber im nachexilischen Judentum offenbar verschwand,[113] und eher mit dem stellvertretenden Fasten des Nehemia wegen seiner Trauer um das zerstörte Jerusalem (Neh 1,4) und dem Trauerfasten zur Er-

---

110) W. Zimmerli, Ezechiel I, 566; vgl. G. Fohrer, Handlungen 61-64.   111) O. Plöger, Daniel 40.

112) Das Trauerfasten um einen Toten ist ursprünglich "motiviert durch die Angst vor dem Eindringen des Totentabus in den Körper" (F. Heiler, Erscheinungsformen 195).

113) Vgl. R. Arbesmann, Art. Fasten: RAC VII, 452. Auch Bill. IV, 77-114 (6. Exkurs: Das altjüdische Fasten) findet in Talmud und Midrasch keine Belege für das Weiterbestehen eines Totenfastens mehr.

innerung an die Tempelzerstörung (Sach 7,3-6), das in der Heilszeit aufhören wird (Sach 8,19), zu vergleichen.

Während bereits Erwähnung fand, daß der Alkoholverzicht auch als Kennzeichen eines Propheten verstanden werden konnte und daß Ezechiel eine Zeichenhandlung durch das Verderben von Fleisch ausführte, stellt sich hier nun auch die Frage nach der Möglichkeit und Bedeutung eines demonstrativen Fleischverzichts des Jahwepropheten.

Gen 1,29f. und 9,2ff. können als Reflexion der Erfahrung verstanden werden, daß der Mensch selbst töten muß, um in den Genuß fleischlicher Nahrung zu kommen, wohingegen alle pflanzliche Nahrung unmittelbar gottgeschenkt scheint. In der als ideal empfundenen Urzeit gab Gott den Menschen neben der Fellkleidung auch die pflanzliche Nahrung. "Nicht durch Gottes Gebot ist ... das Töten und Schlachten in die Welt gekommen."[114] Erst beim Neubeginn der Menschheit nach der (als Begründung der Verhältnisse der Gegenwart verstandenen) Sintflut wird dem Menschen der Verzehr des Fleisches - allerdings ohne das darin enthaltene Blut (Gen 9,4) - gestattet. Ob dieser Widerspruch zwischen dem göttlichen Verbot fleischlicher Nahrung und der Adam und Eva von Gott selbst gegebenen Kleidung aus Tierfellen (Gen 3,21) dem antiken Judentum als ein solcher bewußt war, ist unwahrscheinlich, denn zum einen beweist bereits die Komposition des Pentateuch, daß solche Disharmonien der verschiedenen Überlieferungsstränge keineswegs als besonders anstößig empfunden wurden, und zum anderen wurden die Verhältnisse der idealen Urzeit ebensowenig an den Maßstäben der Realität gemessen wie die Situation der Endzeit, wo ehemals fleischfressende Raubtiere friedlich neben dem Vieh grasend vorgestellt werden (Jes 11,6ff; 65,25; vgl. Ez 34,25). Die Tracht aus Tierfell und die fleischlose Speise ließen sich also als gottgegebene Ausstattung der Menschen in der idealen Urzeit (und in der kommenden Heilszeit!) und damit auch als Einheit verstehen.

Eine Nachwirkung von Dan 1,5ff.; 9,3 und 10,3 zeigt sich in den Vitae prophetarum. VitPr 4,3 harmonisiert die biblischen Überlieferungen vom Fasten des Daniel und rühmt dessen fortwährenden (πολλά!) Verzicht auf "begehrenswerte Speisen" (τροφὴ ἐπιθυμητή) zum Zeichen seiner Trauer um Jerusalem.[115] Der Text zeigt deutlich, daß sein Verfasser zwischen quantitativem Bußfasten und der Enthaltung von bestimmten Nahrungsmitteln nicht unterschied (vgl. VitPr 4,14!). Der Verzicht Daniels auf bestimmte Speisen ist hier nicht durch deren kultische Un-

---

114) G. v. Rad, Genesis 47.
115) Q: πολλὰ ἐπένθησεν οὗτος ἐπὶ τὴν πόλιν [S: ܠܡܕ; R: τὴν Ἰερουσαλήμ] καὶ ἐν νηστείαις ἤσκησεν [S: ܗܘܐ; R: ἴσχυσεν] ἀπὸ πάσης τροφῆς ἐπιθυμητῆς.
   Vgl. auch die Rezension des Isidorus Hispalensis: ... qui continuatis ieiuniis et orationis instantia futura praenoscere meruit sacramenta. ... Tribus hebdomadis dierum exorans pro populo ieiunavit.

reinheit begründet, sondern scheint vielmehr ein gewisses asketisches Armutside-al zu repräsentieren. Zudem wird - wohl auf der Basis von Dan 4,22. 30; 5,21 MT (vgl. 4,32 LXX) - berichtet, daß sich Daniel (die biblische Überlieferung nennt Ne-bukadnezzar) wie ein Ochse allein von Heu ernähren konnte, da es sich für ihn in Speise nach Menschenart verwandelte (VitPr 4,8).[116] Aus dem Gemüse von Dan 1,12 ist hier Heu geworden, wie es Schafe und Rinder fressen. Die Wunderhaftig-keit des Geschehens und damit zugleich die hohe Bedeutung bzw. Verehrungs-würdigkeit des Fastens Daniels erfährt eine Steigerung, indem der Gegensatz zwi-schen (fleischhaltiger) menschlicher Nahrung und pflanzlichem Tierfutter (, das möglicherweise sogar die Speise sowohl der idealen Ur- als auch der kommenden Heilszeit repräsentiert,) betont wird. Möglicherweise läßt sich hiermit auch erklä-ren, daß die Mehrzahl der Rezensionen der Vitae prophetarum von der Versorgung des Elija mit Brot und Fleisch (I Reg 17,6) nichts berichtet. VitPr 21,13 im Codex Marchalianus-Claromontanus wäre dann als eine nachträgliche Angleichung an die biblische Überlieferung zu verstehen.

Wenn der Verzicht auf fleischliche Nahrung im antiken Judentum zum Erschei-nungsbild eines Propheten gehörte (vgl. Act 13,2), könnte auch die Ernährung der Prophetenjünger um Elisa (II Reg 4,38ff.; vgl. VitPr 22,10 [Q]) in nachbiblischer Zeit in diesem Sinne verstanden worden sein. So scheint auch MartJes 2,11 auf II Reg 4,38ff. anzuspielen, wenn von den Propheten, die in einem פש über den Abfall Israels trauerten (vgl. MartJes 2,10), berichtet wird, daß sie in der Abgeschieden-heit der Wüste nichts zu essen hatten als wilde Kräuter, die sie auf den Bergen sammelten und - nachdem sie sie gekocht hatten - mit dem Propheten Jesaja zu-sammen verspeisten.[117] Hier scheinen die Motive des stellvertretenden Bußfastens und der "standesgemäßen" Ernährung des wahren Propheten miteinander ver-knüpft. Allein daß diese Motive im Rahmen der Prophetenlegende aufgegriffen wurden, zeigt, daß sie eng mit dem zeitgenössischen Bild eines »idealen« Jahwe-propheten zusammenhängen.

Folgende Ergebnisse lassen sich nun festhalten:

1) Das Fasten als Bußhandlung im Sinne einer Möglichkeit, Entscheidungen und Handeln Jahwes zu beeinflussen (aber zugleich auch als Versinnbildlichung des göttlichen Gerichts), begegnet wiederholt bei den biblischen Propheten. An meh-reren Stellen (besonders aber in den untersuchten antiken jüdischen Propheten-legenden) dient es der Steigerung der Bedeutung sowie der Beglaubigung des Pro-pheten.

---

116) Q: ἔγνω διὰ θεοῦ [S: ܡܢ ܐܠܗܐ; R: >, dafür: οὖν] ὁ ἅγιος, ὅτι ὡς βοῦς ἤσθιε χόρτον καὶ ἐγίνετο [R: + αὐτῷ] ἀνθρωπίνης φύσεως τροφή [R [v.l.]: τρόφημα].
117) Vgl. IV Esr 9,23-27; 12,51; syrBar 47,2 sowie II Makk 5,27.

2) Das Bußfasten und das Anlegen des שק begegnen häufig gemeinsam und können dann Buße und Trauer über ein erwartetes göttliches Strafgeschehen signalisieren.

3) Die qualitative Nahrungsaskese in Form des Verzichts auf bestimmte Nahrungsmittel, besonders auf Fleisch und alkoholische Getränke, kann als besondere Form eines solchen Bußfastens gelten.

4) Ebenso wie die Kleidung aus tierischem Material könnte auch die pflanzliche Nahrung das Leben in der idealen Urzeit (und damit auch der eschatologischen Heilszeit) repräsentieren.

5) Zudem wird der Genuß alkoholischer Getränke dem abstinenten Lebenswandel im Dienst der rechtmäßigen Jahwepropheten entgegengesetzt.

6) In zwei Fällen begegnet die qualitative Nahrungsaskese eines Propheten schließlich als Zeichenhandlung, die der Darstellung des drohenden göttlichen Strafgeschehens dient und dieses zugleich realisiert.

Anhand der Bedeutung des Motivs des stellvertretenden Bußfastens des Propheten in der alttestamentlichen Überlieferung und seiner Rezeption in den antiken jüdischen Prophetenlegenden läßt sich der religionsgeschichtliche Hintergrund der qualitativen Nahrungsakese Johannes´ des Täufers rekonstruieren. Hierdurch erfährt die Ursprünglichkeit der synoptischen Überlieferung über die Speise des Täufers Bestätigung. Zugleich wird sie in ihrer Bedeutung näher bestimmt.

Ph. Vielhauer[118] differenziert zwischen zwei Möglichkeiten der Interpretation der Nahrung des Täufers entweder als Ausdruck von "Askese und Kulturfeindschaft" oder als "eschatologische Demonstration", um sich für letztere Interpretationsmöglichkeit zu entscheiden. Es gelang aufzuzeigen, daß eine solche Unterscheidung weder durch die biblischen Vorbilder noch durch die außerbiblischen Parallelen gestützt wird. Vielmehr kann der Prophet gerade durch sein öffentliches stellvertretendes Bußfasten, das zugleich durch die Qualität der Nahrungsaskese auf die generelle Differenz zwischen der real geltenden Lebensordnung und der idealen Erfüllung des Gotteswillens hinweist, das drohende göttliche Strafgeschehen versinnbildlichen.

O. Böcher[119] und J. Ernst[120] schlagen vor, den Verzicht des Täufers auf Fleisch und Wein dahingegend zu deuten, daß er hierdurch seinem prophetischen Selbstbewußtsein und Selbstverständnis Ausdruck verleihen wollte. Diese Interpretation kann hier bestätigt und zugleich konkretisierend erweitert werden: Das Motiv des qualitativen Bußfastens, dessen nachträgliche Einfügung in den antiken jüdischen

---

118) Tracht 54. 119) Johannes der Täufer 50. 120) Johannes der Täufer 289.

Prophetenlegenden der Steigerung der Verehrungswürdigkeit der jeweiligen Propheten diente, vermag der Bedeutung des vollmächtigen Auftretens eines wahren Propheten zu dienen. Ebenso wie seine besondere Bekleidung vermochte demnach auch die täuferische Askese den prophetischen Anspruch seines Auftretens zu signalisieren. Das stellvertretende Bußfasten des Propheten Johannes angesichts des nahen göttlichen Gerichtshandelns könnte sogar als dessen Realisierung interpretiert werden; sein Verzicht auf Fleisch und Wein wäre dann zugleich als Hinweis auf seine defizitäre Interpretation der Realität im Gegensatz zum einfachen "vorkulturellen" Leben in der unmittelbaren Gottnähe der Heilszeit zu verstehen.

V. Der Ort der öffentlichen Wirksamkeit des Propheten

In den synoptischen Evangelien werden die ausdrückliche Betonung der direkten typologischen Entsprechung der Wirksamkeit Johannes´ des Täufers in der Wüste am Jordan in der Exodustradition, aber auch die Absicht, ihn als den in Jes 40,3 prophezeiten Boten und Wegbereiter des χύϱιος in der Wüste darzustellen, von der christlichen Redaktion (vgl. Mk 1,3ff. par.; Mt 3,5; vgl. 11,7b-9a par.) ausgestaltet. Hingegen scheint zumindest die Ortsangabe "in der Wüste am Jordan", wie sie sich aus Mk 1,4parr. rückschließen läßt, zur Lokalisation seines Wirkens in ihrem Kern durchaus ursprünglich. Weiterhin belegt die in Lk 1,80 wiedergegebene Überlieferung nicht allein eine traditionelle Anschauung von der Beauftragung des Täufers in der Wüste, sondern kann dem Evangelisten Lukas ebenso zur Überleitung auf den lokalen Rahmen der Tätigkeit Johannes´ des Täufers dienen. Schließlich wurde das Ergebnis erzielt, daß die Beauftragung des Täufers durch das Wort Gottes zur Verkündigung des göttlichen Drohwortes in der Wüste (Lk 3,2f.) wahrscheinlich mit seiner Interpretation durch seine Zeitgenossen und möglicherweise sogar mit seinem Selbstverständnis übereinstimmt. Johannes der Täufer wirkte also nach dem Zeugnis der synoptischen Überlieferung tatsächlich in der Wüste am Jordan: "The earliest tradition connected the preaching of John the Baptist with >the wilderness<."[121] Warum begab sich Johannes der Täufer in die Wüste am Jordan, um dort nicht etwa Einsamkeit und Abgeschiedenheit zu suchen, wie es die Gemeinschaft von Qumran oder der Einsiedler Bannus (Jos. Vit 11) taten, sondern um dort öffentlich zu verkündigen und zahlreiche Menschen zu taufen (vgl. Mk 1,5 par.)?

Eher unpassend ist die Annahme Ch.C. McCowns, "the ´Arabbah offered a natural place of safe rendezvous for those who might wish to revolt against Rome".[122] Der Vorschlag von J. Ernst, Johannes hätte sich zum Jordan begeben, "weil er in der Umgebung

---

121) Ch.C. McCown, Scene 113; vgl. J. Ernst, Johannes der Täufer 284 sowie R.L. Webb, John the Baptizer 362-365 und M. Tilly, Wüste 271-281.   122) Scene 130.

der judäischen Wüste die einzige geeignete Taufstelle war,"[123] befriedigt ebensowenig wie die Annahme, daß er hiermit bewußt und absichtsvoll die Prophezeiung von Jes 40,3 erfüllen wollte. Indes weist die Bemerkung, "Wüste und Jordan [hätten] sich wegen ihrer natürlichen Symbolik für das Auftreten des Täufers angeboten,"[124] in die richtige Richtung. Zwischen dem Ort des öffentlichen Auftretens Johannes´ des Täufers in der Wüste am Jordan und dem Inhalt seiner dortigen Verkündigung scheint eine Beziehung bestanden zu haben. Jedoch gehören sowohl solche vegetationslosen oder sehr vegetationsarmen Gebiete als auch der Jordangraben im südlichen Palästina zum unmittelbaren Lebensumfeld der dort lebenden Menschen. Beide Begriffe haben daher keine klare Konnotation und ermöglichen gerade deshalb verschiedene (zum Teil auch konträre) Interpretationen und Verwendungen. Beispielsweise kann sich mit dem Begriff "Wüste" die Vorstellung von der gottgewirkten wunderbaren Fruchtbarkeit in eschatologischer Zeit (Jes 32,15f.; 35,1. 6f.; 41,19; 43,19f.; 51,3; Joel 2,22; vgl. Ez 47,1-12) verbinden. Die Wüste hat aber nicht allein eschatologischen Heilscharakter,[125] denn in den Prophezeiungen begegnet ebenso auch die Vorstellung von der endzeitlichen Verwüstung des Landes als Strafgeschehen (Jes 21,1f. 10; 64,9; Jer 4,26f.; 9,9ff.; 22,6; 50,12f.; Ez 6,14; Joel 4,19; Zeph 2,13; Mal 1,3). Die Wüste ist ferner der ideale Ort der Epiphanie Jahwes und der Beauftragung seiner Propheten;[126] in der Wüste treten Messiasprätendenten auf (Act 21,38 [vgl. Mt 24,26]; Jos. Ant. 2, 97-99. 167-172. 188; Bell 2,259. 261f.), in der Wüste erwartet man das Kommen Gottes zum Heil (Jes 40,3) und zum Gericht (Hen 1,4).

Auch die "Gegend am Jordan" bezeichnet sowohl den Ort, an dem das göttliche vernichtende Strafgeschehen über Sodom und Gomorra kam (περίχωρος τοῦ Ἰορδάνου: Gen 13,10f. LXX; vgl. Mt 3,5par.), als auch den Ort des grundlegenden Heilsereignisses des Jordanwunders als des Beginns der Inbesitznahme des Landes, das dem Volk Israel von Jahwe verheißen worden war (Jos 3f; insb. 3,7b).

Indem nun die biblische Überlieferung und die antiken jüdischen Prophetenlegenden im Folgenden daraufhin untersucht werden, ob es im religiösen Bewußtsein des palästinischen Judentums zur Zeit Johannes´ des Täufers die Vorstellung von einem gleichsam »idealen« Ort für das öffentliche Wirken eines solchen Menschen gab, der mit dem Anspruch auftrat, ein wahrer Prophet Jahwes zu sein, soll eine Beantwortung der obigen Frage erfolgen. Unterschieden werden muß dabei zwischen dem Ort, an dem sich ein Prophet aufhält oder gar ständig wohnt und dem Ort der Verkündigung seiner Botschaft in Wort und Tat, wobei letzterer im Rahmen der vorliegenden Untersuchung von vorrangigem Interesse ist. Konkret ist in diesem Zusammenhang nach der (heilsgeschichtlichen) Relevanz der Wirksamkeit in der Wüste bzw. am Jordan innerhalb der diesbezüglichen Überlieferung (insbesondere in der Verkündigung der biblischen Propheten) zu fragen, denn hier-

---

123) Johannes der Täufer 332.

124) Ebd. 279; ähnlich bereits Ch.C. McCown, Scene 123: "No place in Palestine could have provided a better atmosphere for John´s threat of a baptism with fire." Vgl. auch M. Lidzbarski (Ginzā 1f.), der die heilwirkende Kraft des Jordans im antiken Volksglauben darauf zurückführt, daß dieser Fluß von Norden, dem Sitz der Götter, nach Süden fließt und außerdem nahe dem Berg Hermon (der ebenfalls zu den Göttern in Beziehung gesetzt wurde) entspringt.

125) Vgl. W. Schmauch, Wüste 212 sowie O. Böcher, Christus 29.   126) S.o. 158-167.

aus läßt sich vorsichtig rekonstruieren, was sie für den Täufer selbst und für seine Zeitgenossen bedeutet haben könnte.

Die direkten Nachrichten vom Wohnort derer, die für Johannes den Täufer und seine Zeitgenossen als beispielhafte Gottesmänner gelten konnten, sind spärlich. Als biblische Prophetengestalten, die in der Wildnis der Wüste lebten, könnte man allein Abraham (Gen 12,8; 13,3. 18 u. ö.) und Isaak (Gen 21,20f.) bezeichnen. Allein das erlaubt jedoch nicht, von der typischen Heimat dieser halbnomadischen Kleinviehhirten der Väterzeit in Analogie zum absichtsvollen Wüstenleben der Rechabiter (vgl. Jer 35,1-19) als direktem Vorbild für den typischen Ort der Wirksamkeit eines Jahwepropheten zu reden. Vielmehr scheint eine Reihe von Propheten, denen dieser Titel nicht erst sekundär gegeben wurde, in Städten gelebt zu haben: Elisa wohnt in Samaria (II Reg 2,25; 5,9), Jona ben Amittai in Gat-Hefer (II Reg 14,25). Der klagende Jeremia wird in Jerusalem vorgestellt (vgl. Jer 9,1), auch die von ihm gescholtenen Pseudopropheten leben in den Städten Samaria und Jerusalem (Jer 23,13f.), wo sie ein Vernichtungsgeschehen wie in Sodom und Gomorra erwarten (23,14b). Nur Amos übt Kritik am städtischen Leben (Am 6,8; vgl. 3,9f.). Ezechiel lebt unter den Exulanten am Fluß Kebar (Ez 1,1) und Daniel am babylonischen Hof (Dan 1,4), später dann in einem eigenen Haus in Babylon (6,11). Allein die Prophetenjünger um Elisa wollen am Jordan wohnen (II Reg 6,2). Für den verfolgten Elija (I Reg 19,3ff.) und den verzweifelten Jeremia (Jer 9,1) ist die Wüste nur Zufluchtsort.[127] Dieser Befund ermöglicht es nicht, von einem »idealen« Wohnort des Jahwepropheten zu sprechen. Zudem wird die Annahme, daß gerade die Wildnis ein solcher Wohnort sei, hierdurch nicht bestätigt.

Ebenso uneinheitlich ist der Befund hinsichtlich der Orte, an denen die biblischen Propheten ihre Botschaft verkündigen. Hier kann allerdings zwischen prophetischer Verkündigung in Städten und an unbewohnten Orten außerhalb von Siedlungsgebieten deutlich getrennt werden:[128] Zu David nach Jerusalem kommen die Propheten Natan (II Sam 7,4ff.; 12,1) und Gad (II Sam 24,11), öffentlich auf einem Platz in einer Stadt verkündigen Jeremia (2,2; 5,1; 7,2; 11,2; 19,14 u. ö.) und Jona (3,4).[129] Außerhalb von Jerusalem hingegen verkündigt Ahija aus Silo dem König Jerobeam den Beschluß Jahwes (I Reg 11,29ff.), außerhalb von Jerusalem begegnet auch der König Obadja dem Propheten Elija (I Reg 18,7). Ein Prophet verkündigt dem König Ahab, nachdem dieser von Samaria ausgezogen war (I Reg 20,21f.) und bevor er mit seinem Heer wieder in die Stadt zieht (20,38f. 43). Die Könige von Israel und Edom ziehen herab (ירד)[130] zu Elisa, um ihn zu befragen

---

127) Vgl VitPr 10,2: In dem jüngeren Codex R heißt es über Jona: ἔφυγεν ἐν τῇ ἐρήμῳ.
128) Der unbewohnte מדבר als Ort der Einsamkeit begegnet als direktes Antonym von עיר in Jes 42,11.　　　　129) Vgl. I Sam 7,5ff. 16f., wo auch Samuel als Richter in Städten wirkt.
130) ”Zur leichteren Verteidigung legt man die Städte möglichst auf einer Anhöhe an ... Das bedeutet auch, daß derjenige, der die Stadt verläßt, ›hinuntergeht‹“ (G. Mayer, Art. ירד: ThWAT III, 897).

(II Reg 3,12; vgl. 13,14), und der Prophet Asarja ben Oded zieht hinaus zum Zeltlager des Königs Asa, um ihm die Bedingung des Beistands Jahwes anzusagen (II Chr 15,2f.).

Auch die wunderbaren oder zeichenhaften Handlungen der Propheten, ob vor den Augen einer breiten Öffentlichkeit oder gegenüber einer einzelnen Person, können an verschiedenen Orten stattfinden, so beispielsweise am Schilfmeer (Ex 14,21f. 26ff.), auf einem Platz vor dem Stadttor Samarias (I Reg 22,10f.), am Jordan (II Reg 5,10), im Haus des Propheten (II Reg 13,14ff.), im Tal Ben-Hinnom (Jer 19,2) oder im Jerusalemer Tempel (Jer 28,5).

Ein bevorzugter Ort sowohl der Verkündigung als auch der Handlungen der biblischen Propheten ist insgesamt nicht zu erkennen. Dennoch läßt sich feststellen, daß ein bestimmter Motivkomplex wiederholt aufgegriffen wird, der es ermöglicht, von einem typischen Ort öffentlichen prophetischen Auftretens zu sprechen:

Eine außergewöhnliche Nachwirkung in der jüngeren biblischen Überlieferung und in den antiken jüdischen Prophetenlegenden haben die Traditionen über die Orte der Wirksamkeit des idealen Propheten Mose beim Exodus aus Ägypten (insb. Ex 5,3ff.), besonders aber über seine Rolle als von Jahwe bevollmächtigter Wundertäter in der Erzählung vom Zug der Israeliten durch das Schilfmeer (Ex 13,17-15,21; vgl. Jos 3f.)[131] und als Empfänger und Verkünder des göttlichen Gesetzes sowie als Begründer des legitimen Kultes (vgl. I Chr 21,29; II Chr 1,3) während der Wüstenwanderung. Jahwe führt sein Volk durch Mose durch das Schilfmeer und durch die Wüste, durch Josua dann durch den Jordan in das verheißene Land (Exodus-Deuteronomium, Josua). Der Wüstenaufenthalt selbst läßt sich nun stellvertretend für die Erlösung Israels aus Ägypten und den Beginn der Landnahme verstehen.[132] Als typologisches Vorbild einer erneuten Erlösung Israels besteht dieses ”Wüstenmotiv” zunächst fort im Rahmen der Verkündigung der biblischen Propheten. Die Propheten erinnern an den Beistand Jahwes beim Schilfmeerdurchzug (Jes 50,2; Sach 10,11) und während der Wüstenwanderung (Jdc 6; Jer 2,2; 31,2; Hos 13,5; Am 2,10 [hier als die Zeit der Berufung von Nasiräern und Propheten: Am 2,11; vgl. Jdc 6,8-10; II Reg 17,7-14; Jer 7,22-26]), aber auch an den fortwährenden Ungehorsam des Volkes (Ez 20,10-20; vgl. Ps 78,12ff.; 106,7ff.) und an das

---

131) Die wunderbare Jordanüberschreitung der Israeliten unter Josua (Jos 3,7-17) scheint hier als Antityp des von Jahwe durch die Hand des Mose bewirkten Schilfmeerwunders und somit als der eigentliche Abschluß der Wüstenzeit und als Beginn der Eroberung des verheißenen Landes verstanden worden zu sein.

132) ”The >desert motif< that occurs in the Old Testament expresses the idea of an unavoidable transition period in which Israel recurrently is prepared for the ultimate transfer from social and spiritual chaos to an integrated social and spiritual order” (S. Talmon, Desert 37; vgl. auch H.-J. Zobel, Zeit 192-202).

Gericht Gottes in der Wüste (Ez 20,36; 29,9ff.; vgl. äthHen 1,4).[133] Jes 48,20f. (vgl. 40,3) interpretiert Israels Erlösung aus dem Exil in typologischer Entsprechung zu der göttlichen Bewahrung und den Wundern der Wüstenzeit, Jes 49,9f. kündigt eine Wiederholung dieser Wunder an. Auch Hosea kündigt eine Erneuerung der Wüstenzeit an, in der Jahwe wieder zu den Propheten sprechen wird (Hos 12,10f.). Micha ruft zu Gott, er solle Wunder wirken wie in der Wüstenzeit, um damit die Heiden zu beschämen (Mi 7,15). In IV Esr 13,43f. schließlich wird die erneute Spaltung des Jordanwassers als Anbruch der eschatologischen Heilszeit verstanden.[134]

Neben diesen inhaltlichen Bezügen auf die Wirksamkeit des Mose während des Exodus besteht weiterhin eine Reihe von deutlichen Berührungspunkten in der Darstellung von Handlungen der Propheten:

Elija teilt den Jordan bei Jericho (II Reg 2,8) und scheint damit das Exoduswunder zu wiederholen. Eine ganz andere Handlung führt der Prophet ebenfalls an einem fließenden Gewässer in der Wildnis durch, indem er am Ufer des Kischon die Baalspropheten tötet (I Reg 18,40), mit deren Blut auch die ihnen anhaftende Unreinheit in das Meer und damit aus Israel fortgespült wird.[135] Auch der Prophet Elisa teilt das Wasser des Jordan als sichtbares Zeichen dafür, daß der Geist des Elija auf ihn übergegangen ist (II Reg 2,14). Beide Propheten, sowohl Elisa als auch Elija, sind Repräsentanten einer Tradition, deren Ursprung in der Exodusüberlieferung liegen könnte. Die Bedeutung der Macht beider, das Wasser des Jordan zu spalten, beruht nämlich auf ihrer Fähigkeit das durch den idealen Propheten Mose bewirkte Exoduswunder zu wiederholen, um sich hierdurch als mit Jahwes Geist begabte Propheten auszuweisen.

Elisa sorgt für wunderbare Bewässerung in der Wüste Edom (II Reg 3,17). Er befiehlt dem Naaman, sich im Jordan zu waschen, um von seinem Aussatz geheilt zu werden (II Reg 5,10), und er bewirkt, daß eine eiserne Axt im Jordan nicht versinkt, sondern auf der Wasseroberfläche schwimmt (II Reg 6,5ff.).

Indem der Prophet Hosea die אשת זנונים in die Wüste lockt, um dort "freundlich zu ihr zu reden" (Hos 2,16), versinnbildlicht er offenbar die Rückführung Israels in die Situation der sittlichen Läuterung während des Wüstenzuges.[136] Bereits hier ist die Frühzeit Israels demnach typologisches Vorbild einer erwarteten Heilszeit:

---

133) S. Talmon (Art. מדבר, ערבה: ThWAT IV, 680) weist auf die Ambivalenz der theologischen Bedeutung der Wüste im antiken Judentum sowohl als Ort des göttlichen Wohlwollens als auch der Abtrünnigkeit des Volkes hin. Vgl. auch G. Kittel, Art. ἔρημος κτλ.: ThWNT II, 654-657.

134) G. v. Rad (Theologie I, 297) betont die Bedeutung der Wüstenzeit "als Typos und Vorbild des künftigen Gerichtes". Zur späteren jüdischen Interpretation der Erlösung Israels aus Ägypten als Typos der künftigen Erlösung vgl. F. Dexinger, Art. Exodusmotiv II. Im Judentum: TRE X (1982), 737-740.   135) S. mYom V,6. Vgl. F. Heiler, Erscheinungsformen 40.

136) Vgl. S. Talmon (Art. מדבר, ערבה: ThWAT IV, 692) zu Hos 1-3: "Aber der (Rück-)Zug in die Wüste wird nicht als Selbstzweck aufgefaßt, sondern wiederum als ein notwendiges Übergangsstadium, auf das eine erneute Landnahme folgt" sowie H.-J. Zobel (Zeit 193): "Das, was in Hos

"Wie Gott sich in der Urzeit des Volkes in der Wüste geoffenbart hat, so wird er sich in der Endzeit ebenfalls in der Wüste offenbaren."[137] Auch in dem Targum zu Hos 2,16 (TJon) wird diese Wüstenzeit ausdrücklich als Zeit der Propheten gedeutet.[138]

Auch Dan 12,5ff. könnte auf der Grundlage dieser Exodustypologie zu verstehen sein: Der Prophet sieht zwei Gestalten, die an beiden Ufern des Tigris stehen (Dan 12,5). Die Engelgestalt (vgl. 10,5), die mitten über dem Fluß steht und ihre linke und ihre rechte Hand hebt (12,7), um Jahwegetreue und gottlose Sünder zu scheiden, indem das Volk gesichtet (ברר Hitp. = "sortiert"), gereinigt und geläutert wird (12,10), scheint ebenfalls auf eine endzeitliche Wiederholung der Landnahme des wahren Gottesvolkes hinzudeuten.

In den antiken jüdischen Prophetenlegenden begegnet nun eine Reihe von Nachrichten über die Aufenthalts- und Wirkungsorte der biblischen Propheten, die als Ausdruck einer Übertragung der Exodustypologie in die legendarischen Biographien der Propheten verstanden werden können. So berichtet MartJes 2,7f. davon, daß Jesaja wegen der in der Stadt herrschenden Gottlosigkeit aus Jerusalem nach Betlehem und von dort in die judäische Wüste fortzieht.[139] Auch die Propheten Micha, Ananja, Joel, Habakuk und [Schear-]Jaschub folgen ihm in die Wildnis (MartJes 2,9). Diese wahren Jahwepropheten bleiben zwei Jahre lang in der Wüste (2,11), wohingegen der Pseudoprophet, der aus der (ebenfalls als gottlos qualifizierten: 2,8a) Stadt Betlehem stammt, in Samaria öffentlich auftritt.

In ParJer 1,1 erhält der Prophet Jeremia den Befehl Jahwes, die Stadt (Jerusalem) zu verlassen, um ihrer drohenden Vernichtung im göttlichen Strafgeschehen zu entgehen. Weiterhin wird der Prophet beauftragt, die Exulanten nach Babylon zu begleiten, um dort tröstend zu verkündigen (εὐαγγελιζόμενος: ParJer 3,15; vgl. 4,6). In der Botschaft, die Jahwe über einen Engel und Baruch (6,15) an Jeremia übermittelt, wird dieser dazu beauftragt, die Israeliten in direkter typologischer Entsprechung des Exodusgeschehens[140] aus dem Exil zu führen (ParJer 6,23-25; vgl. 7,20: ὁ θεὸς ὁ ὀφθεὶς τοῖς πατράσιν ἡμῶν ἐν τῇ ἐρήμῳ διὰ Μωϋσέως). Der Prophet soll das Volk prüfen "ἐκ τοῦ ὕδατος τοῦ Ἰορδάνου", um diejenigen, welche die Gebote Jahwes nicht beachten, vom Heilsgeschehen der Heimführung nach Jerusalem

---

ii 16-17 >Wüste< definiert, ist einerseits die dort mögliche enge, durch niemand sonst gestörte Verbundenheit mit Jahwe, anderseits aber der Kontrast zum Ort der Weinberge, und d.h. zum [kanaanäischen, M.T.] Kulturland." Vgl. auch Philo, Decal 2-13.   137) Ph. Vielhauer, Tracht 54.

138) TJon liest לבה על תנחומין אמליל נבייא עבדי וביד (א)מדברא hinter.

139) "Isaiah's withdraw to the wilderness is especially significant because it is not required for the action of the story" (G.W.E. Nickelsburg, Stories 53). Vgl. auch IVEsr 12,40b-42.

140) Jeremia ist hier mit den Zügen Moses und Josuas während des Exodus bzw. der Landnahme gezeichnet und an mehreren Stellen wird explizit auf die Analogie zum Exodusgeschehen hingewiesen. Der Jordandurchzug in ParJer 8,2ff. lehnt sich also an Ex 14 und Jos 3 an und ist kein christlicher Einschub (nur die Getauften dürfen die heilige Stadt betreten).

auszuschließen (6,24f.) und diejenigen, die auf ihn hören, mit einem Siegel zu versehen (6,25). Am Jordan angekommen, ruft Jeremia nun das Volk zur Entscheidung auf (8,2ff): Nur diejenigen, die bereit sind, ihre fremdstämmigen Ehepartner zurückzulassen, dürfen den Jordan überqueren und nach Jerusalem zurückkehren (ParJer 8,3). Die Volksmenge teilt sich daraufhin in zwei Hälften (8,5) und nur der Teil, für den die Bewahrung der Gebote Gottes wichtiger ist als alles andere, überquert den Fluß und nimmt an der erneuten Landnahme teil (8,6).

Den Vitae prophetarum schließlich sind neben der Erzählung des Elisawunders von der schwimmenden Axt im Jordan (VitPr 22,11) besonders die Wiederholungen des Exoduswunders durch Elija (VitPr 21,14) und Elisa (21,14; 22,5) erwähnenswert. Auch von Ezechiel wird hier überliefert, er habe die Wasser des Kebar gespalten, um gemeinsam mit einer Menge von Exulanten trockenen Fußes das andere Ufer zu erreichen (VitPr 3,8).[141] Besonders aus diesen Belegen wird deutlich, daß die Spaltung der Wasser des Schilfmeeres durch Mose nicht allein Eingang in die Verkündigung der biblischen Propheten fand, sondern ebenso auch Bestandteil ihrer eigenen Personallegenden werden konnte.

Es kann festgehalten werden, daß die durch das Exodusgeschehen in ihrer Bedeutung bestimmten topographischen Begriffe "Wüste" und "Jordan" neben ihrer Verwendung innerhalb der prophetischen Verkündigung bereits in den alttestamentlichen Prophetenerzählungen (Elija und Elisa), aber auch in den antiken jüdischen Prophetenlegenden begegnen, um hier (wahrscheinlich unter Bezugnahme auf die ideale prophetische Autorität des Mose) die Bedeutung und Verehrungswürdigkeit des jeweiligen Propheten zu steigern. Gerade in den Targumim begegnet eine deutliche Verknüpfung von Wüstenzeit und Prophetentum.[142]

Während W. Schmauch feststellen muß: "Die Frage, was dieser Täufer für die Wüste bedeutet und diese Wüste für diesen Täufer, bleibt unbeantwortet",[143] bemerkt J. Ernst zu den Traditionen über den Wirkungsort Johannes' des Täufers: "Die Wüste und der Jordan deuten auf Bezüge zur Geschichte Israels hin."[144] Diese Aussage läßt sich nun mit Inhalt füllen: Der Wüstenprediger und Jordantäufer Johannes scheint in der Wahl des Ortes seiner öffentlichen Verkündigung einerseits Bezug auf den Wüstenaufenthalt der Israeliten zu nehmen. Auch die Taufe der Bußwilligen im Jordan gründet wohl in dem Motiv des Schilfmeer- und Jordandurchzugs. Das gesamte Exodusgeschehen kann demnach im Sinne eines "rite

---

141) Q: καὶ ἐποίησεν στῆναι τὸ ὕδωρ, ἵνα ἐκφύγωσιν εἰς τὸ πέραν γενόμενοι.
S: ܘܚܒ ܘܦܩܘܗ̈ ܝܗ̈ ܘܒܕ̈ܒ ܠܥܡ ܘܡܘܗ̈ ܒ̈ܐ ܢ̈ܒ ܘܩܕ̈ ܒܚ̈ ܢܩܘܗ̈ ܘܦ̈ ܐܒ̈ ܘܒ̈ ܐܘ.
R: ἐποίησε δὲ ὁ προφήτης στῆναι τὸ ὕδωρ τοῦ ποταμοῦ, ἵνα ἐκφύγωσιν υἱοὶ Ἰσραὴλ εἰς τὸ πέραν γενόμενοι.
142) Zur Verwendung der Wüstentypologie in der neutestamentlichen Literatur vgl. Act 7; I Kor 10,1f.; II Tim 3,8f.; Jud 5; Hebr 3f.; 11,24-26; 12,18-25; 13,13; Apk 12,6; 16,1ff. u.ö.
143) Wüste 211.   144) Johannes der Täufer 295.

de passage"[145] verstanden werden (vgl. insb. ParJer 6,23-25; 8,2ff.). Von daher bekommen die Verkündigung des göttlichen Gerichtswortes in der Wüste und die Jordantaufe ihre Bedeutung als Antityp dieses Geschehens: "Wenn der Täufer in der Wüste auftritt, so knüpft er also bewußt an die Erwartung an, daß die Offenbarung Gottes beim Bundesschluß auf dem Wüstenzug das Vorbild für die messianische Offenbarung darstelle."[146]

Andererseits legt die Rezeption der Exodusüberlieferung in den Prophetenerzählungen und -legenden den Schluß nahe, daß auch Johannes der Täufer durch sein öffentliches Auftreten in der Wüste am Jordan sein Wirken auf der Grundlage seines prophetischen Selbstbewußtseins in demonstrativer Weise mit der idealen prophetischen Autorität des Mose in Verbindung brachte, um damit seine eigene Verkündigung sowie seine Bußtaufe zu qualifizieren.

J. Ernst stellt die Fragen: "Ist der Täufer wirklich in der Wüste aufgetreten? Hat er seine Taufe tatsächlich im Jordan gespendet? Oder haben die Namen nur eine symbolische Bedeutung?"[147] M.E. ist Johannes der Täufer in der Wüste am Jordan aufgetreten gerade *wegen* der symbolischen Bedeutung dieses Ortes! Ebenso wie die zeitgenössischen messianischen Prophetengestalten, die eine Volksmenge in die Wüste oder an den Jordan führten, um dort ein öffentliches Zeichen des heranbrechenden Endheils zu bewirken,[148] knüpft auch der Täufer in der Wahl des Ortes seiner öffentlichen eschatologischen Bußpredigt an das typologische Urbild der heilvollen Zuwendung Gottes trotz des Ungehorsams des Volkes Israel während der Zeit des Exodus aus Ägypten an.[149]

Zugleich kennzeichnet ihn der Ort seines Auftretens als wahren und deshalb vollmächtigen Jahwepropheten in der Tradition des idealen Propheten Mose und des Elija. Wer vom Wirken des Johannes in der Wüste am Jordan hörte und sich zu ihm auf den Weg machte, für den scheint eben zunächst nicht der innere Bezug zwischen der Verkündigung des Täufers und dem Ort seiner Wirksamkeit ausschlaggebend gewesen zu sein, sondern sein Vorverständnis, nämlich die Assoziationen, die er mit der "Wüste am Jordan" als Ort der öffentlichen Wirksamkeit eines solchen wahren Propheten verband.

---

145) Vgl. S. Talmon, Art. מדבר, ערבה: ThWAT IV, 694.
146) J. Jeremias, Ursprung 320; vgl. Ph. Vielhauer, Tracht 54.   147) Johannes der Täufer 278.
148) S.o. 186. Vgl. P.W. Barnett, Sign Prophets 679-697 (insb. 689f.) sowie O. Böcher, Dämonenfurcht 313.
149) Vgl. J. Becker, Johannes der Täufer 20f.; R.L. Webb, John the Baptizer 365; O. Böcher, Dämonenfurcht 66. 313 sowie Christus 109.

VI. Die prophetische Verkündigung

1. Die Verkündigung kommenden Unheils durch den Propheten

Nachdem auf den Zusammenhang zwischen dem Sendungsbewußtsein des Propheten, seinem typischen asketischen Auftreten in der Öffentlichkeit, dem Ort seiner Verkündigung und dem Auftreten Johannes' des Täufers hingewiesen wurde, beschäftigen sich dieser und die beiden folgenden Abschnitte eigens mit dem Verhältnis zwischen seiner Verkündigung und der Verkündigung der biblischen Propheten. Zwar wurde im einzelnen bereits deutlich, daß auch Nahrungsaskese, Tracht und Aufenthaltsort der Propheten Mittel einer prophetischen Tatverkündigung sein können, doch soll hier generell nach der möglichen Existenz eines grundlegenden und maßgeblichen Ideals prophetischer Verkündigung im antiken palästinischen Judentum gefragt werden. Dabei beschränkt sich die Untersuchung zunächst auf die Frage nach möglichen Parallelen und Entwicklungslinien in bezug auf typische Formen und Inhalte der szenisch ausgeführten Verkündigung im Rahmen biographischer bzw. hagiographischer Prophetenüberlieferung in Prosatexten. Nicht zum Vergleich herangezogen werden hier fortlaufende prophetische Redestoffe ohne eine erzählerische Rahmung. Durch dieses formale Kriterium bei der Auswahl der Vergleichstexte entsteht zwar die Gefahr einer Engführung der Textgrundlage, doch ist nur so eine Gegenüberstellung der synoptischen Täuferüberlieferung mit den alttestamentlichen Prophetenüberlieferungen und deren Rezeptionsgeschichte als direktem Vorbild prophetischer Verkündigung innerhalb einer solchen Kommunikationssituation abzuleiten.

In der biblischen Überlieferung gehört zur Verkündigung des Gotteswillens durch die Propheten nicht allein die mündliche Wortverkündigung, sondern ebenso auch die Tatverkündigung in Form von Wunder- und Zeichenhandlungen.[150] Wenn besonders Lukas diesen direkten Zusammenhang von Wort und Tat betont, so setzt das offenkundig voraus, daß er von seinen Adressaten auch so verstanden werden konnte: Moses wird in der Stephanusrede als "mächtig in seinen Worten und Taten" (Act 7,22; vgl. Dtn 34,10ff.; Sir 45,2; aber anders Ex 4,10!) bezeichnet. Die Emmausjünger fassen das Leben und Wirken Jesu aus Nazaret zusammen, indem sie ihn als "Prophet, mächtig in Wort und Tat vor Gott und vor allem Volk" beschreiben (Lk 24,19).

Es stellt sich zunächst die Frage, ob sich bestimmte stereotype Formen und Motive in den biblischen und außerbiblischen erzählerischen Darstellungen der prophetischen Unheilsverkündigung in Wort und Tat festhalten lassen, die nicht allein der individuellen Botschaft des jeweiligen Propheten Ausdruck verleihen,

---

150) Vgl. G. Fohrer, Handlungen 119f.; W.L. Holladay, Excursus: The Theology of Symbolic Actions: ders., Jeremiah I, 398f.

sondern unabhängig von der Person des Verkündigers dessen prophetische Vollmacht und Autorität unterstreichen.

Sollte in den Prophetenlegenden des antiken Judentums im Folgenden die Tendenz beobachtet werden können, aus den zugrunde liegenden bloßen Verkündigungsinhalten eines Propheten in der biblischen Überlieferung eine Verkündigungsszene zu gestalten, so ist nach allgemeinen Formelementen einer solchen Szene zu fragen. Weisen diese bei verschiedenen Verkündigungsszenen verschiedener Propheten formale und inhaltliche Übereinstimmungen auf, kann von einer Typisierung gesprochen werden. Wenn sich die synoptische Tradition über die Verkündigung Johannes' des Täufers dann in eine solche zur Zeit seines Auftretens vorliegende stereotype Gestalt der Verkündigung eines wahren Jahwepropheten einordnen ließe, würde die These einer bewußten Orientierung des Täufers am Prophetenbild seiner Umwelt an Wahrscheinlichkeit gewinnen.

Der eigentlichen Untersuchung der Texte sind zwei Dinge vorauszuschicken: Zunächst sind einheitliche Kategorien festzulegen, nach denen die verschiedenen Überlieferungen so miteinander verglichen werden können, daß sowohl Unterschiede als auch Übereinstimmungen zum Vorschein gelangen.

Weiterhin sind die Ergebnisse der bisherigen Untersuchung der Überlieferungen vom äußeren Erscheinungsbild eines Propheten und vom Ort seiner öffentlichen Verkündigung zu berücksichtigen. Diese Resultate bilden in zweifacher Hinsicht den Rahmen für die folgenden Teile der Untersuchung, denn zum einen lassen sich durch sie bereits Aussagen über die Vorstellung eines typischen Rahmens der vollmächtigen Verkündigung eines Jahwepropheten im palästinischen Judentum zur Zeit Johannes' des Täufers treffen und zum anderen können Fragestellung und Vorgehensweise der vorangegangenen Kapitel beim Vergleich der verschiedenen Prophetenüberlieferungen prinzipiell übernommen werden.

Es wurde bereits angesprochen, daß zur »idealen« Vorstellung vom Wirken eines Jahwepropheten, der im Bewußtsein seines göttlichen Verkündigungsauftrags auftritt, offenbar eine determinierte Form der demonstrativen Nahrungsaskese und ein bestimmtes äußeres Erscheinungsbild gehört. Auch Zeichenhandlungen sowohl durch Nahrung als auch durch Kleidung begegnen mehrfach und berühren sich insofern, als Fleischverzicht und Fellkleidung auf die Urzeit der Schöpfung hinweisen können. Durch öffentliche Nahrungsaskese und Bußkleidung kann von den Propheten zudem auch ein drohendes strafendes Einschreiten Gottes in die Geschichte des Volkes Israel versinnbildlicht werden.

Während eine einheitliche Vorstellung vom Ort der öffentlichen Verkündigung eines Propheten in der alttestamentlichen Überlieferung selbst nicht behauptet werden kann, zeigten sowohl die Prophetenlegenden und die Targumim als auch die synoptische Täuferüberlieferung eine recht deutliche Tendenz, einen solchen

Ort im Rahmen der Exodustypologie und unter Rückgriff auf den Ort der Wirksamkeit des "Propheten" Mose mit den Begriffen "Wüste" und "Jordan" zu umschreiben.

Über die Verkündigung Johannes´ des Täufers ließ die Untersuchung der synoptischen Überlieferung im ersten Hauptteil der Untersuchung folgende Aussagen zu: Der jüdische Bußprediger Johannes ruft auf zu einer von ihm selbst durchgeführten allgemeinen Lustration (Mk 1,4ff.). Zur grundlegenden Tradition gehören hierbei die Ankündigung des Kommenden - nämlich Jahwes selbst - und die Gegenüberstellung des sühnenden Reinigungsbades der Taufe und der vernichtenden Feuerstrafe Gottes (Mk 1,8; Mt 3,11; Lk 3,16). In der Logienquelle Q begegnet der Täufer weiterhin als öffentlich auftretender scharfer Kritiker an einer Heilsgewißheit im Judentum, die mit dem heillosen Verhalten seiner Zuhörer in Widerspruch steht (Mt 3,7-12 par. Lk 3,7-9. 16b-17). Seine Botschaft ist: Die unbußfertigen und selbstgerechten Menschen, die nicht bereit sind, ihrer Gesinnung durch gute und gottgefällige Werke Ausdruck zu geben, werden im endzeitlichen Gericht nicht bestehen und der Vernichtung anheimfallen. Die Johannestaufe kann somit als allerletzte Möglichkeit des Entrinnens vor der vernichtenden "Feuertaufe" verstanden werden.

Exorzismen und Krankenheilungen Jesu bilden für die nachösterlichen Gemeinden die Anknüpfungspunkte für einen direkten Vergleich ihres Meisters mit dem Täufer; die Johannestaufe entspricht als endzeitliche Symbolhandlung diesen zeichenhaften Beweisen der Vollmacht Jesu (Mk 6,14-16; 8,28 par.). Die Erinnerung daran, daß sich der taufende Johannes der Symbolhandlung als Form der prophetischen Rede bedient hat, ist außerdem in Mk 11,27-33 zu erkennen.

In seiner sogenannten Standespredigt (Lk 3,10-14) begegnet Johannes der Täufer schließlich als öffentlich vor dem Volk auftretender, zu gottgefälligem Lebenswandel mahnender Prediger. In Analogie zu seiner Taufe hat auch seine öffentliche und konkrete sozialethische Paränese als eschatologische Verkündigung in der Tradition der biblischen Propheten nicht die Sündlosigkeit und die daraus resultierende Reinheit des Individuums im Blick, sondern vielmehr Volksgruppen bzw. das gesamte Volk.

Diese Ergebnisse der Untersuchung der synoptischen Täufertraditionen lassen sich als zwei Aussagen hinsichtlich Form und Inhalt der Verkündigung des Täufers pointiert zusammenfassen:

1) Die Wortverkündigung des Täufers geht einher mit der Verkündigung in Form der Zeichenhandlung der Taufe, welche vor dem in der Täuferpredigt angedrohten eschatologischen Feuergericht zu retten vermag. In der Wortverkündigung wird die Tatverkündigung thematisiert; durch die Tatverkündigung wird die Wortverkündigung für die Adressaten des Täufers erfahrbar gemacht. Was die Zuhörer der Täuferpredigt *hören* (nämlich die Aufforderung zur Reue und tätigen Buße), das können sie *tun*, indem sie im Tauchbad der Johannestaufe ihre Bereitschaft hierzu bekunden und zugleich der Vergebung ihrer Sünden durch Gott gewiß sein können.

2) Inhalt der Verkündigung des Täufers ist eine bedingte Ankündigung zukünftigen Unheils sowie ein auf die Gegenwart seiner Adressaten abzielender Ruf zur allgemeinen Umkehr und zu tätiger Buße, verbunden mit konkreter sozialethi-

scher Paränese. Die Verknüpfung von Unheilsankündigung und Umkehrruf besteht darin, daß diejenigen, welche die gegenwärtigen Forderungen und Handlungsanweisungen erfüllen - sich also von Johannes taufen lassen und von nun an "Früchte der Buße" tun -, von der drohenden Verurteilung des Volkes Israel im göttlichen Gericht ausgenommen werden.

Die Verkündigung Johannes´ des Täufers gilt es nun, zunächst mit Fremdberichten von der öffentlichen Unheilsverkündigung der biblischen Propheten gegenüber ihrem eigenen Volk zu vergleichen. Hier stehen nicht allein der Inhalt der prophetischen Verkündigung und ihre Relevanz für die Hörer der Botschaft im Mittelpunkt des Interesses, sondern auch Person und Wirken des jeweiligen Propheten. In bezug auf die Traditionsgeschichte solcher Überlieferungen scheinen gewisse Gesetzmäßigkeiten feststellbar zu sein. Je kürzer und prägnanter beispielsweise ein solcher Fremdbericht ist, je eher er sich ohne seinen Kontext erzählen und verstehen läßt, desto höher scheint seine Bedeutung in der mündlichen Überlieferung gewesen zu sein.[151] In der Gattung der >Gerichtsankündigung gegen Israel< lassen sich diese öffentlichen Unheilsverkündigungen der Propheten zusammenfassen:[152] Der Prophet klagt das Volk wegen seines sündhaften Wandels an und kündigt ihm das zu erwartende Gericht Jahwes an. Zur Untersuchung der Gattung der prophetischen Gerichtsankündigung sei auf C. Westermann und A. Ohler[153] verwiesen. Da hier nach dem jüdischen Prophetenbild in der Zeit des Täufers gefragt wird, beschränke ich mich an dieser Stelle darauf, die Überlieferungen in ihrer redaktionellen, zu dieser Zeit in schriftlich fixierter Form vorliegenden Gestalt zu untersuchen. Angesichts der Quellenlage - die sicher nur einen Ausschnitt der Überlieferungen repräsentiert -, bleiben die Ergebnisse einer solchen Untersuchung stets relativ, doch ist es möglich, innerhalb des Traditionsraumes, den unsere Quellen repräsentieren, Ergebnisse zu erlangen, die den Anspruch auf eine gewisse Wahrscheinlichkeit stellen können.

Folgende Kriterien der Befragung der biblischen Prophetenüberlieferung und der antiken jüdischen Prophetenlegenden erlauben nun einen Vergleich mit der synoptischen Täuferüberlieferung, ohne zugleich die Existenz von Formen und Inhalten, die in der urchristlichen Überlieferung keinen Anhaltspunkt haben, zu leugnen:

- Welche Art und Weise der öffentlichen Verkündigung drohenden Unheils gegen Israel wird im Rahmen der erzählerisch ausgestalteten Verkündigungssituation gebraucht?

---

151) Vgl. A. Rofé, Stories 13.
152) Vgl. C. Westermann, Grundformen 120-147. Westermann weist als typische Gattungselemente nach: "Einleitung - Anklage - Entfaltung - Botenformel - Eingreifen Gottes - Folge des Eingreifens" (vgl. die tabellarische Übersicht in Grundformen 124f.).
153) C. Westermann, Grundformen 92-148; A. Ohler, Gattungen 48ff.

- Wie sind hierbei die verschiedenen Arten der Verkündigung aufeinander bezogen?

- Ist von Bedingungen für das Eintreffen bzw. Ausbleiben der in der Prophetenbotschaft angekündigten zukünftigen Ereignisse die Rede, und welche sind diese?

- Bestehen für den einzelnen Möglichkeiten, durch die persönliche Erfüllung dieser Bedingungen am angesagten Heil zu partizipieren bzw. vom Unheil verschont zu bleiben?

Anhand dieser vier Leitfragen gelangen im Folgenden zunächst die biblischen Überlieferungen zur Untersuchung. Gefragt wird nach Grundlagen für die Darstellung der prophetischen Unheilsverkündigung und - darauf aufbauend - nach Übereinstimmungen und Unterschieden bei den verschiedenen biblischen Propheten. Der Vergleich charakteristischer Texte mit ihren Übersetzungen bzw. Interpretationen in der LXX und den Targumim soll dabei der Klärung der Frage dienen, ob eine Tendenz zur Stereotypisierung der Überlieferung festgestellt werden kann. Schließlich werden die antiken jüdischen Prophetenlegenden daraufhin untersucht, ob hier die vorliegende biblische Prophetenüberlieferung durch solcherart stereo-typisierte formale und inhaltliche Motive ergänzend ausgestaltet wird.

Aufgrund der o.g. Kriterien fällt die Mehrzahl der Propheten innerhalb der biblischen Überlieferung durch das Raster der Untersuchung,[154] denn entweder ist bei ihrer Verkündigung (außer der redaktionellen Rahmung) keine erzählerisch ausgestaltete Verkündigungssituation in Prosaform überliefert (so bei Ezechiel, Hosea,[155] Joel, Obadja, Micha, Nahum, Habakuk, Zephanja, Maleachi und auch Urija [Jer 26,20ff.; seine Verkündigung wird nur kurz erwähnt]), oder ihre Prophezeiungen richten sich gegen Einzelpersonen, ohne daß dabei irgendwelche - auch nur indirekten - Konsequenzen für das gesamte Volk zu erkennen wären (so bei Natan, Ahija aus Silo [I Reg 11,29ff.; 14,7-13], Jehu ben Hanani [I Reg 16,1. 7. 12], Micha ben Jimla [I Reg 22,4-28; II Chr 18,3-27], aber auch Elisa; vgl. jedoch den Propheten Gad [II Sam 24,11ff.]).

Beispielsweise kündigt der Prophet Amos dem Priester von Bet-El als Reaktion auf den Verweis des Landes durch Amazja unbedingtes persönliches Unheil im

---

154) Auch die erst in jüngeren und jüngsten Überlieferungsschichten als Propheten geltenden Patriarchen sowie Aaron und Simson können hier vernachlässigt werden, denn bei ihnen findet sich weder ein eigentliches prophetisches Heils- noch ein Unheilswort.

155) Zwar ist Hos 1,2b-9 ein Fremdbericht in Prosaform, der von einer Symbolhandlung des Propheten berichtet, doch läßt sich dieser Text nicht als Beispiel prophetischer Verkündigung anführen: "[Die Darstellung] ... ist kurz und summarisch. Sie dient nicht der Information in biographischen Einzelheiten, sondern zieht das Biographische nur soweit heran, als es für das Verständnis des prophetischen Auftrages erforderlich ist; nicht der Mensch Hosea und sein Schicksal, sondern Gott und sein Wort stehen im Mittelpunkt des Interesses" (A. Weiser, Hosea [ATD 24], 16).

Zusammenhang mit dem kommenden Zusammenbruch des Nordreichs an (Am 7,10-17). Das von Amos verkündete Jahwewort gilt Amazja persönlich (7,16f.). In diesem einzigen Fremdbericht des Amosbuches bedient sich der Prophet nicht der Verkündigungsform der Symbolhandlung. Die unbedingte prophetische Heilsver-kündigung, wie sie etwa bei Haggai und (überwiegend) bei Sacharja begegnet (vgl. hierzu auch Jona ben Amittai [II Reg 14,25]), kann ebenso vernachlässigt werden, denn auch ihre Untersuchung trägt zur Beantwortung der hier gestellten Frage nach möglichen Grundlagen der (bedingten Unheils-)Verkündigung Johannes´ des Täufers nichts bei. Schließlich lassen sich auch die Traumdeutungen Daniels (Dan 2,1-49; 3,31-4,34 [vgl. 4,4f. 10-28 LXX]) im ersten "biographischen" Buchteil (Dan 1-6) schwerlich als Beispiele für prophetische Verkündigung anfüh-ren, denn Daniels Erkenntnis der in Nebukadnezzars Träumen enthaltenen Offen-barungen über den Verlauf der Weltgeschichte sind allein an diesen gerichtet, sind unbedingt und dienen dem Erweis der grundsätzlichen Überlegenheit der von Gott verliehenen Weisheit Daniels gegenüber allen menschlichen Bemühungen um חכמה.

Übrig bleiben allein die Überlieferungen von der prophetischen Verkündigung des Mose und des Elija, des Samuel, der Propheten Jesaja und Jeremia, ferner Amos, Jona, Asarja ben Oded (II Chr 15,1ff.) und Secharja ben Jojada (II Chr 24,20ff.).

Außerhalb der eigentlichen Schriftprophetie ist der Befund negativ. So ist auch von Mose in der biblischen Überlieferung keine öffentliche Unheilsprophezeiung gegen das Volk Israel überliefert. Mose kündigt allein dem Pharao von Ägypten Unheil an, falls er die Israeliten nicht ziehen läßt (Ex 7,2). Die von Mose und Aaron ausgelösten Plagen dienen als Druckmittel für die Durchsetzung dieser Forderung Jahwes (7,4. 27; 8,17 u.ö.). Wo Mose dem eigenen Volk in dessen sündhaftem Wan-del gegenübertritt (Ex 32f.), wirkt er nicht als Verkünder von strafendem Unheil, sondern vielmehr als Fürsprecher,[156] der zwischen Jahwe und seinem Volk aktiv zu vermitteln sucht (Ex 32,30ff.; Dtn 9,25ff.). Insgesamt begegnet bei dem gesetz-gebenden Propheten Mose (vgl. Dan 9,10ff.; Sir 45,6) die Gerichtsankündigung ge-gen Israel nicht.

Ebenso kündigt der Prophet Elija dem Volk kein Gericht wegen seines Abfalls von Jahwe an (I Reg 18,21ff.; vgl. Sir 48,4), sondern bewirkt bei der "Opferprobe" mit den Baalspropheten den Erweis der alleinigen Macht Jahwes. Für das Volk selbst ergeben sich hieraus keine negativen Konsequenzen. Künftiges Unheil sagt Elija in der Überlieferung allein Einzelpersonen an, nämlich König Ahasja (II Reg 1,16) und König Joram (II Chr 21,12ff.). Wie auch Mose, so ist der Prophet Elija als

---

156) Während die LXX in Ex 32,11 ויחל (er besänftigte) mit ἐδεήθη (er bat) wiedergibt, lesen TO und TCN hier ausdrücklich וצלי (er betete). In den Targumim erscheint Mose deutlich als Ver-mittler zwischen den Israeliten und Jahwe auf Seiten der ersteren.

der eschatologische Wegbereiter Jahwes (Mal 3,1.23f.; vgl. Sir 48,10) kein typischer öffentlicher Verkünder drohenden Unheils vor dem Volk Israel.

Als "Richter" (שׁ[ו]פּט; LXX δικαστής [vgl. I Sam 7,15; 8,1]), auf einer jüngeren Stufe der Überlieferung als Prophet (Sir 46,16. 18f.) ruft Samuel angesichts der Bedrohung durch die Philister "ganz Israel" in Mizpa zusammen (I Sam 7,3-6). *Wenn* Israel zur Jahwemonolatrie zurückkehrt - so verkündet Samuel dem Volk -, *dann* wird Gott es aus der Philisternot erretten. Mittels einer Bußzeremonie[157] als "allgemeiner Ausdruck der Reue"[158] und eines Sündenbekenntnisses (I Sam 7,6) reagiert das Volk positiv auf den Aufruf Samuels. Samuel bringt in derselben Absicht ein Ganzopfer am Jahweheiligtum von Mizpa dar (7,9f.). Als Vermittler zwischen Jahwe und dem Volk Israel versucht er[159] (mit Erfolg: ויענהו יהוה; LXX ἐπήκουσεν αὐτοῦ κύριος [7,9]), das Geschick des Volkes zum Guten zu wenden.[160]

Obwohl im Jesajabuch kein Gerichtswort gegen Israel im Rahmen einer erzählerisch ausgestalteten Verkündigungssituation begegnet, läßt sich zumindest zeigen, daß Wortverkündigung und Zeichenhandlung des Propheten innerhalb solcher Texte mit legendarischem Charakter zur Ausrichtung seiner prophetischen Botschaft dienen. So tritt der Prophet König Ahas entgegen, um ihn dazu aufzurufen, angesichts der Bedrohung durch die Aramäer im sog. Syrisch-Ephraimitischen Krieg (vgl. II Reg 15,37; 16,5; Jes 7,1ff.) auf die Macht Jahwes zu vertrauen (Jes 7,3ff.).[161] Durch die Anwesenheit seines Sohnes mit dem zeichenhaften Namen שאר ישוב ("ein Rest wird umkehren")[162] wird die Verkündigung des Propheten bekräftigt (7,3).

Ein kurzer Prosatext (Jes 8,1-4) berichtet weiterhin davon, daß Jesaja zunächst die Worte מהר שלל חש בז ("Eilebeute-Raschraub")[163] unter Anwesenheit von zwei Zeugen[164] (aber nicht öffentlich!) auf eine Tafel schreibt, um durch diese Worte seinen Sohn zu benennen. Sinn des zeichenhaften Namens ist offenbar, die kom-

---

157) So H.J. Stoebe (I Samuelis 168 [Anm. a zu V6]. 173) mit A. Weiser (>Philister-Sieg< 260).

158) H.J. Stoebe, I Samuelis 173.

159) TJon zu I Sam 7,9 interpretiert Samuels Vermittlungsversuch als Gebet (וצלי שמואל), die göttliche Reaktion als Erhörung dieses Gebetes (וקביל צלותיה יוי).

160) A. Weiser (>Philister-Sieg< 268) bemerkt unter Verweis auf I Sam 7,5. 8f.; 12,23 sowie insb. 3,20f.: "Dann aber legt sich die Vermutung nahe, daß der die Bußzeremonie kurz zusammenfassende Satz: >Samuel richtete die Söhne Israels in Mizpa< (I Sam 7,6) eine Tätigkeit Samuels im Auge hat, die wir uns nach Analogie der kultprophetischen Verkündigung von Dtn 32 im einzelnen vorstellen dürfen." 161) Vgl. K. Engelken, Frauen 50-54.

162) In TJon wird dem Propheten befohlen, einen Rest, der nicht gesündigt und sich der Sünde enthalten hat, nämlich seine Schüler (שאר דלא חטו ודתבו מחטאה תלמידך) mitzunehmen. Die LXX bietet ὁ καταλειφθεὶς Ιασουβ. Während שאר übersetzt wurde, steht für ישוב die Transkription Ιασουβ. Wurde der Symbolname hier nicht mehr verstanden ?

163) Vgl. H. Wildberger, Jesaja 1, 312f. Sowohl die LXX als auch TJon scheinen den Sinn des Symbolnamens deutlich wiederzugeben, wenn sie übersetzen: "Τοῦ ὀξέως προνομὴν ποιῆσαι σκύλων; מוחי למיבז ביזא ולמעדי עדאה". 164) Vgl. Dtn 17,6; 19,15.

mende militärische Niederlage von Damaskus und Samaria, der Feinde Judas, zu realisieren. Ein eigentliches Gerichtswort gegen Israel folgt erst im Anschluß: Weil das Volk das Wort Jahwes verschmäht, d.h. auf den Beistand Assurs statt auf Gottes Beistand vertraut, wird ihm bald "das Wasser bis zum Hals reichen" (Jes 8,5-8). Die Beziehung zwischen Jes 8,1-4 und 5-8 ist jedoch indirekt. Zeichenhandlung und Drohwort zielen jeweils auf verschiedene Adressaten.

Von der Tracht des Jesaja in Jes 20,2ff. (s.o. 172f.) als Mittel der öffentlichen prophetischen Zeichenhandlung war bereits die Rede. Der Prophet soll zum Zeichen der drohenden Exulierung der Ägypter und Kuschiten drei Jahre lang nackt umhergehen. Jesaja erläutert die Zeichenhandlung nicht (vgl. Jes 20,3). Auch ist von keinen Bedingungen die Rede, durch die das drohende Unheil noch abgewendet werden könnte. Vielmehr wird hier die Unbedingtheit des Geschicks beider Völker betont, das jede Hoffnung in Jerusalem auf anderen Beistand als den Jahwes zunichte machen soll.

Eine ausführliche erzählerische Ausgestaltung erfuhr die "Jesajalegende"[165] in Jes 37,21ff. (vgl. II Reg 19,20ff.). Der Prophet verkündet dem König des Südreichs das unbedingte drohende Gericht über Sanherib, den Belagerer Jerusalems, und das Scheitern der Belagerung. Jesaja kündigt ein Zeichen für Hiskija an: Auf wundersame Weise soll die Not der Belagerung in kürzester Zeit ein Ende haben (Jes 37,30-32).

In Jes 38,1ff. (vgl. II Reg 20,1ff.) teilt der Prophet dem König Hiskija mit, Jahwe habe seinen Tod beschlossen. Hiskija beteuert seine Unschuld und bittet um Gnade (38,2f.). Jahwe gewährt ihm daraufhin tatsächlich einen (durch den Propheten Jesaja mitzuteilenden) Aufschub seines Todesgeschicks (38,4ff.) sowie seinen Beistand gegen die Assyrer. Als Zeichen zur Beglaubigung seiner prophetischen Vollmacht, in der Jesaja ihm diese Botschaft verkündet, läßt er den Schatten der Sonnenuhr auf der Palasttreppe rückwärts wandern (38,7f.; vgl. Sir. 48,23f.). Die Bußfertigkeit des Königs ist hier also Anlaß für die Gnade Gottes bzw. das Ausbleiben seines Strafhandelns.[166]

In Jes 39,3ff. (vgl. II Reg 20,14ff.) schließlich kündigt der Prophet dem kranken Hiskija die unbedingte Bestrafung seiner Koalitionspolitik sowie seiner "Eitelkeit und naiven Besitzfreude"[167] an: Alle Habe seines Hauses wird weggenommen und zudem werden einige von seinen Söhnen nach Babylon deportiert werden. An keiner dieser Stellen tritt Jesaja jedoch öffentlich dem Volk gegenüber, um ihm kollektives Unheil anzusagen.

---

165) H. Wildberger, Jesaja 3, vgl. J.N. Oswalt, Isaiah 656-666.
166) Vgl. J.N. Oswalt, Isaiah 677f.; H. Wildberger, Jesaja 3, 1468.
167) H. Wildberger, Jesaja 3, 1480; vgl. J.N. Oswalt, Isaiah 695.

Während im Jeremiabuch eine Reihe von ausführlichen Berichten über Zeichen-handlungen des Propheten überliefert sind,[168] tritt er allein an zwei Stellen einer Menschenmenge gegenüber, um öffentlich das Wort Jahwes zu verkünden: Jer 26,1-19 [vgl. 7,1-34] und 42,1-22. Berichte vom Auftreten Jeremias gegenüber einer Einzelperson (20,1-6: Paschhur; 21,1-14: Zidkija; 28,1-17: Hananja) können vernachlässigt werden und auch kurze Situationsangaben mit allein rahmendem Charakter (2,2; 5,1; 7,2; 11,2; 19,14 u.ö.) sind hier nicht von Interesse, denn entweder bieten sie keine Anhaltspunkte für einen Vergleich der prophetischen Verkündigung gegen Israel, oder sie sind überhaupt keine eigentlichen biographischen Überlieferungen.

Im Vorhof des Jerusalemer Tempels redet Jeremia öffentlich zu den dort anwesenden Menschen. Unterstrichen wird hierbei die Funktion seines Publikums als pars pro toto des ganzen Volkes: "Alle Städte Judas" (26,2) sind hier versammelt.[169] Auffallend häufig wird bei der Bezeichnung der Adressaten des Propheten die Wendung כל העם wiederholt.[170] Der Prophet fordert das Volk auf, es solle umkehren (Jer 26,3: וישבו; LXX [= Kap. 33]: ἀποστραφήσονται) angesichts des drohenden Verwüstungsgeschehens (26,6). Dreimal wird innerhalb der sogenannten Tempelrede der unmittelbare Zusammenhang zwischen einer Umkehr des Volkes in Form des Hörens auf die Weisungen der Propheten (26,5) bzw. des Gehorsams gegenüber den Geboten Gottes (26,13) und dem Verzicht Gottes auf sein Strafhandeln betont (26,3. 5f. 13). Dieses Auftreten Jeremias zieht seine Verhaftung (26,8) und ein Verhör (d.h. die Frage nach seiner Vollmacht) nach sich (26,10ff.).

In Jer 26 begegnet keine prophetische Symbolhandlung, und auch die in Kapitel 27 folgende Symbolhandlung in Form des Tragens einer Jochstange (27,1-3. 12b; 28,10-11) ist von der Tempelrede deutlich abgegrenzt (vgl. Jer 26,1 und 27,1). Dennoch läßt sich insgesamt sagen, daß die Tempelrede Jeremias in Jer 26 als bedingtes Drohwort gegen Israel im Rahmen einer erzählenden biographischen Prophetenüberlieferung[171] bezeichnet werden kann. Betont wird hierbei besonders die Anrede der Gesamtheit des Volkes Israel.

Jer 42 berichtet davon, daß die Anführer des Volkes und alle Einwohner Jerusalems (wieder כל העם; LXX [= Kap. 49] πᾶς ὁ λαός; TJon כל עמא) nach der Eroberung der Stadt durch Nebukadnezzar zu Jeremia kommen, um den Propheten als Vermittler zwischen dem Volk und Jahwe um göttliche Führung auf der Flucht nach Ägypten zu bitten (42,1f.). Jeremia akzeptiert diese ihm zugedachte Vermittlerrolle (42,4). Nach zehn Tagen (42,7) erteilt er den Fragenden (42,8: כל העם !) Be-

---

168) Jer 13,1-11; 16,2-4. 5-7. 8-9; 19,1-2a. 10-11a; 27,1-3. 12b; 28,10-11; 32,1. 7-15; 43,8-13; 51,59-64.
169) כל עמי יהודה הבאים להשתחות בית יהוה. Die LXX (= Kap. 33) erweitert: "ἅπασι τοῖς Ιουδαίοις καὶ πᾶσι τοῖς ἐρχομένοις προσκυνεῖν ἐν οἴκῳ κυρίου."
170) (LXX [Kap. 33]: πᾶς ὁ λαός; TJon: כל עמא) Jer 26,7. 8 (2x).9. 11. 12. 16. 18; vgl. Jer 26,17. 19.
171) Vgl. W. Rudolph, Jeremia XVf.; ferner K. Baltzer, Biographie 122f.

scheid (42,9): In einer bedingten Heilsansage verspricht er Sicherheit im Falle, daß das Volk im Land bleibt (42,10ff.). Denen aber, die nach Ägypten fliehen wollen, droht er Not, Verfolgung und Schmach an (42,13ff.). Ihre Flucht bedeutet Ungehorsam und mangelndes Gottvertrauen, daher wird sie von Jahwe bestraft (42,16ff.). Eine Zeichenhandlung, die Jeremia aufgetragen wird (Jer 43,8-13),[172] berührt sich inhaltlich mit dieser Androhung. Der Prophet soll in der ägyptischen Grenzfestung Tachpanes mehrere Steine vergraben und verkünden, daß Nebukadnezzar seinen Thron darüber aufstellen wird. "Auch Ägypten, die letzte Zuflucht der Judäer, wird von Babyloniern erobert und geplündert werden."[173] Diese (durch die Symbolhandlung zum Ausdruck gebrachte) unbedingte Weissagung Jeremias kündigt die Konsequenzen des Nichtbeachtens der (in der öffentlichen Wortverkündigung in Jer 42,9ff. mitgeteilten) Weisung Jahwes an. Dennoch kann nicht von einer direkten Verbindung zwischen Wortverkündigung und Symbolhandlung gesprochen werden, denn zum einen sind die jeweiligen Situationen verschieden (vgl. Jer 43,8), und zum anderen bildet Jer 43,1-7 als Bericht vom Ungehorsam des Volkes gegen die Weisung Jahwes eine erzählerische Trennungslinie zwischen den beiden Aktionen Jeremias.

Im Jonabuch ist eine Erzählung von der Verkündigung des Propheten überliefert, der im Erzählverlauf dieses Prophetenbuches eine zentrale Funktion zukommt (Jon 3,1-10). Der Prophet tritt in Ninive öffentlich auf und droht den Bewohnern der Stadt das göttliche Zorngericht über ihre Stadt an (3,4b). Allerdings ist die Gerichtsansage hier unbedingt. Die Pointe der biblischen Erzählung beruht gerade auf dieser vermeintlichen Unbedingtheit des Zorngerichts (vgl. 4,11). Ausgemalt ist nicht die Verkündigung des Propheten (von ihr ist nur in wenigen Worten die Rede), sondern die Wirkung dieser Verkündigung, nämlich die Reaktion der Niniviten (3,5-10). Ein Interesse an einer Beschreibung der prophetischen Verkündigung Jonas läßt sich nicht feststellen. Allerdings zeigt die Interpretation des Targums zu Jon 3,9,[174] daß im späteren antiken Judentum das Bewußtsein des unmittelbaren Zusammenhangs zwischen menschlicher Buße und göttlicher Vergebung durchaus gegenwärtig war.

Auch von Asarja ben Oded und Secharja ben Jojada, den Propheten der Chronikbücher, sind kurze Prosatexte über ihre Verkündigung überliefert (die LXX stimmt in beiden Fällen mit dem MT überein): Asarja ben Oded zieht hinaus zum Zeltlager des Königs Asa, um ihm die Bedingungen des Beistands Jahwes anzusagen (II Chr 15,2ff.). Dieser Beistand ist an den Gebotsgehorsam des Volkes bzw. des Königs als dessen Repräsentanten geknüpft (15,2). Der Prophet ermuntert

---

172) Während die LXX (λόγος κυρίου) hier dem MT (רבר יהוה) folgt, umschreibt TJon: פתגם נבואה מן קדם יוי. In dem Targum zu Jer 43,8 wird das eigentümlich Prophetische an der Symbolhandlung Jeremias deutlicher zum Ausdruck gebracht als in der LXX.

173) G. Fohrer, Handlungen 45.

174) TJon z. St.: מן ידע דאית בידיה חובין ויתרחם עלנא קדם יוי.

König Asa bei seinen Kultreformen (15,7), ein eigentliches Drohwort gegen das Volk oder den König begegnet hier jedoch nicht. Hingegen tritt Secharja ben Jojada vor das Volk und verkündet ihm das kommende Strafhandeln Jahwes infolge seines Abfalls (II Chr 24,20; der Targum z. St. konkretisiert die Verfehlungen: Idololatrie im Tempel und Behinderung des Priesters Jahwes bei den gesetzmäßigen Opfern). König Joasch und die Judäer haben Jahwe verlassen, darum wird Jahwe nun auch sie verlassen. Es gibt keine Möglichkeit, dieses Schicksal noch abzuwenden. Der Unheilsprophet wird daraufhin ermordet (24,21f.). Noch kurz vor seinem Tod sagt er seinen Mördern erneut die unausweichliche Strafe Gottes an (24,22). In II Chr 24,20 liegt also eine - wenn auch sehr kurze - Notiz von der öffentlichen Verkündung unbedingten kommenden Unheils durch einen Propheten vor. Zwar ist hier weder von einer Symbolhandlung die Rede, noch ist das Drohwort gegen Israel bedingt, doch liegt das Interesse des Erzählers eindeutig (auch die LXX bietet keine bedeutsamen Varianten) auf der Darstellung des drohenden Propheten Secharja ben Jojada.

Als Ergebnis der Untersuchung der erzählerisch ausgestalteten Verkündigungssituationen im Rahmen der biblischen Prophetenüberlieferung läßt sich festhalten, daß - anders als bei Tracht, öffentlicher Nahrungsaskese und Verkündigungsort der Propheten - keine einheitliche und eindeutige Gestalt der Darstellung zu beobachten ist. Auch bei denjenigen biblischen Propheten, von denen Fremdberichte über ihr Wirken überhaupt vorliegen, sind in diesem Rahmen entweder keine öffentlichen Unheilsworte gegen Israel überliefert (Mose, Elija, Samuel, Jesaja, Asarja ben Oded), oder in diesen Unheilsworten ist von keinen Bedingungen die Rede, durch die das drohende Unheil noch abgewendet werden könnte (Jona, Sacharja ben Jojada). Allein der Fremdbericht von der Tempelrede des Propheten Jeremia läßt sich mit der Verkündigung Johannes' des Täufers vergleichen, denn beide treten öffentlich auf (Mk 1,5; Mt 3,7par.; Lk 3,10ff.; vgl. Jer 26,2) und rufen das Volk zur Umkehr (Mt 3,2par.; vgl. Jer 26,3) angesichts des drohenden Gerichts (Mt 3,7. 10ff.par.; vgl. Jer 26,6). Bei der Verkündigung beider besteht für die jeweiligen Adressaten die Möglichkeit, die drohende Verurteilung und Bestrafung noch abzuwenden (Mk 1,4 [11,27-33]; Mt 3,2par.; Lk 1,16f.; vgl. Jer 26,3. 5f. 13). Daß aufgrund dieser singulären Übereinstimmung nicht von einem Vorbild oder gar von einem »Ideal« prophetischer Unheilsverkündigung gesprochen werden kann, liegt auf der Hand. Auch ein unmittelbarer Zusammenhang von Symbol- bzw. Wunderhandlung und Wortverkündigung wird durch die biblische Prophetenüberlieferung nicht bestätigt. Es läßt sich allerdings festhalten, daß sich eine Reihe der untersuchten biblischen Prophetengestalten beider Weisen der Verkündigung bedient (Mose; Elija; Jesaja; Jeremia). Sowohl die LXX als auch die Targumim weichen hier nicht wesentlich vom hebräischen Text ab. Höchstens könnte man sagen, daß TJon und TO eine gewisse Tendenz zur Verallgemeinerung des jeweiligen Adressatenkreises des Propheten zeigen und daß sie die Unbedingtheit der Unheilsprophetie nicht betonen, sondern diese vielmehr zugunsten des Zusammenhangs von menschlicher Buße und göttlicher Vergebung in den Hintergrund treten lassen.

Welches Bild bieten nun die jüdischen Prophetenlegenden? Haben die biblischen Erzählungen über die Unheilsverkündigung der Propheten hier Nachwirkungen? Wie verändern diese gegebenenfalls ihre biblischen Vorlagen? Werden solche Verkündigungsszenen hier sekundär nach der biblischen Überlieferung gestaltet? Schließlich: Kann man von einer stereotypen Form solcher Verkündigungsszenen sprechen?

In der Prophetenlegende vom Martyrium Jesajas finden sich nur zwei Stellen, an denen Jesaja verkündigt: Zum einen sagt er dem König Hiskija voraus, daß sein Sohn Manasse von Jahwe abfallen und ihn, den Propheten selbst, auf grausame Weise töten werde (MartJes 1,7-13; nichts entsprechendes bieten II Reg 19 f. und Jes 37 f.). Zum anderen verflucht Jesaja den Balkira mitsamt seinem ganzen Haus, als dieser versucht, den Propheten dazu zu bewegen, seine Anklagen zu widerrufen (MartJes 5,9). An einer weiteren Stelle ist die Rede von der Verkündigung des Propheten Elija, der unbedingtes Unheil gegen Ahasja und gegen Samaria weissagt (2,14; anders II Reg 1,1-6). Während das Drohwort gegen Ahasja bereits in II Reg 1,1-6 begegnet, weiß die biblische Überlieferung nichts von der Prophezeiung gegen Samaria, von welcher der Vers berichtet.

In MartJes 1,7 wird betont, daß der Prophet nicht allein vor Hiskija und seinem Sohn Manasse auftritt, sondern vielmehr öffentlich seinen eigenen Tod ankündigt. Das kommende Unheil ist - ganz im Gegensatz zu den in den Targumim erhaltenen Traditionen - betont unabwendbar. Diese Unbedingtheit kommt dadurch zum Ausdruck, daß von dem Propheten gleich zweimal (MartJes 1,11. 13) die Unmöglichkeit betont wird, das kommende Geschick durch irgendwelche Bußleistungen abzuwenden (in II Reg 19 erwirkt Hiskijas Gebet dagegen die prophetische Verheißung göttlicher Rettung). Vor dem Hintergrund von II Reg 19 und Jes 37 fällt weiterhin auf, daß in MartJes 1,7-13 - aber auch in 5,9 - offenbar besonderer Wert darauf gelegt wird, den engen Zusammenhang zwischen dem unabwendbaren Drohwort des Propheten und dessen Todesgeschick gegenüber der biblischen Überlieferung zu akzentuieren.

Auch das Drohwort Elijas gegen Ahasja und gegen Samaria (MartJes 2,14) ist unabwendbar. Ahasja wird sterben, weil er "die Propheten Gottes getötet hat". II Reg 1,1-6 weiß nichts von Propheten, die Ahasja töten ließ; hier liegt die Schuld des Königs vielmehr darin, daß er nicht Jahwe, sondern fremde Götter um Beistand anruft. Das Drohwort gegen Samaria ergänzt II Reg 1,1-6. MartJes 2,14 erweitert die Prophezeiung Elijas: Nicht mehr Ahasja allein, sondern alle Bewohner des Nordreiches werden die Folgen der göttlichen Bestrafung spüren.

Als prophetische Symbolhandlungen lassen sich im Martyrium Jesajas sowohl die Bußkleider der Propheten (2,10; s.o. 173) als auch deren qualitative Nahrungsaskese (2,11; s.o. 183) und die Wahl des Ortes ihrer Wirksamkeit (2,7f. 10f.; s.o. 190) verstehen. Jedoch ist hierbei kein unmittelbarer Bezug auf die Verkündigung der Propheten zu erkennen. Sowohl in MartJes 1,7-13 als auch in 2,14 und 5,9 wird den Adressaten der Propheten die Unausweichlichkeit des kommenden Unheils angedroht. Es ist von keinen Bedingungen die Rede, deren Erfüllung dieses Unheil noch abwenden könnte. Gegenüber dem biblischen Jesajabuch begegnen hier *allein* Unheilsworte des Propheten. Zudem wird ein biblisches Unheilswort des Elija (II Reg 1,1-6) erweitert. Im Martyrium Jesajas werden keine Verkündigungsszenen auf der Grundlage von bloßen Verkündigungsinhalten der biblischen Überlieferung gestaltet. Nur die Prosatexte II Reg 1,1-6 und Jes 37f. (II Reg 19f.) haben hier eine Nachwirkung. Die Gemeinsamkeit dieser zwei Texte besteht darin, daß in beiden Fällen der Prophet dem Herrscher persönliches Unheil androht. Ist die Erweiterung des Unheilswortes Elijas singulär, so läßt sich dennoch eine Tendenz innerhalb der Interpretation der prophetischen Verkündigung insofern erkennen, als im Martyrium Jesajas die Unausweichlichkeit eines solchen Unheils in den Vordergrund gerückt wird. Bedeutet das, daß sich das Martyrium Jesajas und die Targumim (zumindest) in diesem Punkt widersprechen (vgl. insb. TJon zu Jon 3,9) und daß es unmöglich ist, von einer einheitlichen Entwicklung in der Interpretation der prophetischen Verkündigung zu sprechen? Gegen diese Sichtweise spricht, daß auch ein prophetisches Unheilswort gegen eine (zumal als Feind Jahwes und seiner Mandatare ausgewiesene) Einzelperson im Sinne einer indirekten Heilszusage verstanden werden kann. Anders als bei einem Unheilswort gegenüber dem gesamten Volk ist es durchaus möglich, die Unausweichlichkeit des bestrafenden Gottesurteils gegenüber einer Einzelperson (und dessen Eintreffen) nachträglich zum Erweis der heilvollen Zuwendung Jahwes umzudeuten.

In den Paralipomena Jeremiae wird nur an einer einzigen Stelle davon berichtet, daß der Prophet öffentlich auftritt und verkündigt: Am Jordan ruft Jeremia das Volk zur Entscheidung. Nur diejenigen, die bereit sind, ihre fremdstämmigen Ehepartner zurückzulassen, dürfen den Jordan überqueren und nach Jerusalem zurückkehren (ParJer 8,4ff.). Unheil sagt Jeremia seinem Gehilfen und Gefährten Baruch voraus: Jerusalem wird zerstört und die Bevölkerung der Stadt ins Exil nach Babylon verschleppt werden (ParJer 2,5ff.). Beide Szenen haben keine direkte Vorlage in der biblischen Überlieferung. Ebenso deutet nichts auf eine Rezeption der Tempelrede Jeremias (Jer 26) oder seiner bedingten Heilsansage angesichts der Eroberung Jerusalems (Jer 42) hin.

Als prophetische Symbolhandlung Jeremias kann hier allein sein Auftreten in der Wüste am Jordan in typologischer Entsprechung des Exodusgeschehens (ParJer 8,2ff.) verstanden werden (s.o. 190f.). ParJer 8,4ff. (vgl. 8,2f.) wäre dann ein bedingtes Heilswort gegenüber dem Volk, das direkt auf diese Symbolhandlung bezogen ist.

Die legendarischen Prophetenbiographien in den Vitae prophetarum versammeln in komprimierter Form diejenigen Kennzeichen der biblischen Propheten, die für Verfasser (und Adressaten) der Vitae am bedeutungsvollsten waren und als typisch für die jeweilige Prophetengestalt galten. Wenn gerade hier Wert darauf gelegt wird, von der öffentlichen Unheilsverkündigung der Propheten zu berichten, dann ist das ein deutlicher Hinweis auf die zentrale Bedeutung solcher Verkündigung eines Propheten im Rahmen seiner Biographie und somit auch ein Hinweis auf den Vorstellungsrahmen für Auftreten, Selbstverständnis und Interpretation Johannes´ des Täufers.

Daß die Vitae prophetarum mehrfach von Zeichen- und Wunderhandlungen der Propheten berichten, wurde in den vorherigen Kapiteln bereits ausführlich erörtert. Im Rahmen von fünf der insgesamt dreiundzwanzig hier erwähnten Prophetenleben wird weiterhin berichtet, wo, wann und wem ein Prophet seine Botschaft öffentlich verkündigt: Jeremia bewirkt ein (nicht weiter ausgeführtes) σημεῖον gegenüber den ägyptischen Priestern, um durch das Einstürzen der εἴδωλα die Vernichtung ihrer Götzen anzuzeigen (VitPr 2,8). Möglicherweise gehört auch die Prophezeiung Jeremias vor der Einnahme Jerusalems,[175] die Bundeslade, die er aus dem Tempel geraubt und in einem Felsen verborgen hatte, werde erst am Beginn des Weltendes (zu dessen Zeichen?) wieder zum Vorschein kommen (VitPr 2,12ff.), zur ursprünglich jüdischen Überlieferungsstufe des Textes.[176] Diese Prophezeiung deutet nämlich nicht allein "die Bedeutung der Entfernung der Bundeslade im messianischen und eschatologischen Sinne",[177] sondern die Handlung des Propheten begründet vielmehr seine Prophezeiung, indem erst durch das schützende Entfernen der Bundeslade ihr Erscheinen (vgl. VitPr 2,15) am Ende der Zeit ermöglicht wird.

Ezechiel verkündet das göttliche Urteil (ἔκρινεν: VitPr 3,14) über die Stämme Dan und Gad, weil sie diejenigen, die das Gesetz bewahrten, verfolgen. Er realisiert sein Drohwort mittels einer Wunderhandlung: Durch Schlangen werden die Kinder und das Vieh der abtrünnigen Stämme getötet (VitPr 3,17a; vgl. Num 21,6). Wie bereits in VitPr 3,5-9 (vgl. Ex 13,17-15,21) und 3,15 (vgl. Ex 25,9 [Ez 40-42]), so fällt auch hier die deutliche Entsprechung in den Mosetraditionen auf. Der Prophet sagt den Stämmen schließlich voraus, daß ihretwegen das Volk im Exil bleiben müsse (VitPr 3,17b). An den Bericht von der Unheilsverkündigung Ezechiels gegen die Stämme Dan und Gad schließt sich in der jüngeren Textversion unmittelbar die Bemerkung an: "Ἐξ αὐτῶν γὰρ ἦν ὁ ἀνελὼν αὐτόν" (3,18 [R]). Das gewalt-

---

175) Q: τοῖς παρεστῶσιν; S: ܠܘܬ ܪܘܪܒܢܐ. R spezifiziert den Hörerkreis: τοῖς ἱερεῦσι τοῦ λαοῦ καὶ τοῖς πρεσβυτέροις παρεστῶσιν.

176) Vgl. Th. Schermann, Prophetenlegenden 87.   177) Ebd. 87.

same Geschick des Propheten (vgl. VitPr 3,2) und seine öffentliche Unheilsverkündigung sind hier direkt aufeinander bezogen.

Aus der biblischen Erzählung vom öffentlichen Auftreten des Propheten Jona in Ninive (Jon 3,1-10; insb. 3,4b) entsteht hier (im Widerspruch zu der Pointe des biblischen Jonabuches) die Erwähnung seiner Reue über seine falsche Prophezeiung. Jona bekennt nachträglich: "ἐψευσάμην προφητεύσας" (VitPr 10,3).[178]

Während in der erzählenden biblischen Überlieferung keine direkten Nachrichten über die öffentliche Verkündigung des Propheten Sacharja existieren, haben wir hier zumindest eine knappe Notiz vor uns: VitPr 15,5f. berichtet davon, daß der Prophet das Gericht über die Völker, Israel und den Tempel ansagt. Eine inhaltliche Bezugnahme auf das biblische Sacharjabuch könnte allein in der διπλῆ κρίσις (VitPr 15,6) als assoziative Übernahme aus Sach 9,12 (משנה אשיב לך) zu sehen sein.[179] In diesem Fall wäre aber die zweifache *Belohnung* (Sach 9,12; so auch TJon z.St.) zur zweifachen *Bestrafung* (VitPr 15,6) umgedeutet worden.

VitPr 21,11 schließlich nimmt Bezug auf II Reg 1,16. Die Prophezeiung Elijas, König Ahasja werde sterben, verwirklicht sich hier - ebenso wie in der biblischen Erzählung - betont unmittelbar: "προεφήτευσε θάνατον καὶ ἀπέθανεν"(Q; vgl. II Reg 1,16f.). Von einer öffentlichen Verkündigung des Propheten gegenüber dem Volk erfahren wir hingegen nichts. Dem Propheten Elija wird hier zwar die Funktion des Richters über Israel zugesprochen (VitPr 21,3 [Q]: "κρινεῖ τὸν Ἰσραήλ" [vgl. S; R: + ἐν ῥομφαίᾳ καὶ ἐν πυρί]), doch begegnet keine erzählerische Ausgestaltung dieser Bezeichnung.

Es muß festgestellt werden, daß das Interesse der Vitae prophetarum, von der öffentlichen Unheilsverkündigung der biblischen Propheten im Rahmen ihrer jeweiligen Legende zu berichten, gering ist. Weder werden hier szenisch ausgestaltete Verkündigungssituationen aus der biblischen Überlieferung übernommen, noch kann von einer Tendenz zur Stereotypisierung solcher Berichte gesprochen werden. Es ließ sich allein beobachten, daß die öffentlichen Zeichen- und Wunderhandlungen der Propheten in vielen Fällen Bestandteil ihrer Legende sind. Weiterhin scheint eine Verbindung zwischen ihrer Unheilsprophetie und ihrem Todesgeschick betont zu werden.[180]

Die Untersuchung der antiken jüdischen Prophetenlegenden führt zu dem Ergebnis, daß die anfangs an die Texte gestellten Fragen nicht in dem Sinne positiv zu beantworten sind, daß von einer »typischen« erzählenden Darstellungsweise prophetischer Unheilsverkündigung als Bestandteil eines »idealen« Prophetenle

---

178) S entspricht Q. R bietet zusätzlich ἐκήρυξε τὴν ἀπώλειαν Νινευί und die Reaktion der Niniviten auf das Unheilswort: Sie bereuten (μετενόησαν) und fanden so Erbarmen (ἠλεήθησαν).

179) Auf Sach 9,12 verweist D.R. Hare, Lives 394.

180) Vgl. hierzu das folgende Kap. VII: "Das gewaltsame Geschick des Propheten".

bens gesprochen werden kann. Es scheint, als ob in diesem Rahmen nur ein untergeordnetes Interesse besteht, überhaupt von dem Vorgang der Verkündigung der biblischen Propheten zu berichten. Dennoch erlauben einige Beobachtungen, von Übereinstimmungen und Tendenzen in der Darstellung und Interpretation der diesbezüglichen biblischen Überlieferung zu sprechen:

- Der Kreis derer, die von dem drohenden Unheil betroffen sein werden, wird an einer Stelle erweitert (MartJes 2,14).

- Der Zusammenhang zwischen der Unheilsverkündigung des Propheten und seinem Todesgeschick erfährt Betonung (MartJes 1,7-13; 5,9; VitPr 3,2).

- Die Wortverkündigung des Propheten wird begleitet durch Tatverkündigung in Form von Wunder- und Zeichenhandlungen (MartJes 2,7-11; ParJer 8,2ff.; VitPr 2,8 u.ö).

- Es finden sich trotz des Fehlens eigentlicher Unheilsprophezeiungen bei Mose typologische Entsprechungen in der Überlieferung von dessen Verkündigung bzw. der Exodus-Sinai-Tradition (ParJer 8,2ff.; VitPr 3,17a).

Zusammenfassend kann gesagt werden, daß sich hinsichtlich der Unheilsverkündigung der Propheten im antiken Judentum in den erzählenden Überlieferungen sowohl innerhalb der biblischen Bücher als auch in deren Übersetzungen und in den Prophetenlegenden keine generelle Tendenz nachweisen läßt, diese Verkündigungsszenen in bestimmten stereotypen Formen und Motiven darzustellen. Die Verkündigung Johannes' des Täufers kann - anders als seine demonstrative Nahrungsaskese, seine Tracht oder der Ort seines Auftretens - nicht in eine »ideale« Form der prophetischen Verkündigung eingeordnet werden.

Zu diesem Ergebnis führt sowohl die Tatsache, daß die untersuchten Quellen keinen einheitlichen Befund bieten, als auch die Beobachtung, daß die Täuferpredigt keiner einzelnen Traditionslinie zugeordnet werden kann. Johannes betont vielmehr die Unausweichlichkeit des hereinbrechenden Gottesgerichts. Es gibt absolut keine Möglichkeit für den Menschen, sein Kommen aufzuhalten oder gar zu verhindern. Zugleich bietet Johannes jedoch auch die Möglichkeit für den einzelnen Frommen, durch Reue und tätige Buße - realisiert in der Teilnahme an der prophetischen Symbolhandlung der Wassertaufe im Jordan - von der Verurteilung in diesem Gottesgericht verschont zu bleiben. Allein im folgenden kann von der Rezeption einer traditionellen prophetischen Verkündigungsweise gesprochen werden: Johannes führt mit seiner Taufe die prophetische Verkündigungsweise der Symbolhandlung zur Realisation seines prophetischen Drohwortes weiter. Prophetisches Wort und prophetische Tat bilden auch bei ihm eine Einheit.

Der Inhalt der rekonstruierbaren Verkündigung Johannes' des Täufers selbst enthält keine Signale für die Hörer, ihm als einem wahren Jahwepropheten zu vertrauen und ihm zu folgen. Er erscheint nicht als Fürsprecher der Menschen gegenüber Gott, sondern allein als Verkünder des Beschlusses Gottes, diejenigen, die sich seiner Taufe unterziehen und bußfertig leben, im drohenden Gerichtshandeln zu verschonen. Die apodiktischen Forderungen der Täuferpredigt angesichts eines in naher Zukunft unwiderruflich drohenden Gottesgerichts über ganz Israel bedürfen vielmehr selbst der Legitimation. Die Drohung des Täufers, seine Schelte und seine Aufforderung an seine Hörer, den eingeschlagenen - nicht gottgefälligen - Lebensweg zu verlassen, hat zwar im einzelnen Vorbilder in der biblischen Prophetenüberlieferung und auch Parallelen in den Prophetenlegenden, doch ist es nicht möglich, eine direkte Verbindung zu diesen herzustellen, da die biblischen Traditionen selbst hier zu vielschichtig sind und ihre späteren Interpretationen in eine andere Richtung weisen.[181]

Daß zudem gerade von den beiden prophetischen Autoritäten, an deren Auftreten Johannes sich am ehesten anzulehnen scheint, nämlich Mose und Elija, keine derartige Unheilsverkündigung überliefert ist, deutet zum einen darauf hin, daß man in der Verkündigung des Täufers, seinem Bußruf und seiner Taufe originäre Bestandteile der ältesten - wohl historischen - Schicht der synoptischen Täuferüberlieferung zu sehen hat. Zum anderen könnte sich durch das starke Legitimationsbedürfnis seiner Verkündigung mit ihrer unerhörten Infragestellung geltender Werte in bezug auf die Vorbedingungen der Teilhabe am endzeitlichen Heil das offensichtliche Bestreben des Täufers erklären, in seiner sichtbaren Lebensweise und der Wahl des Ortes seines Auftretens an ein populäres Prophetenbild anzuknüpfen. Es stellt sich die Frage, ob gerade der originäre »unpopuläre« Charakter dessen, was Johannes´ des Täufers sich zu verkündigen beauftragt sah, ihn dazu veranlaßt hat, die äußerliche Gestaltung seines öffentlichen Auftretens durch eine bewußte Anlehnung an Motive eines »idealen« Prophetenlebens zu qualifizieren.

2. Die Kultkritik des Propheten

Indem Johannes mit seiner Taufe eine Möglichkeit zur Sündenvergebung anbietet, scheint er mit dem jüdischen rituellen Reinigungswesen und auch mit der Entsündigung durch den Hohenpriester am Versöhnungstag zu konkurrieren. Diese Institution kann nicht nur als Pars pro toto des Sühnewesens im Judentum zur Zeit des zweiten Tempels gelten, sondern repräsentiert hier offenbar auch einen als allgemein verstandenen, zentralen Bestandteil der Religionsausübung.

Die durch seine Taufe ermöglichte Sündenvergebung steht nun zwar in keinem Widerspruch zum Toragehorsam, erscheint jedoch als Alternative zu den gebräuchlichen Sühneriten. Die Teilnahme an der Johannestaufe scheint nicht nur an die Stelle der rituellen Reinigung durch das individuelle Tauchbad in der מקוה oder der Entsündigung

---

181) Vgl. J. Ernst, Johannes der Täufer 309.

durch den Hohenpriester am Versöhnungstag zu treten, sondern übertrifft diese auch insofern, als sie für den Täufer die definitiv letzte Möglichkeit einer Entsündigung vor dem unausweichlich drohenden Gericht Gottes repräsentiert (vgl. Mk 1,4).

Es besteht weiterhin eine inhaltliche Verbindung zwischen der Tempelreinigung Jesu aus Nazaret und der Taufe des Johannes (vgl. Mk 11,27-33). Beide Aktionen dienen der Wiederherstellung des unbelasteten Gottesverhältnisses, beide sind als Symbolhandlungen zu verstehen, beide bedürfen des Erweises der ἐξουσία, einer gottgegebenen prophetischen Vollmacht. Beide bestreiten schließlich immanent die Zulänglichkeit des praktizierten Kultes.

Ebenso wie Jesus aus Nazaret in zeichenhafter Weise die "Händler" im Tempelbezirk als hemmende Widersacher der erhofften idealen Ordnung des Gottesreiches beseitigt und damit auch die Insuffizienz der im Tempel gängigen Kultpraxis gegenüber dem idealen Kult in der βασιλεία τοῦ θεοῦ aufzeigt, so behauptet die Johannestaufe implizit zumindest die Insuffizienz der Reinigungsriten. Vielleicht wird deren Tauglichkeit angesichts des drohenden, unbedingte Reinheit erfordernden[182] Gottesgerichts bei Johannes dem Täufer sogar grundlegend in Frage gestellt.

Möglicherweise beinhaltet auch bereits die Wahl des Ortes eines solchen öffentlichen Wirkens Johannes' des Täufers nicht in Jerusalem, wo der Tempel und somit das ideale Zentrum des Kultes sich befand, sondern in der Abgeschiedenheit der Wüste am Jordan eine Verweigerung gegenüber den herkömmlichen Sühneriten.[183]

Obwohl also nicht von einer expliziten Tempelkritik Johannes' des Täufers gesprochen werden kann, scheint er die gängige Religionsausübung, zumindest jedoch die rituellen Reinigungen in ihrer bestehenden Form für unzulänglich zu halten. Beides wird repräsentiert durch den Kult im Jerusalemer Tempel. Hier war der Ort der Gottesbegegnung und der Sündenvergebung. Der Täufer steht diesem Kult offensichtlich kritisch gegenüber.

Wenn es für eine solche prophetische Kultkritik typische Vorbilder in der biblischen Überlieferung und Parallelen in den antiken jüdischen Prophetenlegenden gibt, läßt sich das durchaus auch dahingehend verstehen, daß die synoptischen Traditionen, die von einer kritischen Einstellung des Täufers gegenüber dem praktizierten Kult berichten, die Erinnerung an sein tatsächliches Verhalten bewahren. Diese Annahme wird durch die Ergebnisse der bisherigen Untersuchung untermauert, die gezeigt haben, daß er sich offenbar gerade in seinem Auftreten durch bewußte Übernahme von Attributen des wahren Propheten gegenüber seiner Umwelt als wahrer Jahweprophet auswies.

Kann nun von einer solchen "typischen" kritischen Einstellung der biblischen Propheten gegenüber dem praktizierten Kult, insbesondere gegenüber der kultisch-rituellen Buße als Möglichkeit, göttliche Sündenvergebung zu erlangen,[184]

---

182) Unreine haben keinen Zutritt zum endzeitlichen Israel: Jes 35,8; 52,1; äthHen 90,31f.; 1QH 6,27f.; 4Q Flor 1,3f.; Apk 21,27.   183) S.o. 189-192.

184) In nachexilischer Zeit wird der Kult zum Sühnemittel (vgl. A. Bertholet, Kulturgeschichte 277; H. Ringgren, Religion 296-301; B. Janowski, Sühne passim und insb. J. Maier, Zwischen den Testamenten 228-235).

gesprochen werden? Die Kriterien für die Befragung des Quellenmaterials ergeben sich aus dem Befund im ersten Hauptteil dieser Untersuchung: Gefragt wird auch hier also zunächst danach, ob der jeweilige Prophet den praktizierten Kult der ihn umgebenden Öffentlichkeit ablehnt oder ihm zustimmt, ihn in seiner Zulänglichkeit akzeptiert oder nicht. Gemeint ist hierbei nicht die eigentlich *falsche* Kultpraxis, wie beispielsweise die Verehrung der "goldenen Kälber"[185] oder der Verstoß gegen das Monolatriegebot,[186] sondern der durchaus rite praktizierte Jahwekult. Der Prophet "steht also grundsätzlich auf dem Boden der gleichen Gottesvorstellung wie der Jahwekult".[187] Übt ein Prophet solche Kritik, ist weiterzufragen, ob er in seiner Verkündigung allein seiner Ablehnung Ausdruck verleiht oder aber zu einer anderen Kultpraxis bzw. einer generellen Alternative zum Kult aufruft.

Sowohl der Befund der biblischen Überlieferung als auch die weitere Entwicklung des Motivs der prophetischen Kultkritik in LXX, Targumim und den Prophetenlegenden des antiken Judentums sollen im folgenden zur Klärung dieser Fragen beitragen. Die hebräische Bibel in ihrer vorliegenden Gestalt zeigt ein intentionell verzeichnetes Bild vom Verhältnis zwischen Prophet und Kult, das zwar keine unmittelbaren Rückschlüsse auf historische Grundlagen erlaubt. Da hier jedoch danach gefragt wird, was Johannes dem Täufer und seinen Zeitgenossen davon bekannt gewesen sein könnte,[188] ist die biblische Überlieferung Ausgangspunkt des folgenden Abschnitts der Untersuchung.

Hier fällt zunächst auf, daß Abraham, Aaron und Mose nicht etwa durch ihre Ablehnung, sondern vielmehr als Begründer des rechten Kultes in Erscheinung treten: Abraham baut (ursprünglich als Reaktion auf Gotteserscheinungen) Heiligtümer für Jahwe (Gen 12,7. 8b; 13,18)[189] und führt auf Anweisung der Gottheit die Beschneidung ein, das spätere Zeichen der Abrahamssohnschaft (Gen 17,9-14. 23-27; vgl. Mt 3,9; Lk 3,8; Röm 4,1-25). Mose wird als Mittler beim Bundesschluß Jahwes mit Israel am Gottesberg (Ex 24,1-8) und als Verkünder des göttlichen Gesetzes dargestellt (insb. Ex 20-23; 25-31; 34-40; Lev; Num 1-9 usw.). Bei der kultischen Verfehlung der Israeliten, die zudem als *falscher* Kult, als Abfall von Jahwe ausgewiesen wird (Ex 32; Dtn 9,7ff.), wirkt Mose weniger als Kritiker denn als Interzessor, der den Zorn Jahwes vom Volk abwenden will (Ex 32,11ff.; Dtn 9,25ff.).[190] Aaron gilt als Inbegriff des wahren Priesters; Lev 8f. berichtet von seiner Priesterweihe und dem ersten Opfer des Hohenpriesters Aaron und seiner Söhne. Priester werden kann deshalb nur derjenige, der seinen Stammbaum auf

---

185) Vgl. Ex 32,4. 8; I Reg 12,28 u.ö.   186) Vgl. I Reg 11,4-7; II Reg 17,30f. u.ö.

187) R. Hentschke, Stellung 145; vgl. B.-J. Diebner, Gottesdienst 15.

188) R.L. Webb (John the Baptizer 371f.) fragt in diesem Zusammenhang nach *historischen* Gründen für eine Tempelkritik Johannes' des Täufers.

189) TO interpretiert die Anrufung Gottes (ויקרא בשם יהוה) in Gen 12,8b im Sinne des nachmaligen jüdischen Kultes als Gebet (וצלי בשמא דיוי [ebenso TCN]).   190) S.o. 198.

ihn zurückführen kann (Esr 7,1-5). Wie noch zu sehen sein wird, läßt sich der Kult der Erzväter und der Wüstenzeit Israels sogar als typologisches Vorbild des rechten Jahwekultes gegenüber der von den Schriftpropheten kritisierten Kultpraxis bezeichnen.

Samuel kommt zu Saul, um ihm Jahwes Verwerfungsurteil über ihn mitzuteilen (ISam 15,16). Dem Einwand Sauls, er habe doch Jahwe Kleinvieh und Rinder opfern lassen (15,15. 21), begegnet Samuel mit der rhetorischen Frage, ob Jahwe an Brandopfern (עלות) und Schlachtopfern (זבחים) ebenso Gefallen habe wie am Gehorsam (שמע) gegenüber seiner Stimme. Das bedeutet offensichtlich, daß selbst Brand- und Schlachtopfer (also vorgeschriebene Kulthandlungen [vgl. Lev 1ff.; Num 28f.]) vor Jahwe nichts gelten, wenn man ansonsten seinen Willen nicht erfüllt. מזבח טוב להקשיב מחלב אילים שמע (ISam 15,22) - Gehorsam ist besser als Schlachtopfer, aufmerksames Hinhören ist besser als Fett von Widdern: "What Yahwe requires is diligent obedience, without which the prescribed acts of the Cult, ordinarily good and proper in themselves, become vain deeds of hypocrisy."[191] In der LXX ist noch deutlicher erkennbar, daß hier keine *falschen*, sondern *rechte* Opfer gemeint sind: ἀκοὴ ὑπὲρ θυσίαν ἀγαθή. להקשיב wird hier weiterhin mit ἐπακρόασις ("Gehorsam") wiedergegeben, während TJon z.St. den Infinitiv durch den Ausdruck מלי נבייהי interpretiert. Dort ist es das Hören auf die Worte der Propheten, das vor Gott mehr gilt als das Opfer.

Indem Elija bei der "Opferprobe" mit den Baalspropheten (IReg 18) den Erweis der alleinigen Macht Jahwes bewirkt, stellt er dem wahren und wirksamen Jahwekult die absolute Untauglichkeit der Verehrung falscher Götter gegenüber (IReg 18, 24). TJon zu diesem Vers pointiert diesen radikalen Unterschied zwischen den Götzen (טעותא) und Gott. Der Prophet Elija tritt also nicht als Kritiker am Jahwekult auf, sondern wendet sich in seiner Wirksamkeit allein gegen die Verehrung fremder Götter neben Jahwe.

Im biblischen Jesajabuch finden sich fünf explizite Angriffe des Propheten gegen den praktizierten Kult. So wird bereits in Jes 1,10-17 dem Volk und seinen Führern (1,10) prophezeit, Jahwe sei der Kulthandlungen überdrüssig, seien es Opfer (1,11. 13f.), Besuche im Tempel (1,12), Festtage (1,13f.) oder Gebete (1,15). Hingegen fordere er die Reinigung, das Ablassen vom Bösen und das Hinwenden zum Guten (1,16) - konkret: Gutes zu tun, nach dem Recht zu fragen, die Unterdrückten, Waisen und Witwen zu unterstützen (1,17). Es ist deutlich, daß der Prophet hier keine falschen Kultformen kritisiert, sondern vielmehr die Unzulänglichkeit eines - keine praktischen Konsequenzen im täglichen Leben zeitigenden - Bußritus im Rahmen des israelitisch-jüdischen Kultes. Jes 1,10-17 ist dabei zunächst als

---

191) P.K. McCarter, Jr., I Samuel 267.

"Instruktion für eine bestimmte Situation, nicht als allgemeingültige Lehre über die Verwerflichkeit des Kultes"[192] zu verstehen.

Während die LXX hier keine nennenswerten Abweichungen vom MT bietet, wird in TJon die rhetorische Frage in Jes 1,11 zum Aussagesatz. Hierdurch scheint der Inhalt eine Verdeutlichung zu erfahren: Gott will diese Opfergaben nicht. Ebenso wird in 1,13 TJon der Fehler derer, die sich Sündenvergebung im Kult erhoffen, zusätzlich konkretisiert: Sie lassen nicht ab von ihren Sünden. Die Diskrepanz zwischen dem Hoffen auf göttliche Sündenvergebung und gleichzeitigem fortgesetzten sündhaften Handeln wird somit veranschaulicht.

Auch das kurze Prophetenwort Jes 29,13f. (vgl. Mk 7,6par.) kritisiert einen äußerlichen Kult, der nicht von Herzen kommt. Während das Volk Jahwe nur mit Lippen und Mund geehrt hat, sind die Herzen abgewandt geblieben; aus Ehrfurcht ist Menschensatzung geworden (Jes 29,13). Darum wird Jahwe an diesem Volk in wunderbarer, unerhörter Weise handeln (פלא), so daß Weisheit und Klugheit dagegen keinen Bestand mehr haben werden (29,14). Hat hier der Prophet "ein bestimmtes Ereignis im Auge, zu dem er Stellung nehmen will?"[193] Die LXX übersetzt in Jes 29,13 das Perfekt כברוני (gegenüber dem folgenden יוסף להפליא sicher vorzeitig) mit dem Präsens τιμῶσιν με, betont damit die linear-durative Bedeutung des Wortes und macht es so definitiv allgemeingültig. In 29,14 wird der Ausdruck פלא (Hif'il: etwas Wunderbares tun) durch μεταθεῖναι (μετατίθημι: ändern) wiedergegeben. TJon bietet zu Jes 29,13f. keine Abweichungen, die für diese Untersuchung von Interesse sind.

In Jes 43,22-25 weist der Prophet Israel darauf hin, daß die Vergebung der Sünden durch Gott nicht durch den Kult erlangt werden kann - es ist, als ob nicht angebetet (43,22), nicht geopfert (43,23. 24a), sondern nur in Sünde (חטא) und ungeradem, unrechtem Tun (עון) verharrt wird (43,24b). Es ist der rechte Lebenswandel, nicht der praktizierte Kult, der Jahwe dient, und auch hier bedeutet dies ursprünglich wohl "keine allgemeine und gar grundsätzliche Verurteilung des Kultes",[194] sondern wahrscheinlich punktuelle Kritik im Rahmen einer "bestimmte[n] zeitgeschichtliche[n] Situation."[195] TJon ergänzt in 43,22 vor ולא den Hinweis אמיר על ידי נבייא und interpretiert seine Vorlage im Folgenden so, daß der Prophet nun gerade das Fehlen jeglichen Kultes und den sündhaften Wandel schilt. Der Jesajatargum bietet hier ein anderes Bild als bei Jes 1,10-17 und 29,13f. Er scheint an dieser Stelle explizit darauf hinzuweisen, daß der Kult von Gott durch die Propheten gefordert ist und daß die Schuld (חוב) gerade in dem Verzicht auf den Kult besteht.

---

192) H. Wildberger, Jesaja 1, 48; vgl. J.N. Oswalt, Isaiah 93-100.
193) H. Wildberger, Jesaja 3, 1119f.; Oswalt, Isaiah 532.
194) K. Elliger, Deuterojesaja 373.

Die rhetorische Frage des Propheten in Jes 58,5-7 stellt dem Bußfasten in seiner kultisch-rituellen Form die Buße in Form von aktivem sozialen Handeln gegenüber. Dieses führt im Gegensatz zu jenem Jahwes רצון herbei. Auch Taten der Gnade und Verzicht zugunsten der Armen können also vollgültige Werke des Fastens sein (58,6f.; vgl. Mt. 25,35). Die LXX wandelt in ihrer Übersetzung von Jes 58,5 die Form des Fragesatzes (im hebräischen Text wiederholt gekennzeichnet durch die Fragepartikel הֲ) in einen Aussagesatz um. Das könnte die Konsequenz nach sich ziehen, daß hier die Ablehnung eines Bußfastens ohne Werke der Buße betont wurde.

In Jes 66,3f. schließlich übt der Prophet massive Kritik am Kult derer, die nicht auf das Wort Jahwes hören. Ihre Opferhandlungen verkehren sich in ihr Gegenteil, legitime Opferpraktiken und -gaben in Greuel (66,3). Deshalb wird Jahwe sie für ihren Ungehorsam bestrafen (66,4). Konkreter Anlaß der ursprünglichen Prophetenschelte Tritojesajas könnte der Kontakt mit heidnischen Opferriten in seiner unmittelbaren Umgebung gewesen sein.[196] Das Prophetenwort wäre dann in seiner vorliegenden Gestalt bereits Ausdruck einer Generalisierung der ihm zugrunde liegenden, ursprünglich situationsbedingten Tradition. Die LXX konkretisiert das unbestimmte Subjekt von Jes 66,3: Der Gesetzlose, Gottlose (ὁ ἄνομος), der rite opfert, opfert dennoch grundverkehrt. Das bedeutet, daß hier der Sinn des Prophetenwortes darin besteht, daß ein gottgefälliges Opfer unbedingt den gottesfürchtigen und gesetzestreuen Lebenswandel des Opfernden dafür zur Voraussetzung hat, daß Gott sein Opfer annimmt. TJon ergänzt in Jes 66,3 hinter דם חזיר den Satz "קרבן מתנתהון מתנת אונים": Die Darbringung ihrer Opfergaben ist eine Opfergabe der Gewalt. Deutlich erkennbar ist auch hier die verallgemeinernde Tendenz. Hinter 66,6 wird weiterhin der Zusatz שלחית נביי ולא תבו אתנביאו(ר) ולא קבילו angefügt. Gott sandte seine Propheten, und die Israeliten sind nicht umgekehrt; die Propheten verkündeten, aber sie haben nicht gehorcht.

In der Rezeption des biblischen Jesajabuchs ist insgesamt die Tendenz zur Kritik nicht an *fremden* Gottesdiensten, sondern an der Unzulänglichkeit des *eigenen* Jahwekultes zu beobachten. Ursprünglich situationsbedingte prophetische Kultpolemik wird hierbei aus ihrem historischen Zusammenhang gelöst, um allgemeingültige Bedeutung zu erlangen.

Die inhaltlichen Verschiebungen in der LXX weisen ausnahmslos in dieselbe Richtung: Kult ohne ein Leben in Gesetz und Gottesfurcht ist nichtig. In den Targumim scheint zudem eine Tendenz zu bestehen, den unmittelbaren Zusammenhang zwischen der göttlichen Sündenvergebung und dem persönlichen Wandel nach dem (von den Propheten fortwährend verkündeten) Gesetz zu betonen.

---

195) Ebd. 373.   196) Vgl. A.S. Herbert, Isaiah Chap. 40-66, 191.

Auch bei Jeremia wird an vier Stellen Kritik am Kult laut: In Jer 6,19 wird die Unheilsankündigung des Propheten dadurch begründet, daß das Volk die דברי יהוה verschmäht. Jegliche Opfer bleiben deshalb ohne Wirkung. Selbst kostbarer importierter Weihrauch führt nicht Jahwes רצון herbei.[197] Die Opfer können das Volk nicht mehr von seinen Sünden reinigen (Jer 6,20), denn Jahwe akzeptiert sie nicht mehr. Die rhetorische Frage Jeremias in 6,19 scheint auf die Nutzlosigkeit des praktizierten Opferkultes angesichts der Schwere der Verfehlungen des Volkes zu zielen. A. Weiser[198] geht in seiner Interpretation von Jer 6,19 noch weiter und sieht den Vers als Ausdruck einer "anthropozentrischen Frömmigkeit", einer "Ablehnung der dem Opferkult zugrundeliegenden Einstellung des Menschen zu Gott", wo "die Gabe des Menschen an die Gottheit die Gunst Gottes an den Menschen zu binden suchte". Die LXX bietet nun in Jer 6,20 οὔκ εἰσιν δεκτά für לא לרצון. Der Begriff δεκτός (= "angenehm", "gefällig" [aufgrund eines göttlichen Willensakts])[199] begegnet im griechischen Jeremiabuch nur an dieser einen Stelle. Vor dem Hintergrund der Verwendung des Wortes in LXX Lev 1,3f.; 19,5; 22,19f.; 23,11 könnte hier an eine Betonung des kultisch-rituellen Charakters der Sündenvergebung im Opfer zu denken sein. TJon ergänzt in Jer 6,19 hinter דברי die Worte עבדי נבייא. Die Mittlerschaft der Propheten als autorisierte Verkünder des Gesetzes und Mahner seiner Befolgung wird dadurch verdeutlicht.

Im Wortlaut der Tempelrede in Kapitel 7 betont Jeremia, daß der zentralisierte Kult im Jerusalemer Tempel nicht automatisch den Beistand Jahwes garantiert (Jer 7,4). Ohne gottgefälligen Lebenswandel bleibt der Kult ohne Wirkung (7,5f.). Jeremia prangert zum einen diesen falschen Jahwekult im Tempel (7,9-11), zum anderen aber auch individuelle Opfer ohne tatsächlichen Sinneswandel des Opfernden vehement an (Jer 7,21-23). Nicht dieser Opferkult, sondern vielmehr der Gehorsam gegen das Gebot Gottes wurde den Israeliten in der Wüste geboten.[200] Darum gewährleisten eben nicht Tempelkult und Opfer Jahwes רצון, sondern der gelebte Gehorsam: "Jrm here proclaimes that the people´s sacrifices have no place in the will of Yahweh, and that the people both past and present have refused to be sensitive to that will."[201] Während der Text der LXX keine bedeutsamen Abweichungen bietet, kann bezüglich der interpretierenden Übersetzung von TJon z.St. einerseits festgehalten werden, daß das dreimalige היכל יהוה in Jer 7,4 hier auf die drei Hauptwallfahrtsfeste bezogen wird (vgl. Ex 23,14-16; Dtn 16,16f.). Andererseits ist zu beobachten, daß auch in TJon zu Jer 7,13 die Propheten als Vermittler des Gotteswortes eingefügt werden.

---

197) Vgl. R. Rendtorff, Kulttheologie passim; vgl. auch F. Hecht, Eschatologie 185ff.

198) Jeremia 63; vgl. W.L. Holladay, Jeremiah I, 223.

199) Vgl. W. Grundmann, Art. δεκτός κτλ.: ThWNT II, 57-59.

200) Vgl. J.P. Hyatt, Criticism 18: "The role of the prophets was to recall this earlier emphasis and to challenge Israel to live up to the unique features of its religion." Ähnlich bereits P. Volz, Ablehnung 67.   201) W.L. Holladay, Jeremiah I, 263.

Auch in Jer 11,14f. verkündet der Prophet, daß sowohl seine Fürbitte[202] als auch die Opfer des Volkes vergeblich sind: das drohende Gericht kann dadurch nicht mehr aufgehalten werden. Wenngleich die Auffassung A. Weisers, "mit solchen Mitteln kultischer Technik [lasse] sich das Unheil nicht abwenden, denn sie setzen eine der Größe und Gnade Gottes unwürdige Gottesauffassung voraus",[203] m. E. nicht hinreichend betont, daß die Unzulänglichkeit von Fürbitte und Opfer hier nicht durch eine (ihnen immanente) prinzipielle Untauglichkeit, sondern durch die akute Nähe des Gerichts ausgelöst wird,[204] ist der Sinn der rhetorischen Frage in Jer 11,15 sicher der, daß ursprünglich gottgefällige Gelübde und Opfer angesichts der Nähe des Gerichts wirkungslos geworden sind. Vor diesem Hintergrund fällt auf, daß TJon zu Jer 11,15 seine hebräische Grundlage stark erweitert und verändert, wobei die Tendenz eine andere ist als in Jer 7,4 TJon: In 11,15 ist es gerade der *falsche* Kult, der zur Bestrafung des Volkes führt.

In vergleichbarer Weise wird in Jer 14,11f. schließlich von dem Befehl Jahwes an Jeremia berichtet, er solle nicht für das Volk beten. Weder ihr Fasten noch ihr Opfer erfährt Erhörung durch Jahwe, sondern sein Gericht wird über sie kommen. TJon zu 14,12 verdeutlicht die Vergeblichkeit von Fest und Opfer durch die doppelte Hinzufügung von לא רעוא.

Diejenigen Stellen im biblischen Jeremiabuch, die von einer Kultkritik des Propheten berichten, lassen sich also dahingehend zusammenfassen, daß es an allen vier Stellen um die Vergeblichkeit des praktizierten Kultes, insbesondere der Opfer angesichts der Schwere der Verfehlungen des Volkes und der Nähe des göttlichen Strafgerichts zu gehen scheint. Dieser Kult ist zwar in jedem Fall in richtiger Weise ausgeführt, jedoch fehlt eine zu seiner Wirksamkeit notwendige Grundvoraussetzung, nämlich der praktizierte Gebotsgehorsam des Volkes. Auch hier trifft die Bemerkung E. Würthweins[205] zu: "Das Gottesverhältnis ist ... zu tief gestört, als daß es durch Opfer wieder hergestellt werden könnte, der störende Faktor muß ... beseitigt werden, wenn Jahwe im Opfer erreicht und der Segen der Gottesgemeinschaft erlebt werden soll. Damit ist das Opfer ... in seinem Wert relativiert. Aber es ist keine allgemeingültige Verwerfung der Opferdarbringung als solcher zugunsten des Ethos ausgesprochen."

Sowohl LXX als auch TJon zum Jeremiabuch betonen mehrfach, daß der Opferkult, gegen den sich der Prophet richtet, rite praktiziert wird, aber trotzdem wegen des Lebenswandels der Opfernden zur Erlangung des göttlichen Wohlgefallens nicht taugt. In den Targumim wird weiterhin - ebenso wie bei Jesaja - die Mittlerschaft der Propheten hervorgehoben.

---

202) Vgl. krit. App. der BHS zu Jer 11,14.   203) Jeremia 104.
204) Vgl. F. Hecht, Eschatologie 189.
205) Kultpolemik 124f.; vgl. ders., Art. μετανοέω κτλ. B. Buße und Umkehr im AT: ThWNT IV, 979.

Hosea verkündet den Führern der Israeliten (vgl. Hos 5,1) das Wort Jahwes: Wenn sie mit ihren Schafen und Rindern losziehen, um Jahwe zu suchen, werden sie ihn nicht finden, denn er hat sich ihnen entzogen (5,6). Sie wollen Schlachtopfer darbringen, doch Jahwe nimmt diese nicht an. H.W. Wolff[206] bezieht den Vers auf einen Kult an den *falschen* Kultstätten. Auch Th.H. Robinson[207] spricht hier von der "Erfolglosigkeit des falschen Kultes". Vor dem Hintergrund der generellen Abwertung kanaanäischer Fruchtbarkeitskulte durch den Propheten des Nordreiches (vgl. 4,11-19; 5,1ff.; 6,7-11a) scheint sich der Vers gegen eine Kultpraxis zu richten, die per se mit der Jahweverehrung nicht zu vereinbaren ist. J. Jeremias[208] faßt zusammen: "Das Gottesvolk ist unlöslich im abgöttischen Gottesdienst gefangen." Targum Jonathan z.St. ändert das Objekt des Verses: Indem Israel hier nicht mehr Jahwe selbst, sondern seine Belehrung (אולפן) sucht, wird zum einen auf die Transzendenz Gottes Rücksicht genommen, zum anderen tritt die Beziehung zwischen Opferkult und göttlichem Wohlwollen hierdurch zurück.

Auch in Hos 6,6 (vgl. Mt 9,13; 12,7) wird der praktizierte Opferkult vom Propheten ausdrücklich abgelehnt: Jahwe will keine solchen Schlachtopfer und Brandopfer, sondern Bundestreue (חסד) und Gotteserkenntnis (דעת אלהים). In dieser Kultkritik spiegeln sich ursprünglich möglicherweise sowohl die Ablehnung einer "baalistischen" Prägung der Opfer[209] als auch die Verurteilung eines gottlosen politischen Verhaltens Israels, das im Widerspruch zu seiner Suche nach der Zuwendung Jahwes im Opferkult steht.[210] TJon bietet nun für die deutliche Negation ולא זבח den Ausdruck מדרבח. Wenn מד hier ein komparativisches Verhältnis anzeigt, könnte dies darauf hindeuten, daß der exklusive Gegensatz zwischen gottgefälligem Verhalten und dem Opferkult im hebräischen Text in dem Targum zugunsten einer unterschiedlichen Wertigkeit aufgelöst wird. Das würde wiederum bedeuten, daß einer generellen Abwertung des Opferkultes begegnet werden soll, daß dieser also nur in seiner Bedeutung gegenüber dem gottgefälligen Verhalten relativiert erscheint. Die LXX bietet zu Hos 6,6 (wie auch zu 5,6) keine interessanten Varianten.

Der Brauch des Opferkultes wird auch in Hos 8,11-13 als Abfall vom Jahwebund, der letztendlich zur Bestrafung führt, dargestellt. "Die Menge der Altäre wird der Fülle göttlicher Weisungen gegenübergestellt; hierin ist aufs kürzeste Israels ganzer Irrtum im gottesdienstlichen Handeln greifbar. Die Zahl der Altäre und Kulthandlungen ersetzt und verdrängt alles Verantwortungsbewußtsein."[211] Deutlich ist der ursprünglich situative Kontext des Prophetenwortes. Die LXX ergänzt in Analogie zu Hos 9,3bβ hinter Hos 8,13 "καὶ ἐν Ἀσσυρίοις ἀκάθαρτα φάγονται." Auch das scheint eine Betonung der historisch-situativen Bedeutung der Pro-

206) Hosea 127f.   207) Hosea 23.   208) Hosea 76.   209) J. Jeremias, Hosea 88.
210) H.W. Wolff, Hosea 153; ähnlich Th.H. Robinson, Hosea 26f.
211) J. Jeremias, Hosea 110; vgl. H.W. Wolff, Hosea 186 und Th.H. Robinson, Hosea 34.

phezeiung zu sein. Die מזבחות werden in Hos 8,11 und 12 konkretisierend als θυσιαστήρια ἠγαπημένα wiedergegeben.[212] Daß in der LXX der Mißbrauch der Altäre Jahwes, also ihre Verwendung bei fremden und daher falschen Kultformen betont wird, wird deutlich daraus, daß sie in Hos 8,12 für כמו זר נחשבו die Worte εἰς ἀλλότρια ἐλογίσθησαν θυσιαστήρια τὰ ἠγαπημένα bietet. Während sich die Verfehlung im MT auf die תורתי bezieht, sind es hier die θυσιαστήρια, die mißbraucht werden. Im Hoseatargum läßt sich eine ähnliche Tendenz feststellen, das Prophetenwort als Kritik am Mißbrauch der Jahwealtäre zu verbotenem Götzenkult zu verstehen: TJon bietet zu Hos 8,11 für das Wort מזבחות, das im allgemeinen Sinn die legitimen Opferstätten im Jahwekult bezeichnet, den pejorativen Begriff איגורי (Götzenaltäre, eigentl. "Haufen").

Der Targum zu Joel 2,12-14 "enthistorisiert" das Mahnwort im ersten Teil des Prophetenbuches (Joel 1-2), das anläßlich einer gewaltigen Bedrohung[213] ausgesprochen worden zu sein scheint. Joel ruft gemäß MT und LXX zu einem kollektiven Fasten, Weinen und Trauern auf (Joel 2,12). Aber es sollen die Herzen, nicht die Kleider zerrissen werden (2,13). Nicht der Bußritus, sondern allein innerliche, *wahre* Buße vermag die Bedrohung des Landes noch abzuwehren (Joel 2,14). TJon interpretiert nun zum einen Joel 2,13, indem der Prophet hier zum Entfernen der Bosheit aus dem Herzen - jedoch eben nicht durch das Zerreißen der Kleider als äußerer Ausdruck der ritualisierten Buße - aufruft. Zum anderen wird Joel 2,14 im Targum völlig frei umschrieben: Wo im MT davon die Rede ist, daß Jahwe umkehren und es ihm gereuen könnte, unterdrückt TJon diesen Anthropomorphismus durch einen Aufruf an den Sünder, selbst umzukehren und zu bereuen. "The Targumist could not accept the view that God might repent, so he interprets v. 14 as a concern with the repentant sinner who will be blessed by God."[214] Wichtiger für diese Untersuchung aber ist folgende Veränderung: In Joel 2,14b steht im MT unvermittelt מנחה ונסך ליהוה אלהיכם. Eine erkennbare Verbindung mit 2,14a scheint zu fehlen, was die Herausgeber der BHS z.St. an ein weggefallenes Wort (finites Verb des [Dar-]bringens?)[215] vor מנחה denken läßt. Der Targum spricht hier nun davon, daß das Gebet dessen, der zu Gott umkehrt, ebenso zählt wie Speisopfer und Trankopfer: "prayer is regarded as having equal merit with sacrifices".[216]

Amos 4,4f. wird als eine Parodie auf "Ziel und Grund priesterlicher Kultanweisungen" verstanden.[217] Sämtliche Opferarten sind an den Kultorten in Bet-El

---

212) "Die LXX gibt *mizbeaḥ* vorwiegend mit ϑυσιαστήριον wieder, nur für illegitime, heidnische Altäre benutzt sie 23mal βωμός zur Übersetzung von *mizbeaḥ*" (Ch. Dohmen, Art. מזבח: ThWAT IV, 789). 213) Vgl. H.W. Wolff, Joel 12-17.
214) K.J. Cathcart, R.P. Gordon, Targum of the Minor Prophets 69.
215) So Th.H. Robinson, Joel 62.
216) K.J. Cathcart, R.P. Gordon, Targum of the Minor Prophets 69.
217) H.W. Wolff, Amos 250; vgl. J. Begrich, Tora 77.

und Gilgal zum Frevel (פשע) geworden (vgl. Am 3,14; 5,5f.). Der Prophet wendet sich hier wohl "gegen ein falsches Verständnis der priesterlichen Anrechnungstheologie, das ein rite vollzogenes Opfer auf Grund des priesterlichen Anrechnungsvotums als Garantie für ein einwandfreies Verhältnis zu Jahwe ansieht";[218] er protestiert "gegen die Diskrepanz zwischen der im Kultgeschehen zum Ausdruck kommenden, von Gott entworfenen und der faktisch erlebten Welt"[219] bzw. gegen den Verstoß gegen das Monolatriegebot in Form von synkretistischen oder gar heidnischen Kultpraktiken im Nordreich.[220] Diese ursprünglich auf eine bestimmte Situation bezogene Kultpolemik des Propheten findet sich im griechischen Text in stark veränderter Form, wobei in Am 4,4 LXX der Frevel der Einwohner Samarias differenziert wird (ἠνομήσατε, ἐπληθύνατε τοῦ ἀσεβῆσαι; MT bietet zweimal פשע). Wo in Am 4,5 MT vom Verbrennen von Gesäuertem als Opfer (תודה) die Rede ist, spricht die LXX vom öffentlichen Verlesen des Gesetzes (νόμος [= תורה; Schreib- bzw. Lesefehler?[221]]). Zu erkennen ist sowohl im MT als auch in der LXX die deutliche Gegenüberstellung von Frevel und rite vollzogenem Kult.

Auch TJon zu Am 4,4 gibt den Frevel mit zwei verschiedenen Ausdrücken wieder (מרד "widerspenstig sein" und סגא "sündigen"). In Am 4,5a TJon werden in komprimierter Form Dankopfer und Raub direkt gegenübergestellt, wohl um zu betonen, daß der Raub die Dankopfer ungültig macht.

In Am 5,21-26 spricht der Prophet "als Bote Jahwes die generelle Nichtanerkennung aller kultischen Darbringungen seiner Hörer aus".[222] Jahwe haßt deren Feste und Versammlungen, ihre Opfer (מנחה hier als "Sammelbegriff für alle Opferarten")[223] und ihre Lieder (5,21-23).[224] Stattdessen fordert er Recht und Gerechtigkeit (5,24). Als Begründung wird auf die ideale Zeit der Wüstenwanderung verwiesen (s.o. 215f. zu Jer 7,21-23),[225] während der es keine Opfer und keine Fremdgötterbilder gab (5,25f.). Durch diese Erwähnung der Fremdgötterbilder wird deutlich, daß das Prophetenwort ursprünglich keine grundsätzlichen Erwägungen über den Kultus als solchen widerspiegelt, sondern einen konkreten geschichtlichen Anlaß hatte.[226]

Im Text der LXX ist von besonderem Interesse, daß zwischen Am 5,22aα, 22aβ und 22b ein deutlicher Parallelismus zu erkennen ist. Es sind hier unbestreitbar al-

---

218) R. Rendtorff, Kulttheologie 342. 219) F. Stolz, Samuel 103.
220) Vgl. H.M. Barstad, Polemics 56; anders W.H. Schmidt, Einführung 200.
221) Mndl. Hinweis von G. Mayer (vgl. Jdc 19,18 LXX).
222) H.W. Wolff, Amos 307. 223) Ebd. 307.
224) Zum textkritischen und redaktionsgeschichtlichen Problem von Am 5,22a vgl. H.W. Wolff, Amos 303f. Während Wolff selbst (Amos 303) die Konjunktion כי אם in seiner Übersetzung ("außer" [wenn ihr mir Brandopfer darbringt]) adversativ wiedergibt, übersetzt H.M. Barstad (Polemics 111) konzessiv ("selbst wenn"[...]). Vgl. hierzu auch B.K. Waltke, M. O´Connor (Syntax 671). 225) Vgl. P. Volz, Ablehnung 67 sowie H.-J. Zobel, Zeit 196.
226) So E. Würthwein (Amos 5,21-27,12) sowie H.W. Wolff (Amos 312) und H.M. Barstad (Polemics 118).

le Opferarten, die Jahwe nicht gefallen. Auch TJon z. St. zeigt eine solche parallele Beiordnung der verschiedenen Opferarten. Ob hier von einer generalisierenden Tendenz gesprochen werden kann?

Mi 6,6-8 fragt rhetorisch nach angemessenen Sündopfern in Form von Brandopfern, Kälbern, Widdern, ja selbst von Erstgeborenen. Die in dieser Frage implizierte Antwort ist: Jahwe lehnt all dies ab! Böse Taten schließen nicht nur die Erhörung des Gebets aus (vgl. Mi 3,4), sondern auch die göttliche Zuwendung aufgrund der Sühnopfer. Stattdessen ist Recht (משפט), Frömmigkeit, d.h. "Bundestreue" (חסד) und Wandel in Reinheit (והצנע לכת)[227] gefordert. Die Verse können als "die Zusammenfassung der Forderungen Jahwes ..., wie sie ein Prophet auf Befragen geben mochte",[228] bezeichnet werden. Ob bei der Erwähnung der Kinderopfer an dieser Stelle an tatsächliche Gegebenheiten in der Umwelt des Propheten zu denken ist (vgl. Jer 7,31; 19,5; 32,35; Ez 16,20f.; 20,26. 31), ist höchst unwahrscheinlich. Kultische Menschenopfer sind zu dieser Zeit in Syrien-Palästina weder durch epigraphisches noch archäologisches Material überzeugend belegt.[229] Eher verbirgt sich hier eine Anspielung auf Gen 22.[230] Wichtig ist, daß auch an dieser Stelle die Sühnopfer nicht prinzipiell abgelehnt, sondern gegenüber dem rechten Verhalten in ihrer Bedeutung als Mittel zur Wiederherstellung und Aufrechterhaltung eines unbelasteten Gottesverhältnisses relativiert werden.

Die Prophetie Haggais konzentriert sich auf den Wiederaufbau des Jerusalemer Tempels als des für das Gedeihen von Volk und Land notwendigen Entsühnungsortes (Hag 1,7f.). Die Zulänglichkeit, ja die heilsstiftende Wirkung des Kultes steht in direkter Abhängigkeit zum - von Jahwe durch den Propheten geforderten - Tempelbau (1,6. 9-11; 2,15-19). In diesem Sinne ist mit dem "unreinen Volk" in Hag 2,14 sicher nicht die Beteiligung der Samaritaner am Tempelaufbau (vgl. Esr 4,1ff.; Neh 2,19),[231] sondern die eigene unreine Kultusgemeinde gemeint.[232] Sowohl LXX als auch TJon bieten interessante Interpretationen: Während die LXX Hag 2,14 um eine explizite Kritik am Verhalten des Volkes erweitert,[233] liest TJon in dem Vers כנשתא an Stelle von הגוי und meint damit ausdrücklich die Unreinheit der *eigenen* Gemeinde.

In Sach 7,5-10 wird dem עם הארץ und den Priestern als Antwort auf eine (durch ihre deutliche Datierung als situationsbedingt ausgewiesene) "Fastenfrage" (Sach 7,1-3)[234] mit dem Ziel, den רצון Jahwes herbeizuführen, durch den Propheten mitgeteilt, sowohl ihr Fasten als auch ihre Opfermahlzeiten dienten eigennützigen

---

227) Zur Übersetzung von צנע vgl. KB III, 972f.   228) Th.H. Robinson, Micha 146.

229) Vgl. H. Seebaß, Genesis (i. Dr.).   230) Vgl. H.W. Wolff, Micha 152.

231) So grundlegend J.W. Rothstein, Juden und Samaritaner: BWAT 3 (1908), 5-41. Ebenso H.W. Wolff, Haggai 71-75 sowie TRE 14 (1985), 358.

232) Vgl. K. Koch, Haggais unreines Volk: ZAW 79 (1967), 52-66.

233) ἕνεκεν τῶν λημμάτων αὐτῶν τῶν ὀρθρινῶν, ὀδυνηθήσονται ἀπὸ προσώπου πόνων αὐτῶν· καὶ ἐμισεῖτε ἐν πύλαις ἐλέγχοντας.   234) Vgl. F. Horst, Sacharja 239.

Zwecken (7,4-6). Diese Antwort impliziert die Untauglichkeit eines solchen Bußfastens. Hingegen fordert Sacharja unter Hinweis auf die fortwährenden diesbezüglichen Ermahnungen der הנביאים הראשנים zu sozialethischer Gesinnung und
entsprechenden Taten auf (Sach 7,7-10). LXX und TJon bieten zu Mi 6,6-8 und zu
Sach 7,5-10 keine erwähnenswerten Abweichungen vom Text der hebräischen Bibel.

In Mal 2,13f. schließlich wird dem Volk vorgeworfen, es klage ungerechtfertigt
am Altar Jahwes, weil dieser seine Opfer nicht mehr annehme. Als Grund solcher
Verweigerung wird die Treulosigkeit gegenüber dem ʺWeib deiner Jugendʺ
(אשת נעוריך) angegeben. LXX und TJon z.St. zeigen auch hier keine gravierenden
Abweichungen. F. Horst sieht in den Versen eine Kritik an der ʺHeiratspolitik der
[aus dem Exil] zurückgekehrten Oberschichtʺ.[235] Es könnte allerdings auch ganz
allgemein an den Bundesbruch oder an den Tadel gegenseitiger Treulosigkeit zu
denken sein. Auffällig ist an dieser Stelle besonders, daß sich auch hier die Zulänglichkeit der Sühnopfer durch die Gesinnung und das Verhalten der Opfernden
zu definieren scheint.

Hinsichtlich der Kultkritik der Propheten in der biblischen Überlieferung ist es
nun möglich, zusammenfassende Aussagen zu treffen. Der Befund der Untersuchung der hebräischen Bibel, der LXX und der Targumim erwies sich als so homogen, daß von deutlichen Tendenzen in der Entwicklung des Motivkomplexes ʺpro-
phetische Kultkritikʺ gesprochen werden kann. Die Grundlage dieser Entwicklung bildete demnach die aufkommende Erkenntnis des Spannungsverhältnisses
zwischen dem praktizierten Kult (mit dem Ziel, das göttliche Wohlwollen zu erlangen) und dem Bewußtsein der eigenen Defizite hinsichtlich der Erfüllung der
göttlichen Forderungen: ʺDas Auseinanderfallen von kultischen und ›moralischen‹
Ordnungen, derart, daß man sogar in die Lage kommen konnte, die einen gegen
die anderen auszuspielen, war überhaupt etwas Neues.ʺ[236] Hinzu kommt die Erkenntnis der prinzipiellen Unverfügbarkeit jedes göttlichen Gnadenerweises.

Es ist festzuhalten, daß die Überlieferung von einer eigentlichen prophetischen
Kultkritik Abraham, Mose und Aaron ausklammert. Diese gelten in der biblischen
Überlieferung vielmehr als Begründer des rechten Jahwekultes. Der Kult der Erzväter und der Wüstenzeit Israels begegnet gerade als typologisches Vorbild des
rechten Kultes (insb. Jer 7,21-23; Am 5,21-26).[237]

Die prophetische Kritik am Kult gemäß den heiligen Schriften in Palästina zur
Zeit Johannes' des Täufers läßt sich auf einen Nenner bringen: Die Zulänglichkeit

---

235) Maleachi 269; vgl. auch S. Schreiner, Mischehen 207-228.
236) G. v. Rad, Theologie II, 427.
237) Zu Abraham als Verteidiger des rechten Kultes vgl. L. Ginzberg, Legends I, 213-217; V, 218.

des Kultes hängt von der Gesinnung und dem Verhalten derer ab, die ihn begehen.[238] Neben dieser generalisierenden Aussage läßt sich auch eine Reihe von speziellen Tendenzen in der biblischen Überlieferung erkennen:

1) Situationsbedingte Kultkritik erfährt im Verlauf der Überlieferung eine Umformung in allgemeingültige Aussagen.

2) Die prophetische Kritik am heidnischen oder falsch praktizierten Kult weicht einer Kritik an einem Kult, der - obgleich rite praktiziert - aufgrund des falschen Verhaltens der Kulttreibenden nutzlos oder gar verkehrt ist.

3) Insgesamt kann von einer relativen Abwertung des Kultes gegenüber Gebotsgehorsam bzw. Sozialethik gesprochen werden. Von seiner generellen Ablehnung scheint hingegen nicht die Rede zu sein.

In den Prophetenlegenden läßt sich diese Tendenz nur bedingt nachweisen. Im Martyrium Jesajas sind es explizit fremde Kultformen, die angegriffen werden (MartJes 2,5. 7). Eine prophetische Kritik am praktizierten Jahwekult begegnet hier nicht. Auch in den Paralipomena Jeremiae kritisiert der Prophet an keiner Stelle ausdrücklich den richtig vollzogenen Kult. Vielmehr spricht Jeremia sich hier gegen die Anrufung eines *fremden* Gottes (θεὸς Ζάρ: ParJer 7,29f.) aus. Auch begeht er selbst kultische Bußhandlungen (ParJer 1,2; 2,2ff. u.ö.). Sooft das Volk sündigte, hat der Prophet Gott in ritueller Bußhaltung um Sündenvergebung angefleht (2,3). Doch nun ruft er Baruch zu: "Hüte dich davor, deine Kleider zu zerreißen, sondern wir wollen vielmehr unser Herz zerreißen" (ParJer 2,5). "Jeremia übt die Fürbitte, die er sonst angesichts einer besonderen Schuld des Volkes vollzog, diesmal nicht - >der Herr wird sich nicht über dieses Volk erbarmen<."[239] Die rituelle Buße selbst des Propheten vermag angesichts der Schwere dieser Schuld nichts mehr auszurichten. Das bedeutet, daß auch hier offenbar die Suffizienz des Kultes von dem Verhalten der Kulttreibenden bestimmt wird. In diesem Sinn kann auch ParJer 4,3f. verstanden werden: Jeremia wirft die Schlüssel des Tempels fort, weil das Volk seiner nicht mehr würdig ist.

Für die Vitae prophetarum ist die Kultkritik des Propheten nicht von Interesse. Allein Worte der Propheten gegen die Götzenverehrung werden erwähnt (VitPr 3,2 [Ezechiel]; 21,8ff. [Elija] und 22,2f. [Elisa]). Über den Propheten Sacharja erfahren wir hier nur, *daß* er über den Tempel prophezeit hat (VitPr 15,5). Diese relative Zurückhaltung hinsichtlich der Rezeption der prophetischen Kultkritik im Vergleich mit den oben untersuchten Motivkomplexen scheint zu bedeuten, daß eine solche Kultkritik nicht in allen Überlieferungskreisen zu den individuellen Kennzeichen der Propheten gezählt wurde. Einzig in der Vita des Secharja ben Jo-

---

238) Vgl. Ps 40,7f.; 50,8-15; 51,18f.; 69,31f.; Prov 15,8; 21,3. 27; 28,9; Koh 4,17.
239) G. Delling, Lehre 20, Anm. 16.

jada begegnet der Zusammenhang zwischen der Zulänglichkeit des Kultes und dem Verhalten der Kulttreibenden. Weil der Prophet im Jerusalemer Tempel nahe dem Altar ermordet und von den Priestern vergraben wurde (VitPr 23,1; vgl. Thr 2,20b; Mt 23,35), verlieren diese ihren Offenbarungsempfang (VitPr 23,2).

In diesem Abschnitt wurde danach gefragt, ob sich die in der synoptischen Überlieferung erkennbare Kultkritik Johannes' des Täufers bzw. die Relativierung, welche die herkömmlichen jüdischen Sühneriten offenbar durch seine Taufe erfahren, in ein zeitgenössisches Prophetenbild im palästinischen Judentum einordnen lassen.

Diese Frage kann nun dahingehend beantwortet werden, daß im Rahmen der biblischen Prophetenüberlieferung in der Tat eine Tendenz zu erkennen ist, die Verkündigung des Gotteswillens durch die Propheten als Gegenpol zum Gottesverhältnis des Volkes - exponiert in dessen Kult - darzustellen. LXX und Targumim teilen diese Tendenz, allein die Prophetenlegenden bieten keinen deutlich positiven Befund. Dennoch läßt sich auch hier zeigen, daß besonders die Unvereinbarkeit eines als wirksam verstandenen Kultes mit einem falschen Verhalten der Kulttreibenden den Autoren, Tradenten und Adressaten bekannt gewesen zu sein scheint.

Wenn Johannes der Täufer öffentlich aufgetreten ist in dem Bewußtsein seiner Sendung als Prophet, kann ohne weiteres angenommen werden, daß auch der Motivkomplex der prophetischen Kultkritik Bestandteil seiner Verkündigung war. Sicherlich wäre es zu gewagt, von einer intimen Kenntnis des Mißverhältnisses zwischen Kult und gelebter Frömmigkeit gerade während des Heranwachsens im Haus eines aaronidischen Priesters zu sprechen, doch kann allein aus dem ständigen Kontakt mit den religiösen Überlieferungen und der hier begegnenden Kritik am Kult ohne wahren Gehorsam durchaus das Bewußtsein erwachsen, daß die herkömmlichen Entsündigungsriten angesichts der Schwere der Schuld des Volkes und der Nähe des Gerichts nicht mehr ausreichen. J. Ernst[240] bemerkt hierzu: "Wenn es richtig wäre, daß der Zachariassohn während der Vorbereitung zur Ordination an dem weltlichen Treiben der Priesteraristokratie in Jerusalem Anstoß nahm und ähnlich wie Jesus in einer mit der Tempelaustreibung vergleichbaren Aktion dem unheiligen Kultbetrieb den Rücken gekehrt hat, müßte dieser Komplex während seiner öffentlichen Tätigkeit eine größere Rolle gespielt haben." Die Tauftätigkeit des Johannes scheint nun eben diese Kultkritik zu implizieren. Rituelle Reinigungen, Bußhandlungen und Opfer wurden durch die Johannestaufe in ihrer Bedeutung angesichts des drohenden Gottesgerichts relativiert.

Die biblischen Propheten haben "der Haltung des Menschen in ihrer eschatologischen Botschaft das Gericht verkündigt - und damit auch seiner kultischen Hal-

---

240) Johannes der Täufer 271.

tung im Ritus".[241] Auch die Wirksamkeit des Täufers ist offenbar geprägt vom Bewußtsein der Mangelhaftigkeit jeglichen Kultes, jeglicher herkömmlichen Möglichkeit, das (als elementar gestört verstandene) Gottesverhältnis des Volkes zu rekonstituieren. Bei den biblischen Propheten wurde mehrfach auf die Zeit der Patriarchen und des Wüstenzuges zurückgegriffen, um das ideale Gottesverhältnis im Gegensatz zum - zwar rite praktizierten, aber dennoch mangelhaften - Kult zu beschreiben. Es wurde im bisherigen Verlauf dieser Untersuchung deutlich, daß sich auch Johannes der Täufer in verschiedenen Merkmalen seiner öffentlichen Wirksamkeit an diese Typologie anlehnt. So tritt bei dem überwiegenden Teil der Propheten "an die Stelle der radikalen Ablehnung des Kultes oder seiner Reformation die Verwirklichung seiner legitimen Intention durch Neuschöpfung des Bundesmenschen".[242] Indem Johannes der Täufer das Volk zur Taufe der Buße zur Vergebung der Sünden ruft, bietet er einen neuen Weg der Sündenvergebung. Er lehnt Tempel und Kult hierdurch nicht ab, doch relativiert sie - wie auch die Abrahamsohnschaft - in ihrer Bedeutung, um selbst in seiner Taufe eine solche Wiederherstellung des im Abrahamsbund konstituierten und durch Mose am Sinai erneuerten Bundesverhältnisses zu ermöglichen.

3. Die Kritik des Propheten am Verhalten des Herrschers

Nach dem Zeugnis der synoptischen Überlieferung führte die direkte und persönliche Schelte des Tetrarchen Herodes Antipas durch Johannes den Täufers zu dessen Verhaftung und schließlichen Hinrichtung (Mk 6,18; Mt 11,7b-9; Lk 7,24b-26; vgl. Mt 14,4 sowie Jos. Ant 18, 117). Bei der Untersuchung der Täufertraditionen in den synoptischen Evangelien hatte sich herauskristallisiert, daß ein solches Auftreten des Täufers durchaus zu den grundlegenden Inhalten einer vorchristlichen Überlieferung gehören kann.

Maßstab der Kritik des Täufers am Verhalten des Herodes Antipas ist das Mosegesetz, gegen dessen Verbote dieser verstoßen hatte (Lev 18,16; 20,21; vgl. Dtn 25,5). Nun verlangt es ein sehr hohes Maß an Sendungsbewußtsein, als augenscheinlich machtlose Einzelperson solcherart gegen einen mächtigen Herrscher aufzustehen. Dies scheint zunächst den fiktiven Charakter der Überlieferung von der Kritik des Johannes näher zu legen als eine historische Einordnung seines Auftretens zwischen den Polen eines religiösen Idealismus, aber auch eines Fanatismus.[243]

---

241) F. Hecht, Eschatologie 190.　　　　　242) Ebd. 193.

243) Vor dem Hintergrund eines prophetischen Selbstbewußtseins des Josephus (vgl. Bell 3, 351-354; 5, 391-393; 6, 312; so G. Mayer, Art. Josephus Flavius: TRE 17 [1988], 259) erklärt sich wohl auch dessen Auftreten gegenüber Vespasian in Bell 3, 399-408.

Im ersten Hauptteil dieser Untersuchung wurde bereits darauf hingewiesen, daß verschiedene Gründe dafür sprechen, daß die Wirksamkeit des Täufers von seinen Zeitgenossen als Opposition zu Herodes Antipas verstanden werden konnte.[244] Unsicher blieb, ob er tatsächlich bewußt und planvoll das Verhalten des Tetrarchen öffentlich oder gar persönlich tadelte. Als Schlüssel für die Lösung dieses Problems bietet sich auch hier die Frage an, ob ein prophetisches Selbstbewußtsein Johannes' des Täufers ebenso die Kritik am Verhalten des amtierenden Herrschers nach den Maßgaben des Mosegesetzes impliziert. Zu untersuchen ist, ob in den biblischen Prophetenüberlieferungen in ihren verschiedenen Überlieferungsgestalten, aber auch in den antiken jüdischen Prophetenlegenden deutliche Anzeichen für eine solche Schelte des Herrschers als Bestandteil der »idealen« Biographie eines Jahwepropheten zu erkennen sind. Trifft dies zu, ist es möglich, davon zu sprechen, daß sich Johannes der Täufer (in bewußter Anlehnung an dieses Prophetenbild und überzeugt von seinem göttlichen Auftrag als prophetischer Mahner) furchtlos dem Herodes Antipas als sündenbehaftetem Herrscher und Exponenten des jüdischen Volkes angesichts der Nähe des von ihm erwarteten Gottesgerichts entgegengestellt hat.

In der biblischen Prophetenüberlieferung soll zunächst ganz allgemein nach Belegstellen gesucht werden, an denen entweder eine Prophetengestalt dem eigenen Herrscher persönlich als Kritiker und Mahner gegenübertritt, oder aber im Rahmen eines Prophetenwortes deutliche und individuelle Herrscherschelte wegen dessen Verfehlungen gegen die Gebote Gottes (vgl. Dtn 17,14-20) erfolgt. Nicht gefragt ist nach einer generellen Verwerfung des Königtums in Israel, wie sie etwa in Hos 5,1ff. zu begegnen scheint.[245] Vielmehr sollen Überlieferungen gesucht werden, die auf jüngeren Überlieferungsstufen eine Rezeption wie beispielsweise in Dan 9,6 erfahren haben, wo die Schuld Israels allgemein mit dem Ungehorsam gegenüber Jahwe und seinen Propheten begründet und wobei gerade den Königen und ihren Verfehlungen ein besonderes Gewicht beigemessen wird.[246] Auf dieser Grundlage soll auch hier versucht werden, mögliche Gemeinsamkeiten und Tendenzen in der Interpretation und Darstellung der biblischen Prophetengestalten auszumachen, um so - verbunden mit dem Vergleich der LXX, der Targumim und der jüdischen Prophetenlegenden - eine weitere Facette des Prophetenbildes im palästinischen Judentum zur Zeit Johannes' des Täufers zu rekonstruieren.

Als erster Prophet im Rahmen einer Gesellschaft, in welcher sich der Übergang der alten - nachmalig idealisierten - nomadischen Stämmeorganisation zu einem organisierten und institutionalisierten Königtum bereits vollzogen hat, begegnet Samuel, der in seiner prophetischen Eigenschaft Saul den Verlust der Bestandsgarantie seines Königtums als Konsequenz seines mangelnden Gebotsgehorsams ankündigt (1Sam 13,10-14; vgl. auch 15,13ff.). Das Versagen Sauls liegt hier offenbar

---

244) S.o. 90f.

245) Vgl. W.H. Schmidt, Kritik 450; R. Hentschke, Stellung 26. 28; H.-J. Fabry, Art. מלך II. Die Wortgruppe *mlk*: ThWAT IV, 945.

246) Zur Interpretation von Dan 9,4b-19 im Rahmen des deuteronomistischen Geschichtsbildes vgl. O.H. Steck, Israel 113-115.

darin, daß er nicht auf Samuel, den Propheten Jahwes, gehört hat: Während dieser ihn anweist, mit dem Opfern in Gilgal bis zu seinem Kommen zu warten (ISam 10,8), bringt Saul angesichts der Bedrohung durch die anrückenden Philister noch vor dessen Eintreffen die zur Vorbereitung des Krieges notwendigen Opfer[247] dar (vgl. ISam 7,9f.). "The prophet is Yahweh`s official spokesman and thus is not to be gainsaid or disobeyed."[248] Die LXX liest in ISam 13,13 anstelle von מצות את שמרת לא יהוה אלהיך אשר צוך οὐκ ἐφύλαξας τὴν ἐντολήν μου ἣν ἐνετείλατό σοι κύριος. Durch das Personalpronomen μου im Text der LXX wird die Funktion Samuels als prophetischer Mittler des Gotteswillens herausgestellt, auch wenn der Uneinheitlichkeit von MT und LXX möglicherweise ein Versehen bei der Textüberlieferung (מצות י[הוה] = מצותי = ἐντολήν μου) zugrunde liegen könnte. TJon zu ISam 13,12 erklärt nun חליתי לא יהוה ופני durch צליתי לא יוי וקדם. Die Besänftigung Gottes begegnet hier als Gebet.

Zu IISam 12,1-14 und der neutestamentlichen Überlieferung von der Kritik Johannes´ des Täufers an Herodes Antipas bemerkt A. Köberle:[249] "Nebeneinander stellt die Schrift David und Herodes. Beide brechen die Ehe. Beide läßt Gott rufen, durch Nathan und durch Johannes. In dem einen betet der Geist den Psalm der Buße und des Gehorsams, der andere tötet den lästigen Warner." In der Tat begegnet in beiden Erzählungen das Motiv der Herrscherschelte des Propheten wegen jenes Verstoßens gegen das Gebot Gottes. Anläßlich der in IISam 11 geschilderten Verbrechen Davids kommt der Prophet Natan zu ihm und erzählt ihm eine Parabel, die Davids eigenes unrechtes Verhalten widerspiegelt (IISam 12,1-4). David, der sich der Parallelität zwischen der Bildebene und seinem eigenen Verbrechen nicht bewußt ist, spricht den Antagonisten der Parabel für schuldig (12,5-6). Der Prophet Natan identifiziert ihn daraufhin mit diesem Antagonisten (12,7-8) und weist in einer rhetorischen Frage seine Schuld - nämlich das Verachten des יהוה דבר - auf (12,9). Es folgt eine prophetische Unheilsankündigung, eingeleitet mit der Botenformel יהוה אמר כה (IISam 12,10-12). David gesteht seine Schuld ein (12,13a), woraufhin der Prophet unmittelbar das angekündigte Unheil relativiert (12,13b). TJon z.St. bietet hier keine bedeutenden Abweichungen, die LXX liest in IISam 12,1 mit der Peschitto und einer Reihe von Handschriften des hebräischen Textes τὸν προφήτην/הנביא nach Ναθαν/נתן, was als Hervorhebung des Gegensatzes "Prophet - Herrscher" verstanden werden könnte. Wichtig ist auch hier, daß die Erzählung von der Strafrede Natans zum einen selbst den König unterschiedslos unter das Gottesgebot stellt und zum anderen dem Propheten Gottes zubilligt, dem König dessen Schuld aufzuweisen, die göttliche Strafe anzukündigen und diese als Reaktion auf dessen Reue unmittelbar in ihrer Schärfe zu modifizieren.

---

247) Zum Opfer als Bestandteil der Theorie vom Heiligen Krieg in Israel vgl. G. v. Rad, Krieg 7.
248) P.K. McCarter, Jr., ISam 230; vgl. F. Stolz, 1. Sam 85: "Der Text vertritt die Meinung, daß die Prophetie dem Königtum übergeordnet ist; der Prophet vermittelt den Willen und das Gebot Jahwes, der König ist Gehorsam schuldig." 249) Rechtfertigung 181.

Auch in I Reg 14,1-20 ist eine Prophetenlegende überliefert, bei der ein Prophet den Herrscher kompromißlos und ohne jegliche Furcht vor Konsequenzen wegen dessen Verhaltens kritisiert. Jerobeam schickt seine Frau in Verkleidung zu dem blinden Propheten Ahija nach Silo, um das Geschick seines erkrankten Sohnes zu erfragen (14,1-4). Der Prophet, der die Identität der Fragenden kennt (14,5), beauftragt wiederum die Frau, dem Jerobeam das folgende prophetische Schelt- und Drohwort zu überbringen (14,6): Jerobeams Abfall von den Maßgaben des idealen davidischen Königtums, sein Ungehorsam und sein Götzendienst werden zur völligen Ausrottung seines Hauses führen (14,7-13). Durch die (sekundäre?)[250] Erwähnung der Blindheit des Propheten Ahija erfährt der Kontrast zwischen der Schärfe der Verkündigung des Propheten gegen den König der Nordstämme und seiner faktischen Wehrlosigkeit noch eine Steigerung. Während der Targum z.St. keine erwähnenswerten Abweichungen bietet, findet sich in der LXX (außer in den Handschriften, die der origenistischen Rezension folgen) eine Dublette der Prophetenerzählung von I Reg 14,1-18 (LXX I Reg 12,24^{g-n}). Diese hat zwar keinen selbständigen Wert in dem Sinne, daß eine Abhängigkeit von I Reg 14,1-18 MT ernstlich bestritten werden könnte,[251] jedoch bietet die Dublette in der LXX gerade durch ihren gegenüber 14,1-18 sekundären Charakter die Möglichkeit, nach Bestandteilen der Überlieferung zu fragen, die im Rahmen der Frage nach einer Königskritik des Propheten typisch und übertragbar sind.

Rein äußerlich fällt auf, daß der Text von LXX I Reg 12,24^{g-n} (292 Worte) gegenüber LXX I Reg 14,1-18 (392 Worte) um ein gutes Viertel kürzer ist. Inhaltlich fehlt in ersterem Text jeglicher Bezug des prophetischen Drohwortes auf die Herrschaft Jerobeams über die Nordstämme. Weder wird hier auf die Verheißung Ahijas in I Reg 11,30ff. Bezug genommen noch ist explizit von seinen Verfehlungen die Rede (anders I Reg 14,7-13). Bei der eigentlichen Erzählung von dem Besuch der Frau des Jerobeam bei dem Propheten erfährt man nichts von ihrer - letztendlich nutzlosen - Verkleidung (anders 14,1-4). Der Prophet Ahija weiß vielmehr bereits vor ihrem Eintreffen, wer sie ist und was sie will (12,24^{k-l}). Gemeinsam ist beiden Versionen der Erzählung, daß Jerobeam wegen der Krankheit seines Sohnes seine Frau mit einem Geschenk in Form von Naturalien zu dem Propheten Ahija nach Silo schickt und daß dieser ihm den Tod des Kindes und die Ausrottung seines ganzen Hauses ankündigt. Durch die doppelte Überlieferung wird in der LXX besonders hervorgehoben, daß selbst ein so mächtiger Mann wie Jerobeam, der Herrscher über das Nordreich, den Propheten als legitimen Mittler zwi-

---

250) Die Blindheit des Propheten stößt sich mit der Bemerkung, daß die Frau des Jerobeam sich verkleidete, um unerkannt zu bleiben (vgl. E. Würthwein, 1. Könige 175).

251) I. Plein (Erwägungen 18) bezeichnet I Reg 12,24^{a-z} als "sekundäre, >judaisierende<, den wirklichen Ereignissen zeitlich und im Verständnis fernstehende Kompilation aus dem masoretischen Text". So auch M. Noth, I. Könige 270. Zur Diskussion um LXX I Reg 12,24^{a-z} vgl. weiterhin D. W. Gooding, Rival Versions 173ff. sowie H. Seebass, Königserhebung 325ff.

schen Jahwe und dem Volk anerkennt. Ahija erscheint umgeben von einer - besonders in I Reg 14,1-18 deutlich spürbaren - Aura des Tremendum. Jerobeam trägt sein Anliegen an den Propheten nicht offen vor; der Erzähler betont vielmehr die Angst des Königs vor negativen Konsequenzen. Daneben stellt auch hier der Prophet den Herrscher unter das Gottesgesetz, indem er ihn auf seinen Rechtsbruch hinweist und ihm seine Bestrafung ankündigt.

Auf der Grundlage von I Reg 14,1-18 ist offenbar auch das Wort des Propheten Jehu ben Hanani in I Reg 16,1-4 formuliert:[252] Das Wort Jahwes ergeht an den Propheten (I Reg 16,1). Er soll dem König Bascha das Schelt- und Drohwort verkünden (16,2-4), wobei statt der ausführlichen Anklage in I Reg 14,8b. 9 nur ein Hinweis auf Jerobeam steht (16,2b): Weil dieser die "Sünde Jerobeams" begangen hat (I Reg 16,2: ותלך בדרך ירבעם), wird auch sein Haus ausgerottet werden. "Nur der Name des sonst unbekannten Propheten könnte der Tradition entnommen sein."[253] Der Prophet kritisiert den Herrscher persönlich wegen dessen Abfalls von Jahwe und seinem Gesetz, weshalb er ihm die göttliche Strafe für seine Schuld ankündigt. Weder die Targumim noch die LXX bieten zu I Reg 16,1-4 interessante Varianten, doch wird auch I Reg 16,1-4 - selbst bereits auf der Grundlage von I Reg 14,1-18 formuliert - gleich zweimal im Verlauf der weiteren biblischen Überlieferung rezipiert: In dem Nachtrag[254] I Reg 16,7, der die Aussage von 16,1-4 wiederholend zusammenfaßt, "soll gesagt werden, daß Baesa nicht nur die Sünden Jerobeams weiter geschehen ließ ..., sondern auch >eigenhändig< Böses getan hat".[255] Auch in II Chr 19,2 scheint das Prophetenwort verarbeitet und dabei gänzlich auf seine Pointe reduziert: Abfall von Jahwe erregt dessen Zorn. Selbst der Herrscher muß sich deshalb dem Wort Jahwes durch die Propheten als autorisierte Verkünder des Gotteswillens beugen; der vom Propheten aufgedeckte Rechtsbruch Baschas wird von Gott geahndet werden, um so sein böses Tun durch die ergehende Bestrafung auszugleichen.

Auf die Verfehlung Ahabs als "amplification of the >sins of Jeroboam< for which all the Kings of Israel are indicted"[256] zielt auch die Antwort des Propheten Elija an den König, der zu ihm kommt, um angesichts der großen Hungersnot in Samaria (vgl. I Reg 18,2b) den Propheten zur Verantwortung zu ziehen (I Reg 18,16ff.). Elija entgegnet Ahab, er selbst und seine Familie würden Israel durch ihren Abfall von Jahwe und seinem Gesetz ins Unglück stürzen. LXX und Targumim geben diese Verse nahezu unverändert wieder.

Ebenso wird Ahab in I Reg 20,38-43 von einem unbekannten Propheten wegen seines Versäumnisses kritisiert: Der nicht namentlich bezeichnete Prophet stellt sich dem vorüberziehenden König in den Weg (I Reg 20,38) und legt ihm als Para-

---

252) So M. Noth, I. Könige 345.
254) M. Noth, I. Könige 346.
256) A. Rofé , Stories 188.

253) E. Würthwein, 1. Könige 194.
255) Ebd. 346.

bel einen fingierten Rechtsfall vor (20,39f.) Das provozierte Urteil des Königs (20,40) betrifft ihn selbst: Ahab hat Jahwes Gebot mißachtet, indem er den gefangenen König von Aram wieder freigelassen und somit nicht den Bann an ihm vollstreckt hat. Zur Strafe muß Ahab selbst mit seinem Leben für den Freigelassenen einstehen (20,42). Die Vollstreckung des Bannes an den äußeren Feinden Israels als Bestandteil der Theorie vom >heiligen Krieg<[257] - gefordert von Ahab aufgrund des positiven Gottesbescheids (I Reg 20,28) - konnte als Pflicht des Königs verstanden werden. Ein solches Vorgehen wurde auch im Gesetz (Num 21,2; vgl. I Sam 15,3) begründet. Zwar war die Verhängung des חרם im Sinne einer radikalen Ausrottung der Besiegten unpraktikabel, daher selten und besonders für die Königszeit Israels ungewöhnlich, doch scheint gerade in prophetischen Kreisen die Forderung nach einer solchen konsequenten Durchführung des heiligen Krieges beibehalten worden zu sein.[258] Auch hier kritisiert der Prophet also den König wegen seines persönlichen Verstoßes gegen den Gotteswillen und droht ihm eine Bestrafung an. Infolgedessen kehrt Ahab mißmutig (סר) und wütend (זעף) nach Samaria zurück (I Reg 20,43).

Während sich der Targum z.St. fast wörtlich an seine Vorlage hält, werden die beiden Kapitel I Reg 20 und 21 in der überwiegenden Zahl der LXX-Rezensionen in ihrer Abfolge vertauscht, so daß I Reg 22 hier direkt an Kapitel 20 anschließt.[259] Die Geschichte von Michas Weissagung und Ahabs Untergang folgt hier also unmittelbar auf deren Ankündigung, wodurch die Schärfe und Wirksamkeit des Prophetenwortes in LXX I Reg 21[= MT 20],42 noch betont wird. Möglicherweise könnte auch die Übersetzung von סר und זעף durch συγκεχυμένος und ἐκλελυμένος in LXX I Reg 21[= MT 20],43 auf eine solche Betonung der Macht des Prophetenwortes hindeuten. Ist Ahab im hebräischen Text "mißmutig" und "wütend" (vgl. I Reg 21,4f.) über das prophetische Drohwort, so ist er im griechischen Text "verstört" (συγχέω: II Reg 14,26; Mi 7,17; I Makk 4,27 u.ö.) und "ermattet" (ἐκλύω: Dtn 20,3; I Sam 14,28; Jes 13,7 u.ö.).[260]

Schließlich wird auch der Prophet Elija in I Reg 21[= LXX 20],17-24 beauftragt, Ahab das Ende seiner Dynastie als Strafe für sein - in der vorangehenden Nabotnovelle (I Reg 21,1-16; LXX und Targumim bietet keine bedeutenden Varianten) thematisiertes - Verstoßen gegen die Gebote Gottes anzukündigen: König Ahab "setzt sich hier über die ihm gezogenen Schranken hinweg, indem [er] einen Bürger mit falschen Anschuldigungen einem Verfahren ausliefert, das zum Tod führt,

---

257) "Den Höhepunkt und Abschluss [des heiligen Krieges] bildet der Bann, die Übereignung der Beute an Jahwe" (G. v. Rad, Krieg 13).   258) Vgl. N. Lohfink, Art. חרם: ThWAT III, 208.

259) "Die jetzige Stellung des Kap. 21 in MT ist durch die nachdtr Einfügung der Kriegserzählungen Kap. 20 und 22 veranlaßt. LXX hat wieder korrigiert und Kap. 21 vor Kap. 20 gestellt" (E. Würthwein, 1. Könige 247).

260) Vgl. auch LXX I Reg 20 [= MT 21], 4: סר וזעף wird hier von א und A mit ἐγένετο τὸ πνεῦμα Αχααβ τεταραγμένον wiedergegeben (B und die sog. lucian. Rezension bieten jedoch συγκεχυμένος καὶ ἐκλελυμένος).

um seinen Besitz zu erlangen."[261] Er verstößt somit gegen das 6. und das 8. Gebot (vgl. Ex 20,13. 15; Dtn 5,17. 19). Diese Mißachtung des Gottesgesetzes durch sein persönliches Verhalten wird ihm von Elija vorgehalten: Wie dem Haus Jerobeams, so wird es seinem Haus ergehen.

Der Prophet Elija kündigt auch dem kranken König Ahasja dessen Tod als Strafe für seinen Versuch an, Hilfe von einer anderen Gottheit außer Jahwe zu erlangen (II Reg 1,16). Ahasja hat mit seinem Verhalten gegen das 1. Gebot verstoßen (vgl. Ex 20,2ff.; Dtn 5,7ff.). Auf die Unheilsankündigung des Propheten folgt unmittelbar die Notiz von ihrem Eintreffen (II Reg 1,17). Die LXX bietet keine hier interessanten Abweichungen; TJon betont den Unterschied zwischen dem "Götzen" (טעות) und dem "lebendigen Gott" (אלה קיים).

In den Chronikbüchern (II Chr 21,12-15) wird schließlich angemerkt, der Prophet Elija habe einen Brief an König Joram gesandt, in dem er dessen Brudermord (II Chr 21,4), politisches Fehlverhalten (21,6f.) und Götzendienst (21,11) tadelt und ihm die göttliche Bestrafung seiner Schuld durch Krankheit und Vernichtung seines Hauses ankündigt (anders II Reg 8,16-24). Die LXX bietet keine interessanten Abweichungen vom MT; der Targum z. St. schildert allein die Krankheit des Königs ausführlicher.

Als Zwischenergebnis läßt sich an dieser Stelle festhalten, daß gerade in der Person Elijas - besonders gegenüber König Ahab - der gesetzestreue Prophet in Auseinandersetzung mit dem Herrscher, der das Gesetz übertritt, in stereotyper Weise dargestellt zu werden scheint. Für das Prophetenbild der Adressaten der biblischen Überlieferung im ersten Jahrhundert ergibt sich hieraus die Folge, daß vor dem Hintergrund der biblischen Traditionen um den Propheten Elija durchaus von "typischem" Verhalten gesprochen werden kann, wenn eine Prophetengestalt im Bewußtsein der göttlichen Bevollmächtigung ihrer Sendung ihren Herrscher wegen dessen persönlichen Verstoßens gegen die Gebote Gottes kritisiert - ohne Rücksicht auf etwaige Folgen bzw. Gefährdungen der eigenen Person. Daß solche Konsequenzen in der biblischen Überlieferung durchaus thematisiert wurden, zeigt II Chr 25,15f. (LXX und Targumim weichen hier nicht vom MT ab): Ein namenloser Prophet kritisiert Amasja wegen seines Götzendienstes, der den Zorn Jahwes erregt hat. Amasja warnt den Propheten davor, weiterzureden, indem er ihm die Todesstrafe androht. Dieser interpretiert das Verhalten des Königs als - von Jahwe selbst beschlossene - Verstockung und führt neben den eigentlichen Verfehlungen Amasjas diese Verstockung gegenüber den Worten des Propheten als den Grund an, der zu seinem Untergang führt: "The silencing of the prophet by the authorities led him to retort >God has resolved to destroy you<; and for two

---

261) E. Würthwein, 1. Könige 251.

reasons, (a) because he harbored and paid homage to the gods of Edom and (b) because he rejected the advice of the prophet."[262]

Bevor der Prophet Jesaja dem König Hiskija die unbedingte Bestrafung seiner Koalitionspolitik als Verstoß gegen die Forderung nach einem exklusiven Verhältnis zwischen Jahwe und seinem Volk (wie es im 1. Gebot gefordert ist) ankündigt (Jes 39,5ff.; vgl. II Reg 20,16ff.), unterzieht er ihn gleichsam einem Verhör (Jes 39,3f.; II Reg 20,14f.). Hiskija muß dem Propheten über Verlauf und Zweck des Besuchs der Gesandten aus Babel Bericht erstatten. MT, LXX und TJon weichen auch hier kaum voneinander ab. Jesaja "hat die Möglichkeit, beim König vorzusprechen, und kann es sich sogar erlauben, diesen zur Rede zu stellen".[263] Dem Propheten wird die Autorität zugestanden, den König zu maßregeln: "Jesaja vertritt den alten Herrschaftsanspruch Jahwes, dessen Bevollmächtigte die Propheten sind. Sie, und nicht die Könige, haben das Gottesrecht zu sprechen."[264]

Von Jeremia weiß die biblische Überlieferung an einer Stelle Ausführliches über seine Kritik an Königen wegen deren persönlichen Verfehlungen zu berichten. In Jer 21,11-22,30 sind unter der Überschrift לבית מלך יהודה (21,11) Sprüche sowohl über das judäische Königshaus im allgemeinen (21,11-22,9) als auch über die Könige Schallum ben Josia (22,10-12), Jojakim (22,13-19) und Jojachin (22,24-30) zusammengestellt. Die Könige werden wegen ihrer Versäumnisse hinsichtlich der Bewahrung des Rechts im Land (Jer 22,13-17; vgl. 21,12; 22,3) sowie wegen ihrer Hinwendung zum heidnischen Kult (22,9) kritisiert. Jeremia droht ihnen für ihre Verfehlungen drastische Strafen an, nämlich Feuer und Verwüstung (21,14; 22,5-7), Tod im Exil (22,11f. 26f.), ein schändliches Begräbnis (22,18f.), militärische Niederlage (22,25) und Kinderlosigkeit (22,30). A. Weiser[265] schreibt zu dieser Sammlung von Königssprüchen: "Sie zeigt als Ganzes, daß es dem Propheten zu keiner Zeit an dem Mut gefehlt hat, den Trägern der irdischen Gewalt gegenüberzutreten als der Bote ihres himmlischen Herrn, der sie zur Ordnung ruft und zur Rechenschaft zieht. Es ist die Autorität seines göttlichen Auftraggebers, die dem Propheten diesen Mut verleiht, unerschrocken vor Königsthronen zu stehen. In der Begegnung von Prophet und König tritt zugleich die Eigenart der alttestamentlichen Auffassung vom irdischen Königtum zutage, das von Gott her seinen Auftrag und ihm gegenüber seine Verantwortung hat."

Ob diese Charakterisierung Jeremias dem tatsächlichen Verhalten der historischen Gestalt namens Jeremia gerecht wird oder eher auf das Konto der deuteronomistischen Redaktion des Jeremiabuches geht, übersteigt die Fragestellung dieser Arbeit.[266] Wichtiger ist hier die offensichtliche Übereinstimmung von Jer

262) J.M. Myers, II Chronicles 145.
264) R. Hentschke, Stellung 29.
263) H. Wildberger, Jesaja 3, 1477.
265) A. Weiser, Jeremia 187.
266) R.P. Carroll, Chaos 136-149. Vgl. hierzu die neuere Literatur bei W.L. Holladay, Jeremiah I, 447ff.

21,11-22,30 mit der bisher untersuchten biblischen Überlieferung bezüglich der Darstellung der prophetischen Königskritik.[267] "Jeremia unterwirft die Könige seiner Zeit in unerbittlicher Konsequenz den Ordnungen des Jahwebundes."[268] Doch basiert seine Kritik eben nicht auf einer grundsätzlichen Infragestellung der Institution des Königtums, sondern auf einer individuellen Beurteilung des Herrschers.

Im Ezechielbuch begegnet zwar keine erzählerisch ausgestaltete Königsschelte des Propheten, doch wird die Gerichtsansage des Propheten gegen Zedekija wegen seines Abfalls von Babylon und seiner Hinwendung zu Ägypten in der Prophetenrede thematisiert (Ez 21,30-32; vgl. 17,19ff.; 34).[269] Dieser Bundesbruch wird von Gott selbst mit der Umkehrung des status quo, dem Verlust des Königtums Zedekijas, bestraft werden. Der König wird hierbei von Ezechiel als "schändlicher Frevler" (חלל רשע)[270] gescholten (Ez 21,30). Die LXX übersetzt an dieser Stelle βέβηλε ἄνομε. Eine solche Wortwahl weist darauf hin, daß die Schuld des Königs hier als Verstoß gegen die νόμοι, die Gebote Gottes interpretiert wurde. TJon z.St. versteht die Wendung in prägnanter Weise als "der Todesstrafe schuldiger Gottloser" (חייב קטלא רשיעא), daneben wird zu Ez 21,32 angemerkt: חוביהון דהבו כחוביהון אתפרע מנהון. Nach ihren Sünden werden sie bestraft; das bedeutet, daß auch hier die Verfehlung des Königs in seiner Mißachtung des Gottesgesetzes zu suchen ist.

Das Ergebnis der Untersuchung der biblischen Prophetenüberlieferung ist eindeutig: Die Propheten begegnen an zahlreichen Stellen als autorisierte Kritiker des Herrschers. Ziel ihrer Kritik ist jeweils der persönliche Verstoß des irdischen Herrschers gegen das Gottesgebot, unter dem auch er unterschiedslos steht. Mit solcher Kritik wenden sich besonders die Schriftpropheten sicher nicht gegen die Institution des Königtums. "Sie kritisieren das Verhalten, aber nicht die Ordnung als solche."[271] Jedoch versuchen sie, "das Königtum in seiner Relativierung zu halten, indem sie es in ein theologisches Beziehungsverhältnis stellten und es begrenzten."[272] Der König ist in jedem Fall dem Urteil und der Strafe Gottes unterworfen, die Propheten sind deren autorisierte Verkünder. "Das Königtum existiert also nur unter einer *Bedingung*; es wird unter die gleiche Forderung gestellt, unter der das Volk insgesamt steht. Über Heil und Unheil entscheidet also nicht das Bestehen der Institution, sondern der Glaubensgehorsam."[273] Die LXX und die Targumim teilen diese Aussage. Somit ist es wahrscheinlich, daß das - auf der bibli-

---

267) Auch bei LXX und TJon z.St. ergibt sich dieser Befund.
268) K. Seybold, Königtum 172; vgl. auch W.H. Schmidt, Zukunftsgewißheit 13.
269) Vgl. E. Hammershaimb, View 55.
270) Vgl. KB I, 307; IV, 1208. So auch W. Zimmerli, Ezechiel 492f.; aber vgl. G. Fohrer, Ezechiel 123-125.   271) L. Schmidt, Art. Königtum II. Altes Testament: TRE IXX, 329.
272) K. Seybold, Königtum 173; vgl. W.H. Schmidt, Kritik 452: "Die Abhängigkeit des Königs von Gott wird also im Laufe der Zeit schärfer erkannt, jedenfalls betont."
273) W.H. Schmidt, Kritik 443; vgl. K. Seybold, Königtum 169. 174.

schen Überlieferung fußende - Prophetenbild zur Zeit Johannes´ des Täufers die Vorstellung der Vollmacht, möglicherweise sogar der Notwendigkeit einschloß, den Herrscher als Exponent des Volkes dort zu kritisieren, wo er selbst gegen die Gebote Gottes verstieß. ”Man könnte das Ergebnis dieses Traditionsprozesses auch so umschreiben, daß er zunehmend die *Menschlichkeit* des Königs zur Sprache bringt.”[274] Sollte sich dieses vorläufige Ergebnis in der folgenden Untersuchung der antiken jüdischen Prophetenlegenden bestätigen, ist es vollends vorstellbar, daß sich auch Johannes der Täufer im Bewußtsein seiner Bestimmung als Prophet in der Tradition der biblischen Propheten tatsächlich dem Tetrarchen persönlich entgegengestellt hat, um ihn wegen seines Ehebruchs zu maßregeln.

Die Legende vom Martyrium Jesajas rezipiert und erweitert die biblische Überlieferung von der Kritik des Propheten Jesaja an Hiskija wegen dessen Verfehlungen. Jesaja sagt ihm in MartJes 1,7-13 voraus, daß sein Sohn Manasse von Jahwe abfallen und ihn, den Propheten selbst, auf grausame Weise töten werde (MartJes 1,7ff.). Der König bricht daraufhin in heftiges Weinen aus, zerreißt seine Kleider, wirft Staub auf sein Haupt und fällt auf sein Angesicht (1,10). Jesaja kennt selbst den Beschluß Satans,[275] denn er gibt Hiskija die Vergeblichkeit seiner Bußbemühungen zu verstehen (1,11). Nun denkt Hiskija daran, das Hereinbrechen der Prophezeiung zu verhindern, indem er seinen Sohn Manasse tötet (1,12). Doch Jesaja weiß auch von diesem Plan (1,13).

Weder in II Reg 19f. noch in Jes 37f. findet sich eine entsprechende Nachricht. Die Charaktere der Legende in MartJes 1,7-13 sind eindeutig gezeichnet: Jesaja begegnet nicht nur als bevollmächtigter Prophet Jahwes, der dem König gegenübertritt, um ihm künftiges Unheil anzusagen, sondern weiß auch bereits um dessen Plan. Hiskija hingegen mißt dem Prophetenwort - zumal es nicht einmal ihn selbst betrifft - eine solch hohe Bedeutung bei, daß er sofort reagiert und Buße tut. Zwar ist in MartJes 1,7-13 keine eigentliche Kritik des Propheten am persönlichen Verhalten des Königs zu erkennen, doch wird das Verständnis des Propheten als einer Autorität deutlich, die dem weltlichen Herrscher übergeordnet ist, ihn - der das 5. Gebot (Ex 20, 13; Dtn 5,17) zu übertreten beabsichtigt - zur Reaktion zwingt und die ihr eigenes Verhalten ausschließlich gemäß des Bewußtseins ihrer prophetischen Beauftragung ausrichtet.

MartJes 2,14 rezipiert und interpretiert II Reg 1,1-16. Elija sagt hier dem Ahasja unbedingtes Unheil an, weil er ”die Propheten Gottes getötet hat” (MartJes 2,14b). II Reg 1,3. 6 sieht die Schuld des Ahasja hingegen in dessen Götzendienst. Betont wird also auf der jüngeren Stufe der Prophetenüberlieferung in MartJes 2,14, daß es für den Propheten Elija charakteristisch ist, den König zu schelten (weitere

274) W.H. Schmidt, Kritik 460.
275) Vgl. R.H. Charles, Ascension 8, Anm. 11; 6, Anm. 8 sowie M.A. Knibb, in: J.H. Charlesworth, Pseudepigrapha II, 157, Anm. u.

Nachrichten von seiner Verkündigung überliefert MartJes nicht), und daß selbst der Tatbestand, daß Ahasja ein Prophetenmörder ist, Elija nicht davon abhält, ihn selbst unter Mißachtung jeglicher Gefährdung seiner eigenen Person deswegen anzuklagen und ihm seine Bestrafung anzukündigen.

Die Prophetenlegenden der Vitae prophetarum wissen von vier Propheten, die ihren Herrscher wegen dessen Verfehlungen schelten. So wird als Grund für die Ermordung des Propheten Ezechiel durch den Führer der exilierten Israeliten in VitPr 3,2 seine Kritik an diesem genannt. Der ἡγούμενος τοῦ λαοῦ tötete den Propheten, weil er von ihm wegen seines Götzendienstes gescholten wurde.[276] In der biblischen Überlieferung findet sich hiervon ebensowenig wie von der Bemerkung, der Prophet Micha[277] sei von Joram, dem Sohn Ahabs, getötet worden, weil er diesen wegen der Sünden seiner Väter gescholten habe (VitPr 6,2).[278] VitPr 17,2 erwähnt die Sendung Natans zu David, um diesen wegen seines Vergehens zu tadeln.[279] VitPr 21,11 schließlich nimmt Bezug auf I Reg 1,1-16. Der Prophet Elija prophezeit dem kranken König Ahasja dessen Tod als Strafe dafür, daß er versucht hat, von einer anderen Gottheit außer Jahwe Hilfe zu erlangen. Als Ahasja ein Orakel bei fremden Göttern einholen wollte - so auch VitPr 21,11 -, prophezeite ihm Elija den Tod, und er starb.[280]

Insgesamt scheint der Motivkomplex der Kritik des Propheten am persönlichen Fehlverhalten des Herrschers in den Vitae prophetarum zu den Bestandteilen der Prophetenüberlieferung zu gehören, die besonders typisch für die jeweiligen Prophetenlegenden sind. Selbst wo nur in wenigen Sätzen vom Leben eines Propheten berichtet wird (Micha, Natan), ist gerade dieser Punkt bemerkenswert. Weiterhin wird die biblische Überlieferung hier in zwei Fällen (Ezechiel, Micha) dahingehend reduziert, daß als wesentliche, typische Punkte nur noch die direkte Kritik des Propheten am König und die ebenso direkte Reaktion des Potentaten, nämlich die Ermordung des Propheten, Erwähnung finden. Sowohl MartJes 2,14 als auch VitPr 21,11 greifen die Überlieferung von der Kritik des Propheten Elija an König Ahasja auf, wobei die erstere Prophetenlegende die Todesgefahr betont, in die sich

---

276) Q/R: ἐλεγχόμενος ὑπ' αὐτοῦ ἐπὶ εἰδώλων σεβάσμασι; S: ܠܦܘܬ ܡܥܠܬܐ ܡܛܠ ܕܗܘܐ ܡܟܣ ܠܗ (E. Nestle [Syrische Grammatik 91] bietet ܡܟܣܠܗ. Dies scheint ein Druckfehler zu sein); vgl. die lateinische Rezension des Isidorus Hispalensis: Quem dux populi interfecit, pro eo quod severitate et auctoritate pontificati corriperetur ab eo ob impietatem sacrilegii.

277) Vgl. I Reg 22,8 neben Mi 1,1.

278) Q: ὅτι ἤλεγχεν αὐτὸν ἐπὶ ταῖς ἀσεβείαις [R+αὐτοῦ καὶ] τῶν πατέρων αὐτοῦ [R+ὧν ἐποίησε]; S: ܕܠܦܘܬ ܚܛܗܘܗܝ ܕܐܒܗܘܗܝ ܘܟܣܗ. Vgl. Isidorus Hispalensis: quoniam peccatum Achab saepius arguebat.

279) Q: ἔπεμψε κύριος ἐλέγξαι αὐτόν; S: ܐܙܕܪ ܡܪܝܐ ܕܢܟܣܘܗܝ; R: ἀπέστειλεν ὁ θεὸς τὸν Νάθαν καὶ ἤλεγξε τὸν Δαυὶδ περὶ τῆς ἁμαρτίας αὐτοῦ. Vgl. Isidorus Hispalensis: Nathan..., qui David regem legem Dei docuit, et peccatum quod esset in Bethsabee praevaricatus manifestavit.

280) Q: τῷ βασιλεῖ 'Οζίᾳ ἀποστείλαντι μαντεύσασθαι παρὰ εἰδώλων προεφήτευσε θάνατον καὶ ἀπέθανεν (S entspricht Q).

der Prophet begibt, und die letztere das unmittelbare Eintreten der Prophezeiung hervorhebt.[281]

So ist also die Vorstellung, daß es zu den Aufgaben eines Propheten gehört, dem irdischen Herrscher über das jüdische Volk mahnend entgegenzutreten, wenn dieser gegen die Gebote Gottes verstößt, sowohl in der biblischen Überlieferung als auch in den Prophetenlegenden des antiken Judentums häufig belegt. Die mit hoher Wahrscheinlichkeit vorchristlichen Bestandteile der synoptischen Tradition, in denen von der Kritik Johannes' des Täufers am Verhalten des Herodes Antipas die Rede ist, stimmen mit dieser für das zeitgenössische Prophetenverständnis in Palästina zur Zeit seines Auftretens konstitutiven religiösen Überlieferung überein.

Wenn Johannes der Täufer sich selbst als Prophet verstand und dieses Selbstverständnis sich danach richtete, was er auf der Grundlage der biblischen Überlieferung von den Aufgaben eines solchen Propheten wissen konnte, mußte er - unbeschadet der möglichen Konsequenzen - im Rahmen eines solchen Prophetenbildes dem Tetrarchen dessen Verstöße gegen das jüdische Gesetz vorhalten. Daß hierin eine große Gefahr für sein eigen Leib und Leben begründet war, legt nicht nur die bewußte Verknüpfung der biblischen Überlieferungen der Königskritik der Propheten mit deren Todesgeschick besonders in den Prophetenlegenden nahe. Auch angesichts des unsicheren Regiments des Tetrarchen in Galiläa und Peräa in ständiger Auseinandersetzung mit der römischen Besatzung, des Konfliktes mit den Nabatäern[282] und der Bedrohung durch jüdische Freiheitskämpfer mußte der Täufer mit seinem Todesgeschick als Strafe für seine Kritik rechnen. Eine solche "Königsschelte in einer Krisenzeit konnte leicht als Angriff auf die Staatsautorität mißverstanden werden."[283] Ob die Orientierung Johannes' des Täufers an diesem Prophetenbild möglicherweise sogar die Inkaufnahme eines solchen Todesgeschicks beinhalten konnte, soll in dem folgenden, diesen zweiten Hauptteil der Untersuchung abschließenden Kapitel untersucht werden.

---

281) Zu erwähnen ist in diesem Zusammenhang auch die Vita des Amos. In Vit Pr 7,2 bietet R (Q und S überliefern nichts dergleichen), daß der Sohn des Priesters Amazja den Propheten erschlug, weil dieser ihn περὶ τῆς ἐνέδρας (wegen des "Ärgernisses"?; vgl. Th. Schermann, Prophetenlegenden 53) der goldenen Kälber getadelt hatte (vgl. Am 7,10-17).
282) R.L. Webb (John the Baptizer 368) weist in diesem Zusammenhang darauf hin, daß das Gebiet der Nabatäer nicht weit vom Ort des Wirkens Johannes' des Täufers entfernt war.
283) J. Ernst, Johannes der Täufer 342. Vgl. auch R.L. Webb (John the Baptizer 37): "The object of his [Herodes Antipas'] fear was not John but the social and political consequences of a popular movement putting into practice the implications of his message."

VII. Das gewaltsame Geschick des Propheten

Der bisherige Verlauf der Untersuchung hat gezeigt, daß die Grundlagen der synoptischen Überlieferung bezüglich Johannes dem Täufer mit dem Prophetenverständnis im palästinischen Judentum zur Zeit seines Auftretens dahingehend übereinstimmen, daß das Bewußtsein seiner Herkunft und Berufung, seine demonstrative Bekleidung und Nahrungsaskese, die Wahl des Ortes seiner Verkündigung, schließlich sogar Bestandteile ihrer Inhalte auch im Rahmen eines »idealen« Prophetenlebens verstanden werden konnten. Das Täuferbild der als zuverlässigste Traditionen innerhalb der synoptischen Evangelien erkannten Nachrichten stimmt in diesen Punkten in auffälliger Weise mit dem Prophetenbild sowohl der biblischen Überlieferung als auch der Prophetenlegenden des zeitgenössischen Judentums überein. Das ermöglicht den Schluß, daß nicht erst die spätere christliche Tradition Johannes den Täufer als einen Propheten interpretierte und ihn nachträglich mit dementsprechenden Zügen ausstattete, sondern daß er von seinen jüdischen Zeitgenossen als prophetischer Bußprediger verstanden wurde und sich auch selbst als ein solcher sah.

Dieses Ergebnis führt zu der vorsichtigen Frage, ob es ebenso vorstellbar ist, daß Johannes der Täufer im Bewußtsein seines prophetischen Auftrags den eigenen Tod nicht nur als mögliche Konsequenz seiner aggressiven Unheilsverkündigung verstand, sondern vielmehr als notwendigen, gleichsam die eigene Sendung unterstreichenden Abschluß des Lebens und Wirkens eines wahren Propheten Gottes. Konnte die Orientierung des Täufers an einem solchen »idealen« Prophetenleben die Inkaufnahme des Todesgeschicks, ja sogar dessen Provozierung beinhalten? Eine abschließende Beantwortung der Frage nach dem Selbstbewußtsein des Täufers scheint vor dem Hintergrund des lückenhaften, intentionell stark verzeichneten Quellenmaterials nicht möglich. Eine solche Antwort ist hier aber auch nicht angestrebt, sondern es soll in diesem letzten Teil der Untersuchung allein deutlich gemacht werden, daß im Prophetenbild in Palästina zur Zeit seines Auftretens die Vorstellung vom Todesgeschick des wahren Propheten Jahwes nicht nur dem Aufweis der fortwährenden Verstockung Israels gegenüber Gott und seinen Gesandten diente, sondern ebenso als charakteristisches Merkmal eines solchen vollmächtigen Gesandten, eines Propheten, verstanden werden konnte.

Im ersten Hauptteil der Untersuchung zeigte sich, daß die Geschichte von Gefangenschaft und Tod des Täufers in der synoptischen Überlieferung (Mk 6,17-29par; Lk 3,19f.) ein Täuferbild bietet, das diesen als populären Vertreter der jüdischen Gesetzesobservanz charakterisiert, als machtvollen und selbst vom Herrscher beachteten und gefürchteten Gottesmann, der das (dem jüdischen Gesetz widersprechende) Verhalten jenes Herrschers öffentlich kritisiert und daher von diesem schließlich hingerichtet wird. Johannes der Täufer verlor seine prophetische Autorität durch seinen Tod nicht (Mt 11,9. 13f.; vgl. Mk 9,12f.; Mt 17,11f.). Vielmehr erscheint sein Tod hier vordergründig als eine Vorabbildung des Geschicks Jesu und stellt zugleich auch einen erzählerischen

Abschluß des Berichts über seine Wirksamkeit, das Ende seiner Biographie in den synoptischen Evangelien dar.

Bei der Untersuchung der Verkündigungsinhalte der biblischen Propheten ergab sich, daß es insgesamt als Aufgabe eines wahren Propheten Jahwes verstanden werden konnte, den Herrscher über das jüdische Volk dort zu tadeln, wo dieser gegen die Gebote Gottes verstieß. Nach Mk 6,17-29par; Lk 3,19f. ließ Herodes Antipas den Täufer hinrichten, weil dieser ihn öffentlich tadelte. Ist nun also auch die Vorstellung vom "gewaltsamen Geschick des Propheten" Bestandteil eines »idealen« Prophetenlebens?

O.H. Steck hat in seiner Untersuchung über die Vorstellung vom gewaltsamen Geschick der Propheten[284] nachgewiesen, daß dieser Motivkomplex als Bestandteil der in Palästina zur Zeit Johannes´ des Täufers lebendigen Überlieferung des deuteronomistischen Geschichtsbildes im Rahmen der Rede vom kontinuierlichen Wirken der Propheten und ihrer steten Abweisung durch das Gottesvolk begegnet.[285] Dieses Geschichtsbild "wurde von der Exilszeit bis ins Spätjudentum in Gestalt von Bußgebeten und Sündenbekenntnissen in Palästina überliefert"[286] und ist noch zu Beginn des ersten nachchristlichen Jahrhunderts in Palästina lebendig. Die Vorstellung vom "gewaltsamen Geschick der Propheten" ist also präziser als "Vorstellung von Israel als dem Täter eines generell gewaltsamen Geschicks der Propheten"[287] zu bezeichnen (vgl. z.B. Jer 25,4). Als generellen Grund für die Ausbildung und die fortwährende Rezeption dieser Vorstellung führt er dieses theologische Interesse an Israel als dem Täter des gewaltsamen Geschicks der Propheten an: "Um diese zum Gericht führende ständige Halsstarrigkeit des Volkes gegen Gottes Willen umfassend auszudrücken, wurde die Vorstellung von Israel als dem Täter eines generell gewaltsamen Geschicks der Propheten gebildet." ... "Die Vorstellung [vom gewaltsamen Geschick der Propheten] ist somit schon an ihrem Ursprung eine theologische Aussage über Israel im Gewande einer geschichtlichen über die Propheten."[288] Ein biographisches Interesse bei der Ausbildung und Überlieferung von Berichten um die Gestalt des Propheten als Märtyrer scheint nicht zu bestehen: "Der Märtyrerbegriff impliziert als leitende Reflexion die auf den vom gewaltsamen Geschick Betroffenen; die Vorstellung vom gewaltsamen Geschick der Propheten ist aber nicht auf diese, sondern ... auf Israel als den Täter ausgerichtet."[289] Er folgert daraus: "Die Vorstellung von den Propheten generell als Märtyrern hat es im Spätjudentum und Urchristentum überhaupt nicht gegeben."[290]

Die Untersuchung Stecks erfaßt m.E. nur einen Teil des Interpretationsrahmens der biblischen und außerbiblischen Überlieferung im palästinischen Judentum zur Zeit Johannes´ des Täufers. Die von ihm herangezogenen Texte werden speziell hinsichtlich einer möglichen Verwendung im Rahmen von Bußgebeten und Sündenbekenntnissen des Volkes untersucht. Im Vordergrund steht dabei die theolo-

---

284) Israel und das gewaltsame Geschick der Propheten (WMANT 23), Neukirchen-Vluyn 1967.
285) O.H. Steck, Israel 79f.   286) Ebd. 121.   287) Ebd. 80.
288) Ebd. 317.   289) Ebd. 253.   290) Ebd. 318.

gische Intention derer, in deren Händen sowohl die Textüberlieferung als auch die Ausprägung des Kultes lag. Sicher stellt das deuteronomistische Geschichtsbild einen Interpretationsrahmen für die Vorstellung vom gewaltsamen Geschick der Propheten dar, doch verkennt eine solche Beschränkung auf den Erweis einer Einordnung allein in diesen Rahmen, daß sich die jeweilige Rezeption der religiösen Überlieferung nicht verallgemeinern bzw. auf eine Interpretationsmöglichkeit reduzieren läßt.[291] Gerade die individuelle Interpretation dieser Überlieferung - hierzu gehört auch das Selbstverständnis Johannes' des Täufers als prophetischen Bußpredigers - läßt sich nicht vollständig anhand von eindeutig fixierten theologischen Konzeptionen einer bestimmten (sicher nicht repräsentativen) theologischen Schule mit dezidiert theologischen Intentionen erfassen. Diese theologische Schule war zwar aktiv am Überlieferungsprozeß beteiligt, doch muß auch danach gefragt werden, ob die Adressaten der grundlegenden religiösen (d.h. hier: Propheten-)Überlieferung im ersten nachchristlichen Jahrhundert das, was sie über das gewaltsame Geschick der Propheten erfuhren, selbst in einen erkennbaren Vorstellungshorizont einordnen konnten. In diesem Zusammenhang ist besonders zu berücksichtigen, daß es seit den Märtyrerberichten aus der (nachträglich idealisierten) Makkabäerzeit Beispiele für eine bewußte Selbstopferung des jüdischen Märtyrers gab[292] (bzw. ein solcher Tod als Beginn eines neuen Lebens bei Gott verstanden,[293] also möglicherweise als geradezu erstrebenswert empfunden werden konnte): "Im Judentum der Zeit Jesu gab es also die Vorstellung, im Konfliktfall müsse man auch unter Einsatz des eigenen Lebens der ererbten Religion, Gott und seinen Geboten oder dem Gesetz treu bleiben."[294] Diese Vorstellung scheint somit hinsichtlich der Frage nach konstitutiven Faktoren für die Vorstellung vom Tod des Propheten in der individuellen Frömmigkeit zur Zeit Johannes' des Täufers zumindest gleichberechtigt neben dem "deuteronomistischen Geschichtsbild" zu stehen, denn sie zielt auf die individuelle Verwirklichung der religiösen Überzeugung. Auf der Interpretationsebene, auf der ein - zumal von seinem göttlichen Auftrag überzeugter - Mensch in der Antike die für seine individuelle Frömmigkeit konstitutiven Überlieferungen verstand, um sie in seine eigene Lebenswirklichkeit umzusetzen,[295] mußten diese Überlieferungen somit anders interpretiert und rezipiert werden als wenn man durch eine objektivierende diachrone Analyse

---

291) M. Sato (Q 343) weist hinsichtlich der "Annahme einer soziologisch kontinuierlichen Trägerschaft" des dtrGB bei O.H. Steck darauf hin, daß zum einen diese Trägerschaft sehr heterogen sei und zum anderen das dtrGB nicht ohne weiteres auf eine bestimmte theologische Trägerschaft eingegrenzt werden könne.

292) Vgl. insb. I Makk 6,43-46.

293) So beispielsweise II Makk 7; 14,46; IV Makk 5,37; 7,3; 9,8. 22; 10,15; 13,17; 15,3 u.ö. (vgl. auch M. Hengel, "Hellenization" 50).   294) Th. Baumeister, Genese XIII.

295) "Die am Täter orientierte, die Propheten als Betroffene zeichnende Tradition wurde als Motiv der Umkehrpredigt überliefert, konnte aber, wenn ein Betroffener sie auf sich bezog, ihm den Grund der Abweisung angeben" (Th. Baumeister, Genese XIII).

dieser Überlieferung (wie sie Steck vorauszusetzen scheint) zu "eindeutigen" Ergebnissen gelangt.

So muß also auch hier danach gefragt werden, ob die biblische Prophetenüberlieferung die Vorstellung vom gewaltsamen Geschick der Propheten infolge ihrer Unheilsverkündigung als Bestandteil einer typisierten, gleichsam »idealen« Biographie aufweist. Gerade der Zusammenhang von prophetischer Verkündigung und Todesgeschick bietet Ansätze für den Versuch einer Beantwortung dieser Frage. Daneben ist zu untersuchen, ob und wie LXX und Targumim die Vorstellung übertragen und wie schließlich gerade die antiken jüdischen Prophetenlegenden damit umgehen. Auf diese Weise läßt sich umreißen, was die jüdischen Zeitgenossen Johannes´ des Täufers (und auch er selbst) darüber wissen konnten, wie sie diese Vorstellung verstanden und möglicherweise auf ihre eigene Existenz bezogen haben.

Nun ist, wie bereits H.J. Schoeps[296] angemerkt hat, die biblische Prophetenüberlieferung hier recht dürftig. Nur die Tötung des Propheten Urija (Jer 26,20-23) und des Secharja ben Jojada (II Chr 24,21) zeigt eine erzählerische Ausgestaltung. Dem unbekannten Propheten von II Chr 25,16 wird allein vom König die Hinrichtung als Reaktion auf seine Unheilsprophezeiung angedroht. Summarisch hingewiesen auf die Tötung von Propheten Jahwes wird in I Reg 18,4. 13; 19,10. 14; Jer 2,30 und Neh 9,26 (vgl. Thr 2,20). Schließlich könnte auch Hos 9,8 die mit dem Prophetenamt verbundene Lebensgefahr reflektieren.[297]

Zunächst weist I Reg 18,4. 13 zurück auf die Ausrottung der Propheten Jahwes durch Isebel, die Frau des Königs Ahab. Von dieser Aktion selbst weiß die biblische Überlieferung nichts zu berichten. Abhängig von I Reg 18,4. 13, d.h. auf der Grundlage der in den beiden Versen erhaltenen Tradition sekundär und erweiternd nachgebildet ist die Klage des Elija in I Reg 19,10. 14.[298] Hier ist es nicht mehr allein Isebel, sondern ganz Israel, das die Propheten verfolgte. In der Überlieferung der

---

296) "Von den drei großen und zwölf kleinen Propheten der nebiim acharonim des Kanons stirbt keiner eines unnatürlichen Todes" (Prophetenmorde 127).

297) H.W. Wolff (Jesaja 53, 52ff.) weist darauf hin, daß das Motiv des stellvertretenden Leidens des יהוה עבד im sogenannten "vierten Gottesknechtlied" (Jes 52,13-53,12) in der religiösen Literatur des antiken Judentums kaum rezipiert wurde, obgleich er aus der "starken Benutzung des deuterojesajanischen Buches" und der "Beschäftigung mit dem Märtyrerleiden der Propheten" bei Jesus aus Nazaret (ebd. 56) schließt, daß dieser schwerlich "an Jes. 53 vorübergegangen wäre" (ebd. 56): "Die Bezugnahme auf Jes. 53 im Worte Jesu ist von dem aus, was im Spätjudentum zur Zeit Jesu davon bekannt ist, nicht verständlich" (ebd. 70). Auch O.H. Steck (Israel 16, Anm. 4) spricht von einer "mangelnden Konvergenz in der Aussagestruktur", die der Untersuchung von Jes 52,13-53,12 im Rahmen der Vorstellung vom gewaltsamen Geschick der Propheten entgegensteht.

298) E. Würthwein, Bücher der Könige 229. G. Fohrer (Elia 36. 39) hält neben I Reg 19,10. 14 bereits I Reg 18,4. 13 für einen sekundären Bestandteil der Überlieferung. Als spätere Ausgestaltung der Erzählung über Elija wäre dann bereits I Reg 18,4. 13 Zeugnis einer redaktionellen Tendenz, die Vorstellung vom leidenden Geschick der Propheten zu betonen.

Elija-Traditionen scheint also bereits früh eine Tendenz der Verallgemeinerung der Schuld am leidenden Geschick der Propheten zu bestehen. Diese Tendenz ist auch noch in einem zweiten Punkt zu erkennen: In parallelisierender Weise sind in I Reg 19,10. 14 (vgl. Röm 11,2f.) die Institutionen aufgezählt, die für das Gottesverhältnis des Volkes maßgeblich sind und die allesamt von diesem verschmäht, ja zerstört bzw. ermordet werden: a) בריתך, b) מזבחתיך, c) נביאיך. Der Vorwurf des Prophetenmordes bildet gleichsam den Höhepunkt einer Trias von Vorwürfen, deren sachlicher Zusammenhang in einer umfassenden Anklage der Verfehlungen der Israeliten gegenüber Jahwe besteht.

Während LXX und TJon z. St. sonst gegenüber dem hebräischen Text von I Reg 18,4. 13 und 19,10. 14 keine bemerkenswerten Abweichungen bieten, gibt TJon I Reg 19,10. 14 (את נפשי) לקחתה durch למקטלי wieder. Hier kommt ausdrücklich die *Tötung* der Propheten zur Sprache.

Im Jeremiabuch ist an zwei Stellen vom gewaltsamen Geschick der Propheten die Rede. Zunächst überliefert Jer 2,30b das Prophetenwort: אכלה חרבכם נביאיכם כאריה משחית (euer Schwert fraß eure Propheten[299] wie ein reißender Löwe). Solcher Ermordung der Propheten geht deren Ankündigung der Züchtigung (מוסר) durch Jahwe voraus (Jer 2,30a); sie scheint also durch diese öffentliche Unheilsverkündigung provoziert. Es bleibt unklar, welche Propheten hier gemeint sind, doch wird bezüglich des Textes in seiner vorliegenden Gestalt weniger an konkrete Fälle als an eine allgemeine Aussage zu denken sein: "The phrasing of the verse is a clear indication that no unique or exceptional incident is being alluded to here but rather a persistant and permanent situation, in which prophets have physically been slain."[300] Der Text der LXX weicht in einigen Punkten vom MT ab. An Stelle von לקחו (3. Person pl.) in Jer 2,30a findet sich ἐδέξασθε (2. Person pl.), wodurch die Adressaten des Prophetenwortes direkt der Verstockung bezichtigt werden; an Stelle von חרבכם (mit Personalsuffix der 2. Person pl.) jedoch μάχαιρα (ohne ὑμῶν). Schließlich steht καὶ οὐκ ἐφοβήθητε hinter משחית, dem letzten Wort des Verses im MT. Falls die LXX hier sekundär ergänzt hat[301] (was gemäß der >lectio brevior potior< - Regel wahrscheinlicher ist als die Annahme, daß die Worte im MT ausgefallen sind), stellt diese Ergänzung eine inhaltliche Interpretation der hebräischen Vorlage dar, welche den kausalen Zusammenhang von mangelnder Gottesfurcht

---

299) Y. Hoffmann (Jeremiah 2 30, 420; ebenso W.L. Holladay, Jeremiah 107) schlägt vor, ursprüngliches בכם an Stelle von נביאיכם und בני an Stelle von בניכם zu lesen, um so die Spannung zwischen den beiden Vershälften Jer 2,30a und b aufzulösen. Die sekundäre Einfügung der "Propheten" wäre dann als retrospektive interpretierende Veränderung des Textes zu betrachten: "Yet it is not unlikely that a retrospective view of the whole book of Jeremiah (and perhaps the book of Kings as well) in which a struggle of Yahweh's prophets against their environment is heavily stressed, played a role in this textual blunder." S. Herrmann (Jeremia 154f.) verweist hingegen darauf, daß Jer 2,30 a und b einen "jeweils in sich abgerundeten Gedanken" bergen und somit eine Glättung des Textes weder notwendig noch sinnvoll sei.

300) Y. Hoffmann, Jeremiah 2 30, 418.   301) So S. Herrmann, Jeremia 101.

und der Tötung der Propheten betont. In TJon z.St. wird אכלה durch קטילת wiedergegeben (vgl. TJon I Reg 19,10. 14). Auch hier ist explizit von der *Tötung* der Propheten die Rede. Deutlich erkennbar ist also die Tendenz in der jüngeren Textüberlieferung, die Aussage des Verses Jer 2,30 auf der einen Seite zu verallgemeinern, indem der Vorwurf des Prophetenmordes aus jeglichem deutlichen historischen Kontext gelöst wird, und ihn auf der anderen Seite zu konkretisieren, indem expressis verbis von der Ermordung der Gesandten Gottes die Rede ist. Die Vermutung Y. Hoffmanns, der Vers sei erst nachträglich auf das Geschick der Propheten bezogen worden,[302] würde, wenn sie zuträfe, nur eine frühere Stufe eben dieser Tendenz widerspiegeln.

In Jer 26,20-23 wird die Todesgefahr, in der Jeremia angesichts seiner Tempelrede (Jer 26,1-15; vgl. 7,1-15) schwebt, durch die - den אנשים מזקני הארץ in den Mund gelegte - Geschichte von der Verkündigung, Bedrohung, Flucht, Ergreifung und schließlichen Hinrichtung des (sonst unbekannten) Propheten Urija illustriert. Die wesentlichen Momente der Geschichte bestehen in dem Tatbestand der *Unheils*verkündigung des Propheten gegen Jerusalem und Judäa, der Gegenüberstellung des Propheten als Protagonisten und des Königs Jojakim als Antagonisten, welcher dem Propheten gerade aufgrund seiner Unheilsverkündigung nach dem Leben trachtet, und schließlich in der ausgeführten Notiz der Vollstreckung des königlichen Todesurteils. Während die Verkündigung des Propheten hier nicht in Prosaform erzählerisch ausgestaltet wird, liegt das Schwergewicht auf der Betonung des gewaltsamen Geschicks des Propheten Urija (Jer 26,21: ויבקש המלך המיתו; 26,23: ויכהו בחרב). LXX und TJon zeigen keine Abweichungen vom MT; allein in LXX Jer 33 (= MT 26),21 findet sich an Stelle des Singulars ויבקש der Plural ἐζήτουν, was zur Folge hat, daß nicht mehr allein der König, sondern zudem auch die ἄρχοντες als Antagonisten erscheinen.

Auch in Hos 9,8b ist von Nachstellungen die Rede, denen der Prophet ausgesetzt ist: Ein Fangnetz liegt auf seinen Wegen. Der hebräische Text von Hos 9,8 ist unklar. Das Problem der grammatikalischen Bestimmung (Substantiv im status absolutus oder constructus, Partizip), syntaktischen Zuordnung (zu 7bβ oder 8b) und Interpretation (als Wächter oder Späher; Ephraim dementsprechend als Wächter oder Bewachter) von צפה gegenüber אפרים und עם אלהי in Hos 9,8a ist bislang noch nicht gelöst.[303] Hingegen ist deutlich zu erkennen, daß נביא im Text des Prophetenwortes in seiner vorliegenden Gestalt (als verdeutlichende Glosse?)[304] den Propheten als Opfer der Nachstellungen ausweist. In der LXX sind θεοῦ und προφήτης syntaktisch unverbunden. Dadurch bezieht sich letzterer Be-

---

302) S.o. 240, Anm. 299.
303) Vgl. R. Dobbie, Text 199-203; H.W. Wolff, Hosea 193f. 202f.; KB III, 977f.; G. Steins, Art. צפה: ThWAT VI, 1088.
304) "נביא will als Glosse das Subjekt von 8a erklären und sichert zugleich die Beziehung der Suffixe in 8b" (H.W. Wolff, Hosea 194); vgl. jedoch auch R. Dobbie (Text 203).

griff deutlich als Subjekt auf das folgende αὐτοῦ. Das legt wiederum die Annahme nahe, daß bereits die Vorlage der LXX נביא bot, was weiterhin bedeutet, daß entweder der Text bei seiner Übertragung keine Verständnisschwierigkeiten aufwies oder aber in dem Sinne geglättet wurde, daß die Vorstellung von den Nachstellungen, denen der Prophet ausgesetzt ist, hier deutlichen Ausdruck fand. Die Interpretation des Verses in TJon z.St. zeigt dieselbe Tendenz, wobei sowohl durch בית ישראל an Stelle von אפרים als auch durch den Plural נבייהון an Stelle des Singulars נביא die Aussage des Verses verallgemeinert wird: Wo Ephraim einem Propheten nachstellte, will hier ganz Israel den Propheten auf ihren Wegen Fallen stellen.

Das gewaltsame Geschick des Secharja ben Jojada[305] in II Chr 24,21 (vgl. Mt 23,35; Lk 11,51) als Folge seiner Ankündigung eines unbedingten Strafgerichts wegen des Abfalls des Volkes von Gott wird von O.H. Steck[306] als sekundäre Weiterbildung der in Neh 9,26 (dem s.E. literarisch ältesten Beleg für diese Vorstellung) begründeten allgemeinen Aussage vom gewaltsamen Geschick der Propheten erkannt, wobei das Motiv in exemplarischer Weise auf eine einzelne Prophetengestalt bezogen wird. Als Bestandteil eines Bußgebets des Volkes (Neh 9,5-37) verweist Neh 9,26 neben dem Ungehorsam des Volkes und seiner Mißachtung des Gesetzes auf die Tötung der Propheten, die es ermahnten, sich zu seinem Gott zu bekehren: "...ואת נביאיך הרגו אשר העידו[307] בם להשיבם אליך" "Die Aussage gehört in den Zusammenhang des von dem Kontrast Jahwes Bundestreue - Israels Bundesbrüche bestimmten ... geschichtlichen Rückblicks."[308] Nun ist es aber gerade die Tötung des Propheten auf Befehl des Königs, die in II Chr 24,21f. in Form von vier verschiedenen Ausdrücken[309] erzählerisch in den Vordergrund rückt, nicht hingegen das Vergehen des Volkes. Zwar bietet der Targum z.St. einen midraschartigen Einschub in Vers 21, der die Sünden des Königs und des Volkes als Idololatrie im Tempel und Behinderung des Priesters bei der Darbringung der gesetzmäßigen Opfer erklärt, doch scheint die hier erhaltene Auslegungstradition verhältnismäßig spät zu sein.[310]

Die biblische Überlieferung läßt drei Entwicklungstendenzen des Motivkomplexes vom gewaltsamen Geschick des Propheten erkennen: Zum einen erfährt die Schuld an diesem Geschick eine zunehmende Verallgemeinerung. Zum anderen wird die eigentliche Aktion gegen den Propheten in dem Sinne konkretisiert, daß

---

305) Während der hebräische Text und die LXX ihm den Prophetentitel vorenthalten, umschreibt der Targum zu II Chr 24,20 ורוח durch ורוח נבואה.
306) Israel 64 und 64f. Anm. 4.
307) עוד + Präposition ב (LXX: δια-/ἐπιμαρτυρέομαι): Vgl. Neh 9,29. 30. 34; 13,15. 21.
308) O.H. Steck, Israel 61.
309) II Chr 24,21: ויקשרו עליו (LXX: ἐπέθεντο αὐτῷ), וירגמהו אבן (LXX: ἐλιθοβόλησαν αὐτόν); 24,22: ויהרג את בנו (LXX: ἐθανάτωσεν τὸν υἱὸν αὐτοῦ), ובמותו (LXX: ἀπέθνῃσκεν).
310) Vgl. A. Sperber, Bible IV A, 70.

der Tatbestand der Ermordung des Gesandten Gottes in den Vordergrund rückt. Schließlich zeigt sich eine Betonung des Zusammenhangs von prophetischer Unheilsverkündigung und Reaktion der Adressaten dieser Verkündigung in Form der Bedrohung und Ermordung der Unheilspropheten.

In der religiösen Literatur des antiken Judentums ist die Überlieferung umfangreicher; hier wird besonders in den Prophetenlegenden der Vorstellung von dem gewaltsamen Geschick der Propheten mehr Raum zugestanden. So thematisiert MartJes ausführlich (1,7ff.; 2,13-16; 3,12; 5,1ff.) die Ermordung des Propheten Jesaja. Auch die Vitae prophetarum berichten von der Tötung der Propheten Jesaja (VitPr 1,1), Jeremia (VitPr 2,1), Ezechiel (VitPr 3,2), Micha (VitPr 6,2), Amos (VitPr 7,2) und Secharja ben Jojada (VitPr 23,1). Daneben erwähnen Jub 1,12 und äthHen 89,51-53 die Ermordung von Gesandten Gottes.[311] Allein der äußere Befund deutet also darauf hin, daß hier der Vorstellung vom gewaltsamen Geschick des Propheten im Rahmen eines »idealen« Prophetenlebens gegenüber der grundlegenden biblischen Prophetenüberlieferung eine zunehmend größere Bedeutung beigemessen wurde.

Wahrscheinlich als Reaktion auf die Zeit der ”Religionsverfolgung” unter Antiochus IV. Epiphanes wird in der Prophetenlegende vom Martyrium Jesajas das Leiden des Gerechten thematisiert (vgl. IIMakk 6f.): ”Stories such as this were written to encourage the Jews to remain faithful to their religion”.[312] In MartJes 1,8f. sagt Jesaja dem Hiskija voraus, sein Sohn Manasse werden ihn, den Propheten, töten.[313] Die biblische Überlieferung (IIReg 19f.; Jes 37f.) bietet keine entsprechenden Nachrichten. Ebenso weissagte der Prophet Elija furchtlos gegen Ahasja, obwohl dieser ”die Propheten Gottes getötet hatte” (MartJes 2,14b). Die Darstellung des Ahasja als Prophetenmörder hält Elija nicht davon ab, den König anzuklagen und ihm seine Bestrafung anzusagen. Auch hiervon erfahren wir in IIReg 1,1-16 nichts. Manasse befiehlt tatsächlich, den Propheten Jesaja zu ergreifen (MartJes 3,12), um ihn zersägen zu lassen (5,1ff.; vgl. VitPr 1,1 sowie ApkPaul 49).[314] Indem Jesaja selbst seine eigene Ermordung durch Manasse voraussagt und indem auf das gewaltsame Geschick des Elija hingewiesen wird (hier eben-

---

311) Die Notiz von der Steinigung des Propheten Jeremia in ParJer 9,31 gehört eindeutig zu einem von einem christlichen Redaktor überarbeiteten Teil der Schrift (vgl. z.B. 9,14: ”...καὶ τὸν υἱὸν τοῦ θεοῦ ... Ἰησοῦν χριστόν” oder 9,21 ”...εἶδον τὸν θεὸν καὶ τὸν υἱὸν τοῦ θεοῦ...”) und scheidet deshalb bei der Suche nach Parallelen für die Vorstellung vom Todesgeschick des Propheten im palästinischen Judentum des ersten Jahrhunderts aus.

312) M.A. Knibb, in: Charlesworth, Pseudepigrapha II, 150.

313) ”A distinct feature of prophetic experience on the part of the martyr is the foreknowledge of his own martyrdom” (H.A. Fischel, Martyr 369).

314) Eine weitere Parallele zu MartJes 5,1ff. findet sich in einer ca. 1411 in Südirland zusammengestellten Sammlung alter apokrypher Traditionen in gälischer Sprache (”Leabhar Breac”, Dublin, Royal Irish Acad. 23 P 16, p. 181b [kollationiert mit dem Text des Bodleian MS Rawlinson B 502, 75a], hrsg. u. übers. v. M. Herbert u. M. McNamara, Irish Biblical Apocrypha, Edinburgh 1989, 25).

falls als voraussehbare Konsequenz der Verkündigung dargestellt), akzentuiert das Martyrium Jesajas die Furchtlosigkeit des Propheten, der sich ungeachtet des drohenden qualvollen Todes dem Herrscher im Bewußtsein seiner Beauftragung durch Gott entgegenstellt.[315]

Von den sechs Propheten, die in der Überlieferung der Vitae prophetarum eines gewaltsamen Todes sterben (Jesaja, Jeremia, Ezechiel, Micha, Amos, Secharja ben Jojada) ist bei Ezechiel (VitPr 3,2; vgl. 3,18[R]) und Micha (VitPr 6,2) ein Zusammenhang zwischen der prophetischen Verkündigung und dem Todesgeschick zu erkennen, der ebenso deutlich wie bei der Prophetenlegende vom Martyrium Jesajas ist: Ezechiel wird durch den Führer der exilierten Israeliten wegen seiner Kritik an dessen Götzendienst ermordet.[316] Indem sich in der jüngeren Textversion R an den Bericht von der Unheilsverkündigung des Propheten gegen die Stämme Dan und Gad unmittelbar die Bemerkung "Ἐξ αὐτῶν γὰρ ἦν ὁ ἀνελὼν αὐτόν" anschließt, werden das gewaltsame Geschick des Propheten und seine Unheilsverkündigung auch hier direkt aufeinander bezogen. Von diesem Geschehen berichtet die biblische Überlieferung ebensowenig wie von der Nachricht, Joram, der Sohn Ahabs, hätte den Propheten Micha getötet, weil dieser ihn wegen der Sünden seiner Väter gescholten habe.[317]

Auch in der Vita des Amos wird von der Ermordung des Propheten durch den Sohn des Amazja berichtet (VitPr 7,2);[318] der Grund, warum Amazja dem Propheten nachstellt, wird jedoch (auf der Grundlage von Am 7,10) erst in einer jüngeren Textversion ergänzt.[319]

Daneben werden auch die Vitae des Jesaja (VitPr 1,1) und des Jeremia (VitPr 2,1) mit einer Notiz eingeleitet, die ohne Anhalt in der biblischen Überlieferung von deren gewaltsamem Todesgeschick spricht.[320] Manasse läßt den Propheten Jesaja zersägen, Jeremia wird vom Volk zu Tode gesteinigt. Jedoch erfahren wir in bei-

---

315) O.H. Steck (Israel 245-247) vermutet hingegen in MartJes drei Traditionsschichten, wobei er die "biographischen Motive" dem frühen Christentum zuweist. Die Zersägungslegende scheint s. E. zwar "einen von dtrPA [=Vorstellungstradition der deuteronomistischen Prophetenaussage] unbeeinflußten traditionsgeschichtlichen Ursprung zu haben" (Israel 251), doch weist er die Wirkungsgeschichte solcher "biographischen Motive" als gegenüber dtrPA stark begrenzt aus (Israel 252).

316) Q: ἀπέκτεινε δὲ αὐτὸν ὁ ἡγούμενος τοῦ λαοῦ Ἰσραὴλ [S: ܢܝ; > R] ἐκεῖ [S: ܡܠ; R: ἐν τῇ προικίᾳ αὐτοῦ ἐν Βαβυλῶνι]. Vgl. auch M. Herbert, M. McNamara, Apocrypha 25.

317) Q: ὑπὸ [R: + δὲ] Ἰωρὰμ τοῦ υἱοῦ αὐτοῦ ἀνηρέθη κρημνῷ [S: ܟܐܠ ܠܡܢܡ; R: ἀναιρεῖται κρημνωθείς].

318) Q: καὶ ἀνεῖλεν αὐτὸν ὁ υἱὸς αὐτοῦ ἐν ῥοπάλῳ πλήξας αὐτοῦ τὸν κρόταφον (S weicht nicht ab).

319) R: + αὐτὸν ἐλοιδόρει (Vgl. Th. Schermann, Prophetenlegenden 53).

320) VitPr 1,1 Q: θνήσκει ὑπὸ Μανασσῇ [R: + τοῦ βασιλέως Ἰούδα] πρισθεὶς εἰς δύο (S entspricht Q).
VitPr 2,1 Q: λίθοις βληθεὶς [S: ܠܬܐ ܒ ܓܠܐܝ; R: λιθοβοληθεὶς] ὑπὸ τοῦ λαοῦ ἀποθνήσκει [S: ܐ ܘܐܡ; R: ἐτελεύτησε].

den Fällen nichts über den Grund ihrer Ermordung. Schließlich wird von Secharja ben Jojada auf der Grundlage von II Chr 24,20-22 berichtet, Joasch, der König von Juda, habe ihn nahe dem Altar getötet (VitPr 23,1).[321] Gegenüber der biblischen Überlieferung fehlt hier ebenfalls der Grund für die Ermordung des Propheten.

Insgesamt scheint das gewaltsame Geschick der Propheten in den Vitae prophetarum zu den maßgeblichen charakteristischen Kennzeichen der Prophetenleben zu gehören. Zwar ist die Tendenz, das Prophetengeschick als Folge der Prophetenbotschaft darzustellen, insgesamt weniger deutlich als in der Prophetenlegende vom Martyrium Jesajas (bzw. dort, wo sie begegnet, sekundär und überlieferungsgeschichtlich jüngeren Datums), doch zeigt sich insgesamt gegenüber der biblischen Überlieferung eine Verselbständigung der Vorstellung vom Todesgeschick der Propheten. Als eigenständiger Punkt wird diese Vorstellung Bestandteil der Vita des jeweiligen Propheten - selbst dort, wo nur die wichtigsten Nachrichten über ihn geboten werden (Micha, Amos, Secharja ben Jojada).

Auch in der neutestamentlichen Überlieferung wird mehrfach auf die in den biblischen und außerbiblischen Prophetenlegenden erhaltenen Überlieferungen vom gewaltsamen Geschick der Propheten Bezug genommen (Mk 12,1-12parr.; Mt 23,31ff.par.; Act 7,52; Röm 11,2f.; I Thess 2,15; Hebr 11,36-38). Unabhängig von der Frage nach dem zugrunde liegenden Deutungsmuster belegt dies deutlich, daß diese Vorstellung in Palästina zur Zeit Johannes' des Täufers bekannt gewesen sein muß. Zu diesem Ergebnis kommen auch H.A. Fischel[322] und H. Kremers,[323] die zudem nachweisen, daß die urchristliche Literatur den Motivkomplex aus der Überlieferung des Judentums übernommen hat.

H. Kremers bemerkt zu der Vorstellung vom gewaltsamen Geschick des Propheten als relativ jungem, jedoch sicher vorchristlichem Bestandteil eines »idealen«, stereotypisierten Prophetenlebens: "Man stellt nicht nur im Blick auf die Vergangenheit fest, dass man zu allen Zeiten die Propheten mißhandelt und getötet habe, sondern man zieht aus dieser Feststellung auch weithin die Folgerung, dass Leiden

---

321) Q: ὃν ἀπέκτεινεν Ἰωὰς ὁ βασιλεὺς Ἰούδα ἐχόμενα τοῦ θυσιαστηρίου, καὶ ἐξέχεεν τὸ αἷμα αὐτοῦ ὁ οἶκος Δαυὶδ ἀνὰ μέσον ἐπὶ τοῦ αἰλάμ (S entspricht Q). In R wird Secharja ben Jojada mit Zacharias, dem Vater Johannes' des Täufers, verwechselt und dementsprechend Ἡρῴδης ὁ βασιλεύς an Stelle von Ἰωὰς ὁ βασιλεὺς Ἰούδα [S: ܀ܘܡ܁ ܠܟܡ܀ ܐܘ܀) gelesen.

322) "In conclusion, it can be said that as early as the first century C.E. it had become a generally accepted teaching of Judaism that prophets had to suffer or even to undergo martyrdom" (Martyr 279). Ebenso A. Rofé (Stories 206): "The accusation voiced by Jesus: >Oh Jerusalem, Jerusalem, killing the prophets and stoning those who are sent to you< (Matt 23:37), was not, then, a Christian invention, but passed on to them from the Jewish Aggadah".

323) "Das Prophetenbild der Zeit Jesu, in dem Leiden und Märtyrertod zu den wichtigsten Merkmalen gehören, hat sich aus demjenigen entwickelt, welches die exilische Gemeinde von den Propheten allgemein hatte" (Prophet 140f.). Ähnlich bereits O. Michel (Prophet 10): "Der Kampf und der Konflikt, das Leiden und das Martyrium sind notwendige Merkmale des wahren Prophetentums."

und Märtyrertod mit dem Prophetenamt notwendig verbunden sind."[324] Der Aufweis dieser "prophetische[n] Leidenstheologie des palästinischen Judentums"[325] ermöglicht den Schluß, daß sich auch Johannes der Täufer der Konsequenzen seiner öffentlichen Paränese und Unheilsverkündigung im Rahmen seines prophetischen Selbstverständnisses bewußt war. Zum zeitgenössischen Prophetenbild als Vorstellungsrahmen dieses Selbstverständnisses gehörte es demnach zwingend, die eigene Existenz in den Dienst des göttlichen Auftrags zu stellen. Dieses Wissen um das »typische« Todesgeschick des wahren Propheten Gottes scheint ein öffentliches Auftreten im Bewußtsein des eigenen Prophetseins also nicht behindert zu haben. Das gewaltsame Geschick als Konsequenz prophetischer Verkündigung erscheint vielmehr als Folge *wahren* prophetischen Auftretens, als (gleichsam dieses Auftreten als von Gott bevollmächtigt ausweisender) Abschluß bei der Erfüllung des Auftrags dessen, der als autorisierter Verkünder des Gotteswillens auftrat.

Die vorsichtige Annahme O. Böchers,[326] "der gewaltsame Tod des Täufers dürfte, dem jüdischen Prophetenbild der Zeit entsprechend, auch Jesus als Legitimation der göttlichen Sendung des Täufers gegolten haben", wird durch dieses Ergebnis untermauert: das gewaltsame Geschick des wahren Propheten als Konsequenz seiner Verkündigung ist Bestandteil des zeitgenössischen Prophetenbildes im palästinischen Judentum zur Zeit seines Auftretens. Sowohl die biblische Überlieferung als auch die antiken jüdischen Prophetenlegenden belegen eine solche Rezeption des entsprechenden Motivkomplexes, der dem Täufer selbst und seiner Umwelt mit hoher Wahrscheinlichkeit auch als definitives Zeichen der göttlichen Bevollmächtigung der Verkündigung eines wahren Propheten galt.

Die zu Beginn dieses Abschnitts der Untersuchung gestellte Frage, ob es vorstellbar ist, daß der Tod Johannes' des Täufers als notwendiger Abschluß der Biographie des wahren Propheten verstanden wurde (und daß auch er selbst ihn so verstand), kann somit bejaht werden. In Analogie zu den anderen untersuchten typischen Kennzeichen eines »idealen« Prophetenlebens ist auch das gewaltsame Geschick als ein solches Kennzeichen zu verstehen. Nun ergab die Untersuchung der synoptischen Überlieferung ebenfalls, daß die Hinrichtung des Täufers durch Herodes Antipas historisch zu sein scheint und daß dieses Ereignis nicht dazu führte, daß der ermordete Bußprediger seine prophetische Autorität verlor. Da es vielmehr gerade als zentrales, abschließendes Kennzeichen seiner Biographie überliefert und ausführlich ausgemalt wurde,[327] ist es möglich, davon zu sprechen,

---

324) H. Kremers, Prophet 133. Vgl. die Diskussion in J.W. Van Henten (Hrsg.), Entstehung 254-256.
325) Prophet 133.   326) Art. Johannes der Täufer: TRE XVII, 177.
327) Anders jedoch G. Theißen (Lokalkolorit 89): "Ebenso fehlt [in der Legende vom Tod des Täufers] jede Stilisierung des Täufers als Prophet oder Märtyrer." Sowohl Täufergemeinde als auch christliche Gruppen hätten s. E. "den Tod des Propheten mit den typischen Zügen jüdischer Märtyrertraditionen [ausgemalt]" (ebd.). Theißen schließt daraus, daß dies nicht geschah, daß

daß 1) das anhand der synoptischen Tradition rekonstruierbare Geschehen im Licht des zeitgenössischen Prophetenbildes gedeutet werden kann, 2) die Umwelt des Täufers dessen Enthauptung auf Befehl des Tetrarchen als Zeichen seiner wahren prophetischen Sendung durch Gott verstand und daß 3) Johannes der Täufer selbst, der sich in allen anderen Punkten seiner Wirksamkeit als prophetischer Bußprediger nach dem aufgewiesenen Prophetenbild richtete, letztendlich selbst seinen Tod in den Dienst dieses Selbstverständnisses stellen konnte.

Dieses Ergebnis führt schließlich auch zu der weitergehenden Frage, ob man die neutestamentlichen Belege, in denen Jesus aus Nazaret (dessen Selbstverständnis ebenfalls von den Grundzügen prophetischer Existenz geleitet gewesen zu sein scheint)[328] von seinem eigenen Todesgeschick spricht (Mk 8,31parr; 9,30-32parr; 10,32-34par; aber auch Mk 12,1-12parr), als vaticinia ex eventu bezeichnen darf, noch dazu mit einer Sicherheit, die andere Interpretationsmöglichkeiten ausschließen möchte.[329]

"Mk 6,17ff ... demnach eine allgemeine Volksüberlieferung über den Tod des Täufers [ist], die möglicherweise sogar Nicht-Juden zugänglich war" (ebd. 90).

328) So R. Meyer, Prophet passim sowie F. Schnider, Jesus passim.

329) R. Bultmann, Geschichte 163; aber auch J. Gnilka, Markusevangelium II,141-150. Anders J. Jeremias, Theologie 265-267.

E. Zusammenfassung der Untersuchung

Die Aufgabe dieser Arbeit bestand darin, zur Klärung der Frage beizutragen, ob und wie sich die Gestalt Johannes des Täufers in das jüdische Prophetenbild zur Zeit seines Auftretens einordnen läßt. Die grundlegende Hypothese bestand darin, daß die Formen des Auftretens und der Verkündigung einer Prophetengestalt zur Zeit Johannes des Täufers nicht unabhängig von einem vorausgesetzten Prophetenbild zu betrachten sind. Ausgangspunkt der Untersuchung und zugleich Textbasis einer religionsgeschichtlichen Einordnung Johannes des Täufers waren hierbei die Täufertraditionen der synoptischen Evangelienüberlieferung. Das Markusevangelium, die aus Matthäus und Lukas rekonstruierbare Logienquelle Q und die Täuferstücke des lukanischen Sonderguts wurden im ersten Hauptteil der Untersuchung jeweils nach solchen Traditionen über Johannes den Täufer befragt, die eine Rekonstruktion seiner Interpretation durch seine jüdischen Zeitgenossen (und vielleicht sogar den Aufweis von Spuren seines Selbstverständnisses) ermöglichen sollten. Maßstab für den Wert einer solchen Tradition für diese Untersuchung war hierbei nicht allein die Annahme ihrer relativen Nähe zu den ihr zugrunde liegenden Ereignissen, sondern ebenso ihre offensichtliche Popularität bei den Trägern der Überlieferung und bei den Adressaten der synoptischen Evangelien. Die enge Verbindung zwischen diesen und (ehemaligen) Täuferanhängern als ursprünglichen Tradenten der Täuferüberlieferung deutete darauf hin, daß ihre allgemeine Bekanntheit auch das Ausmaß ihrer redaktionellen Bearbeitung begrenzte. Somit konnte neben der literarkritischen Fragestellung dieser Verständnishorizont der Adressaten als Hauptkriterium für die Authentie jener Überlieferung verstanden werden.

Als Vergleichstexte für eine traditionsgeschichtliche Einordnung dieser Täuferüberlieferungen wurden im zweiten Hauptteil der Untersuchung zunächst die erzählende Prophetenüberlieferung der heiligen Schriften des antiken Judentums in hebräischer und griechischer Sprache herangezogen. Gegenstand der Untersuchung waren weiterhin die aramäischen Targumim und antike jüdische Prophetenlegenden auf der Grundlage dieser heiligen Schriften, namentlich das Martyrium Isaiae, die Vitae prophetarum und die Paralipomena Jeremiae. Diese Texte wurden ausgewählt, um so einen Einblick in die zeitgenössische Interpretation der biblischen Überlieferung hinsichtlich der möglichen Rahmenbedingungen für die Deutung einer gegenwärtigen prophetischen Existenz zu erhalten. Auf der Grundlage eines stereotypen Komplexes vergleichbarer und beispielhafter Elemente der Prophetenüberlieferung ließ sich ein Raster erstellen, das einen Vergleich der synoptischen Überlieferung über Johannes den Täufer mit den jüdischen Traditionen ermöglichte.

Anhand der Tatsache, daß in den synoptischen Evangelien nicht nur solche Täufertraditionen aufgenommen wurden, die keine Berührungen mit der Christusverkündigung aufwiesen, sondern auch solche, die nur schwer mit dieser zu vereinbaren waren oder ihr sogar entgegenstanden, wurde im ersten Hauptteil der Untersuchung zunächst deutlich, daß die Redaktoren der synoptischen Überlieferung einen nicht geringen Teil jener Traditionen nur widerwillig rezipiert haben. Gerade dies mußten sie jedoch tun, um sich nicht dem Vorwurf des Verschweigens und Verdrehens solcher Inhalte auszusetzen, die parallel zur Entstehung der Evangelien auch die mündliche Überlieferung der Gemeinden, Gruppen und Familienverbände prägten, die sich dem christlichen Glauben zugehörig fühlten.

Als Inhalt der rekonstruierten traditionellen Überlieferung im Markusevangelium wurde zunächst seine Darstellung des Täufers als eines öffentlich auftretenden Bußpredigers erkannt. Diejenigen, die sich seiner sündenvergebenden Bußtaufe im Jordan unterzogen, verstanden diese als letzte Möglichkeit der individuellen Rettung vor der Verurteilung im (in naher Zukunft erwarteten) göttlichen Strafgericht über das Volk, aber nun auch als Alternative zu den regulären rituellen Möglichkeiten, eine solche rettende Sündenvergebung zu erlangen. Die Taufe des Johannes wurde dem Wirken Jesu im Markusevangelium gegenübergestellt, wobei deutlich zu erkennen ist, daß sich beide der prophetischen Verkündigungsweise der Symbolhandlung bedienten. Weiterhin konnten die Notiz von der öffentlichen qualitativen Nahrungsaskese des Täufers und der Hinweis auf seine Tracht als Bestandteile einer vormarkinischen Überlieferung gekennzeichnet werden, welche mit hoher Wahrscheinlichkeit in einer unmittelbaren Reaktion auf das Auftreten des Täufers begründet ist. Schließlich basiert auch die markinische Darstellung seines gewaltsamen Geschicks auf einer traditionellen Schilderung seines Todes, die Johannes den Täufer als einen offensiven Verteidiger des Gesetzes, als öffentlichen Ankläger des Tetrarchen Herodes Antipas und auch als dessen Opfer kennt.

Die Täufertraditionen der Logienquelle ”Q” konnten in zweifacher Weise ausgewertet werden. Sie zeigten, in welcher Form Erinnerungen an den Täufer (in zwei historisch aufeinanderfolgenden Stufen) in den Dienst der urchristlichen Paränese gestellt wurden: Matthäus und Lukas nahmen sie ebenso in ihre Evangelien auf, wie die Q-Redaktion die überkommenen Traditionen von a) Worten und Sprüchen des Täufers und b) Worten Jesu über den Täufer in ihre Logiensammlung einreihte. In Analogie zu der Untersuchung des Markusevangeliums erfolgte hier die Rückfrage nach Traditionen, die trotz ihrer deutlichen Tendenz, den Täufer gegenüber Jesus aus Nazaret nicht unterzuordnen, sowohl die Q-Redaktion als auch die Redaktion der Evangelisten überdauert haben. Es ergab sich bei der Analyse der Überlieferung der Logienquelle Q, daß gerade solche Inhalte, die einer massiv interpretierenden Rahmung und Modifikation durch ihre Redaktoren bedurften, als ursprünglich gelten und somit auch als Ausgangspunkt für eine traditionsgeschichtliche Einordnung herangezogen werden können. Zu diesen traditionellen Inhalten gehören neben der Bußpredigt des Johannes (bzw. dem Ruf zu Umkehr und tätiger Buße) und der durch ihn gewährten Taufe im Jordan in besonderer Weise seine Bezeichnung als Prophet, die in der Logienquelle nicht etwa abgelehnt wird, sondern vielmehr der Einschränkung seiner Bedeutung gegenüber Jesus aus Nazaret dient. Ebenso kann die qualitative Nahrungsaskese des Täufers in Analogie zu den Mahlgemeinschaften Jesu mit religiös Deklassierten als eine passive Zeichenhandlung interpretiert werden. Weiterhin erfuhr Johannes der Täufer gerade durch seine kompromißlose Gerichtspredigt, die einen Konflikt mit Herodes Antipas und sein letztendliches gewaltsames Geschick einleitete, in der Tradition große Hochachtung.

Bei der Untersuchung der den Täufer betreffenden Teile des <u>lukanischen Sonderguts</u> gelang der Versuch zu zeigen, daß eine klare Zuordnung des Traditionsmaterials entweder zur Lukasredaktion oder zu einer definierbaren vorlukanischen Quelle durch die Annahme einer geschichtlichen Entwicklung überwunden werden kann, deren Anfangspunkt in der Auseinandersetzung der urchristlichen Gemeinde mit einer konkurrierenden Täufersekte bestand und die schließlich in einem internen Dialog zwischen ehemaligen Täuferschülern und nachösterlichen Christen mündete. Diese Täufertraditionen hat Lukas demnach weder verschwiegen noch negiert, sondern durch geschickte redaktionelle Integration der Christusverkündigung beigeordnet und zugleich heilsgeschichtlich vorangehend (und damit unterordnend) fixiert. Auf diese Weise ließen sich auch hier eine Reihe von Inhalten bestimmen, die Auskunft geben über traditionelle Interpretationen Johannes' des Täufers. So weist besonders die Häufung von solchen Motiven, die von seiner Herkunft, Geburt, Jugend und Bestimmung in Anlehnung an biblische Prophetengestalten erzählen, auf eine frühe Interpretation des Täufers als Propheten hin. Eine solche Interpretation und auch die Erinnerung an sein öffentliches Auftreten als prophetischer Mahner lassen sich aufgrund der Vereinnahmung von diesbezüglichen Traditionen durch Lukas inhaltlich bestätigen.

In ihrer Gesamtheit boten diese als traditionell erkannten Täuferüberlieferungen in den synoptischen Evangelien die Ausgangsbasis für einen Vergleich mit den Aussagen derjenigen Quellentexte, die über das zeitgenössische jüdische Prophetenbild bzw. darüber, was Johannes der Täufer und seine Zeitgenossen über das Erscheinungsbild der biblischen Propheten wissen konnten, Auskunft geben.

Im zweiten Hauptteil der Untersuchung wurden als abgrenzbare Elemente eines (gleichsam als »ideal« zu verstehenden) Prophetenlebens in den Vergleichstexten nacheinander die Motivkomplexe der Darstellung von Herkunft, Geburt und Jugend der Propheten sowie von Form, Inhalt und Ort ihrer Beauftragung untersucht. Es folgte eine Analyse der Nachrichten bezüglich ihrer Tracht, ihrer Speise und des Ortes ihrer öffentlichen Wirksamkeit. Hierauf gelangte die Überlieferung hinsichtlich ihrer Verkündigung, besonders ihrer Ankündigung kommenden Unheils gegen Israel, ihrer Kritik am Kult und am Verhalten des Herrschers zur Darstellung. Den Abschluß bildete die Untersuchung der Berichte vom gewaltsamen Geschick der Propheten infolge dieser Verkündigung.

Im Rahmen einer allgemeinen Tendenz der Vergleichstexte zu einer fortschreitenden Stereotypisierung und Idealisierung der Prophetenüberlieferungen zeigte sich hierbei zunächst, daß gerade die Nachrichten über <u>Herkunft, Geburt und Heranwachsen</u> eines Propheten auf jüngeren Überlieferungsstufen deutlich daran angeglichen wurden, was hier als das Allgemeine, »Ideale« und zum Aufweis der Vollmacht eines Propheten Notwendige galt. Der Vergleich mit den Täufertraditionen der lukanischen Vorgeschichten ergab, daß die hierin erhaltenen Einzelmotive größtenteils mit diesen Nachrichten über Herkunft, Geburt und Heranwachsen des »idealen« Propheten übereinstimmen bzw. gerade dort, wo sie modifiziert wurden, dies offenkundig sekundär geschah, um so die heilsgeschichtliche Dignität des Täufers gegenüber Jesus aus Nazaret einzugrenzen.

Ebenso zeigte sich hinsichtlich <u>Form, Inhalt und Ort der Beauftragung</u> der biblischen Propheten, daß die Überlieferung den Motivkomplex in zunehmend stereotyper Weise wiedergibt. Am Ende einer solchen Entwicklung kann von einem Paradigma einer »idealen« Prophetenbeauftragung gesprochen werden, als deren Form das Wortereignis, als deren Inhalt der Verkündigungsauftrag und als deren Ort die Wildnis der Wüste gilt. Dieses Paradigma stimmt mit den in Mk 1,3f.par. und Lk 3,2ff. reflektierten Traditionen überein. Insbesondere den Beauftragungen Moses und Elijas als individueller biblischer Prophetengestalten kommt hierbei eine besondere Bedeutung als Vorstellungsrahmen und Maßstab für die wertende Interpretation der Verkündigung Johannes´ des Täufers zu.

Hieraus kann der Schluß gezogen werden, daß diese (in der Tradierung von Nachrichten über seine Herkunft und Geburt, sein Heranwachsen und seine Beauftragung implizierte) Interpretation Johannes´ des Täufers als Propheten bereits während seines Auftretens entstand und ihre Wurzeln aller Wahrscheinlichkeit nach im Selbstverständnis seiner eigenen Herkunft und seiner Aufgabe hat.

Während sich eine direkte genetische Beziehung zwischen der biblischen Überlieferung bezüglich der <u>Tracht</u> Elijas und der δέρρις καμήλου des Täufers als unwahrscheinlich erwies, repräsentieren bereits die Elija-Erzählungen eine (sich im Verlauf der Geschichte der biblischen Überlieferung entwickelnde) Tradition vom Umhang aus Tierhaar als Tracht des Jahwepropheten. Diese Tradition konnte im palästinischen Judentum zur Zeit Johannes´ des Täufers als Hintergrund seines (durch diese Bekleidung zum Ausdruck gebrachten) Selbstverständnisses als vollmächtiger Prophet verstanden werden. Neben dieser die Vollmacht ihres Trägers beglaubigenden Funktion konnte eine solche Bekleidung zugleich eine zeichenhafte Realisierung der Buße und Trauer im Hinblick auf das drohende Gericht sowie eine äußerliche Demonstration der Absetzung von priesterlicher oder höfischer Kleidung implizieren.

Anhand der Bedeutung des Motivs des stellvertretenden Bußfastens in der biblischen Überlieferung und seiner Rezeption in den Prophetenlegenden des antiken Judentums ließ sich der religionsgeschichtliche Hintergrund der qualitativen Nahrungsaskese des Täufers rekonstruieren. So begegnet ein prophetisches Fasten (häufig gemeinsam mit dem Anlegen des שׂק) als Bußhandlung (im Sinne einer Möglichkeit, Entscheidungen und Handeln Jahwes zu beeinflussen), aber oft auch als Zeichenhandlung bzw. als Versinnbildlichung eines (erwarteten) göttlichen Gerichts. In beiden Fällen kann es dem Aufweis der Vollmacht des jeweiligen Propheten dienen, wobei auch die qualitative Nahrungsaskese (besonders in Form des Verzichts auf Fleisch und Wein) als besondere Form eines solchen Bußfastens gilt und dann möglicherweise sogar auf die eschatologische Heilszeit hinweist. Durch diese Ergebnisse erfährt die Ursprünglichkeit der Überlieferungen hinsichtlich der qualitativen Nahrungsaskese des Täufers in den synoptischen Evangelien Bestätigung. Zudem ließ sich aufweisen, daß auch die täuferische Askese zumindest den prophetischen Anspruch, mit dem er auftrat, signalisierte und vielleicht sogar zusammen mit seiner Bekleidung als Hinweis auf eine defizitäre Interpretation der Realität (im Gegensatz zum Leben in der unmittelbaren Gottesnähe der eschatologischen Heilszeit) verstanden werden kann.

Hinsichtlich des Ortes der öffentlichen Wirksamkeit der Propheten darf festgehalten werden, daß besonders die (durch das Exodus- und Landnahmegeschehen in ihrer Bedeutung bestimmten) topographischen Begriffe "Wüste" und "Jordan" nicht nur in der Verkündigung der biblischen Schriftpropheten massiv rezipiert wurden, sondern in erzählenden biblischen Prophetenüberlieferungen und in jüdischen Prophetenlegenden auch dazu dienten, die Bedeutung und Verehrungswürdigkeit des jeweiligen Propheten dadurch zu steigern, daß sie auf die ideale prophetische Autorität des Mose verwiesen. Der Inhalt der öffentlichen Verkündigung des göttlichen Gerichtswortes in der Wüste und die Jordantaufe bekommen von hier aus ihre Bedeutung als Hinweise auf ein anbrechendes Handeln Gottes in Analogie zum Exodusgeschehen, knüpfen sie doch an das typologische Urbild der heilvollen Zuwendung Gottes trotz des Ungehorsams des Volkes Israel während der Zeit des Exodus aus Ägypten an. Dies legt aber auch den Schluß nahe, daß der Ort der öffentlichen Wirksamkeit Johannes' des Täufers nicht allein dazu führte, daß dieser von seinen Adressaten als Prophet verstanden wurde, sondern er ihn selbst absichtsvoll wählte, um hierdurch die Vollmacht seiner eigenen Verkündigung und seiner Bußtaufe zu demonstrieren.

Im Gegensatz zu den obigen Motivkomplexen zeigten die Darstellungen der eigentlichen Unheilsverkündigung der Propheten an Israel in den erzählenden biblischen Überlieferungen, in deren Übersetzungen und in den antiken jüdischen Prophetenlegenden keine größeren Übereinstimmungen oder gar eine generelle Tendenz zur Vereinheitlichung, die dazu beitragen könnte, von einer »idealen« Form einer solchen prophetischen Verkündigung, an die sich der Täufer anlehnt, zu reden. Als allgemeine Kennzeichen der Überlieferungen ließ sich hierbei allein der Zusammenhang zwischen prophetischer Wortverkündigung und Zeichenhandlungen, partiell eine typologische Bezugnahme auf die Exodus-Sinai-Tradition und die Betonung eines Zusammenhangs zwischen der prophetischen Unheilsverkündigung und dem gewaltsamen Geschick des Propheten aufweisen. Die eigentliche Verkündigung des Täufers entspricht keiner »mustergültigen« Form prophetischer Verkündigung. Die Redeformen seiner rekonstruierbaren unbedingten Unheilsverkündigung an Israel selbst legitimieren Johannes nicht als Prophet. Sie bedürfen als apodiktische Forderungen und scharfe Drohungen durch ihre beispiellose Infragestellung geltender Werte in bezug auf die Vorbedingungen der Teilhabe am endzeitlichen Heil vielmehr selbst des Aufweises der Vollmacht ihres Verkünders. In diesem Punkt besteht nun ein enger Zusammenhang mit dem Bestreben Johannes´ des Täufers, sich gerade in seiner äußerlich erkennbaren Lebensweise und in der Wahl des Ortes seines Auftretens durch eine bewußte Anlehnung an vorgegebene Deutungen »mustergültiger« Propheten im antiken Judentum auszuweisen.

Die Untersuchung der biblischen Überlieferung von einer <u>Kultkritik</u> der Propheten im Rahmen ihrer Verkündigung führte zu dem deutlichen Ergebnis, daß die diesbezügliche Hauptaussage der jüdischen heiligen Schriften darin besteht, die Abhängigkeit der Zulänglichkeit des Kultes von der Gesinnung und dem Verhalten derer, die ihn begehen, zu betonen. Weiterhin wurden die Tendenzen in der biblischen Prophetenüberlieferung deutlich, ursprünglich situationsbedingte Kultkritik in allgemeingültige Aussagen umzuformen und in zunehmendem Maße weniger den heidnischen oder falsch praktizierten als vielmehr den eigenen - obgleich rite praktizierten - Kult zu kritisieren. Wenn auch eine generelle Ablehnung des Kultes durch die biblischen Propheten nicht zu beobachten war, so zeigte sich doch seine relative Abwertung gegenüber Gebotsgehorsam bzw. Sozialethik im Rahmen ihrer Verkündigung. Allein in den untersuchten jüdischen Prophetenlegenden ließ sich diese Tendenz nur bedingt nachweisen, was dazu führte, daß von einer deutlichen oder gar eindeutigen Entwicklung des Motivkomplexes als Basis der Täufertraditionen in der synoptischen Evangelienüberlieferung nicht gesprochen werden kann. Die hier erkennbare Kultkritik Johannes´ des Täufers bzw. die Relativierung, welche die herkömmlichen jüdischen Sühneriten durch seine Taufe erfuhren, konnte dennoch als Ausdruck einer allgemeinen Tendenz gewertet werden, die Verkündigung des Gotteswillens durch die Propheten als Gegenpol zum Gottesverhältnis des Volkes - exponiert in dessen Kult - darzustellen. Auch die Taufe des Johannes scheint als individuelle Wiederherstellung des (im Abrahamsbund konstituierten und durch Mose am Sinai erneuerten) Bundesverhältnisses eine solche Kultkritik zu implizieren, denn durch sie wurden rituelle Reinigungen, Bußhandlungen und Opfer in ihrer Bedeutung angesichts des drohenden Gottesgerichts relativiert.

Es zeigte sich, daß prophetische Herrscherkritik bzw. die Vorstellung, es gehöre zu den Aufgaben eines Propheten, dem irdischen Herrscher über das jüdische Volk mahnend entgegenzutreten, wenn dieser gegen die Gebote Gottes verstößt, sowohl in der biblischen Überlieferung als auch in den Prophetenlegenden derart häufig begegnet, daß es erlaubt ist, auch hier von einer »idealen« Komponente des Prophetenlebens zu sprechen. Die mit hoher Wahrscheinlichkeit vorchristlichen Bestandteile der synoptischen Tradition, die von einer solchen öffentlichen Kritik des Täufes an Herodes Antipas handeln, stimmen mit dieser (für das zeitgenössische Prophetenverständnis in Palästina zur Zeit seines Auftretens konstitutiven) religiösen Überlieferung überein. Wenn Johannes der Täufer sich selbst als einen solchen Propheten verstand und sich hierbei danach richtete, was ihm über die Aufgaben eines wahren Propheten Gottes bekannt war, mußte er dem Tetrarchen dessen Verstöße gegen das Gesetz vorhalten.

Als Abschluß der Untersuchung folgte die Frage, ob es vorstellbar ist, daß Johannes der Täufer im Bewußtsein seines prophetischen Auftrags das eigene Todesgeschick nicht nur als mögliche Konsequenz dieser aggressiven Unheilsverkündigung verstand, sondern vielmehr als notwendige, gleichsam den eigenen Auftrag demonstrativ unterstreichende Vollendung der Wirksamkeit des wahren Propheten Gottes. Als Beitrag zur Beantwortung dieser Frage ließ sich feststellen, daß auch die Vorstellung vom gewaltsamen Geschick der Propheten als - zwar relativ junger, jedoch sicher vorchristlicher - Bestandteil eines stereotypisierten Prophetenlebens bezeichnet werden kann. In Analogie zu den anderen Elementen eines solchen »idealen« Prophetenlebens, die im Auftreten des Täufers begegnen, kann es zum einen als sicher gelten, daß seine Umwelt die Enthauptung auf Befehl des Tetrarchen als beglaubigendes Zeichen seiner wahren prophetischen Sendung verstehen konnte, und ist es zum anderen wahrscheinlich, daß auch Johannes der Täufer selbst letztendlich seinen eigenen Tod in den Dienst seines Selbstverständnisses als Prophet stellte.

Insgesamt war es also möglich, durch einen Vergleich der Täuferüberlieferungen in den synoptischen Evangelien mit den hierfür konstitutiven schriftlichen Quellen die Gestalt Johannes´ des Täufers in das jüdische Prophetenbild zur Zeit seines Auftretens einzuordnen und dabei zugleich die der Untersuchung vorangehende Hypothese zu bestätigen. Johannes der Täufer wurde von seinen Zeitgenossen anhand der Formen seines Auftretens und seiner Verkündigung als Prophet verstanden. Daß dies so war, scheint nun zum großen Teil daraus zu resultieren, daß er selbst sein eigenes Leben nach dem ausrichtete, was er als den Lebensweg eines wahren Propheten Gottes verstehen mußte.

Die Fragestellung und die Methodik dieser Arbeit (die sich ebenso auf die Gestalt Jesu aus Nazaret anwenden ließen) implizieren keine allgemeine Geltung ihrer Ergebnisse. Weder repräsentieren ausschließlich die synoptischen Evangelien die christliche Rezeption von Täufertraditionen, noch umfaßt die in dieser Untersuchung getroffene Auswahl von heiligen Schriften, deren Übersetzungen und Prophetenlegenden die gesamte Bandbreite des Prophetenbildes im antiken Judentum (ganz abgesehen von der Tatsache, daß uns nur ein Teil dieser religiösen Literatur erhalten ist). Es wurde in dieser Untersuchung allein exemplarisch gezeigt, daß die geläufige Rede vom prophetischen Auftreten Johannes´ des Täufers dadurch konkretisiert werden kann, daß der direkte Zusammenhang zwischen der Rezeption der biblischen Überlieferung im antiken Judentum und Johannes dem Täufer erkannt wird. Die biblische Überlieferung bildet den Vorstellungsrahmen seines Auftretens. Dieses wiederum und auch seine Aufnahme in die christliche Überlieferung stellen in weiten Teilen die Rezeption der biblischen Nachrichten vom Auftreten der Propheten dar. Hierdurch sollte ein neuer Beitrag in die exegetische Diskussion über die religionsgeschichtliche Einordnung der Gestalt Johannes´ des Täufers einfließen, nicht als deren Abschluß, sondern vielmehr als Anregung für weitergehende Analysen.

Abkürzungen

Die Schreibung der biblischen Eigennamen richtet sich nach den "Loccumer Richtlinien". Die Literatur wird in den Anmerkungen gekürzt zitiert. Bei Kommentaren, Monographien und Aufsätzen erscheint hinter dem Verfassernamen das erste Nomen des Titels, bei Lexikonartikeln wird auch die Abkürzung der Reihe angegeben.

Die Quellenschriften sowie Zeitschriften, Serien und Lexika sind abgekürzt nach dem Abkürzungsverzeichnis der Theologischen Realenzyklopädie (TRE), zusammengestellt von Siegfried M. Schwertner, Berlin, New York [2]1992.

Weitere Abkürzungen

BiNo	Biblische Notizen
FS	Festschrift
Gesenius	Gesenius, Wilhelm, Hebräisches und Aramäisches Handwörterbuch über das Alte Testament, bearbeitet von Frants Buhl, Berlin u.a. [17]1915 (Neudr. ebd. 1962).
Gesenius[18]	Gesenius, Wilhelm, Hebräisches und Aramäisches Handwörterbuch über das Alte Testament, neu bearbeitet von Rudolf Meyer, Herbert Donner und Udo Rüterswörden, 1. Lieferung, א - ג, Berlin u.a. [18]1987.
Hrsg.	Herausgeber
Jos.	Flavius Josephus
KB	Köhler, Ludwig, Baumgartner, Walter, Hebräisches und Aramäisches Lexikon zum Alten Testament, 4 Bde., Leiden [3]1967-1990.
JSOT	Journal for the Study of the Old Testament
MT	masoretischer Text
NBL	Neues Bibel-Lexikon
ParJer	Paralipomena Jeremiae
Q	Vitae prophetarum, Codex Marchalianus (s.o. 24, Anm. 72)
R	Vitae prophetarum, Codex Paris. Gk. 1115 " "
S	Vitae prophetarum, ed. E. Nestle (Syrische Grammatik, Berlin u.a. [2]1888) " "
TCN	Targum Codex Neophyti (s.o. 22)
TFr	Fragmententargum "
VitPr	Vitae prophetarum
ZBK.AT	Zürcher Bibelkommentare, Altes Testament

Reihenfolge der Prophetenleben in den Vitae prophetarum (Nach J.H. Charlesworth)

1	Jesaja		8	Joel
2	Jeremia		9	Obadja
3	Ezechiel		10	Jona
4	Daniel		11	Nahum
5	Hosea		12	Habakuk
6	Micha		13	Zephanja
7	Amos		14	Haggai
15	Sacharja		20	Asarja
16	Maleachi		21	Elija
17	Natan		22	Elisa
18	Ahija		23	Secharja ben Jojada
19	Joad			

Literaturverzeichnis

1. Quellen

Aland, Kurt u.a. (Hrsg.), Novum Testamentum Graece, begr. v. Eberhard Nestle, Stuttgart [26]1979.

Aland, Kurt (Hrsg.), Synopsis quattuor evangeliorum locis parallelis evangeliorum apocryphorum et patrum adhibitis, Stuttgart [13]1984.

Albeck, Chanoch, Schischa Sidre Mischna, 6 Bde., Jerusalem 1952-1958 (Neudr. Jerusalem, Tel Aviv 1988).

Beyer, Klaus, Die aramäischen Texte vom Toten Meer samt den Inschriften aus Palästina, dem Testament Levis aus der Kairoer Genisa, der Fastenrolle und den alten talmudischen Zitaten, Göttingen [2]1986.

Braude, William G., Pesikta Rabbati (YJS 18), 2 Bde., New Haven, London 1968.

Cathcart, Kevin, Gordon, Robert P., The Targum of the Minor Prophets: Martin McNamara u.a. (Hrsg.), The Aramaic Bible 14, Edinburgh 1989.

Chajjim, Josef, Midrasch Schir haschirim, Jerusalem 1981.

Charles, Robert H., The Ascension of Isaiah, London 1900.

Charlesworth, James H. (Hrsg.), The Old Testament Pseudepigrapha, 2 Bde., Garden City, N.Y. 1983. 1985.

Chilton, Bruce D., The Isaiah Targum: Martin McNamara u.a. (Hrsg.), The Aramaic Bible 11, Edinburgh 1987.

Clarke, Ernest George, Targum Pseudo-Jonathan of the Pentateuch: Text and Concordance, Hoboken, NJ 1984.

Cohn, Leopold, Wendland, Paul, Philonis Alexandrini Opera quae supersunt, Editio minor, 6 Bde., Berlin 1896-1915.

Danby, Herbert, The Mishnah, Oxford 1933 (Neudr. ebd. 1980).

Díez Macho, Alejandro, Neophyti 1, Targum Palestinense MS de la Biblioteca Vaticana, 6 Bde., Madrid, Barcelona 1968-1979.

Elliger, Karl, Rudolph, Wilhelm (Hrsg.), Biblia Hebraica Stuttgartensia, Stuttgart 1967-1977.

Epstein, Isidore (Hrsg.), The Babylonian Talmud, 18 Bde., London [2]1961.

Etheridge, John Wesley, The Targums of Onkelos and Jonathan ben Uzziel on the Pentateuch with the Fragments of the Jerusalem Targum from the Chaldee, 2 Bde., New York 1862. 1865 (Neudr. ebd. 1968).

Fischer, Bonifatius u.a. (Hrsg.), Biblia Sacra iuxta Vulgatam Versionem, 2 Bde., Stuttgart [2]1975.

Fitzmyer, Joseph A., Harrington, Daniel J., A Manual of Palestinian Aramaic Texts (BibOr 34), Rom 1978.

Freedman, Harry, Simon, Maurice (Hrsg.), Midrash Rabbah, 10 Bde., London 1939.

Ginzberg, Louis, The Legends of the Jews, 7 Bde., Philadelphia 1909-1938 (Neudr. Philadelphia [15]1988).

Goldschmidt, Lazarus, Der Babylonische Talmud, 9 Bde., Haag 1933.

Gressmann, Hugo u.a. (Hrsg.), Altorientalische Texte zum Alten Testament, Berlin, Leipzig [2]1926.

Grossfeld, Bernard, The Targum Onqelos to Genesis: Martin McNamara u.a. (Hrsg.), The Aramaic Bible 6, Edinburgh 1988.

Grossfeld, Bernard, The Targum Onqelos to Exodus: Martin McNamara u.a. (Hrsg.), The Aramaic Bible 7, Edinburgh 1988.

Grossfeld, Bernard, The Targum Onqelos to Leviticus and Numbers: Martin McNamara u.a. (Hrsg.), The Aramaic Bible 8, Edinburgh 1988.

Grossfeld, Bernard, The Targum Onqelos to Deuteronomy: Martin McNamara u.a. (Hrsg.), The Aramaic Bible 9, Edinburgh 1988.

Hall, Isaac H., A Hagiographic Manuscript in the Philadelphia Library: JSBL 5 (June 1886), 3-39.

Hall, Isaac H., The Lives of the Prophets: JSBL 6 (June 1887), 28-40.

Hammershaimb, Erling, Das Martyrium Jesajas: JSHRZ II,2, Gütersloh 1973, 15-34.

Hanhart, Robert, Maccabaeorum liber II (Septuaginta, Vetus Testamentum Graecum, Auctoritate Societas Litterarum Gottingensis editum IX,2), Göttingen 1959.

Hanhart, Robert, Iudith (Septuaginta Auct. Soc. Litt. Gottingensis VIII,4), Göttingen 1979.

Hanhart, Robert, Tobit (Septuaginta Auct. Soc. Litt. Gottingensis VIII,5), Göttingen 1983.

Hare, Douglas R.A., The Lives of the Prophets: James H. Charlesworth (Hrsg.), The Old Testament Pseudepigrapha, Bd. 2, Garden City, N.Y. 1985, 379-399.

Harrington, Daniel J., Saldarini, Anthony J., Targum Jonathan of the Former Prophets: Martin McNamara u.a. (Hrsg.), The Aramaic Bible 10, Edinburgh 1987.

Hayward, Robert, The Targum of Jeremiah, Martin McNamara u.a. (Hrsg.), The Aramaic Bible 12, Edinburgh 1987.

Herbert, Máire, McNamara, Martin, Irish Biblical Apocrypha, Edinburgh 1989.

Horovitz, Chajjim Saul, Rabin, Israel Abraham, Mechilta d'Rabbi Ismael, Jerusalem [2]1970.

Kappler, Werner, Maccabaeorum libri I-IV, fasc. 1, Maccabaeorum liber I (Septuaginta Auct. Soc. Litt. Gottingensis IX), Göttingen 1936.

Kautzsch, Emil, Die Apokryphen und Pseudepigraphen des Alten Testaments, 2 Bde., Tübingen 1900 (Neudr. Hildesheim 1975).

Klein, Michael L., The Fragment-Targums of the Pentateuch (AnBib 76), 2 Bde., Rom 1980.

Knibb, Michael A., Martyrdom and Ascension of Isaiah: James H. Charlesworth (Hrsg.), The Old Testament Pseudepigrapha, Bd. 2, Garden City, N.Y. 1985, 143-176.

Kraft, Robert A., Purintun, Ann-Elizabeth, Paraleipomena Jeremiou (SBLTT Pseudepigrapha Series 1), Missoula, Mont. 1972.

Krüger, Gustav, Die Apologien Justins des Märtyrers (SQS I,1), Tübingen [4]1915.

Kümmel, Werner Georg u.a., Jüdische Schriften aus hellenistisch-römischer Zeit, Gütersloh 1973ff.

Levey, Samson H., The Targum of Ezekiel: Martin McNamara u.a. (Hrsg.), The Aramaic Bible 13, Edinburgh 1987.

Lewis, Naphtali, Yadin, Yigael, Greenfield, Jonas C., The Documents from the Bar Kokhba Period in the Cave of Letters, Bd. 2, Greek Papyri, Jerusalem 1989.

Lidzbarski, Mark, Ginzā, Der Schatz oder das große Buch der Mandäer (QRG 13), Göttingen, Leipzig 1925.

Lieberman, Saul, The Tosefta und Tosefta ki-fshuṭah, 16 Bde., New York 1955-1988.

Lohse, Eduard, Die Texte aus Qumran, hebräisch und deutsch, Darmstadt [4]1986.

Maier, Johann, Schubert, Kurt, Die Qumran-Essener (UTB 224), München, Basel 1973.

Maier, Johann, Die Tempelrolle vom Toten Meer (UTB 829), München, Basel 1978.

Margulies, Mordecai, Midrash Wayyikra Rabbah, A Critical Edition Based on Manuscripts and Genizah Fragments with Variants and Notes, 3 Bde., Jerusalem [2]1972.

McNamara, Martin, Targum Neofiti 1: Genesis: ders. u.a. (Hrsg.), The Aramaic Bible 1A, Edinburgh 1992.

Meinhold, Johannes, Joma (Der Versöhnungstag), Text, Übersetzung und Erklärung nebst einem textkritischen Anhang, Gießen 1913.

Meshorer, Ya'akov, Jewish Coins of the Second Temple Period, Tel Aviv 1967.

Mirkin, Moshe Arje, Midrasch Rabba, 11 Bde., Tel Aviv [3]1977.

Müller, C. Detlef G., Die Himmelfahrt des Jesaja: Wilhelm Schneemelcher (Hrsg.), Neutestamentliche Apokryphen, Bd. 2, Tübingen [5]1989, 547-562.

Mumprecht, Vroni (Hrsg.), Philostratos, Das Leben des Apollonius von Tyana, München, Zürich 1983.

Nestle, Eberhard, Syrische Grammatik, Berlin u.a. [2]1888.

Nestle, Eberhard, Die dem Epiphanius zugeschriebenen Vitae Prophetarum in doppelter griechischer Rezension: ders., Marginalien und Materialien, Tübingen 1893, 1-64.

Niese, Bernhard, Flavii Josephi opera recognovit B. Niese (Editio minor), 6 Bde., Berlin 1888-1895.

Paton, William Roger, Polybios, The Histories, 6 Bde., Cambridge, Mass., London 1922-1927.

Peshiṭta-Institute Leiden (Hrsg.), Isaiah (The Old Testament in Syriac According to the Peshiṭta Version, Part III,1), Prepared by Sebastian P. Brock, Leiden 1987.

Preuschen, Erwin (Hrsg.), Origenes Werke, Bd. 4 (CSG 10), Leipzig 1903.

Rahlfs, Alfred (Hrsg.), Septuaginta, Id est Vetus Testamentum graece iuxta LXX interpretes, 2 Bde., Stuttgart [7]1962.

Rießler, Paul, Altjüdisches Schrifttum außerhalb der Bibel, Augsburg 1928 (Neudr. Freiburg i.Br., Heidelberg [4]1979).

Robinson, Stephen Edward, 4 Baruch: James H. Charlesworth (Hrsg.), The Old Testament Pseudepigrapha, Bd. 2, Garden City, N.Y. 1985, 413-425.

Pritchard, James B., Ancient Near Eastern Texts Relating to the Old Testament, Princeton [3]1969.

Schermann, Theodor, Prophetarum vitae fabulosae indices apostolorum discipulorumque Domini Dorotheo, Epiphano, Hippolyto aliisque vindicata etc., Leipzig 1907.

Schermann, Theodor, Propheten- und Apostellegenden nebst Jüngerkatalogen des Dorotheus und verwandten Texten (TU 31, Heft 3), Leipzig 1907.

Schneemelcher, Wilhelm (Hrsg.), Neutestamentliche Apokryphen, 2 Bde., Tübingen [5]1987. 1989.

Schreiner, Josef, Das 4. Buch Esra: JSHRZ V,4, Gütersloh 1981.

Schwab, Moïse, Le Talmud de Jérusalem, 11 Bde., Paris 1871-1889 (Neudr. ebd. 1969).

Sperber, Alexander, The Bible in Aramaic, 4 Bde. in 5, Leiden 1959-1973.

Stenning, John Frederick, The Targum of Isaiah, Oxford [2]1953.

Talmud Jeruschalmi, Krotoschin 1866 (Neudr. Jerusalem 1960).

Thackeray, Henry St. John, Marcus, Ralph u.a., Josephus, 10 Bde., Cambridge, Mass., London 1926-1965.

Torrey, Charles Cutler, The Lives of the Prophets (JBL.MS 1), Philadelphia 1946.

Tov, Emanuel u.a. (Hrsg.), The Greek Minor Prophets Scrolls from Naḥal Ḥever [8Ḥev XIIgr] (DJD VIII), Oxford 1990.

Wevers, John William, Genesis (Septuaginta Auct. Soc. Litt. Gottingensis I), Göttingen 1974.

Wevers, John William, Deuteronomium (Septuaginta Auct. Soc. Litt. Gottingensis III,2), Göttingen 1977.

Wevers, John William, Numeri (Septuaginta Auct. Soc. Litt. Gottingensis III,1), Göttingen 1982.

Wevers, John William, Leviticus (Septuaginta Auct. Soc. Litt. Gottingensis II,2), Göttingen 1986.

Wevers, John William, Exodus (Septuaginta Auct. Soc. Litt. Gottingensis II,1), Göttingen 1991.

Wünsche, August, Bibliotheca Rabbinica, 5 Bde., Leipzig 1880-1885 (Neudr. Hildesheim 1967).

Ziegler, Joseph, Isaias (Septuaginta Auct. Soc. Litt. Gottingensis XIV), Göttingen 1939.

Ziegler, Joseph, Duodecim prophetae (Septuaginta Auct. Soc. Litt. Gottingensis XIII), Göttingen 1943.

Ziegler, Joseph, Ezechiel (Septuaginta Auct. Soc. Litt. Gottingensis XVI,1), Göttingen 1952.

Ziegler, Joseph, Susanna, Daniel, Bel et Draco (Septuaginta Auct. Soc. Litt. Gottingensis XVI,2), Göttingen 1954.

Ziegler, Joseph, Ieremias, Baruch, Threni, Epistula Ieremiae (Septuaginta Auct. Soc. Litt. Gottingensis XV), Göttingen 1957.

Ziegler, Joseph, Sapientia Salomonis (Septuaginta Auct. Soc. Litt. Gottingensis XII,1), Göttingen 1962.

Ziegler, Joseph, Sapientia Iesu Filii Sirach (Septuaginta Auct. Soc. Litt. Gottingensis XII,2), Göttingen 1965.

2. Hilfsmittel

Bauer, Walter, Griechisch-deutsches Wörterbuch zu den Schriften des Neuen Testaments und der frühchristlichen Literatur, hrsg. v. Kurt u. Barbara Aland, Berlin, New York [6]1988.

Blass, Friedrich, Debrunner, Albert, Grammatik des neutestamentlichen Griechisch, bearbeitet von Friedrich Rehkopf, Göttingen [16]1984.

Brockelmann, Carl, Syrische Grammatik, Leipzig [10]1965.

Brockelmann, Carl, Hebräische Syntax, Neukirchen 1956.

Conybeare, Frederick Cornwallis, Stock, George, Grammar of Septuagint Greek, Boston 1905 (Neudr. Peabody, Mass. 1988).

Dalman, Gustaf H., Grammatik des jüdisch-palästinischen Aramäisch, Leipzig [2]1927 (Neudr. Darmstadt 1989).

Dalman, Gustaf H., Aramäisch-Neuhebräisches Handwörterbuch, Göttingen [3]1938.

Deutsche Bischofskonferenz, Rat der Evangelischen Kirche in Deutschland (Hrsg.), Ökumenisches Verzeichnis der biblischen Eigennamen nach den Loccumer Richtlinien, Stuttgart [2]1981.

Gesenius, Wilhelm, Hebräisches und Aramäisches Handwörterbuch über das Alte Testament, bearbeitet von Frants Buhl, Berlin u.a. [17]1915 (Neudr. ebd. 1962).

Gesenius, Wilhelm, Hebräisches und Aramäisches Handwörterbuch über das Alte Testament, neu bearbeitet von Rudolf Meyer, Herbert Donner und Udo Rüterswörden, 1. Lieferung, א - ג, Berlin u.a. [18]1987.

Hatch, Edwin, Redpath, Henry A., A Concordance to the Septuagint and the Other Greek Versions of the Old Testament (Including the Apocryphal Books), 2 Bde., Oxford 1897 (Neudr. Graz 1954).

Institut für Neutestamentliche Textforschung, Rechenzentrum der Universität Münster (Hrsg.), Konkordanz zum Novum Testamentum Graece von Nestle-Aland, 26. Auflage und zum Greek New Testament, 3rd Edition, Berlin, New York [3]1987.

Jastrow, Marcus, A Dictionary of the Targumim, Talmud Babli, Yerushalmi and Midrashic Literature, 2 Bde., New York 1950 (Neudr. New York 1989).

Jenni, Ernst, Lehrbuch der hebräischen Sprache des Alten Testaments, Basel, Frankfurt a.M. [2]1981.

Köhler, Ludwig, Baumgartner, Walter, Hebräisches und Aramäisches Lexikon zum Alten Testament, 4 Bde., Leiden [3]1967-1990.

Liddell, Henry, Scott, Robert, A Greek-English Lexicon, Oxford u.a. [9]1940 (Neudr. ebd. 1990).

Lisowsky, Gerhard, Rost, Leonhard, Konkordanz zum hebräischen Alten Testament, Stuttgart [2]1966 (Neudr. 1981).

Mayer, Günter, Index Philoneus, Berlin, New York 1974.

Moulton, James Hope, Turner, Nigel, A Grammar of New Testament Greek, Bd. 1, Edinburgh [3]1909, Bd. 2, ebd. 1926, Bd. 3, ebd. 1963, Bd. 4, ebd. 1976, (Bde. 1-4, Neudr. ebd. 1985f.).

Payne-Smith, Jessie (Hrsg.), A Compendious Syriac Dictionary, Oxford 1903 (Neudr. ebd. 1990).

Rehkopf, Friedrich, Septuaginta-Vokabular, Göttingen 1989.

Rengstorf Karl Heinrich u.a. (Hrsg.), A Complete Concordance to Flavius Josephus, 4 Bde., Leiden 1973-1983.

Rosenthal, Franz, A Grammar of Biblical Aramaic (PLO N.S. 5), Wiesbaden [5]1983.

Schalit, Abraham, Namenwörterbuch zu Flavius Josephus, Leiden 1968.

Schumann, Frank, Wolter Michael, Theologische Realenzyklopädie, Register zu Band 1-17, Berlin, New York 1990.

Sokoloff, Michael, A Dictionary of Jewish Palestinian Aramaic of the Byzantine Period, Ramat-Gan 1990.

Stevenson, William B., Grammar of Palestinian Jewish Aramaic, Oxford [2]1962 (Neudr. ebd. [7]1991).

Waltke, Bruce K., O'Connor, Michael, An Introduction to Biblical Hebrew Syntax, Winona Lake, Ind. 1990.

3. Sekundärliteratur

Aland, Kurt, Das Problem der Anonymität und Pseudonymität in der christlichen Literatur der ersten beiden Jahrhunderte: ders. (Hrsg.), Studien zur Überlieferung des Neuen Testaments und seines Textes (ANTT 2), Berlin 1967, 24-34.

Albertz, Rainer, Der Gott des Daniel (SBS 131), Stuttgart 1988.

Alexander, Philip S., Jewish Aramaic Translations of Hebrew Scriptures: Martin J. Mulder (Hrsg.), Mikra, Text, Translation, Reading and Interpretation of the Hebrew Bible in Ancient Judaism and Early Christianity (CRI II,1), Assen/Maastricht, Philadelphia 1988, 217-253.

Applebaum, Shimon, Economic Life in Palestine: Shmuel Safrai, Menahem Stern (Hrsg.), The Jewish People in the First Century (CRI I), Bd. 2, Assen/Maastricht, Philadelphia 1974, 631-700.

Arbesmann, Rudolph, Fasting and Prophecy in Pagan and Christian Antiquity: Traditio 7 (1949/51), 1-71.

Arbesmann, Rudolph, Art. Fasten: RAC VII (1969), 447-493.

Aschermann, Hartmut, Art. Berufung: BHH I (1962), 222-223.

Aune, David E., Prophecy in Early Christianity and the Ancient Mediterranean World, Grand Rapids, Mich. 1983.

Backhaus, Knut, Die >Jüngerkreise< des Täufers Johannes (PThS 19), Paderborn u.a. 1991.

Baltensweiler, Heinrich, Die Ehe im Neuen Testament (AThANT 52), Zürich 1967.

Baltzer, Klaus, Die Biographie der Propheten, Neukirchen-Vluyn 1975.

Bammel, Ernst, Art. πτωχός κτλ. D. Neues Testament: ThWNT VI (1959), 902-915.

Bammel, Ernst, John Did no Miracle: Charles F.D. Moule (Hrsg.), Miracles, London 1965, 179-202.

Bar-Ilan, Meir, Writing in Ancient Israel and Early Judaism, Part Two: Scribes and Books in the Late Second Commonwealth and Rabbinic Period: Martin J. Mulder (Hrsg.), Mikra, Text, Translation, Reading and Interpretation of the Hebrew Bible in Ancient Judaism and Early Christianity (CRI II,1), Assen/Maastricht, Philadelphia 1988, 21-38.

Barnett, Paul W., The Jewish Sign Prophets - A.D. 40-70: Their Intentions and Origin: NTS 27 (1980/81), 679-697.

Barstad, Hans M., The Religious Polemics of Amos (VT.S 34), Leiden 1984.

Barth, Gerhard, Die Taufe in frühchristlicher Zeit (BThSt 4), Neukirchen-Vluyn 1981.

Barthélemy, Dominique, Les devanciers d'Aquila (VT.S 10), Leiden 1963.

Bauer, Johannes Baptist, Art. Fluß 1. Naturelement: RAC VIII (1972), 68-73.

Baumeister, Theofried, Genese und Entfaltung der altkirchlichen Theologie des Martyriums (TC 8), Frankfurt a.M. u.a. 1991.

Becker, Jürgen, Johannes der Täufer und Jesus von Nazareth (BSt 63), Neukirchen-Vluyn 1972.

Beek, Marinus A., Art. Haran: BHH II (1964), 647.

Begrich, Joachim, Die priesterliche Tora: Paul Volz u.a. (Hrsg.), Werden und Wesen des Alten Testaments (BZAW 66), Berlin 1936, 63-88.

Behm, Johannes, Art. ἄρτος: ThWNT I (1933), 475-476.

Behm, Johannes, Art. νῆστις κτλ.: ThWNT IV (1942), 925-935.

Behm, Johannes, Art. μετανοέω, μετάνοια E. μετανοέω und μετάνοια im NT, II.1. Johannes der Täufer: ThWNT IV (1942), 995-996.

Bergmeier, Roland, Die Essener-Berichte des Flavius Josephus, Kampen 1993.

Bertholet, Alfred, Kulturgeschichte Israels, Göttingen 1919.

Betz, Hans Dieter, Art. Gottmensch II. Griechisch-römische Antike und Urchristentum: RAC XII (1983), 234-312.

Betz, Otto, Jesu heiliger Krieg: NT 2 (1958), 116-137.

Betz, Otto, The Concept of the So-Called "Divine Man" in Mark's Christology: ders., Jesus, der Messias Israels. Aufsätze zur biblischen Theologie I (WUNT 42), Tübingen 1987, 273-284.

Betz, Otto, Die Proselytentaufe der Qumrangemeinde und die Taufe im Neuen Testament: RdQ 1 (1958/59), 213-234, hier zit. nach: ders., Jesus, der Herr der Kirche. Aufsätze zur biblischen Theologie II (WUNT 52), Tübingen 1990, 21-43 (+ Postscriptum 44-48).

Birkeland, Harris, The Language of Jesus, Oslo 1954.

Böcher, Otto, Wölfe in Schafspelzen, Zum religionsgeschichtlichen Hintergrund von Matth 7,15: ThZ 24 (1968), 405-426.

Böcher, Otto, Dämonenfurcht und Dämonenabwehr (BWANT 90), Stuttgart u.a. 1970.

Böcher, Otto, Wasser und Geist: ders., Klaus Haacker (Hrsg.), Verborum Veritas, FS Gustav Stählin, Wuppertal 1970, 197-209.

Böcher, Otto, Aß Johannes der Täufer kein Brot (Luk vii.33)?: NTS 18 (1971/72), 90-92.

Böcher, Otto, Christus Exorcista. Dämonismus und Taufe im Neuen Testament (BWANT 96), Stuttgart u.a. 1972.

Böcher, Otto, Johannes der Täufer in der neutestamentlichen Überlieferung: Gotthold Müller (Hrsg.), Rechtfertigung - Realismus - Universalismus in biblischer Sicht, FS Adolf Köberle, Darmstadt 1978, 45-68.

Böcher, Otto, Lukas und Johannes der Täufer: SNTU 4 (1979), 27-44.

Böcher, Otto, Art. Engel IV. Neues Testament: TRE IX (1982), 596-599.

Böcher, Otto, Art. Johannes der Täufer: TRE XVII (1987), 172-181.

Böcher, Otto, Die Johannesapokalypse (EdF 41), Darmstadt [3]1988.

Böcher, Otto, Art. Abendmahl: NBL I (1991), 4-7.

Bowie, Ewen Lyall, Apollonius of Tyana: Tradition and Reality: ANRW II 16.2, Berlin, New York 1978, 1653-1699.

Bowker, John, The Targums and Rabbinic Literature, Cambridge u.a. 1969.

Brandenburger, Egon, Gerichtskonzeptionen im Urchristentum und ihre Voraussetzungen: SNTU 16 (1991), 5-54.

Braumann, Georg, >Dem Himmelreich wird Gewalt angetan< (Mt 11,12par.): ZNW 52 (1961), 104-109.

Braun, Herbert, Qumran und das Neue Testament, 2 Bde., Tübingen 1966.

Braun, Herbert, Spätjüdisch-häretischer und frühchristlicher Radikalismus (BHTh 24,1. 2), 2 Bde., Tübingen ²1969.

Brown, Raymond E., The Birth of the Messiah, New York 1977.

Büchsel, Friedrich, Art. ἱλάσκομαι κτλ.: ThWNT III (1938), 301-318.

Bultmann, Rudolf, Die Geschichte der synoptischen Tradition (FRLANT 29), Göttingen ⁹1979.

Bultmann, Rudolf, Das Evangelium des Johannes (KEK II), Göttingen ²⁰1978.

Cameron, Peter Scott, Violence and the Kingdom: The Interpretation of Matthew 11:12 (ANTJ 5), Frankfurt a.M. 1984.

Campenhausen, Hans Frhr. von, Die Entstehung der christlichen Bibel (BHTh 39), Tübingen 1968.

Carlson, Rolf August, David, the Chosen King, Stockholm u.a. 1964.

Carroll, Robert P., From Chaos to Covenant. Uses of Prophecy in the Book of Jeremiah, London 1981.

Chilton, Bruce D., The Glory of Israel: The Theology and Provenance of the Isaiah Targum (JSOT.S 23), Sheffield 1983.

Clements, Ronald E., Fabry, Heinz-Josef, Art. מים: ThWAT IV (1984), 843-866.

Conzelmann, Hans, Die Mitte der Zeit (BHTh 17), Tübingen ⁶1977.

Conzelmann, Hans, Grundriß der Theologie des Neuen Testaments, Tübingen ⁴1987.

Cullmann, Oscar, Kindheitsevangelien: Wilhelm Schneemelcher (Hrsg.), Neutestamentliche Apokryphen, Bd. I, Evangelien, Tübingen ⁵1987, 330-372.

Dahl, Nils Alstrup, The Origin of Baptism: NTT 56 (1955), 36-52.

Dalman, Gustaf H., Arbeit und Sitte in Palästina (BFChTh.M 14. 17. 27. 29. 33. 36. 41. 48), 7 Bde. in 8, Gütersloh 1928-42 (Neudr. Hildesheim 1964).

Danker, Frederick W., Luke 16,16 - An Opposition Logion: JBL 77 (1958), 231-243.

Delling, Gerhard, Art. ἡμέρα D. Der Gebrauch im NT: ThWNT II (1935), 950-956.

Delling, Gerhard, Art. Nasiräer: BHH II (1964), 1288f.

Delling, Gerhard, Jüdische Lehre und Frömmigkeit in den Paralipomena Jeremiae (BZAW 100), Berlin 1967.

Delling, Gerhard, Die biblische Prophetie bei Josephus: Otto Betz u.a. (Hrsg.), Josephus- Studien, FS Otto Michel, Göttingen 1974, 109-121.

Demsky, Aaron, Writing in Ancient Israel and Early Judaism, Part One: The Biblical Period: Martin J. Mulder (Hrsg.), Mikra, Text, Translation, Reading and Interpretation of the Hebrew Bible in Ancient Judaism and Early Christianity (CRI II,1), Assen/ Maastricht, Philadelphia 1988, 2-20.

Dexinger, Ferdinand, Art. Exodusmotiv II. Im Judentum: TRE X (1982), 737-740.

Dibelius, Martin, Die urchristliche Überlieferung von Johannes dem Täufer (FRLANT 15), Göttingen 1911.

Dibelius, Martin, Jungfrauensohn und Krippenkind: Botschaft und Geschichte, hrsg. v. Günther Bornkamm, Heinz Kraft, Bd. 1, Tübingen 1953, 1-78.

Dibelius, Martin, Die Formgeschichte des Evangeliums, Tübingen ⁶1971.

Diebner, Bernd-Jörg, Art. Gottesdienst II, Altes Testament: TRE XIV (1985), 5-28.

Díez Macho, Alejandro, Le Targum palestinien: RevSR 47 (1973), 169-231.

Dimant, Devorah, Use and Interpretation of Mikra in the Apokrypha and Pseudepigrapha: Martin J. Mulder (Hrsg.), Mikra, Text, Translation, Reading and Interpretation of the Hebrew Bible in Ancient Judaism and Early Christianity (CRI II,1), Assen/ Maastricht, Philadelphia 1988, 379-419.

Dobbeler, Stephanie von, Das Gericht und das Erbarmen Gottes (BBB 70), Frankfurt a.M. 1988.

Dobbie, Robert, The Text of Hosea IX 8: VT 5 (1955), 199-203.

Dohmen, Christoph, Art. מזבח: ThWAT IV (1984), 787-801.

Eichrodt, Walther, Der Prophet Hesekiel, Kap. 1-18 (ATD 22/1), Göttingen [5]1986.

Eichrodt, Walther, Der Prophet Hesekiel, Kap 19-48 (ATD 22/2) Göttingen [3]1984.

Eiss, Werner, Art. Priesterkleidung: BHH III (1966), 1491-1493.

Eissfeldt, Otto, Einleitung in das Alte Testament unter Einschluß der Apokryphen und Pseudepigraphen sowie der apokryphen- und pseudepigraphenartigen Qumran-Schriften, Tübingen [4]1976.

Elliger, Karl, Deuterojesaja 40,1 - 45,7 (BK.AT XI/1), Neukirchen-Vluyn 1978.

Elliger, Karl, Das Buch der zwölf Kleinen Propheten, II: Nahum - Maleachi (ATD 25), Göttingen [5]1964.

Engelken, Karen, Frauen im Alten Israel (BWANT 130), Stuttgart u.a. 1990.

Engelken, Karen, Kanaan als nicht-territorialer Terminus: BiNo 52 (1990), 47-63.

Engelken, Karen, Exkurs: Menschenopfer: Horst Seebaß, Genesis (KAT 1), Gütersloh [im Druck].

Erdmann, Gottfried, Die Vorgeschichten des Lukas- und Matthäusevangeliums und Vergils vierte Ekloge (FRLANT 30), Göttingen 1932.

Ernst, Josef, War Jesus ein Schüler Johannes' des Täufers?: Hubert Frankemölle, Karl Kertelge (Hrsg.), Vom Urchristentum zu Jesus, FS Joachim Gnilka, Freiburg i.Br. u.a. 1989, 13-33.

Ernst, Josef, Johannes der Täufer (BZNW 53), Berlin, New York 1989.

Fabry, Heinz-Josef, Art. מלך I. Die Wortgruppe mlk: ThWAT IV, 933-957.

Fascher, Erich, ΠΡΟΦΗΤΗΣ. Eine sprach- und religionsgeschichtliche Untersuchung, Gießen 1927.

Feldman, Louis H., How Much Hellenism in Jewish Palestine?: HUCA 57 (1986), 83-111.

Feliks, Jehuda, Art. Koloquinthe: BHH II (1964), 975.

Fichtner, Johannes, Art. Berufung II. Im AT: RGG[3] I (1957), 1084-1086.

Fiedler, Peter, Geschichte als Theologie und Verkündigung - die Prologe des Matthäus- und Lukasevangeliums: Rudolf Pesch (Hrsg.), Zur Theologie der Kindheitsgeschichten, München, Zürich 1981, 11-26.

Fischel, Henry Albert, Martyr and Prophet: JQR 37 (1946/47), 265-280. 363-386.

Fitzmyer, Joseph A., The Languages of Palestine in the First Century A.D.: CBQ 32 (1970), 501-531.

Fitzmyer, Joseph A., Der semitische Hintergrund des neutestamentlichen Kyriostitels: Georg Strecker (Hrsg.), Jesus Christus in Historie und Theologie, FS Hans Conzelmann, Tübingen 1975, 267-298.

Flight, John W., The Nomadic Idea and Ideal in the Old Testament: JBL 42 (1923), 158-226.

Flusser, David, The Apocryphal Book of Ascensio Isaiae and the Dead Sea Sect: IEJ 3 (1953), 30-47.

Flusser, David, Art. John the Baptist: EJ X (1971), 160-161.

Foerster, Werner, Art. κύριος κτλ. E. κύριος im NT: ThWNT III (1938), 1085-1098.

Foerster, Werner, Der Heilige Geist im Spätjudentum: NTS 8 (1961/62), 117-134.

Fohrer, Georg, Galling, Kurt, Ezechiel (HAT 13), Tübingen 1955.

Fohrer, Georg, Elia (AThANT 31), Zürich, Stuttgart 1957.

Fohrer, Georg, Art. Kleidung: BHH II (1964), 962-965.

Fohrer, Georg, Art. Sack: BHH III (1966), 1638.

Fohrer, Georg, Art. Geburt: BHH I (1962), 528.

Fohrer, Georg, Die symbolischen Handlungen der Propheten (AThANT 54), Zürich, Stuttgart [2]1968.

Fohrer, Georg, Glaube und Leben im Judentum, Heidelberg 1979.

Friedrich, Gerhard, Art. προφήτης κτλ. D. Propheten und Prophezeien im Neuen Testament: ThWNT VI (1959), 829-858.

Fuchs, Albert, Intention und Adressaten der Bußpredigt des Täufers bei Mt 3,7-10: SNTU 1 (1976), 62-75.

Gerstinger, Hans, Art. Biographie: RAC II (1954), 386-391.

Geyser, Albert S., The Youth of John the Baptist: NT 1 (1956), 70-75.

Gnilka, Joachim, Das Martyrium Johannes des Täufers (Mk 6,17-29): Paul Hoffmann u.a. (Hrsg.), Orientierung an Jesus, FS Josef Schmid, Freiburg i.Br. u.a. 1973, 78-92.

Gnilka, Joachim, Das Evangelium nach Markus (EKK 1), Bd. 1, Neukirchen-Vluyn, Zürich u.a. 1978, Bd. 2, ebd. 1979.

Goldammer, Kurt, Art. Entsündigung I. Religionsgeschichtlich: RGG[3] II (1958), 502-504.

Gooding, David W., The Septuagint's Rival Versions of Jeroboams Rise to Power: VT 19 (1967), 173-189.

Goppelt, Leonhard, Typos. Die typologische Deutung des Alten Testaments im Neuen (BFChTh.M 43), Gütersloh [4]1939 (Neudr. Darmstadt 1990).

Graffy, Adrian, A Prophet Confronts His People (AnBib 104), Rom 1984.

Grundmann, Walter, Art. δεκτός κτλ.: ThWNT II (1935), 57-59.

Grundmann, Walter, Das Evangelium nach Lukas (ThHK 3), Berlin [6]1971.

Grundmann, Walter, Das Evangelium nach Markus (ThHK 2), Berlin [9]1984.

Grundmann, Walter, Das Evangelium nach Matthäus (ThHK 1), Berlin [6]1986.

Gundry, Robert H., The Language Milieu of First-Century Palestine: JBL 83 (1964), 404-408.

Gunneweg, Antonius H.J., Nehemia (KAT XIX,2), Gütersloh 1987.

Haag, Herbert, Der Gottesknecht bei Deuterojesaja (EdF 233), Darmstadt 1985.

Häfner, Gerd, Gewalt gegen die Basileia? Zum Problem der Auslegung des >Stürmerspruches< Mt 11,12: ZNW 83 (1992), 21-51.

Hahn, Ferdinand, Christologische Hoheitstitel (FRLANT 83), Göttingen [4]1974.

Halpern Amaru, Betsy, The Killing of the Prophets: Unraveling a Midrash: HUCA 54 (1983), 153-180.

Hammershaimb, Erling, Ezekiel's View of the Monarchy: ders., Some Aspects of Old Testament Prophecy from Isaiah to Malachi, Rosenkilde og Bagger 1966, 51-62.

Harnack, Adolf von, Das Magnificat der Elisabet (Luk 1,46-55) nebst einigen Bemerkungen zu Luk 1 und 2: AKG 19 (1931), 62-85.

Hartmann, Lars, Taufe, Geist und Sohnschaft. Traditionsgeschichtliche Erwägungen zu Mk 1,9-11par: SNTU 1 (1976), 89-109.

Hauck, Friedrich, Art. καρπός κτλ.: ThWNT III (1938), 617-619.

Hauck, Friedrich, Art. παραβολή: ThWNT V (1954), 741-759.

Haufe, Günter, Individuelle Eschatologie im Neuen Testament: ZThK 83 (1986), 436-463.

Hecht, Franz, Eschatologie und Ritus bei den "Reformpropheten" (PThSt 1), Leiden 1971.

Heiler, Friedrich, Erscheinungsformen und Wesen der Religion (RM 1), Stuttgart u.a. [2]1979.

Hengel, Martin, Nachfolge und Charisma (BZNW 34), Berlin 1968.

Hengel, Martin, Die Zeloten (AGJU 1), Leiden, Köln [2]1976.

Hengel, Martin, Die Evangelienüberschriften: SHAW.PH, Bericht 3 (1984), Heidelberg 1984.

Hengel, Martin, Judentum und Hellenismus (WUNT 10), Tübingen [3]1988.

Hengel, Martin, The "Hellenization" of Judaea in the First Century after Christ, London, Philadelphia 1989.

Henry, Marie-Louise, Art. Rohr, Schilf: BHH III (1966), 1606.

Hentschke, Richard, Die Stellung der vorexilischen Schriftpropheten zum Kultus (BZAW 75), Berlin 1957.

Herbert, Arthur S., The Book of the Prophet Isaiah, Chapters 40-66 (CNEB 10,2), Cambridge 1975.

Herrmann, Siegfried, Jeremia (BK.AT XII/2), Lfg. 1, Neukirchen-Vluyn 1986, Lfg. 2, ebd. 1990.

Hertzberg, Hans Wilhelm, Die prophetische Kritik am Kult: ThLZ 75 (1950), 219-226.

Hönig, Hans Wolfgang, Die Bekleidung des Hebräers, Zürich 1957.

Hoffmann, Paul, Studien zur Theologie der Logienquelle (NTA N.F. 8), Münster/Westf. [3]1982.

Hoffmann, Yair, Jeremiah 2 30: ZAW 89 (1977), 418-420.

Holl, Karl, Die schriftstellerische Form des griechischen Heiligenlebens: ders., Der Osten. Gesammelte Aufsätze zur Kirchengeschichte II, Tübingen 1928, 249-269.

Holladay, Carl R., Theios Aner in Hellenistic Judaism (SBL Diss. Series 40), Missoula, Mont. 1977.

Holladay, William L., Jeremiah (Hermeneia), Bd. 1, Philadelphia 1986, Bd. 2, Minneapolis 1989.

Hollenbach, Paul, Social Aspects of John the Baptizer's Preaching Mission in the Context of Palestinian Judaism: ANRW II 19.1, Berlin, New York 1979, 850-875.

Holtz, Traugott, Die Standespredigt Johannes' des Täufers: Magdalene Hager u.a. (Hrsg.), Ruf und Antwort, FS Emil Fuchs, Leipzig 1964, 461-474.

Horst, Friedrich, Die Zwölf Kleinen Propheten. Nahum - Maleachi (HAT 14), Tübingen [2]1954, 153-275.

Hyatt, James Philip, The Prophetic Criticism of Israelite Worship, Cincinnati, Ohio 1963.

Janowski, Bernd, Sühne als Heilsgeschehen (WMANT 55), Neukirchen-Vluyn 1982.

Jenni, Ernst, Art. יום: THAT I ([3]1978), 707-726.

Jepsen, Alfred, Nabi, München 1934.

Jeremias, Joachim, Der Ursprung der Johannestaufe: ZNW 28 (1929), 312-320.

Jeremias, Joachim, Art. παῖς θεοῦ: ThWNT V (1954), 653-713.

Jeremias, Joachim, Heiligengräber in Jesu Umwelt, Göttingen 1958.

Jeremias, Joachim, Die Kindertaufe in den ersten vier Jahrhunderten, Göttingen 1958.

Jeremias, Joachim, Jerusalem zur Zeit Jesu, 1. Teil. Die wirtschaftlichen Verhältnisse, Göttingen [3]1962.

Jeremias, Joachim, Die Sprache des Lukasevangeliums (KEK Sonderband), Göttingen 1980.

Jeremias, Joachim, Die Gleichnisse Jesu, Göttingen [10]1984.

Jeremias, Joachim, Neutestamentliche Theologie I. Die Verkündigung Jesu, Gütersloh [4]1988.

Jeremias, Jörg, Der Prophet Hosea (ATD 24,1), Göttingen 1983.

Jeremias, Jörg, Art. נביא: THAT II ([2]1979), 7-26.

Jirku, Anton, Zur magischen Bedeutung der Kleidung in Israel: ZAW 37 (1917/18), 109-125.

Jülicher, Adolf, Die Gleichnisreden Jesu, 2 Bde., Tübingen [2]1910 (Neudr. Darmstadt 1969).

Käsemann, Ernst, Das Problem des historischen Jesus: ZThK 51 (1954), 125-153, hier zit. nach: ders., Exegetische Versuche und Besinnungen, Bd. 1, Göttingen [4]1965, 187-214.

Kaiser, Otto, Das Buch des Propheten Jesaja, Kap. 1-12 (ATD 17), Göttingen [2]1963.

Kaiser, Otto, Der Prophet Jesaja, Kap. 13-39 (ATD 18), Göttingen [3]1983.

Kamlah, Ehrhard, Art. Erwählung; BHH I (1962), 435-436.

Kaut, Thomas, Befreier und befreites Volk (BBB 77), Frankfurt a.M. 1990.

Kazmierski, Carl, The Stones of Abraham: Bib. 68 (1987), 22-40.

Keukens, Karlheinz H., Die rekabitischen Hausssklaven in Jeremia 35: BZ.NF 27 (1983), 228-235.

Kittel, Gerhard, Probleme des palästinischen Spätjudentums und das Urchristentum (BWANT 37), Stuttgart 1926.

Kittel, Gerhard, Art. ἄγγελος κτλ. D. ἄγγελος im NT: ThWNT I (1933), 81-87.

Kittel, Gerhard, Art. ἀκολουθέω κτλ.: ThWNT I (1933), 210-216.

Kittel, Gerhard, Art. ἔρημος κτλ.: ThWNT II (1935), 654-657.

Klaiber, Walter, Eine lukanische Fassung des Sola Gratia. Beobachtungen zu Lk 1,5-25: Johannes Friedrich u.a. (Hrsg.), Rechtfertigung, FS Ernst Käsemann, Tübingen 1976, 211-228.

Klauser, Theodor, Art. Auswendiglernen: RAC I (1950), 1030-1039.

Kleinknecht, Hermann, Art. θεῖος: ThWNT III (1938), 122-123.

Knibb, Michael A., The Martyrdom of Isaiah: Marinus de Jonge (Hrsg.), Outside the Old Testament (Cambridge Commentaries on Writings of the Jewish and Christian World 200 B.C. to A.D. 200), Cambridge u.a. 1985, 178-192.

Koch, Klaus, Haggais unreines Volk: ZAW 79 (1967), 52-66.

Koch, Klaus, Messias und Sündenvergebung im Jesaja 53-Targum: JSJ 3 (1972), 117-148.

Koch, Klaus, Was ist Formgeschichte?, Neukirchen-Vluyn [4]1981.

Koch, Klaus, Rezeptionsgeschichte als notwendige Voraussetzung einer biblischen Theologie - oder: Protestantische Verlegenheit angesichts der Geschichtlichkeit des Kanons: Hans Heinrich Schmid, Joachim Mehlhausen (Hrsg.), Sola Scriptura, Gütersloh 1991, 143-155.

Köberle, Adolf, Rechtfertigung und Heiligung, Leipzig [2]1929 (Neudr. Gießen, Basel [4]1987).

Köster, Helmut, Einführung in das Neue Testament im Rahmen der Religionsgeschichte und Kulturgeschichte der hellenistischen und römischen Zeit, Berlin, New York 1980.

Krämer, Helmut, Art. προφήτης κτλ. A. Die Wortgruppe in der Profangräzität: ThWNT VI (1959), 783-795.

Krafft, Eva, Die Vorgeschichten des Lukas: Erich Dinkler (Hrsg.), Zeit und Geschichte, FS Rudolf Bultmann, Tübingen 1964, 217-223.

Krauss, Samuel, Griechische und lateinische Lehnwörter in Talmud, Midrasch und Targum, 2 Bde., Berlin 1898. 1899 (Neudr. Hildesheim 1964).

Kremer, Jacob, Jesu Antwort auf die Frage nach seiner Vollmacht, Eine Auslegung von Mt 11,27-33: BiLe 9 (1968), 128-136.

Kremers, Heinz, Der leidende Prophet, Diss. Göttingen 1952.

Kümmel, Werner Georg, Verheißung und Erfüllung (AThANT 6), Zürich [3]1956.

Kümmel, Werner Georg, "Das Gesetz und die Propheten gehen bis Johannes" - Lukas 16,16 im Zusammenhang der heilsgeschichtlichen Theologie der Lukasschriften: Georg Braumann (Hrsg.), Das Lukas-Evangelium (WdF 280), Darmstadt 1974, 398-415, hier zit. nach: Erich Gräßer, Otto Merk (Hrsg.), Heilsgeschehen und Geschichte, Bd. II (MThSt 16), Marburg 1978, 75-86.

Kümmel, Werner Georg, Jesu Antwort an Johannes den Täufer: SbWGF, Bd. XI, Nr. 4, Wiesbaden 1974, 129-159, hier zit. nach: Erich Grässer, Otto Merk (Hrsg.), Heilsgeschehen und Geschichte, Bd. II (MThSt 16), Marburg 1978, 177-200.

Kümmel, Werner Georg, Einleitung in das Neue Testament, Heidelberg [21]1983 (Neudr. Berlin 1989).

Kuhn, Peter, Offenbarungsstimmen im Antiken Judentum (TSAJ 20), Tübingen 1989.

Lang, Friedrich, Art. πῦρ: ThWNT VI (1959), 927-948.

Lang, Friedrich, Erwägungen zur eschatologischen Verkündigung Johannes des Täufers: Georg Strecker (Hrsg.), Jesus Christus in Historie und Theologie, FS Hans Conzelmann, Tübingen 1975, 460-473.

Laurentin, René, Struktur und Theologie der lukanischen Kindheitsgeschichte, Stuttgart 1967.

La Verdiere, Eugene A., John the Prophet: BiTod 77 (1975), 323-330.

Lemaire, André, Les écoles et la formation de la Bible dans l'Ancien Israël (OBO 39), Fribourg/ Schweiz, Göttingen 1981.

Levenson, Jon D., On the Promise of the Rechabites: CBQ 38 (1976), 508-514.

Levine, Etan, The Aramaic Version of the Bible (BZAW 174), Berlin, New York 1988.

Lichtenberger, Hermann, Täufergemeinden und frühchristliche Täuferpolemik im letzten Drittel des 1. Jahrhunderts: ZThK 84 (1987), 36-57.

Liebreich, Leon J., The Impact of Nehemiah 9,5-37 on the Liturgy of the Synagogue: HUCA 32 (1961), 227-237.

Lohfink, Norbert, Art. חרם: ThWAT III (1982), 192-213.

Lohmeyer, Ernst, Zur evangelischen Überlieferung von Johannes dem Täufer: JBL 51 (1932), 300-319.

Lohmeyer, Ernst, Das Evangelium nach Matthäus (KEK Sonderband, hrsg. v. Werner Schmauch), Göttingen 1956.

Lohmeyer, Ernst, Das Evangelium nach Markus (KEK 1/2), Göttingen [17]1967.

Long, Burke O., Art. Berufung I. Altes Testament: TRE V (1980). 676-684.

Luz, Ulrich, Das Evangelium nach Matthäus (KEK 1), Bd. 1, Neukirchen-Vluyn, Zürich u.a. 1985.

Madden, Frederic A., History of Jewish Coinage, New York 1864 (Neudr. New York 1964).

Maier, Johann, Das Judentum, Bindlach [3]1988.

Maier, Johann, Tempel und Tempelkult: ders., Josef Schreiner (Hrsg.), Literatur und Religion des Frühjudentums, Würzburg, Gütersloh 1973, 371-390.

Maier, Johann, Zwischen den Testamenten, Würzburg 1990.

Mann, Jacob, The Bible as Read and Preached in the Old Synagogue, Bd. I, Cincinnati 1940 (Neudr. New York 1971).

Mantel, Hugo, Art. Fasten /Fasttage II. Judentum: TRE XI (1983), 45-48.

Mayer, Günter, Art. ירד: ThWAT III (1982), 894-901.

Mayer, Günter, Art. נזר: ThWAT V (1986), 329-334.

Mayer, Günter, Art. Josephus Flavius: TRE XVII (1988), 258-264.

McCarter Jr., Peter Kyle, II Samuel (AncB 9), Garden City, N.Y. 1984.

McCown, Chester C., The Scene of John's Ministry and Its Relation to the Purpose and Outcome of His Mission: JBL 59 (1940), 113-131.

McNamara, Martin, Intertestamental Literature, Wilmington, Del., 1983.

Meade, David G., Pseudonymity and Canon (WUNT 39), Tübingen 1986.

Merklein, Helmut, Gericht und Heil. Zur heilsamen Funktion des Gerichts bei Johannes dem Täufer, Jesus und Paulus: JBTh 5 (1990), 71-92.

Meyer, Rudolf, Der Prophet aus Galiläa, Leipzig 1940.

Meyer, Rudolf, Art. προφήτης κτλ. D. Prophetentum und Propheten im Judentum der hellenistisch-römischen Zeit: ThWNT VI (1959), 813-828.

Michel, Diethelm, Das Rätsel Deuterojesaja: ThViat 13 (1975/76), 115-132.

Michel, Diethelm, Art. Deuterojesaja: TRE VIII (1981), 510-530.

Michel, Otto, Prophet und Märtyrer (BFChTh 37,2), Gütersloh 1932.

Michel, Otto, Art. μηλωτή: ThWNT IV (1942), 640-641.

Michel, Otto, Spätjüdisches Prophetentum: Walther Eltester (Hrsg.), Neutestamentliche Studien für Rudolf Bultmann (BZNW 21), Berlin 1954, 60-66.

Michel, Otto, Der Brief an die Hebräer (KEK XIII), Göttingen [12]1966.

Moore, Ernest, ΒΙΑΖΩ, ΑΡΠΑΖΩ and Cognates in Josephus: NTS 21 (1975), 519-543.

Morris, Nathan, The Jewish School, New York 1937 (Neudr. New York 1964).

Müller, Hans-Peter, Art. נביא: ThWAT V (1986), 140-163.

Münchow, Christoph, Ethik und Eschatologie, Göttingen 1981.

Murphy-O'Connor, Jerome, John the Baptist and Jesus: History and Hypotheses: NTS 36 (1990), 359-374.

Mussies, Gerard, Greek in Palestine and the Diaspora: Shmuel Safrai, Menahem Stern (Hrsg.), The Jewish People in the First Century (CRI 1), Bd. 2, Assen/Maastricht, Philadelphia 1987, 1040-1064.

Mußner, Franz, Der nicht erkannte Kairos (Mt 11,16-19 = Lk 7,31-35): Pontificio Instituto Biblico (Hrsg.), Studia Biblica et orientalia II (AnBib 11), Rom 1959, 31-44.

Myers, Jacob M., II Chronicles (AncB 13), Garden City, N.Y. [7]1981.

Nebe, Gottfried, Prophetische Züge im Bilde Jesu bei Lukas (BWANT 127), Stuttgart u.a. 1989.

Nestle, Eberhard, Zum Mantel aus Kamelhaaren: ZNW 8 (1907), 238.

Neuhäusler, Engelbert, Art. Berufung: LThK[2] II (1958), 280-283.

Neusner, Jacob, A History of the Mishnaic Laws of Purities, Leiden 1977.

Neusner, Jacob, Die Verwendung des späteren rabbinischen Materials für die Erforschung des Pharisäismus im 1. Jahrhundert n. Chr.: ZThK 76 (1979), 292-309.

Nickelsburg, George W.E., Jewish Literature Between the Bible and the Mishnah, Philadelphia 1981.

Nickelsburg, George W.E., Stories of Biblical and Early Post-Biblical Times: Michael E. Stone (Hrsg.), Jewish Writings of the Second Temple Period (CRI II,2), Assen/Maastricht, Philadelphia 1984, 33-87.

Nickelsburg, George W.E., Resurrection, Immortality and Eternal Life in Intertestamental Judaism, Cambridge, London 1972.

Nilsson, Martin P., Geschichte der griechischen Religion, Bd. 2, Die hellenistische und römische Zeit (HAW V 2.2), München [2]1961 (Neudr. München [4]1988).

Nock, Arthur Darby, The Roman Army and the Roman Religious Year: Zeph Stewart (Hrsg.), Essays on Religion and the Ancient World, Bd. 2, Oxford [2]1986, 736-790.

Noth, Martin, Amt und Berufung im Alten Testament: ders., Gesammelte Studien zum Alten Testament (TB 6), München [2]1960, 309-333.

Noth, Martin, Könige, I. Teilband (BK.AT IX/1), Neukirchen-Vluyn 1968.

Noth, Martin, Das zweite Buch Mose, Exodus (ATD 5), Göttingen [8]1988.

Nützel, Johannes M., Zum Schicksal der eschatologischen Propheten: BZ.NF 20 (1976), 59-94.

Oberlinner, Lorenz: Todeserwartung und Todesgewißheit Jesu. Zum Problem einer historischen Beurteilung (SBB 10), Stuttgart 1980.

Oeming, Manfred, Das wahre Israel, Die >genealogische Vorhalle< 1 Chronik 1-9 (BWANT 128), Stuttgart u.a. 1990.

O'Fearghail, Fearghus, The Introduction to Luke-Acts (AnBib 126), Rom 1991.

Ohler, Annemarie, Gattungen im Alten Testament, Bd. II, Düsseldorf 1973.

Oswald, Nico, Art. Elia 2. Judentum: TRE IX (1982), 502-504.

Oswalt, John N., The Book of Isaiah Chapters 1-39 (NIC 10,1), Grand Rapids, Mich. 1986.

Otto, Eberhard, Biographien: HO I, Ägyptologie, 2. Literatur, Leiden 1952, 148-157.

Otto, Rudolf, Reich Gottes und Menschensohn, München [3]1954.

Paschen, Winfried, Rein und Unrein (StANT 24), München 1970.

Perlitt, Lothar, Mose als Prophet: EvTh 31 (1971), 588-608.

Perrot, Charles, The Reading of the Bible in the Ancient Synagogue: Martin J. Mulder (Hrsg.), Mikra, Text, Translation, Reading and Interpretation of the Hebrew Bible in Ancient

Judaism and Early Christianity (CRI II,1), Assen/Maastricht, Philadelphia 1988, 137-159.

Planhol, Xavier de, Art. Deserts: EncRel[2] IV (1987), 304-307.

Plein, Ina, Erwägungen zur Überlieferung von IReg 11₂₆ - 14₂₀: ZAW 78 (1966), 8-24.

Plöger, Otto, Das Buch Daniel (KAT XVIII), Gütersloh 1965.

Polk, Timothy, The Prophetic Persona (JSOTS 32), Sheffield 1984.

Porton, Gary G., Midrash, Palestinian Jews and the Hebrew Bible in the Greco-Roman Period: ANRW II 19.2 (1979), 103-138.

Preuß, Horst Dietrich, Jahweglaube und Zukunftserwartung (BWANT 87), Stuttgart u.a. 1968.

Preuß, Horst Dietrich, Art. צום: ThWAT VI (1989), 959-963.

Procksch, Otto, Art. λέγω κτλ. C. "Wort Gottes" im AT: ThWNT IV (1942), 89-100.

Rabin, Chaim, Hebrew and Aramaic in the First Century: Shmuel Safrai, Menahem Stern (Hrsg.), The Jewish People in the First Century (CRI 1), Bd. 2, Assen/Maastricht, Philadelphia 1987, 1007-1039.

Rad, Gerhard von, Art. ἡμέρα A. "Der Tag" im AT: ThWNT II (1935), 945-949.

Rad, Gerhard von, Die falschen Propheten: ZAW 51 (1933), 109-120.

Rad, Gerhard von, Der Heilige Krieg im Alten Israel (AThANT 20), Zürich 1951.

Rad, Gerhard von, Theologie des Alten Testaments, 2 Bde., München [7]1978.1980.

Rad, Gerhard von, Das erste Buch Mose, Genesis (ATD 2-4), Göttingen [12]1987.

Ratschow, Carl Heinz, Art. Exorzismus I. Religionsgeschichtlich: RGG[3] II (1958), 832f.

Reicke, Bo, Art. Elia 2. Im Judentum: BHH I (1962), 397-398.

Reicke, Bo, Art. Wortempfang 2. Judentum: BHH III (1966), 2186-2187.

Reicke, Bo, Art. Wüste 2. Religiös: BHH III (1966), 2149.

Reicke, Bo, Die Verkündigung des Täufers nach Lukas: SNTU 1 (1976), 50-61.

Reicke, Bo, Die jüdischen Baptisten und Johannes der Täufer: SNTU 1 (1976), 76-88.

Reiser, Marius, Die Gerichtspredigt Jesu (NTA N.F. 23), Münster 1990.

Reitzenstein, Richard, Die hellenistischen Mysterienreligionen, Leipzig [3]1927 (Neudr. Darmstadt 1977).

Rendtorff, Rolf, Priesterliche Kulttheologie und prophetische Kultpolemik: ThLZ 81 (1956), 339-342.

Rendtorff, Rolf, Art. προφήτης κτλ. B. נָבִיא im Alten Testament: ThWNT VI (1959), 796-813.

Rengstorf, Karl Heinrich, Art. μαθητής κτλ. C. Der Begriff im Neuen Testament: ThWNT IV (1942), 444-465.

Riaud, Jean, Paraleipomena Jeremiou: Marinus De Jonge (Hrsg.), Outside the Old Testament (Cambridge Commentaries on Writings of the Jewish and Christian World 200 B.C. to A.D. 200), Cambridge u.a. 1985, 213-230.

Richter, Georg, Bist du Elias?, in: ders., Studien zum Johannesevangelium (BU 13), Regensburg 1977, 1-41.

Ringgren, Helmer, Art. Gottesspruch, Orakel: BHH I (1962), 598-600.

Ringgren, Helmer, Israelitische Religion (RM 26), Stuttgart u.a. 1982.

Robinson, John A.T., Eliah, John and Jesus: An Essay in Detection: NTS 4 (1957/58), 263-281.

Robinson, Theodore H., Die Zwölf Kleinen Propheten, Hosea - Micha (HAT 14), Tübingen [2]1954, 1-152.

Rofé, Alexander, Classes in the Prophetical Stories: Didactic Legends and Parables: SVTP 26 (1974), 143-164.

Rofé, Alexander, The Prophetical Stories, Jerusalem 1988.

Rordorf, Willy, Art. Jahreszeiten: BHH II (1964), 795.

Rothstein, Johann Wilhelm, Juden und Samaritaner. Die grundlegende Scheidung von Judentum und Heidentum: BWAT 3 (1908), 5-41.

Rowley, Harold H., A Note on the Septuagint Text of 1 Sam XV 22A: VT 1 (1951), 67-68.

Rudolph, Kurt, Antike Baptisten: SSAW.PH 121, Heft 4, Berlin 1981.

Rudolph, Wilhelm, Jeremia (HAT 12), Tübingen [3]1968.

Sæbø, Magne, Art. יום: ThWAT III (1982), 559-586.

Safrai, Shmuel, The Synagogue: ders., Menahem Stern (Hrsg.), The Jewish People in the First Century (CRI 1), Bd. 2, Assen/Maastricht, Philadelphia 1987, 908-944.

Safrai, Shmuel, Die Wallfahrt im Zeitalter des Zweiten Tempels (Forschungen zum jüdisch-christlichen Dialog 3), Neukirchen-Vluyn 1981.

Safrai, Shmuel, Home and Family: ders., Menahem Stern (Hrsg.), The Jewish People in the First Century (CRI 1), Bd 1, Assen/Maastricht, Philadelphia 1974, 728-792.

Safrai, Shmuel, Religion in Everyday Life: ders., Menahem Stern (Hrsg.), The Jewish People in the First Century (CRI 1), Bd. 2, Assen/Maastricht, Philadelphia 1987, 793-833.

Sahlin, Harald, Die Früchte der Umkehr, Die ethische Verkündigung Johannes des Täufers nach Lk 3:10-14: StTh 1 (1947), 54-68.

Sand, Alexander, Das Evangelium nach Matthäus (RNT 1), Regensburg 1986 (Neudr. Leipzig 1989).

Sato, Migaku, Q und Prophetie (WUNT 2. Reihe 29), Tübingen 1988.

Satran, David, The Lives of the Prophets: Michael E. Stone (Hrsg.), Jewish Writings of the Second Temple Period (CRI II,2), Assen/Maastricht, Philadelphia 1984, 56-60.

Scheffler, Eben H., The Social Ethics of the Lucan Baptist: Neotestamentica 24 (1990), 21-36.

Schenk, Wolfgang, Gefangenschaft und Tod des Täufers: NTS 29 (1983), 453-483.

Schmauch, Werner, In der Wüste. Beobachtungen zur Raumbeziehung des Glaubens im Neuen Testament: ders. (Hrsg.), In memoriam Ernst Lohmeyer, Stuttgart 1951, 202-223.

Schmauch, Werner, Orte der Offenbarung und der Offenbarungsort im Neuen Testament, Göttingen 1956.

Schmidt, Karl Ludwig, Der Rahmen der Geschichte Jesu, Berlin 1919 (Neudr. Darmstadt 1969).

Schmidt, Ludwig, Art. Königtum II. Altes Testament: TRE XIX (1990), 327-333.

Schmidt, Werner H., Kritik am Königtum: Hans Walter Wolff (Hrsg.), Probleme biblischer Theologie, FS Gerhard von Rad, München 1971, 440-461.

Schmidt, Werner H., Zukunftsgewißheit und Gegenwartskritik (BSt 64), Neukirchen-Vluyn 1973.

Schmidt, Werner H., Art. דבר II. Die Wurzel: ThWAT II (1977), 101-133.

Schmidt, Werner H., Einführung in das Alte Testament, Berlin, New York [3]1985.

Schmidt, Werner H., Exodus 1,1-6,30 (BK.AT II/1), Neukirchen-Vluyn 1988.

Schmithals, Walter, Das Evangelium nach Markus (ÖTK 2), 2 Bde., Gütersloh, Würzburg 1979.

Schnackenburg, Rudolf, Die Erwartung des "Propheten" nach dem Neuen Testament und den Qumran-Texten: StEv 73 (1959), 622-639.

Schneemelcher, Wilhelm, Evangelien (Einleitung): ders. (Hrsg.), Neutestamentliche Apokryphen I, Tübingen [5]1987, 65-75.

Schneider, Gerhard, Das Evangelium nach Lukas (ÖTK 3), Gütersloh, Würzburg 1977, [2]1984.

Schnider, Franz, Jesus der Prophet (OBO 2), Fribourg/Schweiz, Göttingen 1973.

Schönle, Volker, Johannes, Jesus und die Juden, Die theologische Position des Matthäus und des Verfassers der Redenquelle im Lichte von Mt 11 (Beiträge zur biblischen Exegese und Theologie 17), Frankfurt a.M., Bern 1982.

Schoeps, Hans-Joachim, Die jüdischen Prophetenmorde: ders., Aus frühchristlicher Zeit, Tübingen 1950, 126-143.

Schottroff, Willy, Art. Gottmensch I. Alter Orient und Judentum: RAC XII (1983), 155-234.

Schrage, Wolfgang, Art. Συναγωγή κτλ.: ThWNT VII (1964), 798-850.

Schrage, Wolfgang, Ethik des Neuen Testaments (NTD Erg.Bd. 4), Göttingen [4]1982 (Neudr. Berlin 1985).

Schreiner, Stefan, Mischehen - Ehebruch - Ehescheidung. Betrachtungen zu Mal 2,10-16: ZAW 91 (1979), 207-228.

Schrenk, Gottlob, Art. βιάζομαι, βιαστής: ThWNT I (1933), 608-613.

Schrenk, Gottlob, Art. ἱερός κτλ.: ThWNT III (1938), 221-284.

Schüling, Joachim, Studien zum Verhältnis von Logienquelle und Markusevangelium (fzb 65), Würzburg 1991.

Schüngel-Straumann, Helen, Gottesbild und Kultkritik vorexilischer Propheten (SBS 60), Stuttgart 1972.

Schürer, Emil, The History of the Jewish People in the Age of Jesus Christ, Revised and Edited by Geza Vermes, Fergus Millar and Matthew Black, 3 Bde. in 4, Edinburgh 1973-1987.

Schürmann, Heinz, Die vorösterlichen Anfänge der Logientradition: ders., Traditionsgeschichtliche Untersuchungen zu den synoptischen Evangelien, Düsseldorf 1968, 39-65.

Schürmann, Heinz, Das Lukasevangelium (HThK 3,1), Freiburg i.Br. u.a. 1969.

Schwarz, Günther, >Und Jesus sprach< (BWANT 118), Stuttgart u.a. 1985.

Schweizer, Eduard, Art. πνεῦμα κτλ. E. Das Neue Testament: ThWNT VI (1959), 394-453.

Schweizer, Eduard, Zum Aufbau von Lukas 1 und 2: ders., Neues Testament und Christologie im Werden, Göttingen 1982, 11-32.

Seebaß, Horst, Zur Königserhebung Jerobeams I.: VT 17 (1967), 325-333.

Seebaß, Horst, Art. Elia 1. Altes Testament: TRE IX (1982), 498-502.

Seebaß, Horst, Art. Elisa: TRE IX (1982), 506-509.

Seebaß, Horst, Genesis (KAT 1), Gütersloh [im Druck].

Seidelin, Paul, Der 'Ebed Jahwe und die Messiasgestalt im Jesajatargum: ZNW 35 (1936), 194-231.

Sekine, Masao, Das Problem der Kultkritik bei den Propheten: EvTh 28 (1968), 605- 609.

Seybold, Klaus, Das davidische Königtum im Zeugnis der Propheten (FRLANT 107), Göttingen 1972.

Shae, Gam Seng, The Question on the Authority of Jesus: NT 16 (1974), 1-29.

Smend, Rudolf, Die Entstehung des Alten Testaments, Stuttgart u.a. 1978.

Smith, Morton, Palestinian Judaism in the First Century, New York 1956.

Smolar, Leivy, Aberbach, Moses, Studies in Targum Jonathan to the Prophets, New York, Baltimore 1983.

Spolsky, Bernard, Triglossia and Literacy in Jewish Palestine of the First Century: IJSL 42 (1983), 95-109.

Stählin, Gustav, Art. σάκκος: ThWNT VII (1964), 56-64.

Stauffer, Ethelbert, Märtyrertheologie und Täuferbewegung: ZKG 52 (1933), 545-598.

Steck, Odil Hannes, Israel und das gewaltsame Geschick der Propheten (WMANT 23), Neukirchen-Vluyn 1967.

Steck, Odil Hannes, Der Abschluß der Prophetie im Alten Testament (BThSt 17), Neukirchen-Vluyn 1991.

Steins, Georg, Art. צפה: ThWAT VI (1989), 1087-1093.

Stemberger, Günter, Geschichte der jüdischen Literatur, München 1977.

Stern, Menahem, Aspects of Jewish Society, The Priesthood and Other Classes: ders., Shmuel Safrai (Hrsg.), The Jewish People in the First Century (CRI 1), Bd 2, Assen/Maastricht, Philadelphia 1987, 561-630.

Stoebe, Hans Joachim, Das erste Buch Samuelis (KAT VIII 1), Gütersloh 1973.

Stoessl, Franz, Zur Bedeutung von griech. βία: Die Sprache 6 (1960), 67-74.

Stolz, Fritz, Art. צום: THAT II (^{2}1979), 536-538.

Stolz, Fritz, Das erste und zweite Buch Samuel (ZBK.AT 9), Zürich 1981.

Stone, Michael E., Art. Baruch, Rest of the Words of: EJ IV (1971), 276-277.

Stone, Michael E., Art. Isaiah, Martyrdom of: EJ IX (1971), 71-72.

Stone, Michael E., Art. Prophets, Lives of the: EJ XIII (1971), 1149-1150.

Stone, Michael E., Apocalyptic Literature: ders., Jewish Writings of the Second Temple Period (CRI II,2), Assen/Maastricht, Philadelphia 1984, 383-441.

Stowasser, Martin, Johannes der Täufer im Vierten Evangelium (ÖBS 12), Klosterneuburg 1992.

Strack, Hermann Lebrecht, Billerbeck, Paul, Kommentar zum Neuen Testament aus Talmud und Midrasch, 4 Bde. in 5, München 1922-1928.

Strecker, Georg, Literaturgeschichte des Neuen Testaments (UTB 1682), Göttingen 1992.

Surkau, Hans-Werner, Martyrien in jüdischer und frühchristlicher Sicht (FRLANT 54), Göttingen 1938.

Talmon, Shemaryahu, The ''Desert Motif'' in the Bible and in Qumran Literature: Alexander Altmann (Hrsg.), Biblical Motifs (STLI 3), Cambridge 1966, 31-63.

Talmon, Shemaryahu, Art. מדבר, ערבה: ThWAT IV (1984), 660-695.

Teeple, Howard M., The Mosaic Eschatological Prophet (JBL M.S. 10), Philadelphia 1957.

Theißen, Gerd, Das >schwankende Rohr< in Mt. 11,7 und die Gründungsmünzen von Tiberias: ZDPV 101 (1985), 43-55.

Theißen, Gerd, Lokalkolorit und Zeitgeschichte in den Evangelien (NTOA 8), Fribourg/Schweiz, Göttingen 1989.

Then, Reinhold, >Gibt es denn keinen mehr unter den Propheten?<, Zum Fortgang der alttestamentlichen Prophetie in frühjüdischer Zeit (BEATAJ 22), Frankfurt a.M. u.a. 1990.

Thyen, Hartwig, ΒΑΠΤΙΣΜΑ ΜΕΤΑΝΟΙΑΣ ΕΙΣ ΑΦΕΣΙΝ ΑΜΑΡΤΙΩΝ: Erich Dinkler (Hrsg.), Zeit und Geschichte, FS Rudolf Bultmann, Tübingen 1964, 97-125.

Tilly, Michael, Kanaanäer, Händler und der Tempel in Jerusalem: BiNo 57 (1991), 30-36.

Tilly, Michael, >Was seid ihr hinausgegangen in die Wüste zu sehen?<. Die Bedeutung des Wüstenaufenthaltes Johannes' des Täufers und die Frage nach den Möglichkeiten und Grenzen biblischer Exegese: RHS 35 (1992), 271- 281.

Torrey, Charles Cutler, The Apocryphal Literature, New Haven 1945.

Tov, Emanuel, The Septuagint: Martin J. Mulder (Hrsg.), Mikra, Text, Translation, Reading and Interpretation of the Hebrew Bible in Ancient Judaism and Early Christianity (CRI II,1), Assen/Maastricht, Philadelphia 1988, 161-188.

Trebilco, Paul, Jewish Communities in Asia Minor (MSSNTS 69), Cambridge 1991.

Van Henten, Jan Willem (Hrsg.), Die Entstehung der jüdischen Martyrologie, (SPB 38), Leiden 1989.

Vielhauer, Philipp, Das Benedictus des Zacharias: ZThK 49 (1952), 255-272.

Vielhauer, Philipp, Art. Johannes der Täufer: RGG[3] III (1959), 804-808.

Vielhauer, Philipp, Tracht und Speise Johannes des Täufers: ders., Aufsätze zum Neuen Testament (TB 31), München 1965, 47-54.

Vielhauer, Philipp, Geschichte der urchristlichen Literatur, Berlin, New York [4]1985.

Völkel, Martin, Anmerkungen zur lukanischen Fassung der Täuferanfrage: Theokratia II, FS Karl Heinrich Rengstorf, Leiden 1973, 166-173.

Volz, Paul, Die radikale Ablehnung der Kultreligion durch die alttestamentlichen Propheten: ZSTh 14 (1937), 63-85.

Wallis, Gerhard, Art. Rechab: BHH III (1966), 1559.

Walter, Nikolaus, >Hellenistische Eschatologie< im Frühjudentum: ThLZ 110 (1985), 331-347.

Walter, Nikolaus, Mk 1,1-8 und die >Agreements< von Mt 3 und Lk 3: F. van Segbroeck u.a. (Hrsg.), The Four Gospels, FS Frans Neirynck (BEThL 100), Bd. 1, Leiden 1992, 457-478.

Webb, Robert L., John the Baptizer and Prophet (JSNTS 62), Sheffield 1991.

Webb, Robert L., The Activity of John the Baptist's Expected Figure at the Threshing Floor (Matthew 3.12 = Luke 3.17): JSNT 43 (1991), 103-111.

Weippert, Helga, Art. Kleidung: BRL[2] (1977), 185-188.

Weiser, Artur, Samuels >Philister-Sieg<: ZThK 56 (1959), 253-272.

Weiser, Artur, Das Buch des Propheten Jeremia (ATD 20/21), Göttingen [4]1960.

Weiser, Artur, Das Buch der zwölf Kleinen Propheten, I: Die Propheten Hosea - Micha (ATD 24), Göttingen [4]1963.

Westermann, Claus, Grundformen prophetischer Rede (BEvTh 31), München 1960.

Westermann, Claus, Genesis 1-11 (BK.AT I/1) Neukirchen-Vluyn [3]1983.

Westermann, Claus, Genesis 12-36 (BK.AT I/2), Neukirchen-Vluyn [2]1989.

Westermann, Claus, Genesis 37-50 (BK.AT I/3), Neukirchen-Vluyn 1982.

Wiefel, Wolfgang, Das Evangelium nach Lukas (ThHK 3), Berlin 1988.

Wilckens, Ulrich, Art. σοφία κτλ. E. Neues Testament: ThWNT VII (1964), 514-529.

Wildberger, Hans, Art. Elia 1. Prophet aus Thisbe in Gilead: BHH I (1962), 396-397.

Wildberger, Hans, Jesaia 1-12 (BK.AT X/1), Neukirchen-Vluyn 1972.

Wildberger, Hans, Jesaia 13-27 (BK.AT X/2), Neukirchen-Vluyn 1978.

Wildberger, Hans, Jesaia 28-39 (BK.AT X/3), Neukirchen-Vluyn 1982.

Wink, Walter, John the Baptist in the Gospel Tradition (MSSNTS 7), Cambridge 1968.

Winter, Paul, Some Observations on the Language in the Birth and Infancy Stories of the Third Gospel: NTS 1 (1954), 111-121.

Wolff, Christian, Jeremia im Frühjudentum und Urchristentum (TU 118), Berlin 1976.

Wolff, Christian, Irdisches und himmlisches Jerusalem - Die Heilshoffnung in den Paralipomena Jeremiae: ZNW 82 (1991), 147-158.

Wolff, Hans Walter, Jesaja 53 im Urchristentum, Gießen [4]1984.

Wolff, Hans Walter, Das Thema "Umkehr" in der alttestamentlichen Prophetie: ZThK 48 (1951), 129-148.

Wolff, Hans Walter, Dodekapropheton 1, Hosea (BK.AT XIV/1), Neukirchen-Vluyn 1961.

Wolff, Hans Walter, Dodekapropheton 2, Joel und Amos (BK.AT XIV/2), Neukirchen-Vluyn 1969.

Wolff, Hans Walter, Dodekapropheton 3, Obadja, Jona (BK.AT XIV/3), Neukirchen-Vluyn 1977.

Wolff, Hans Walter, Dodekapropheton 4, Micha (BK.AT XIV/4), Neukirchen-Vluyn 1982.

Wolff, Hans Walter, Art. Haggai/Haggaibuch: TRE XIV (1985), 355-360.

Wolff, Hans Walter, Dodekapropheton 6, Haggai (BK.AT XIV/6), Neukirchen Vluyn 1986.

Würthwein, Ernst, Art. μετανοέω κτλ.: B. Buße und Umkehr im Alten Testament: ThWNT IV (1942), 976-985.

Würthwein, Ernst, Amos 5,21-27: ThLZ 72, 143-152.

Würthwein, Ernst, Der Ursprung der prophetischen Gerichtsrede: ZThK 49 (1952), 1-16.

Würthwein, Ernst, Kultpolemik oder Kultbescheid: ders., Otto Kaiser (Hrsg.), Tradition und Situation, FS Artur Weiser, Göttingen 1963, 115-131.

Würthwein, Ernst, Der Text des Alten Testaments, Stuttgart ⁴1973.

Würthwein, Ernst, Das erste Buch der Könige, Kap. 1-16 (ATD 11/1), Göttingen 1985.

Würthwein, Ernst, Die Bücher der Könige, 1Kön 17 - 2Kön 25 (ATD 11/2), Göttingen 1984.

Zeller, Dieter, Die Ankündigung der Geburt - Wandlungen einer Gattung: Rudolf Pesch (Hrsg.), Zur Theologie der Kindheitsgeschichten, München, Zürich 1981, 27-48.

Zimmerli, Walther, Ezechiel 1-24 (BK.AT XIII/1), Neukirchen-Vluyn 1969.

Zobel, Hans-Jürgen, Die Zeit der Wüstenwanderung Israels im Lichte prophetischer Texte: VT 41 (1991), 192-202.

Register

Schlagworte

Aaronide 119
Abendmahl 141
Abfall 147.164
Ablehnung 103
Abrahamskindschaft 71.224
Abstammung 119.146.148. 150-153.156
Abstinenz 178-180.182
Adoption 44-46.135
Adoptionsformel 44
Äquinoktium 109
Alkohol 103.123-127.144.176
Alter 106.146.152-154.156
Amt 28.160.169f.172.239
Angelophanie 120f.151-153.155. 156f.161
Angelus interpres 121
Anklage 58.228
Ankündigung 108.145.152f. 156.163.195
Anthropomorphismus 39.218
Apokalypse 29.43.73
Apokryphen 21
Apollonius von Tyana 14f.
Apostel 45
Armut 52
Askese 51.102-104.176. 180f.185.194.252
Audition 159.162
Auferstehung 101.105.123
Auftrag 159.162-167
Ausbildung 17
Auserwählung 146
Aussendung 52
Autorität 27-30.43.48.56.62. 64.68.87.90.108.125.158-160. 168f.179.191f.194.231.233. 236.246.252
Bannus 185
Baum 71.74f.
Beauftragung 28.36.104.151. 158-167.185f.233.244.250f.
Bedrohung 140.176f.199.218.243
Begräbnis 57
Beistand 126.161.163.177.188
Bekehrung 140.165
Belialgemeinde 96
Benedictus 108.124.130-132.157
Berufung 28.148f.161f.165. 188.236

Berufungserzählung 150.159
Beschneidung 24.107f.129f. 146.211
Besessener 54f.
Besitzlosigkeit 52
Bestimmung 147.152f.155f.
Bestrafung 103.181.200.203f. 227.229f.234.243
Bevölkerung 16.24.27.35
Bevollmächtigung 36.164.166. 174.230
Bildung 16.19
Biographie 28f.105.112.145. 147f.151.153f.156-158. 190.197.206.225.237. 239.246
Blut 182
Bote 32.88.90.101.106. 112.158.162.185.219
Botschaft 59.103.132.144. 162-164
Botenformel 226
Botenspruch 28.120
Brandopfer 122
Brandopferaltar 36
Brot 177-180.183
Bund 130.133.161.192.211. 217.220f.224.232.242.253
Buße 34.45.50-52.71.73f.104. 145.172-175.177f.182-185. 194-196.202.204f.208.210. 214.218.222-224.226.233. 237.250-252.254
Bußgesinnung 75
Bußprediger 47.67.195.236.238. 246f.249
Bußpredigt 47.55.69.70-76.83f. 103.132.135-137. 137.167.192.250
Bußritus 49.199.212.218
Bußruf 51.61.64.85.141.167.179
Bußtaufe 34.43.51.79.192. 249.252
Bußwerke 75.177
Bußwilliger 45.76
Christologie 81
Christusverkündigung 42f.60. 72.112.141.143.145. 157.176.148f.250
Dämonen 54.56.64

Dämonenaustreibung 55f.
Diglossia 19
Drohwort 72.74.101.167.173. 185.200f.203f.206. 208.227f.
Ehebruch 59.166.177
Einsetzungsbericht 148
Ekpyrosis 42.75
Elias redivivus 31.33.38.60-62. 68.78.100.114.124. 126f.144.168.175
Eltern 106.108.119.152-156
Empfängnis 106.108f.146f. 152-156
Endereignisse 51.100.167.175
Endgericht 37.73.83.121. 133.141
Endzeit 33.48.55.62.121.182.190
Engel 34.54.106-108.119-123. 127.129f.147f.151. 156f.179.190
Enthaltsamkeit 102
Enthauptung 57
Entsündigung 35f.46.65.209f.
Entsündigungsritus 36f.169.223
Epiphanie 186
Erstgeborener 119.122.129f.170
Erwählung 125.148f.152f. 155f.158
Erzväter 105.120
Eschatologie 9.40f.74.140
Ethik 140.222
Evangeliumsverkündigung 84. 125
Exil 189f.205f.
Exodus 185.188.191f.205. 208.252f.
Exodustypologie 167.174. 190.195
Exorzismus 45.52.54-56.64. 85.195
Familie 133
Fasten 48-51.68.102.172. 176-179.181-185.214. 216.218.221.252
Fastenfrage 31.48-51.220
Fastengebot 49.51
Fastenritus 49.51
Fastenverzicht 49
Feldrede 139f.

Stellen
1. Hebräische Bibel

Genesis		25,21	120A389.A390	16,10ff.	161
1,28	120A388	25,24	129	16,25	140A479
1,29f.	171.182	25,25	37.170	16,30	140A479
2,7	71A154	26,10	59A101	19,3	161
3,7	171	30,1f.	120A389	19,10	169A56.171
3,21	171.175.182	35,2	169A56	19,14	169A56.171
9,2ff.	182	37,34	168.172.173.174	19,24	97
9,4	182	38,2	66A133	20-23	211
11,27	146	41,42	168	20,2ff.	230
11,30	120A390			20,12-16	138A467
11,31	146.160A38	**Exodus**		20,13	230.233
12,1f.	160.161	2,1	146	20,15	230
12,2f.	160	2,2	146	22,8	169A56
12,6	160A38	2,10	146	22,25	169A56
12,7	160.161.211	2,11	146	23,14-16	215
12,8	187.211.211A189	3,1	161	23,20	32.34.89.89A233
13,3	160A38.187	3,1ff.	161	23,20ff.	32
13,10f.	186	3,2	161	23,26	119A388
13,14	161	3,5	81A198	24,1-8	211
13,14ff.	160.161	3,10	161	24,18	177
13,18	160A38.187.211	3,22	171	25-31	211
15,1-6	161	4,10	193	25,7	169
15,1	161.161A40	4,14	146	25,9	206
15,1ff.	161A39	4,15	162	28	167.169
15,4	161A46	4,15ff.	162	28,4	169
15,4f.	161	4,16	162A43	28,4-7	19A48
16,2	120A389	4,27	162	28,6	169
16,11	123A409	4,28	162	28,8	171
16,15	120	5,3ff.	188	28,12	169
17,1	161	6,2	161	28,15	169
17,9-14	211	6,2ff.	161	28,25-28	169
17,15-21	120	6,6	161	28,39	171
17,17	120A390.146	6,11	162	28,39-43	172
17,19	123A409.146	6,20	146	29,4	55A84
17,21	146	7,1	15A21.162A43	30,10	35
17,23-27	211	7,1f.	162	32	177.198.211
18,11	120A390	7,2	198	32,4	211A185
20,7	15A21	7,4	198	32,8	211A185
20,9	59A101	7,27	198	32,11ff.	211
21,1-7	120	8,17	198	32,30ff.	198
21,2	120.146	12,26f.	16	33,7-11	162
21,3f.	146	12,34	171	33,11	162
21,6	129	13,2-16	122A402	34,20	122A402
21,8ff.	146	13,4	35A18	34,28	177.179
21,8	132.134	13,8	35A18	34-40	211
21,9	120	13,17-15,21	188.206	39,1-31	169
21,14f.	161	14	190A140	39,2	169
21,20f.	187	14,8	35A18	39,7	169
22	220	14,21f.	188	39,18-22	169
22,15ff.	107	14,26ff.	188	39,27-29	172

	Leviticus
1ff.	212
1,3f.	215
2,3-5	19A48
2,7	19A48
3,4	19A48
3,9-13	19A48
4,6-8	19A48
4,10f.	19A48
4,18-20	19A48
4,26-29	19A48
5,8-10	19A48
5,18-24	19A48
5,25	35A22
6,11	122A404
6,22	122A404
7,6	122A404
8f.	211
10,8ff.	178
12,6-8	35A22
14,10-32	35A22
15,2-30	55A84
15,14f.	35A22
15,29f.	35A22
16	35.35A23
16,4	36.55A91.171.172
16,21	36
16,23f.	169A56
16,24	55A84
16,26	169A56
16,28	169A56
16,29ff.	50.177
18,16	56A88.59.224
18,25	59A101
18,27f.	59A101
19,5	215
19,19	180A108
20,21	56A88.59.120A389.224
22,19f.	215
23,2ff.	50
23,11	215
23,26-32	35
25,9	35
26,2-16	19A48
26,37	59A101

	Numeri
1-9	211
1,1	162
1,40	35A17
3,14	162
3,40-42	19A48.122A402
4,6-9	19A48
6	178
6,1-21	126A428.178
6,3	180
6,3f.	178
6,5	178
8,5-22	55A84
9,1	162
11,29	149A16
19	40
19,11-22	55A84
20,22ff.	162
20,26ff.	174
21,2	229
21,4	162
21,6	206
21,11	162
21,13	162
21,18ff.	162
26,59	146
27,21	151A29
28f.	212
29,7-11	35
29,7	50
31,20	171
31,23	79A184
33,50	162
35,34	59A101

	Deuteronomium
5,7ff.	230
5,16-20	138A467
5,17	230.233
5,19	230
6,7	16
6,20ff.	16
7,14	120A389
8,4	171.175
9,7ff.	211
9,9	177.179
9,18	177.179
9,25ff.	198.211
11,10	35A18
11,19	16
14,28f.	138A467
16,16f.	215
17,6	24A207.199A163
17,14-20	225
18,15	15A21.171
18,15ff.	27A76
19,15	84A207.199A163
20,3	229
21,13	169A56
21,17	170A60
22,9ff.	180A108
22,25	97
22,28	97
23,5	35A18
24,4	59A101
25,5	56A88.224
25,17	35A18
32	199A160
33,8	151A29
34,10	15A21.162
34,10ff.	193

	Josua
2,10	35A18
3	190A140
3f.	186.188
3,7	186
3,7-17	188A131
5,15	81A198
7,21	170
7,24	170
9,5	169A56
9,13	169A56.150A18

	Richter
3,10	135A449
6	188
6,8-10	188
13	120
13,2	120A390.148
13,3-5	148
13,4	125A418
13,5	125.125A416
13,7	123.125A418
13,14	125A418
13,24f.	132.134.148
16,7	148
17,1	150
19,18	219A221
20,26	181

	1. Samuel
1	120.122.147.162
1f.	147
1,1	147
1,2	120A390
1,6	120A389
1,9-15	123
1,11	125A418.128.147.148.178
1,17	147.162
1,20	147
1,28	147
2,1	128
2,1f.	128
2,1-10	127
2,2	128

2,3-10	128	7,1	15A21	18,13	239.239A298.240
2,5	128	7,4	163	18,16ff.	228
2,7f.	128	7,4ff.	187	18,18	59A101
2,11f.	147	11	226	18,21ff.	33.198
2,18	171	12,1	163.187.226	18,24	212
2,18f.	169	12,1-4	226	18,40	189
2,21	132.134.147	12,1-14	226	19	163
2,26	147	12,3	226	19,1ff.	60
2,35	113A361	12,5-6	226	19,2	60
3	162	12,7-8	226	19,3ff.	187
3,1ff.	162	12,9	226	19,4ff.	33
3,2	163	12,10-12	226	19,5ff.	179
3,11ff.	162	12,13	226	19,8	179
3,19	147	12,16	177	19,10	60.101A305.239.
3,20	15A21	12,20	178		239A298.240.241
3,20f.	199A160	12,22	177	19,13	37.169.170.171.173
3,21	162	24,11	163.187	19,14	239.240.241
7,3-6	199	24,11ff.	197	19,19	37.80A189.147.169.
7,5	199A159				170.171.172.173.174
7,5ff.	187A129	**1. Könige**		19,20	80.80A188
7,6	177.199.199A160	1,1-16	234	19,20f.	40
7,8f.	199A159	2,5	81A198	19,21	147
7,9	199.199A159	8,9	35A18	20	229.229A259.A260
7,9f.	199.226	11,4-7	211A186	20,17-24	229
7,15	199	11,29	15A21.150	20,21f.	187
7,16f.	187A129	11,29ff.	169.187.197	20,28	229
8-12	125	12,24	169A56.227.227A251	20,38	228
8,1	199	12,28	211A185	20,38f.	187
10,8	226	13,1	150	20,38-43	228
11,7	35A17	14,1-4	227	20,39f.	229
13,10-14	225	14,1-18	227.228	20,40	229
13,12	226	14,1-20	227	20,42	229
13,13	226	14,5	227	20,43	187.229
14,28	229	14,6	227	21	229.229A259.A260
14,41	151A29	14,7-13	197.227	21,1-16	229
15	125	14,8-9	228	21,4f.	229
15,3	229	16,1	163.197.228	21,9	177
15,10f.	163	16,1-4	228	21,12	177
15,13ff.	225	16,2	228	21,17-24	229
15,15	212	16,2-4	228	21,27	172.177.178
15,16	212	16,7	15A21.163.197.228	21,42	229
15,21	212	16,12	197	21,43	229
15,22	212	17,1	150	22	229.229A259
15,27f.	169	17,2	163	22,4-28	197
18,4	169	17,2ff.	33	22,5	15A21
18,23	199A159	17,6	179.183	22,8f.	15A21
28,6	151A29	17,8f.	163	22,8	234A277
28,14	169	17,17-24	56A87.124	22,10f.	188
31,13	181	18	212	22,11	65A129
		18ff.	15A21		
2. Samuel		18,1	163	**2. Könige**	
1,11f.	181	18,2	228	1,1-6	204.205
3,1	135A449	18,4	239.239A298.240	1,1-16	233.243
3,31	168.172	18,7	187	1,3	163.233

1,6	233	1,10	212	37f.	204.205.233.243
1,8	37.169.170.170A64.173	1,10-17	212.213	37,21ff.	200
1,15	163	1,11	212.213	37,30-32	200
1,16	198.207.230	1,12	212	38,1ff.	200
1,16f.	207	1,13	177.212	39,3ff.	200
1,17	230	1,13f.	212	39,3f.	231
2	33	1,15	212	39,5ff.	231
2ff.	15A21	1,16	212	40	167
2,1ff.	27A76	1,17	138A467.212	40,3	32.32A4.34.90.132A442.159.164.164A47.185.186.189
2,8	37.169.170.171.173.189	2,1	150.151A30		
2,8f.	80A188	3,24	172		
2,9	170	5,8	138A467	40,6	164
2,13f.	37.170.171.173	6,1-13	164	40,6ff.	164
2,14	189	7,1ff.	199	41,4	149A13
2,14f.	80A188	7,3	199	41,19	186
2,15	80A189.170	7,3ff.	199	42,18	84A211
2,25	187	8,1-4	199.200	43,19f.	186
3,11	163	8,5-8	200	43,22	213
3,12	163.188	9,4	41A40	43,22-25	213
3,17	189	9,5f.	78A180	43,23f.	213
4,14	120A390	9,18	41A40	43,24	213
4,17	120A390	10,16-19	41A40	44,2	148.149A13
4,38ff.	172.183	10,33f.	71A155	44,3f.	40
5,9	187	11,6ff.	182	44,24	148.149A13
5,10	55A84.188.189	13,1	150.151A30	46,3	148.149A13
5,14	55A84	13,7	229	47,14	41A40
6,2	187	17,13	97	48,8	148
6,5ff.	189	20,1-6	65A129	48,20f.	189
8,16-24	230	20,2	150.151A30.173	49,1	125.149
13,14	188	20,2ff.	172.206	49,1-6	149
13,14ff.	188	20,3	200	49,2	149
13,14-19	65A129	20,4	172	49,3	149
14,6	32A2	21,1f.	186	49,5	149
14,25	15A21.150.150A18.166A51.187.198	21,3	95A265	49,9f.	189
		21,10	186	49,15	149
14,26	229	22,2	168	50,2	188
15,37	199	22,12	172	50,3	172A82
16,5	199	22,21	171	50,4	149A14
17,7-14	188	23,8	66A133	50,4f.	149
17,30f.	211A186	25,6	102A310	51,3	186
18,21	91A243	26,11	41A40	52,1	210A182
19	204	26,19	84A211	52,13-53,12	239A297
19f.	204.205.233.243	28,2	97	53	239A297
19,20ff.	200	28,7f.	179.180	53,3	61A104
20,1ff.	200	28,13	179	56,7	65
20,14ff.	200.231	29,13f.	213	58,5	214
20,16ff.	231	29,18f.	55.84.84A211	58,5ff.	177
23,21	32A2	30,33	41A40	58,5-7	214
38,2f.	200	32,15f.	186	58,6	177
38,4ff.	200	35,1	186	58,6f.	214
38,7f.	200	35,5f.	55.84.84A211	58,7	138A467
		35,6f.	186	61,1	55.84.84A211
Jesaja		35,8	210A182	64,9	186
1,1	150.151A30	37	204	65,13	102A310

65,25	182	16,5-7	201A168	26,18	201A170
66,3	214	16,8	201A168	26,19	201A170
66,3f.	214	17,4	41A40	26,20ff.	197
66,4	214	18,1	165A49	26,20-23	239.241
66,6	214	19,1-2	201A168	26,21	241
66,15f.	41A40	19,2	188	26,23	241
		19,5	220	27	201
Jeremia		19,10-11	201A168	27,1	201
1,1	148.150.165	19,14	187.201	27,1-3	65A129.201.201A168
1,2f.	165	20,1-6	201	27,12	65A129.201.201A168
1,4	165A49	21,1	165A49	28,1-17	201
1,4f.	148	21,1-14	201	28,5	188
1,5	125.148	21,11	231	28,10f.	65A129.201.201A168
2,1	165A49	21,11-22,9	231	29,19	165
2,2	187.188.201	21,11-22,30	231.232	30,1	165A49
2,23	59	21,12	41A40.231	31,2	188
2,30	239.240.240A299.241	21,14	231	32,1	165A49.201A168
4,26f.	186	22,3	231	32,7-15	201A168
5,1	187.201	22,5-7	231	32,35	220
5,14	40A41	22,6	186	33	201
6,11	33A11	22,9	231	33,15f.	43A48
6,19	215	22,10-12	231	33,21	241
6,20	215	22,11	231	34,1	165A49
7	215	22,13-17	231	34,8	165A49
7,1	165A49	22,13-19	231	35	180
7,1-15	241	22,18	231	35,1	165A49
7,1-34	201	22,24-30	231	35,1-11	179
7,2	187.201	22,25	231	35,1-19	187
7,4	215.216	22,26	231	35,6ff.	179
7,5f.	215	22,30	231	35,12-19	179
7,9-11	215	23,13f.	187	35,15	179
7,13	215	23,14	187	35,15f.	180
7,20	33A11.41A40	23,21	165	35,17	179
7,21	181	23,28	165	35,18	179
7,21-23	215.219.221	23,32	165	36,6	177
7,22-26	188	23,38	165	36,9	177
7,31	220	25,1	165A49	40,1	165A49
9,1	187	25,4	237	42	201.205
9,9ff.	186	26	201.205	42,1f.	201
10,25	33A11	26,1	201	42,1-11	201
11,1	165A49	26,1-15	241	42,4	201
11,2	187.201	26,1-19	201	42,7f.	201
11,14	216A202	26,2	201.203	42,9	202
11,14f.	216	26,3	201.203	42,9ff.	202
11,15	216	26,5	149A14.201	42,10ff.	202
13,1-11	65A129.173.201A168	26,5f.	201.203	42,13ff.	202
13,4ff.	173	26,6	201.203	42,16ff.	202
13,6f.	173	26,7-9	201A170	43,1-7	202
13,11	173	26,8	201	43,8	202.202A172
14,1	165A49	26,10ff.	201	43,8-13	201A168.202
14,11f.	216	26,11f.	201A170	44,1	165A49
14,12	177	26,13	201.203	49	201
14,14	165	26,16	201A170	50,12f.	186
16,2-4	201A168	26,17	201A170	51,59-64	65A129.201A168

Ezechiel

1,1	187
1,3	148.150.150A19.165
1,4ff.	165
3,16	165
3,17f.	165
3,22ff.	165
3,26	106A320
4,9f.	180
4,10f.	180
4,12	180
4,15	180
4,16f.	180
5,1-17	65A129
5,4	41A40
5,15	41A40
6,14	186
7,8	33A11
7,18	172
9,8	33A11
12,17-20	180
14,19	33A11
15,2-8	71A155
16,20f.	220
17,8	170
17,19ff.	232
17,34	232
18,7	138A467
20,8	33A11
20,10-20	188
20,13	33A11
20,21	33A11
20,26	220
20,30-32	232
20,31	220
20,36	189
21,30	232
21,32	232
22,17-22	41A40
22,22	33A11
23,7	59
24,1-14	65A129
24,1-14	181
24,4	181
24,6	181
24,10	181
24,25-27	165
24,27	106A320
29,9ff.	189
30,15	33A11
33,21f.	165
33,22	106A320
34,25	182
36,18	33A11
36,17	59A101
36,25-27	40
38,22	41A40
39,6	41A40
40-42	206
44,17ff.	167
44,17-19	172
44,21	178
47,1-12	186

Hosea

1,1	150.165
1,2	165
1,2-9	65A129.197A155
2,16	189.190
2,16f.	189A136
4,11-19	217
5,1	217
5,1ff.	217.225
5,3	59
5,6	217
6,6	217
6,7-11	217
8,11	218
8,11-13	217
8,12	218
8,13	180.217
8,14	41A40
9,3	217
9,7	241
9,8	239.241
12,8	66A133
12,10f.	189
12,14	162
13,5	188

Joel

1-2	218
1,1	165
1,13	172
1,14	177.178
1,14f.	51
2,12	178.218
2,12ff.	51
2,12-14	218
2,13	218
2,14	218
2,15	178
2,22	186
3,1f.	40
3,2	43A48
4,1	43A48
4,19	186

Amos

1,1	150.165
2,8	178.180
2,10	188
2,11	178.188
2,12	178
3,9f.	187
3,14	219
4,4f.	218.219
5,5f.	219
5,6	41A40
5,11-15	138A167
5,21-23	219
5,21-26	219.221
5,22	219.219A224
5,24f.	219
6,8	187
7,10	244
7,10-17	198.235A281
7,15	165A50
7,16f.	198
8,4-8	138A467
8,10	172

Obadja

1,1	165
1,18	41A40

Jona

1,1	165
1,2	165
3,1-10	202.207
3,4	202.207
3,5ff.	172.178
3,5-8	177
3,5-10	202
3,6	170.177
3,8	177
3,9	202.205
4,11	202

Micha

1,1	150.165.234A277
2,1-5	138A467
2,11	180
3,4	220
3,5	180
3,6	180
5,1-3	78A180
6,6-8	220.221
6,8	138A467
7,15	189
7,17	229

8,6	191	6,1	150	36,10		41A41	

8,6 191 | 6,1 150 | 36,10 41A41
8,12-9,32 24A71 | 6,2 234.243.244
9,14 243A311 | 7,1 150
9,21 243A311 | 7,2 235A281.243.244
9,31 243A311 | 9,2 151A24

Äthiopischer Henoch
1,4 186.189
5,9 84A211
10,9 121
20,7 121
40,6 121
40,9 121
48,1 40A37
89,51-53 243
54,6 121
62,14 102A310
90,31f. 210A182
96,3 84A211
102,1 41A41

Martyrium des Jesaja
1,2 151
1,7 204
1,7ff.233.243
1,7-13 204.205.208.233
1,8f. 243
1,10 233
1,11 204.233
1,12 233
1,13 204.233
2,5 222
2,7 222
2,7f. 190.205
2,7-11 208
2,8 190
2,9 190
2,10f. 173.175..183205
2,11 183.190.205
2,13-16 243
2,14 204.205.208.233.234.243
3,12 243
5,1ff. 58A99.243.243A314
5,9 204.208

10,1 150
10,2 187A177
10,3 179A101.207
11,1 150.150A18
15,1 150
15,5 222
15,5f. 207
15,6 207
17,2 234
17,3 166
18,1 150
19,1 150
20,1 166A53
21,1 150
21,3 151A26.207
21,8ff. 222
21,11 207.234
21,13 179.183
21,14 170.191
22,2f. 222
22,5 170.191
22,10 183
22,11 191
23,1 150.223.243.245
23,2 223

IV. Esra
5,13 177
6,31 177
6,35 177
8,52-54 84A211
9,23 177
9,23-27 181.183A117
9,43-45 120A390
10,4 50A59
12,32 78A180
12,40-42 190A139
12,51 177.183A117
13,10f. 41A41
13,43f. 189

Vitae prophetarum
1,1 243.244.244A320.150.151
2,1 150.243.244.244A320
2,8 206.208
2,12ff. 206
2,15 206
3,1 150.150A19
3,2 207.208.222.234.243.244
3,5-9 206
3,8 191
3,14 206
3,15 206
3,17 206.208
3,18 206.244
4,1 150.150A23
4,3 182
4,8 183
4,14 182
5,1 150

Vita Adae et Evae
5f. 51A65
6 50A59

Testament Rubens
1,10 50A59.50A60

Testament Simeons
3,4 50A50

Testament Judas
15,4 50A59

Abraham-Apokalypse
9,7 180

Elija-Apokalypse
5,22ff. 41A41

Jubiläen
1,12 243
9,15 41A41
23,28f. 84A211

4. Neues Testament

Matthäus
1,1-17 32.105
1,2-17 119A387
1,4 125
1,23 32A1
2,18 176
2,23 53A73
3,1 90
3,1-6 70
3,2 85.145.203
3,3 32A1.90.124
3,5 71.88.90.185.186
3,7 50.145.203
3,7ff. 28A79
3,7-10 69.70-76.175
3,7-12 175.195
3,9 211
3,10ff. 145.203
3,11 40.40A32.75.145.195

3,11-12	76-83	13,42	79A185	1,4	43.45.45A53.
3,12	41.41A39.69	13,50	79A185		47.57.71.145.
3,14f.	44	14,1f.	112A356		185.203.210
4,12	85	14,3	85	1,4f.	55.66A134.
4,15	32A1	14,3-12	91		145.175
4,17	85	14,4	224	1,4ff.	195
5-7	85.139	15,8f.	32A1	1,4-8	48
5,12	53A76	16,1	71A149.73A159	1,4-11	175
5,17	53A73.94A261	16,11f.	71A149.73A159	1,5	43.43A49.55.
5,32	98	16,14	53A73		88.145.185.203
7,12	53A73.94A261	17,10	124	1,6	48-51.91.102.
7,16-20	71A152	17,10-12	60		123.125.145.
7,17-19	73	17,11f.	236		168.170.175.
7,19	79A185	17,12	101A305		176.
8,1-9,34	85	17,13	60	1,7	76.80
8,11f.	93	18,8f.	79A185	1,7f.	28A79.76.
8,17	32A1	19,3	18A37		77.79.82
9,11	102A307	21,13	32A1	1,8	77.145.195
9,13	217	21,19	71A152	1,8f.	55
9,14	50	21,23-27	62A108	1,9f.	135
9,14ff.	86A220	21,34	71A152	1,9-11	31.23.42-48.
9,35	17A28	21,41	71A152		79A183.
11,2-6	69.84-88	21,43	71A152	1,14	58
11,3	124	22,11	168	1,15	45A53
11,4-6	55	22,40	53A73.94A261	1,19-22	49
11,7	145	23,29	53A76	1,21	18A37
11,7-9	88.90-92.98.	23,31ff.	245	1,22	64.64A125
	168.175.185224	23,33	71A151	1,27	64.64A125
11,7-11	88-94.145	23,34-36	100A293.101	1,29	35
11,7-19	69	23,35	223	1,39	17A28
11,8	145.168	23,35	242	2,5	37
11,9	236	23,37	53A76.245A322	2,7	37
11,10	124	24,26	186	2,9f.	37
11,10f.	123	25,35	214	2,10	64.64A125
11,11	88.89.89A236.	26,24	32A2	2,15	59
	92-94	26,56	53A73	2,15f.	102A307
11,12	69.145	28,19	73	2,18	31.48-51.102
11,12f.	94-99.145			2,18f.	49A57
11,13	53A73			2,18-22	59
11,13f.	236	**Markus**		2,19f.	49.49A57
11,14	100.124	1,1	44A52	2,21	49
11,16-19	100-103.145.176	1,1ff.	56.96A267	2,22	49
11,18	51.123	1,1-4	60.66A134.79	2,23-28	59
11,21	168.173	1,1-8	31.32-42.47.65	3,1-6	59
12,7	217	1,1-8,26	37	3,6	35
12,18-21	32A1	1,2	52.60.89.123.	3,7	43A49
12,33	71A152		124.160	3,15	64.64A125
12,33f.	73	1,2f.	44.45	3,16-17	76
12,34	71A151	1,2ff.	105.163.167	3,22	55
12,43	55A81	1,2-6	70	3,29	55
13,8	71A152	1,2-8	70A148	3,30	55
13,14f.	32A1	1,3	50	4,35	43
13,26	71A152	1,3f.	90.159.164	5,2-13	55
13,40	79A185		167.251	6,7	52.55A81.64A125
		1,3ff.	185		

6,7ff.	64	11,11	37.66
6,7-13	52	11,12	35
6,8f.	52	11,12-14	62
6,10	35	11,15f.	66A134
6,12	35.45A53.52	11,15-19	37.62.64
6,12f.	45A53	11,16	37
6,13	52	11,17	32A1.65.66A134
6,14	34A14.57	11,19	35
6,14-16	52-56.58.64.	11,20f.	62
	112A356.145.195	11,27	18A37.37
6,14-18	31	11,27-33	31.62-67.145.
6,16f.	57A91		195.203.210
6,16-29	67A138	11,30ff.	15
6,17	85.145	12,1-12	62.245.247
6,17f.	98	12,13ff.	50
6,17ff.	247A327	12,13-17	91A243
6,17-29	31.56-60.61A104.	12,30f.	59
	91.145175.236.237	12,35	37.66
6,18	145.224	13,1	66
6,21-29	145	13,17	43A48
6,24	34A14	13,24	43A48
6,25	34A14	13,32	43A48
6,30	64	14,2	32A2
6,35-44	59	14,16	35
6,48	57A91	14,18-25	59
7,1-23	59	14,25	43A48
7,6	213	14,26	35
7,6f.	32A1	14,43	62A109
7,24-30	55	14,48	35
8,1	43	14,49	37
8,1-9	59	14,49	66
8,11	35	15,39	52A68
8,11-13	31	16,8	35
8,12	100A293	16,20	35
8,28	31..33.34A15.		
	52-56.195		**Lukas**
8,29	52A68	1	32.147.156
8,31	247	1f.	105-136.141.159
9,11	33	1,1-4	107.117A378.143
9,11f.	123.124	1,5	17.106.133
9,11-13	60-62.94	1,5-25	106.108.108A327.
9,12f.	236		111.115A373.117-127.
9,13	32A2.100.101A305		129.130.131A434.145
9,17-29	55	1,5-2,80	107
9,29	177	1,7	106.108
9,30-32	247	1,8-20	106
9,43	41A42	1,13	106.107.108
9,45	41A42	1,14f.	106.109
10,1ff.	50	1,15	106.108.113.135.
10,11f.	98		145.157.176
10,32-34	247	1,16f.	106.112113A361.
10,38f.	59		132.145.201
10,46	35	1,17	89.110
11	66A134	1,18	108

1,20	106.108
1,22	106.108
1,24	106
1,25	113
1,26ff.	120.121
1,26-38	106.108.108A327.
	117.118.115A373
1,30ff.	108
1,31	106.123
1,31-33	106
1,32	108.108A328.
	109.123.124
1,32f.	106.123
1,34	108
1,35	106.108.108A328.
	123.135
1,38	108
1,39-41	115A373
1,39-45	106.109.157
1,39-56	108.127-129
1,41	109.135
1,42	71A152.115A373
1,42-45	115A373
1,43	112.113.113A361
1,44	109.123
1,46	106A321
1,46-55	107.115A373
1,56	115A373
1,57	113
157f.	108
1,57-66	108A327.115A373
	129-130.131A437
1,57-80	107.108
1,59ff.	106A320
1,59-66	107.108
1,60	107
1,65f.	107
1,67	107.128.135
1,67ff.	109
1,67-79	107.108.108A327.
	115A373.130-132
1,68	107A322
1,76	108.108A328.110.
	112.124.144
1,77	110
1,80	90.107.108.
	109A333.115A373.
	132-136.145.
	158.185
2	32.112.113
2,1-5	108.115A373
2,1-20	107.129
2,1-21	108A327.129
2,1-40	108

2,6f.	108.115A373	3,17	41.41A39.69	11,49-51	101
2,7-12	115A373	3,19	145	11,51	242
2,8-14	129	3,19f.	91.236.237	12,8	121A397
2,8-20	108	3,20	85.145	12,17	71A152
2,11	129.131	3,21	44.88	13,6f.	71A152
2,13-14	115A373	3,21f.	135	13,9	71A152
2,15-18	115A373	3,22	125	13,28	53A73.93.
2,19	115A373	3,23-38	110.119A387		120A391
2,20	115A373	4,16ff.	116A376	13,32	91A243
2,21	107.108.115A373.130	4,17	16A26	13,34	53A77
2,21-39	107	4,18	138A463	14,13	138A463
2,22-24	115A373	4,18f.	32A1	14,18-20	138A460
2,22-39	108.108A327	5,27-32	138A464	15,1	138A464
2,23	32A2	5,33	50	15,1-32	138A460
2,25	119A385	6,19	140	15,2	102A307
2,25-35	115A373	6,20-49	139	15,18	63A111
2,36-39	115A373	6,23	53A76	15,21	63A111
2,40	107.108.134	6,27-29	140	16,16	53A73.A74.69.
2,41	115A373	6,29	139		94-100.145
2,41-52	107.108.109A333.	6,30	140	16,18	98.99A288
	121.122.132A439	6,32-34	138A460	16,20ff.	138A463
2,42	115A373	6,35	108A328	16,29	53A73.94A261
2,42-45	115A373	6,43f.	71A152.73	16,31	53A73.94A261
2,45-47	115A373	7,1-10	58.138A462	18,9-14	119A386.138A464
2,48-49	115A373	7,11-17	85.124	18,18	138A465
2,50-51	115A373	7,16	27A76	18,31	53A73
2,51-52	115A373	7,18-23	69.84-88.93	19,7	102A307
3	110.167	7,22f.	55	19,8	138A463
3-24	110.110A343.118	7,24	145	19,46	32A1
3,1f.	107.110.132	7,24-26	69.89.90-92.	20,1-8	62A108
3,1ff.	105		168.224	20,10	71A152
3,2	90.136.145.159.	7,24-28	88-94.145	20,37	120A391
	160.167	7,25	145.168	21,33	73
3,2f.	167.185	7,26	110	22,37	32A1
3,2ff.	132.134.158.	7,27	110.124	23,50	119A385
	167.251	7,27f.	123	24,19	27A76.193
3,3	110.145	7,28	92-94	24,21	27A76
3,3-6	70	7,29f.	50	24,25f.	53A73
3,4	90.110.124	7,31-35	100-103.145	24,27	53A73.94A261
3,4f.	132A442	7,33	51.123.125	24,44	53A73.94A261
3,4-6	32A1	7,34	138A464		
3,6	110.131.135	7,44-46	138A460		**Johannes**
3,7	88.136.145	8,8	71A152	1,15	40A32.80
3,7ff.	28A79	8,28	108A328	1,21	33
3,7-9	69.70-76.83.	9,7f.	138A460	1,27	40.40A32.80
	136.195	9,7-9	94.112A356	1,30	40A32.80
3,8	211	9,57-62	138A460	1,70	131
3,9	145	10,25	138A465	2,13-22	62A108
3,10ff.	145.203	11,1	86A220	2,15f.	138A468
3,10-14	73.110.132.136-143.	11,2	85A214	3,27	63A111
	145.175.195	11,9f.	138A460	3,30	109
3,16	40.75.145.195	11,11	92	4,1f.	87A225
3,16-17	70.76-83.136.	11,29	100A293	8,17	84A207
	145.195	11,47	53A76	19,20	18A40

5. Qumran

1QS 3,3ff.	133
1QS 3,3-9	133
1QS 4,20ff.	133
1QS 4,21f.	40
1QS 5,13	133
1QS 5,13ff.	133
1QS 6,16-23	133
1QS 8,13f.	32A4
1QS 8,14	132A442
1QS 9,19f.	32A4
1QH 2,11	96
1QH 2,21	96
1QH 5,21f.	138A470
1QH 6,27f.	210A182
1QH 13,14	89A235
1QH 18,12f.	89A235
1QH 18,16	89A235
1QH 18,23	89A235
CD 10,10-13	133
CD 11,22	133
4QFlor1,3f.	210A182
1QpHab 2,5-9	133
1QpHab 11	177A98
1QpHab 12,3-10	138A470
4QpPs37 3,13f.	96
1QJes^a 40,6	164A46

6. Philo

SpecLeg 1, 186	35A21
Decal 2-13	190

7. Josephus

De Bello Judaico

1,83	97A276
1,439	97A276.A277
1,496	97A276
1,498	97A276.A277
1,563	119A388
2,129	133A443
2,138	133A443
2,141	97A276
2,149f.	133A443
2,159	40A37
2,161	133A443
2,259	186
2,261f.	27A76.86
2,285	17A28
2,313	126A420
3,351-354	224A243
3,399-408	224A243
5,193f.	18A40
5,198-200	122A404
5,229	178A100
5,361	19A46
5,391-393	224A243
6,312	224A243
7,437ff.	27A76

Antiquitates Judaicae

1,261	97A276
2,58	97A276.A277
2,97-99	186
2.167-172	186
2.188	186
3,192	15A21
4,244	97A276.A277
4,252	97A276.A277
7,152	97A276.A277
7,168-170	97A276.A277
8,45-49	54A79
11,265	97A276.A277
12,256	16A24
14,191	18A40
15.418f.	122A404
18,85ff.	27A76
18,109f.	57A88
18,116ff.	33
18,116-119	57
18,117	79.91.137.142.224
18,130-136	57A88
18,131	119A388
19,300	17A28
20,97f.	27A76
20,169ff.	27A76
20.188	27A76
20,263ff.	19A46

Contra Apionem

1,38-42	21A57
1,41	27A75
1,60	16
1,100	97A276.A277
2,175	16A26
2,201	97A276
2,204	16
2,215	97A276

Vita

8f.	17A33
11	185
277	17A28

8. Mischna

Pes 8,8	71A154
Yom 3,6-7	36
Yom 4,3ff.	36
Yom 5,4	35A23
Yom 5,6	189A135
Taan 4,3	35A20
Meg 2,1	18A44
Yev 6,6	120A388
Ned 10,6	63A111
Naz 2,7	126A420
Naz 3,6	126A420
Naz 6,1-6	178
Naz 9,5	148
BQ 6,4	63A111
San 10,1	63A111
Ed 5,2	71A154
Ed 8,7	33A12
Yad	21A57

9. Tosefta

Hal 2,7-9	122A403
Sot 13,3f.	27A75

10. Jerusalemischer Talmud

Meg 3,1	17A28
Sot 9,13	15A21

11. Babylonischer Talmud

Ber 55a	177A97
Ber 62b	17A31
Shevi 39a	59A101
Er 43b	33A12
Pes 92a	71A154
Yom 39b	122A405
RHSh 29a	59A101
Taan 7a	62A110
Yev 46a-47b	71A154
Ket 96b	40A36.81A200
Git 80a	18A40
Sot 10	b121A395
Qid 22b	40A36.81A200
Qid 70a	119A384
BM 85b	93A255
BB 10a	71A150
BB 13b	26A75
BB 14b.15a	20A54
San19a	121A394
San 21b	121A394
San 26a	121A395
San 27a	63A111
San27b	59A101

San 65b	62A110.177A97	MekhY Ex 16,25	140A479	Origenes,	
San 91b	84A211	MekhY Ex 16,30	140A479	Comm. Ioh. I 228	149A12
San 93a	119A384	ShemR 18	121A395		
San 108b	41A43	Sifra zu Lev 26,37	59A101		
AZ 18b	71A150	PesR 29/30B	164A48	**14. Griechische und**	
Men 29a	17A31.121A395	PesR 29/30B	32A5	**römische Schriftsteller**	
Zev 116a	41A43				

12. Midraschim

13. Antike christliche Schriftsteller

Polybius,
Hist 36,17,5-10   120A382
Platon,

BerR 49	41A43	Justin, Apol. I 67	116A376	Nomoi 6,784B	120A388

VERLAG FÜR GEISTES-, SOZIAL- UND WIRTSCHAFTSWISSENSCHAFTEN

Beiträge zur Wissenschaft vom Alten und Neuen Testament

Jörg Augenstein
Das Liebesgebot im Johannesevangelium und in den Johannesbriefen
1993. 208 Seiten. Kart. DM 79,–
ISBN 3-17-012687-3
Beiträge zur Wissenschaft vom Alten und Neuen Testament, Band 134

Noch immer bewegt sich die Forschung in der Frage nach dem johanneischen Liebesgebot in den Alternativen, die E. Käsemann und R. Bultmann aufgezeigt haben: „Beschränkung" oder „stillschweigende Voraussetzung" des allgemeinen Liebesgebotes. Von diesen Alternativen macht sich die Untersuchung frei. Sie zeigt, daß das „neue" Gebot der Liebe in den johanneischen Schriften zugleich das „alte" von 3. Mose 19,17f. ist, da die hier enthaltene Deutung des Liebesgebotes als Haßverzicht in den johanneischen Schriften aufgenommen und auf die konkrete Situation des „Bruderzwistes" angewandt wird. Zudem wird das Verhältnis der johanneischen Schriften zueinander neu interpretiert.

MEDIEN+WISSEN Kohlhammer
70549 Stuttgart · Tel. 07 11-78 63-0 · Fax 07 11-78 63-2 63

108-594 138 MFG3

VERLAG FÜR GEISTES-, SOZIAL- UND WIRTSCHAFTSWISSENSCHAFTEN

Beiträge zur Wissenschaft vom Alten und Neuen Testament

Die alttestamentliche Weisheitsliteratur, zumal das Buch Kohelet, stellt die Exegeten seit jeher vor „schwere Probleme und theologische Aporien" (G. von Rad). Unter konsequent formgeschichtlicher Perspektive wird versucht, einen neuen Weg zur Lösung dieser Probleme aufzuzeigen. Unter Einbeziehung von Forschungsergebnissen aus der Folkloristik, Parömiologie und der neueren Literaturwissenschaft werden Sprüche, größere Einheiten und das Buch als Ganzes gattungskritisch klassifiziert, analysiert und auf das sich darin ausdrückende Selbst- und Wirklichkeitsverständnis hin befragt. Der nur unter seinem Pseudonym „Kohelet" bekannte Verfasser mußte erfahren, daß bisherige Erklärungsmuster einer veränderten Wirklichkeit nicht mehr entsprachen. So beginnt er ein kritisches Gespräch mit der Weisheit seiner Väter und kommt darüber zu einem neuen Verständnis von Gott, Mensch, Welt und der dieser Welt innewohnenden Ordnung. Diese Arbeit bietet ein gleichermaßen breitgefächertes wie präzises Bild vom Buch Kohelet und seinem Standort innerhalb der weisheitlichen Tradition des Alten Orients.

Christian Klein
Kohelet und die Weisheit Israels
Eine formgeschichtliche Studie
1993. 228 Seiten. Kart. DM 79,–
ISBN 3-17-012497-8
Beiträge zur Wissenschaft vom Alten und Neuen Testament,
Band 132

MEDIEN+WISSEN Kohlhammer
70549 Stuttgart · Tel. 07 11-78 63-0 · Fax 07 11-78 63-2 63